نان بائی کی بیٹی

عنیزہ سیّد

علی میاں پبلی کیشنز

20۔عزیز مارکیٹ،اُردو بازارلاہور پاکستان۔فون:37247414

اشاعت اول ——— جولائی 2014ء
مطبع ——— یوایںڈمی پرنٹرز، لاہور
کمپوزنگ ——— زبیر کمپوزنگ، لاہور
قیمت ——— 500 روپے
قیمت بیرون ملک ——— 20 پونڈ
30 ڈالر
ISBN 978-969-517-334-3

اچھی اور خوبصورت کتاب چھپوانے کے لیے رابطہ کریں۔ Cell:03218807104

ملنے کے پتے

خزینہ علم وادب
الکریم مارکیٹ اردو بازار، لاہور

اشرف بک ایجنسی
اقبال روڈ، کمیٹی چوک، راولپنڈی

رشید نیوز ایجنسی
فرئیر مارکیٹ، فرئیر روڈ۔ کراچی

مختار برادرز
امین پور بازار، فیصل آباد

شمع بک کارنر
امین پور بازار، فیصل آباد

علم وعرفان پبلشرز
الحمد مارکیٹ، اردو بازار، لاہور

ویلکم بک پورٹ
مین اردو بازار، کراچی

دعا پبلشرز
الحمد مارکیٹ، اردو بازار، لاہور

کلاسک بکس
اندرون بوہر گیٹ، ملتان

شمع بک ایجنسی
نزد مسجد مقدس، اردو بازار کراچی

Azhar Enterprises
315, Dickenson Road, Longsight
Manchester, M13 ONR (U.K)

مکتبہ عمران ڈائجسٹ
مین اردو بازار، کراچی

روبی پبلشرز
الحمد مارکیٹ، اردو بازار، لاہور

علی بک سٹال
نسبت روڈ، چوک میوہسپتال، لاہور

فرید پبلشرز
مین اردو بازار، کراچی

انتساب:

عزیز بھانجے سیّد شبر حسن بخاری کے نام!

جو خود پڑھنے کی عمر میں ''پروفیسر'' بن چکے

عنیزہ سیّد

پیش لفظ

مجھے کہانیاں لکھتے ستائیس سال ہو چلے، اور ان ستائیس سالوں کے طویل سفر میں، مَیں نے جو کہانیاں، افسانے، ناولٹ اور ناول لکھے ان کی تعداد بہت زیادہ نہیں تو بہت کم بھی نہیں۔ لکھنے کے معاملے میں، مَیں انسپائریشن کی شدت سے قائل ہوں۔ جب تک کوئی موضوع، کوئی واقعہ، شخصیت یا منظر مجھے اس حد تک انسپائر نہ کرلے کہ اس پر قلم اُٹھانے کو میری روح بے چین ہو جائے میں کہانی نہیں لکھ سکتی۔ موضوعات کا تنوع، وہ دوسری چیز ہے جو کہانی لکھنے کے معاملے میں میری دوسری ترجیح ہے۔ انسانی زندگی کے مختلف پہلو ہی کہانی کاری کی تاریخ میں کہانی کاری کا باعث بنتے رہے، مگر اس تاریخ کے آغاز سے اب تک کا مطالعہ کریں تو اندازہ ہوتا ہے کہ ہر قلم کار کے قلم کا موضوع کو ''ٹریٹ'' کرنے کا طریقۂ کار ہی وہ فرق ہے جو ایک کو دوسرے سے منفرد کرتا ہے۔ گویا موضوع تو وہ ہی گنے چنے مگر ان کا ٹریٹمنٹ مختلف رہا۔

یہاں موضوعات کے تنوع سے میری مراد میری ایک کہانی کے موضوع کا دوسری کے موضوع سے منفرد ہونا ہے۔ میری ہمیشہ یہ شعوری کوشش رہی ہے کہ میری ہر نئی آنے والی کہانی کا موضوع پچھلی سے مختلف ہو۔ ہاں ایک مخصوص طرزِ فکر، ہر کہانی کار کے لاشعور میں ہمیشہ چھپا بیٹھا رہتا ہے یہ ہی طرزِ فکر اس کی ہر کہانی کے پس منظر اور پیش منظر پر حاوی رہتا دکھائی دیتا ہے۔ یہ ہی وجہ ہے کہ کہانی کے مستقل قاری کو اگر مختلف مصنفین کی کہانیوں کا مجموعہ تھما دیا جائے تو وہ یقیناً اس مجموعے کے صفحے اُلٹتے پلٹتے ہوئے ہر کہانی کی چند سطریں پڑھ کر ہی جان لے گا کہ وہ کس کی کہانی ہوسکتی ہے۔ یہ ہی طرزِ فکر، کہانی کار کی پہچان ہوتا ہے۔ یہ ہی اس کی حیثیت بھی ہوتا ہے اور اس کا میدان بھی۔ میری کہانیوں کے مستقل قاری کو میری کہانی پر تجسس، تلاش اور سفر کا رنگ نمایاں نظر آتا ہوگا۔ یہ ہی میرا طرزِ فکر ہے۔ یہ ہی میری پہچان، حیثیت اور میدان بھی ہے۔

زیرِ نظر مجموعہ ''نان بائی کی بیٹی'' میں میرے چار طویل ناولٹ شامل ہیں۔ ان میں سے تین ناولٹ میرے قلمی سفر کے ابتدائی اور وسطی دور میں لکھے گئے اور ایک ناولٹ نان بائی کی بیٹی 2013ء میں، مَیں نے لکھا۔ ایک لحاظ سے یہ مجموعہ میرے قلمی سفر کے مختلف ادوار کی عکاسی بھی کرتا ہے۔

اس مجموعہ میں شامل ناولٹ ''بہاروں کی صبح افشاں میں'' میرے ابتدائی دور کی کاوش ہے اور پاپولر فکشن کی

مخصوص کہانی کاری کی ایک مثال ہے۔ ہلکے پھلکے موضوع پر لکھا گیا یہ ناولٹ اس میدان میں میرے ''پروگریشن'' کی نمائندگی کر رہا ہے۔

دوسرا ناولٹ ''ایک اور دریا کا سامنا'' صنفِ نازک کے نفسیاتی اور جذباتی مسائل اور مرد کے معاشرے میں ان مسائل سے مرد کی ڈیلنگ کی کہانی ہے۔ میں اس ''ڈیلنگ'' کو خواتین کا استحصال ہرگز قرار نہیں دوں گی ہاں اسے عورت کے ذہنی، جذباتی اور نفسیاتی معاملات سے مرد کے نابلد ہونے کی اور اس کی mishandling قرار دیا جا سکتا ہے۔

تیسرا ناولٹ ''وحشت کا استعارہ'' پروگریشن پیریڈ کا اگلا قدم ہے۔ یہ انسانی اجناس کے ظرف کی کہانی ہے۔ عورت اور مرد دونوں کا ظرف، اس کا پیمانہ اور پھر آخر میں اس ظرف کا انجام۔ ''وحشت کا استعارہ'' میری اپنی پسندیدہ کہانیوں میں سے ایک ہے۔

چوتھا ناولٹ ''نان بائی کی بیٹی'' میری تازہ ترین تحریروں میں سے ایک ہے۔ یہ ناولٹ انسانی مصائب، خواہشات، خواہش تدبیر اور تقدیر کی جنگ کی کہانی ہے۔ ناآسودہ خواہشات کے نتیجے میں پیدا ہونے والے ردِعمل کا قصہ ہے۔ ''نان بائی کی بیٹی'' میری سب سے زیادہ پڑھی جانے والی تحریروں میں سے ایک ہے۔

طویل ناولٹس کا یہ مجموعہ، قارئین کے مطالعہ کے لیے حاضر ہے۔ اس کی اشاعت کے سلسلے میں بہت سے لوگوں کا تعاون حاصل رہا لیکن میں خصوصی طور پر مشتاق فاروقی المعروف میفسٹو میم اور جناب ڈاکٹر انور زاہدی صاحب کی بے حد مشکور ہوں۔ مشتاق احمد فاروقی نے میری پرانی تحریریں جمع کرنے میں میری مدد کی اور ڈاکٹر انور زاہدی صاحب نے اپنے قیمتی وقت میں سے فرصت نکال کر نا صرف میری تحریر کا مطالعہ کیا بلکہ اس پر اپنی قیمتی رائے سے بھی نوازا۔

''نان بائی کی بیٹی'' کے سلسلے میں، مَیں اپنے محترم بھائی عبدالغفار کی بھی بے حد مشکور ہوں۔ جنہوں نے اس کی اشاعت کے سلسلے میں بہت محنت اور عرق ریزی سے کام لیا۔ انہی کی محنت کا نتیجہ ہے کہ یہ کتاب آپ کی خدمت میں حاضر ہے۔ اس کو پڑھنے کے بعد اپنی قیمتی رائے سے ضرور مطلع کیجئے گا۔

دعا گو

عنیزہ سیّد

دیباچہ

عنیزہ سیّد کا نام افسانے اور ناول کی دنیا میں ایک معروف اور معتبر نام کی طرح آسمانِ ادب پر ایک جھلملاتے ہوئے ستارے کی مانند درخشاں ہے۔ عنیزہ سیّد ایک مدت سے، بہت سے مقبولِ عام رسائل میں لکھ رہی ہیں اور اُن کے چاہنے والوں کی تعداد بھی ستاروں کی مانند بے شمار ہے۔

اُن کے چند مشہور ناولوں میں سے کچھ نام...... ''شبِ آرزو کا عالم، شامِ شہرِ یاراں، جو رُکے تو کوہِ گراں تھے ہم، شکست کی آواز، آؤ سچ بولیں، روشن جگنو اور جل پریاں، جو عمر سے ہم نے بھر پایا......'' ہیں۔ جب کہ اُن کے افسانوں کی فہرست خاصی طویل ہے...... مگر محض افسانہ یا ناول لکھ لینے سے کوئی افسانہ نگار یا ناولسٹ نامور نہیں ہو جاتا...... جب تک وہ اپنے پڑھنے والوں کے دل میں جگہ نہ بنا لے...... اور دل میں جگہ بنانا، چاہے وہ محبوب ہو یا قاری کوئی اتنی آسان بات بھی نہیں۔ ''دلبستی بنانا کھیل نہیں ہے بستے بستے بستی ہے۔''

عنیزہ سیّد کی کامیابی کا سب سے بڑا راز اُن کے زبان و اسلوب کا منفرد انداز...... اُن کی ریڈایبلیٹی اور اپنے کرداروں اور ماحول کے بارے میں کمال حیرت حد تک واقفیت اور پھر اُس سب کا ایک اچھوتے انداز میں بیان ہے، ایک کامیاب اداکار کی مانند لگتا ہے۔ عنیزہ سیّد بھی جس ماحول کو چنتی ہیں، وہاں یا تو وہ رہ چکی ہوتی ہیں یا پھر اُن کے تجربے اور مشاہدے کی قوت اس قدر بھرپور اور جاندار ہے کہ مشہور زمانہ شاعر ریاض خیر آبادیؔ کی طرح جنہیں شاعرِ خمریات کہا گیا...... خمر چکھے بغیر لوگوں کو اپنے دلکش اسلوب سے مدہوش کرنے کا فن آتا ہے۔

عنیزہ سیّد ہمارے اردگرد موجود عام زندگی سے کردار چُنتی ہیں اور پھر اُن کرداروں کے گرد اپنے افسانے یا ناول کا تانا بانا نہایت خوبصورتی سے ایک ماہر نقاش کی مانند بُنتی نظر آتی ہیں۔

زیرِ نظر ناول ''نان بائی کی بیٹی'' بھی اسی طرح کی ایک بظاہر نہ دکھائی دینے والی عام سی دنیا سے اُٹھائے گئے کرداروں کی کہانی ہے۔ تکنیک کے لحاظ سے اسے اگر ''ٹرالوجی'' کہیں تو کہیں مناسب ہو گا۔ اپنے گھر سے میلوں دور ایک کمپنی میں کام کرنے والے نوجوان انجینئر ''داؤد''...... مصائب کی ماری ستم زدہ ایک ڈینش ماں کی لڑکی نان بائی کی بیٹی ''زینا''...... اور متوسط گھر کی شادی کے خواب دیکھتی ہوئی ایک اسکول میں پڑھانے والی خودغرض جوان لڑکی ''ہما'' کی کہانی ہے...... جسے عنیزہ سیّد نے بہت چابکدستی سے اپنے کرداروں کے گرد ایک پُراسرار ماحول میں

ڈھالا ہے۔ کیسے داؤد...... روزیٹا بیکری پہنچتا ہے اور وہاں ''نان بائی کی بیٹی'' زینا سے اُس کی ملاقات ہوتی ہے۔ کس طرح اُس پر روزیٹا بیکری کے اسرار کھلتے ہیں۔ کیسے وہ اپنی ماں کی ایک کزن کی بیٹی ہما سے ملتا ہے اور کیسے ٹرالوجی اپنے اختتام تک پہنچتی ہے۔

یہی عنیزہ سیّد کے قلم کا کمال ہے کہ وہ کس دلچسپ انداز میں اپنے پڑھنے والوں کو اپنے کرداروں سے متعارف کراتی ہیں اور پھر قاری کو اُن کے دُکھ سکھ میں غلطاں و پیچاں سوچنے پر چھوڑ دیتی ہیں۔ تھامس ہارڈی کی طرح وہ بھی حالات کی بے چینی، قسمت کی حرماں نصیبی اور زندگی کی بے ثباتی پر یقین رکھتی ہیں...... یا شاید اپنے ساتھ وہ یہ سب اپنے پڑھنے والوں پر باور کرانے کی سعی میں کامیاب ہو جاتی ہیں۔

ڈاکٹر انور زاہدی

معروف مصنف، شاعر، محقق اور تنقید نگار

نان بائی کی بیٹی

اس شہر کا موسم بہت سرد تھا اور اسے اتنی سردی کی عادت نہیں تھی۔ وہ اجنبی شہر، نئی نوکری، رہنے کا نامناسب ٹھکانا، کھانے پینے کے غلط اوقات اور نامناسب بندوبست، عملی زندگی کے بازی کے دستانے پہن کر اس سے ہاتھ ملانے آئی تھی۔ یہاں آنے کے پہلے ہفتے کے اندر اندر ہی اسے اندازہ ہو چکا تھا کہ گھر اور گھر والوں کا ساتھ کتنا سکون بخش تصور تھا لیکن وہ اپنی ضدی طبیعت اور چیلنج قبول کرنے والے مزاج کے ہاتھوں مجبور تھا۔ اس نے گھر سے آنے والی فون کالز کے جواب میں ''جاب بالکل ٹھیک جا رہی ہے۔'' جیسے جواب دے کر انہیں اپنی طرف سے مطمئن کر دیا تھا۔

''تم اُدھر کیوں نہیں گئے عذرا اور بھابی کی طرف میں نے تمہیں کتنی تاکید کی تھی؟'' امی نے البتہ اسے دو تین مرتبہ یاد دلایا تھا۔

''کیا ضرورت ہے امی! میں جہاں ہوں بہت خوش ہوں، کوئی تنگی ہوتی تو ضرور جاتا۔'' اس نے لاپروائی سے کہا اور قلعی اُڑی دیواروں کو دیکھا جو اس کمرے کے چاروں طرف کھڑی تھیں جس میں وہ اتنے دنوں سے رہ رہا تھا۔ اس کمرے کا فرش بھی جگہ جگہ سے اُکھڑا ہوا تھا اور صفائی نہ ہونے کی وجہ سے میلا بھی لگتا تھا۔ لکڑی کی ایک ڈیسک نما میز، ایک بغیر گدی کی کرسی اور ایک نواڑی چارپائی جس کی نواڑ کئی جگہ سے ٹوٹی ہوئی اور یکساں ہموار پائے نہ ہونے کے باعث ہلتی جلتی چارپائی پر اس کا صاف ستھرا بستر پلش کے لحاف سمیت رکھا تھا۔ یہ بستر امی نے یہاں آتے ہوئے اپنی جستی پیٹی میں سلیقے سے جمے بستروں کی تہہ سے نکالا تھا اور دو دن دھوپ میں رکھ کر اسے حرارت اور ہوا پہنچا کر فنائل کی بُو کا اثر کم کرنے کی کوشش میں مصروف رہی تھیں۔

''یہ لحاف اور یہ گدا میں نے اس سال گرمیوں میں بنوائے تھے۔'' وہ کسی کی طرف سے سوال کیے جانے کے بغیر ہی ہر ایک کو بتائے جاتیں۔

''لحاف کا کپڑا میں نے روبی کے ہاتھ منگوایا تھا کوئٹہ سے اور اس کا استر میں نے خود خریدا تھا کلیم کلاتھ والوں سے۔ پچھلے سال ابا جان جو روئی بہاول پور سے لائے تھے، وہی دھنکوا کر بھری ہے۔ ڈورے میں نے خود ڈالے ہیں۔''

وہ مزید وضاحت کرتیں اور ہولڈال کھول کر کپڑے سے جھاڑتیں۔

داؤد صحن میں رکھی کرسی پر نیم دراز، سُستی سے بند ہوتی آنکھوں کو بمشکل کھولتا اور امی کی کارروائیاں دیکھتے ہوئے ان کی باتیں سنتا۔ وہ اس تذکرے سے کبھی کبھی چڑ بھی جاتا تھا۔ لیکن اس اجنبی شہر کی نامانوس فضا میں دن بھر کی خواری کے بعد تھکے ہوئے جسم کے ساتھ جب وہ بستر پر دراز ہوتا اور اس لحاف کو سر تک اوڑھتا تو اسے ایک ایسی مانوس نرمی اور حرارت کا احساس ہوتا کہ وہ کچھ دیر کے لیے باہر کی دنیا کی تمام مشکلات بھول جاتا۔ اس سرد ترین اور کہر آلود شہر کے ناموافق موسم میں اگرچہ یہ اکیلا لحاف ٹھنڈ کی شدت سے بچانے کے لیے کافی نہیں تھا۔ مگر وہ اونی سویٹر، جیکٹ، موزوں اور ٹوپی سمیت جب اس لحاف میں گھستا تو آپ ہی آپ اس کے سردی سے بجتے دانت آہستہ آہستہ بند ہونے لگتے اور اکڑے ہوئے منجمد ہاتھ سیدھے ہو کر حرکت میں آنے کے قابل محسوس ہونے لگتے۔ اسے اس لحاف کے استر سے امی کی مہک اٹھتی محسوس ہوتی۔ لحاف میں ڈورے امی نے اپنے ہاتھوں سے ڈالے تھے۔ اسے امی کی گفتگو یاد آتی تو گھر سے اور گھر والوں سے دوری کا احساس شدت پکڑ جاتا اور آنکھیں بھیگنے لگتیں۔

''واہ جناب عالی! ابھی سے گھبرا گئے'' اور امی کے پاس جانا ہے'' کی پکار ڈالنے لگے۔ آپ تو اپنے تئیں روزی اور روزگار کا ماؤنٹ ایورسٹ سر کرنے کا دعویٰ کر کے گھر سے نکلے تھے۔ اتنی جلدی آپ کا جنون ہوا ہو گیا۔ کہاں گئے ہمت مرداں، جفاکشی اور محنت کے وہ ہتھیار جو شوق، لگن اور جدوجہد کے دستوں میں جڑے تھے۔ آپ کے ہتھیار غالباً کچی مٹی یا کانچ سے بنے ہوئے کھلونے تھے، جو کسی وار کے بغیر ہی ٹوٹ گئے۔''

وہ خود کو ڈانٹتے ہوئے بے چینی سے کروٹ بدلتا۔ چارپائی کے پائے کروٹ بدلنے سے ڈول جاتے۔ اس کی نواڑ میں سے کسی انسان کے انگڑائی لینے کی سی آوازیں اٹھتیں۔

''یاد ہے! یہ تو امی اور مریم باجی نے بھی کہا تھا کہ پردیس کی زیادہ کمائی سے دیس کی کمائی زیادہ بہتر ہے کم از کم گھر کا آرام اور تین وقت کا کھانا تو ڈھنگ سے مل جاتا ہے مگر نہیں آپ پر تو کچھ کر دکھانے کا بھوت سوار تھا۔ کر لیجئے بتیس ہزار ماہوار کی نوکری۔ بتیس ہزار جن میں سے آدھے سے زیادہ تو یہاں رہنے کے خرچے پر اُٹھ جایا کریں گے اور باقی جو آپ گھر بھجوائیں گے اتنے اپنے علاقے میں رہ کر چھوٹی موٹی نوکری کر کے بھی کما سکتے تھے۔''

وہ ایک ہفتے کے اندر نہ جانے کتنی بار یہ تجزیہ کر چکا تھا، مگر واپسی ایک ایسا فیصلہ تھا جو شاید اس کی ضدی طبیعت اور چیلنج قبول کر لینے والا مزاج کبھی کسی صورت بھی نہ کرنے دیتا۔

''جو ہو گا، دیکھا جائے گا۔'' لحاف کا سرا ذرا سا کھسکنے پر کمرے کی یخ فضا محسوس کرنے کے بعد وہ کروٹ بدلتے ہوئے سوچتا اور چارپائی کے بجنے اور ٹوٹی نواڑ کی دہائیوں میں اپنے دانت کٹکٹانے کی آواز بھی شامل کر دیتا۔

''موسم بھی بدلے گا۔ سدا اتنی سردی تو نہیں رہے گی۔'' وہ خود کو تسلی دیتا۔ ''بہتر رہائش بھی تلاش کر لوں گا۔'' لحاف کے اندر چھائے اندھیرے میں امید کی کرن اپنا ہاتھ اس کے ہاتھ میں دیتی۔

''اور کھانا؟'' سوچوں میں مگن جاگتے رہنے پر اس کا خالی معدہ دہائی دینے لگتا اور اسے یاد آتا کہ وہ چنے اور چاول جو اس نے شام پانچ بجے دفتر سے واپسی پر بطور ڈنر کے کھائے تھے۔ وہ کبھی کے ہضم ہو چکے۔ ''ذرا قدم جم لیں، سنا ہے اس شہر میں ایک سے ایک ہوٹل موجود ہے۔'' وہ تسلی کی ایک اور لو پر نظریں گاڑتا اور پھر لحاف کے اندر کی حرارت اس کے ٹھٹھرتے جسم کو اپنی آغوش میں مکمل طور پر جکڑ لیتی اور اس کی آنکھیں بند ہونے لگتیں۔ نیند کی دیوی وہ

واحد فراخ دل خاتون تھی جو ایسے میں بھی اس پر بالآخر مہربان ہونے لگتی، ایک اور رات ختم ہونے لگتی۔

○......❖......○

''یار! یہ کس قسم کا کمرہ تم نے مجھے لے کر دیا ہے۔'' کمرے کے درمیان کھڑا وہ نادر سے شکوہ کر رہا تھا۔''اس کے روشندان دیکھو چار شیشے تھے اس روشندان میں۔ اب صرف ایک ہی بچا ہے۔ باقی جگہ گتے لگا کر اور کپڑے کے گولے پھنسا کر کور کی گئی ہے اب بتاؤ بھلا ان گتوں اور کپڑوں میں سے روشنی کا گزر کیسے ہوگا۔ جب ہی تو دن میں بھی اندھیرا ہی رہتا ہے۔''

''ایک ہی گتا ہے بھائی جان!'' نادر نے اس کی بات کی سنجیدگی کو کم کرنے کی کوشش کی۔''ایک خالی جگہ پر تو چڑیوں نے ایسا خوبصورت گھونسلا بنا رکھا ہے کہ نہ کسی گتے کی ضرورت باقی رہی ہے نہ کپڑے کی۔ ہاں البتہ کپڑے کے گولے والا خانہ کچھ جچ نہیں رہا۔'' اس نے ہونٹ سکیڑتے ہوئے سر ہلایا۔

''میں گھر سے نیا کپڑا لا کر سلیقے سے گولا بنا کر ٹھونس دیتا ہوں خالی جگہ کے سائز کے حساب سے، پھر بُرا نہیں لگے گا۔'' اس نے جیسے کوئی ترکیب سوجھ جانے پر چٹکی بجاتے ہوئے کہا۔

''نادر بی سیریس یار۔'' وہ اُکتا کر بولا۔''اتنا یخ کمرہ ہے یہ۔ برفیلی ہوائیں اس کمرے کے درو دیوار میں موجود سینکڑوں درزوں سے اندر آتی ہیں۔ رات بھر کمرے میں چوہے ناچتے پھرتے ہیں اور یہ چڑیوں کا خوبصورت گھونسلا۔'' اس نے روشندان کی طرف اشارہ کیا۔''اس میں بھی رات بھر چڑیوں کو نیند نہیں آتی۔ مسلسل چوں چوں کرتی رہتی ہیں۔''

''انسومیبیا کا شکار ہوں گی یہ چڑیاں۔ داستانِ امیر حمزہ سناتی ہوں گی ایک دوسرے کو۔'' نادر نے ایک مرتبہ پھر اس کی بات کا غیر سنجیدہ جواب دیا۔

''او خدا کے بندے! یہ فرش دیکھو، اکھڑا اور ٹوٹا ہوا اور یہ اتنا غلیظ باتھ روم ہے، جس کی نہ کوئی ٹونٹی ٹھیک ہے نہ پائپ۔ تیزاب کی نہ جانے کتنی بوتلیں لگا چکا ہوں میں اس کی صفائی پر، مگر اس کو استعمال کرنے سے پہلے دس مرتبہ سوچتا ہوں اور پھر دل کڑا کر کے جب استعمال کرنے داخل ہو ہی جاتا ہوں یا تو کسی بھی ٹونٹی میں پانی نہیں آ رہا ہوتا یا اتنا آ رہا ہوتا ہے کہ بندہ پورے باتھ روم کو بطور باتھ ٹب استعمال کرلے۔ اتنا پانی جمع ہو جاتا ہے اس میں۔''

''یہ تو اچھی بات ہوئی نا بھائی جان! باتھ ٹب میں نہانے کا جو مزا ہے بالٹی کے پانی میں کہاں۔''

''ہاں اتنے یخ پانی سے بھرے باتھ ٹب میں نہانے لگا تو تمہیں میری اکڑی ہوئی لاش ہی ملے گی کسی دن یہاں۔'' داؤد کو اپنی بے بسی پر غصہ آنے لگا۔

''او بھائی جان! اتنے کم پیسوں میں تو ایسا ہی کمرہ ملے گا نا۔'' نادر کو شاید اب اس کی حالت پر ترس آ گیا تھا۔''اسی شہر میں اچھے فرنشڈ کمرے بھی ہیں۔ لیکن آپ جانیں ان کا کرایہ بھی تو پھر اتنا ہی ہوگا نا۔''

''خیر فرنشڈ کمروں والا کرایہ تو میں افورڈ نہیں کر سکتا۔ تم مجھے اس سے کچھ زیادہ پیسوں میں نسبتاً بہتر کمرہ دلا دو یار! اس جگہ کچھ دن میں مزید رہا تو میرا دماغ مفلوج ہو جائے گا۔'' اس نے سر ہلا کر کہا اور کرسی پر بیٹھ گیا۔

''ٹھیک ہے، میں دیکھتا ہوں۔'' نادر نے اپنا ٹول باکس بند کرتے ہوئے کہا۔ وہ الیکٹریشن تھا اور کمرے کی بجلی

خراب ہونے پر تاریں چیک کرنے آیا تھا۔

”کمیشن میں چپلی کباب کھاؤں گا بھائی جان! یاد رکھیے گا۔ اگر آپ کی مرضی کا کمرہ مل گیا تو۔“ نادر کمرے سے باہر نکلتے ہوئے بلند آواز میں بولا۔

”ٹھیک ہے۔“ داؤد نے سر ہلایا۔ ”اور اگر نہ ملا تو جہان بھر کی ٹوٹی چپلیں تم پر برساؤں گا۔ یاد رکھنا!“

اگلا جملہ اس نے نادر کے پیچھے کمرے سے باہر نکل کر اس کے کان کے پاس منہ لاتے ہوئے اتنی ہی بلند آواز میں بولا تھا، جتنی بلند آواز میں نادر چپلی کباب کھلانے کی بات کر کے گیا تھا۔

○......❖......○

دو سال پہلے تک داؤد کے وہم و گمان میں بھی نہیں تھا کہ ایک روز وہ رزق اور نوکری کے لیے کسی اجنبی شہر کے اجنبی راستوں پر جوتے چٹخاتا خود پر جبر کی آخری حد کو پہنچنے والا تھا۔ اس نے سول انجینئرنگ میں اپنے شوق اور میرٹ پر داخلہ لیا تھا۔

ابا کے انتقال کے بعد فاروق بھائی ابا کی دکان چلا رہے تھے۔ دکان کی آمدنی اچھی خاصی تھی اور مکان بھی اپنا تھا، امی نے روبی باجی اور فائزہ آپا کی شادی ابا کے بعد فاروق بھائی کے ذریعے دکان سے آنے والی آمدنی سے ہی کی تھی۔ داؤد کا داخلہ اور پڑھائی بھی اسی آمدنی کے کرم سے چل رہی تھی۔ راوی اچھا خاصا چین لکھ رہا تھا، لیکن پھر امی کو فاروق بھائی کی شادی کی فکر ستانے لگی۔ سعدیہ بھابی بڑی پھپھو کی اکلوتی بیٹی تھیں اور ان کی شادی کے دس سال بعد بڑی منتوں مرادوں سے پیدا ہونے والی اولاد تھیں۔ پھپھو نے جب مرحوم بھائی کے گھر کے کفیل فاروق بھائی پر نظر کی تو شاید ان کو آنے والے سالوں کے لیے منصوبے بنانے میں زیادہ مہینے نہیں لگے۔ اِدھر پھپھو اور سعدیہ بھابی نے فاروق بھائی کو اُلو کا گوشت کھلانا شروع کیا۔ اُدھر وہ امی کے سر ہو گئے۔ امی اور دونوں بہنوں کی رائے اگرچہ پھپھو اور ان کے گھرانے کے بارے میں بہت اچھی نہ تھی لیکن اتنی بُری بھی نہیں تھی جتنی فاروق بھائی کی شادی کے بعد ہو گئی۔

شادی کے بعد دو سال کے اندر اندر پھوپھا اعجاز حیدر نے فاروق بھائی کو ساتھ ملا کر ریل بازار والی دکان، نام منتقل کرا لی۔ پٹواری، تحصیل دار، ناظم، ایم پی اے سب ہی سے پھوپھا کی صاحب سلامت تھی، ملی بھگت اتنی کامیاب رہی کہ جب دکان کے اوپری حصے کو جس میں دکان ہی کا گودام بنایا گیا تھا ڈھا کر فاروق بھائی کے لیے الگ گھر کی تعمیر شروع ہوئی اور ملنے ملانے والوں نے گھر آ کر امی کو اس گھر کی دیواریں کھڑی ہونے کی مبارک باد دی تو امی کے کان اور آنکھیں دونوں اکٹھے ہی کھلے۔

امی کی طبیعت مسکینی، عاجزی اور قہر و جلال کا انتہائی متوازن مجموعہ تھی اور امی نے سارا قصہ سننے کے بعد فاروق بھائی پر اپنے مزاج کے چاروں ہی رنگ آزمائے مگر اُلو کا گوشت اتنا پُر تاثیر تھا کہ فاروق بھائی کی آنکھیں بلندی کا سفر طے کرتے کرتے ماتھے پر جا چڑھیں۔

”اتنی سی عمر سے محنت کرتا آیا ہوں۔“ وہ ہاتھ کے اشارے سے بتاتے ہوئے بحث کا آغاز کرتے۔ ”یتیمی، نا تجربہ کاری، پڑھائی چھوٹ جانے کا غم، کسی چیز کی پروا نہیں کی اور بڑا بن کر خود سے بڑی بہنوں اور چھوٹے بھائی کے

سر پر ہاتھ رکھا، دن رات کی محنت سے وقت سے پہلے ہی سر میں چاندی کے بال جھلملانے لگے مگر شکایت کا لفظ زبان پر نہیں لایا۔ سوچا چلو ایک میری قربانی سے باقیوں کی زندگیاں بہتر گزرتی ہیں تو اور کیا چاہیے۔ کون سی بات آپ سے چھپی ہے امی! کس کس کا ذکر یاد دلاؤں۔'' وہ الفاظ کا ذخیرہ ختم ہونے پر امی سے سوال کرتے۔

''ہاں تو فرض تھا تمہارا۔'' امی کی طبیعت سے جلال کا رنگ اُبھرتا اور الفاظ کی گل پاشی کرنے لگتا۔ ''کون سی پڑھائی چھوٹی تھی تمہاری؟ اپنے ابا کی وفات کے سال تک تم میٹرک کا امتحان تین بار دینے کے باوجود کلیئر نہیں کر سکے تھے۔ شیخ مسکین کے لڑکے منور کے ساتھ مٹر گشت کرنے میں مصروف رہتے تھے سارا دن۔ اس مالک کو ہماری سفید پوشی کا بھرم رکھنا منظور تھا تو تم دکان پر بیٹھنے لگے۔''

امی سانس لینے کو توقف کرتے ہوئے فاروق بھائی کی طرف دیکھتیں جوان کی بات سن کر یوں سر جھٹک رہے ہوتے جیسے امی کی دلیل پر ہنس رہے ہوں۔

''بہنوں کے سر پر ہاتھ رکھنا تمہارا فرض تھا۔ دکان اور دکان کی آمدنی میں کیا ان یتیم بچوں کا حق نہیں تھا۔ وہ اپنا حق وصول کر کے گئی ہیں۔ تمہارا احسان نہیں تھا۔ ان کے باپ کی محنت پر ہی تم اپنی عزت بنانے بیٹھے تھے اور جہاں تک چھوٹے بھائی کا تعلق ہے تو اسے اپنے ساتھ دکان پر بیٹھنے ہی کب دیتے تھے۔ جب میں اسے کہتی کہ کالج سے واپس آ کر بھائی کے ساتھ دکان پر بیٹھا کرو تو تم ہی شیرینی میں گھلی آواز میں منع کرتے۔ ''نہیں امی اسے یکسوئی سے پڑھنے دیں۔ خواہ مخواہ اس کا ذہن بھٹکے گا۔ اس کو جس چیز کی ضرورت ہے، مجھے بتائیں۔ میں حاضر ہوں نا پوری کرنے کے لیے۔'' بتا! کیا کہتا نہیں تھا ایسے؟''

فاروق بھائی رخ موڑ کر کسی اور طرف دیکھنے لگتے۔

''رہی بات بالوں میں چاندی جھلملانے کی تو کس نے کہا تھا کہ آٹھویں جماعت ہی میں سستے جَیل کی شیشیاں لا کر بالوں کو کھڑا کرنے کی کوشش کیا کرو۔ کتنا منع کرتی تھی۔ بال جھڑنے اور سفید ہونے کی بیماری تو لگنی ہی تھی نا۔''

امی کی حقائق پر مبنی جھاڑ کا فاروق بھائی کے پاس کوئی جواب نہیں ہوتا تھا۔

''ہاں تو بس سب ہو گیا اور بہت ہو گیا، بہنیں بیاہی گئیں اور یہ۔'' وہ طنز اور حقارت سے داؤد کی طرف اشارہ کرتے۔ ''خیر سے تقریباً انجینئر بن گیا، میرے فرض پورے ہو گئے، اب مجھے اپنے بیوی بچوں کے لیے کچھ کرنے دیں۔''

''ہاں تو کرو، کس نے منع کیا ہے۔'' امی قہر کی پٹڑی سے تحمل کی پٹڑی پر اترتیں۔

''وہی تو کرنے لگا ہوں۔ جب ہی تو اوپر سے لے کر نیچے تک سب نے عدالت لگا رکھی ہے۔'' وہ ابرو چڑھاتے ہوئے کہتے۔

''کوئی عدالت نہیں لگی۔'' امی عاجزی کی پٹڑی پر رک جاتیں۔ ''یہ گھر حاضر ہے، اس میں دل چاہے تو ہمارے ساتھ مل کر پکاؤ، چاہو تو اپنا ہانڈی چولہا الگ کر لو مگر یہاں سے کہیں اور جانے کی بات کیوں کرتے ہو۔''

''بات ہی نہیں کر رہا صرف، بلکہ جا بھی رہا ہوں۔'' وہ اکڑ کر امی کی عاجزی پر چڑھائی کرتے۔

''اچھا!'' امی عاجزی کی بکل کھینچ کر اتارتیں۔ ''ضرور جاؤ مگر پہلے ذرا دکان کی چابیاں میرے حوالے کر دو۔''

''وہ کیوں کروں؟'' فاروق بھائی بے اختیار گرتے کی جیب پر ہاتھ رکھتے خواہ اس میں چابیاں ہوتیں یا نہ ہوتیں۔

''میں نے دی تھیں نا تمہیں، مجھے واپس کرو۔ میں خود اس کا فیصلہ کروں گی۔'' امی انگلی سے اشارہ کرتیں کہ چابیاں فوری طور پر ان کے حوالے کی جائیں۔

''فیصلہ تو ہو چکا۔'' فاروق بھائی چہرے پر مکارانہ مسکراہٹ سجا لیتے۔ ''دکان میری گھر داؤد کا۔''

''کیا مطلب؟'' امی چمک کر کہتیں۔ ''کس نے تمہیں اکیلے بٹوارہ کرنے کا اختیار دیا ہے۔''

''میں بڑا ہوں نا!'' وہ اپنے سینے پر ہاتھ رکھتے۔ ''ہر معاملے میں مجھے بڑا بڑا کہہ کر کام نکلوائے گئے کہ نہیں، تو جب میں ہی بڑا ہوں تو فیصلہ بھی مجھے ہی کرنا ہے نا!''

''بے انصافی پر مبنی تقسیم کا اختیار نہ تمہارے پاس ہے نہ میرے پاس اور یہ یاد رہے کہ یہ دونوں چیزیں تمہارے باپ کی وراثت ہیں اور ان کی وراثت میں دونوں بیٹیاں بھی ہیں۔''

''آپ اور دونوں بیٹیاں بھی اسی مکان سے حصہ لے لیں۔ دکان تو مجھ اکیلے کے نام ہو چکی۔'' وہ امی کی بات سنی اَن سنی کر کے اٹھ جاتے۔

''دکان کیسے تجھ اکیلے کے نام ہوئی، کس نے کی، کیوں کی؟''

امی کے سوالوں کے جواب پٹواری، تحصیل دار، ناظم، پرانی اور نئی فائلوں کے کاغذوں کے درمیان کہیں بکھرے پڑے تھے مگر بدلتے حالات کی سختی کے آگے ہمت نے اتنی جلدی جواب دیا کہ سر اُٹھا کر سوال کرنے کا اِرادہ ترک کرنا پڑا۔

فاروق بھائی کی ماتھے پر چڑھی آنکھوں پر لالچ اور بے گانگی کی چربی بھی چڑھ گئی اور وہ اپنے نئے گھر میں شفٹ ہونے کے بعد یوں لاتعلق ہوئے جیسے کسی کو پیچھے چھوڑ کر آئے نہ ہی کسی کو پہچانتے تھے، چند ہی دنوں میں لوگ ان کا یہ فعل بھول کر انہیں ریل بازار والے فاروق سیٹھ کے نام سے یاد کرنے لگے تھے۔

اور امی داؤد کے ساتھ اس سات مرلے کے پرانے گھر میں بدلتے وقت اور حالات کا ماتم کرنے کو اکیلی رہ گئی تھیں۔

''میں نے کتنا منع کیا تھا امی! بڑی پھپھو کے گھر رشتہ نہ کریں پچھتائیں گی، لیکن آپ پر بیٹے کی محبت کا بھوت سوار تھا۔'' ایک بہن کہتی۔

''جادوگرنیاں ہیں دونوں ماں بیٹی! یاد نہیں ابا کی زندگی میں کیسے پھپھو ان کا سایہ بن کر رہتی تھیں، مجال ہے جو گھر میں آپ کی کچھ چلنے دیں۔'' دوسرے اظہار خیال کرتے۔

''شکر کریں داؤد کی انجینئرنگ مکمل ہو گئی ورنہ نہ جانے کیا حال ہوتا۔'' پہلی کو خیال آتا۔

چھ ماہ کے اندر ہی ان کی تمام بچتیں اور کمیٹیاں اپنے اختتام کو پہنچ چکی تھیں۔

وہ امی، بہنوں اور بھائی سے کبھی بھی بہت زیادہ بے تکلف نہیں رہا تھا۔ کبھی کبھی اسے ایسا لگتا ابا کی وفات نے اس کی زندگی اور شخصیت پر بہت گہرا اثر ڈالا تھا۔ وہ اس وقت کالج کا طالب علم تھا، گو وہ ابا سے بھی خاص بے تکلف

نہیں تھا مگر ان کے ہونے سے اسے جو احساسِ تحفظ حاصل تھا وہ ان کے بعد کوئی اور نہیں دے سکا تھا۔ فاروق بھائی کفالت کرنے کے زعم میں مبتلا ہو کر اپنا قد اتنا اوپر نکال گئے کہ سر اٹھا کر انہیں دیکھنے کی کوشش میں اس کی گردن تھکنے لگتی۔ اسی لیے اس نے خود کو اپنی ہی ذات کے حصار میں مقید کر لیا۔ امی کا خیال تھا وہ ہمیشہ سے ہی کم گو تھا۔ اس کی اور بڑی بہنوں اور بھائی کی عمروں میں خاصا تفاوت بھی تھا اس لیے وہ ان سے بے تکلف نہیں تھا۔

کبھی کبھی اس کا دل چاہتا وہ امی کو بتائے کہ ایسا نہیں ہے۔ وہ ان سب سے کھل کر ڈھیر ساری باتیں کرنا چاہتا تھا مگر اسے سب اپنی اپنی دنیا میں مگن نظر آتے تھے جہاں اس کی دخل اندازی کی گنجائش نہیں تھی اس لیے وہ ان کے دروازوں پر دستک دیئے بغیر ہی لوٹ آتا تھا مگر اس کی زندگی امی کو ایسا کچھ بتائے بغیر اپنے کم گو تاثر کے ساتھ ہی ٹھیک گزر رہی تھی، اس لیے اس نے انہیں کبھی بتانے کی کوشش بھی نہیں کی تھی۔

''داؤد! تم کوشش کرو، تمہیں نوکری جلدی مل جائے۔'' اب یوں ہونے لگا کہ سب ہی ایک، کبھی دوسری بہن اسے مشورہ دینا نہ بھولتی۔

مگر نوکریاں منڈی میں کھلے عام بکنے والا مال نہیں تھیں کہ جیب سے پیسہ دے کر خرید لی جاتیں، اگر وہ ایسی جنس تھی بھی تو اس کی جیب میں ان کو خریدنے کے لیے پیسہ نہیں تھا۔

''تمہارے بھائی جان کہتے ہیں کہ اگر نہیں مل رہی اپنے شعبے میں نوکری تو فی الحال داؤد یہیں کوئی چھوٹا موٹا کام کر لے۔'' دوسری بہن مشورہ دیتی اور وہ سر ہلا دیتا۔

وہ اپنی اس کم گوئی کی وجہ سے اکثر ان کو یہ بھی بتا نہیں پاتا تھا کہ وہ نوکری کی کوشش کر رہا تھا اور فی الحال اس نے ایک ٹیوشن اکیڈمی بھی جانا شروع کر دیا تھا وہ شام کو وہاں حساب اور فزکس پڑھاتا تھا۔

وہاں سے اتنی رقم ضرور مل جاتی تھی کہ امی کا ہاتھ تنگی سے بچ جاتا۔ مگر کاغذ کا وہ ٹکڑا جسے ڈگری کہتے تھے، ہر دم اس کی آنکھوں کے سامنے ناچتا تھا۔

اس نے بہت محنت کے بعد کاغذ کا وہ ٹکڑا حاصل کیا تھا اور جو کام وہ کر رہا تھا وہ تو اس کے بغیر بھی کیا جا سکتا تھا۔ اس نے پہلے سے زیادہ شدت سے اپنے شعبے میں نوکری حاصل کرنے کی کوشش کرنا شروع کر دی۔ ایک غیر ملکی تعمیراتی کمپنی کی طرف سے اسے انٹرویو کے لیے لاہور بلایا گیا اور غیر متوقع طور پر تجربے اور سفارش کے نہ ہونے کے باوجود اس کا انتخاب بھی ہو گیا۔ اس کمپنی کو اس شمالی علاقے میں سڑکوں کی تعمیر کا ٹھیکہ ملا تھا۔ اس کا اس کمپنی کے ساتھ دو سال کا معاہدہ ہوا جو کارکردگی کی بنیاد پر توسیع بھی پا سکتا تھا۔ گھر میں کسی کو بھی یہ نوکری پسند آئی تھی نہ اجنبی علاقے میں جا کر رہنے کا خیال۔

''امی! یہ بنیادی تنخواہ ہے۔ اس میں الاؤنسز شامل کر لیں تو بہت زیادہ بن جاتی ہے۔ اوپر سے کام بھی میری پسند کا ہے مجھے جانے دیں، اسی میں بہتری ہے۔ یہاں اکیڈمی میں پڑھا پڑھا کر میرا ذہن زنگ آلود ہو کر رہ جائے گا۔'' وہ یہ نوکری کرنے کا فیصلہ کر چکا تھا اور اسے امی کو ہر حال میں منانا تھا۔

''اجنبی علاقہ ہے اوپر سے کمپنی اپنے ذمہ رہائش اور کھانے کا انتظام بھی نہیں لے رہی۔ تمہیں تو گھر سے باہر کی مشکلات کا اندازہ ہی نہیں۔ تم کیسے رہو گے وہاں؟''

''امی مشکلات میں پڑ کر ہی میں اپنی فیلڈ میں تجربہ حاصل کرنے کے بعد آگے بڑھ پاؤں گا۔ میرے پاؤں ٹیوشنز کے کلّے سے باندھ کر میری ڈگری کے پُرزے پُرزے مت کریں پلیز۔'' اس نے سخت لہجے میں کہا۔

''جانے دیں امی!'' ایک بہن پھر مداخلت کو آئی۔ ''جتنا اسے ہم سب نے لاڈلا رکھا ہوا ہے نا، اسے پتا ہی نہیں کہ ایک پورا دن گزارنے کے لیے انسان کو کتنا تردد کرنا پڑتا ہے اور یہ تو خیر سے دو سال وہاں گزارنے جا رہا ہے، جانے دیں۔ چند ہی دنوں میں آٹے دال کا بھاؤ پتا چل جائے گا۔''

بہن کے الفاظ اس کے لیے وہ چیلنج بن گئے جسے ہر حال، ہر قیمت پر پورا کرنے کی خاطر اب وہ اس اجنبی علاقے کے نامانوس ماحول میں اس ناقابلِ برداشت کمرے میں صرف ایک بستر اور رضائی کے دل خوش کن تصور کے ساتھ گزارہ کر رہا تھا۔

○......❖......○

نادر نے حسبِ وعدہ تین دن کے اندر اس کے لیے ایک کمرہ ڈھونڈ لیا تھا اس روز دفتر سے واپسی پر نادر اسے کمرہ دکھانے لے گیا۔ یہ اس شہر کا ایک نسبتاً کھلا علاقہ تھا۔ اس محلے میں جہاں نادر اسے لے کر گیا تھا، قدیم اور جدید گھروں کا امتزاج تھا۔ کچھ گھر قدیم طرزِ تعمیر پر بنے تھے اونچے گھر اور کم چوڑے ماتھے والے گھر جبکہ کچھ گھر نئے بنے تھے لیکن اس شہر کے لوگ خاصا کاروباری ذہن رکھتے تھے۔ کم رقبے پر ایسے گھر بناتے جن کا ایک حصہ اپنی رہائش کے لیے اور باقی کا گھر مختلف پورشنز میں تقسیم کر کے کرائے پر چڑھانے کا رواج تھا۔ اس شہر میں بہت سے کالج اور بورڈنگ اسکول اور یونیورسٹیاں تھیں۔ کہنے کو یہ چھوٹا سا شہر تھا مگر روزگار کی خاطر قریبی چھوٹے بڑے دیہاتوں اور قصبوں سے اس شہر میں نقل مکانی کا رجحان بھی لوگوں میں پایا جاتا تھا، جب ہی اکثر گھر طلباء اور روزگار کی خاطر آئے ہوئے لوگوں کو کرائے پر دینے کے نظریے سے بنائے جاتے تھے۔

داؤد نے دلچسپی سے ان گھروں اور گلیوں کو دیکھا۔ جہاں وہ اب تک رہ رہا تھا، یہ علاقہ اس سے بدرجہا بہتر لگ رہا تھا۔

''بس بھائی جان! اچھی طرح کمرہ دیکھ لیں۔'' نادر ایک پرانی طرز کے بنے گھر کی ڈیوڑھی سے سیڑھیاں چڑھ کر چھت پر بنے ایک کمرے کا دروازہ کھولتے ہوئے بولا۔ ''اس سے بہتر کمرہ آپ کو مناسب کرائے میں نہیں ملے گا اور یہ اس لیے مل گیا کہ سیزن آف ہے۔'' نادر نے جتایا۔

''ہوں!'' داؤد کمر پر ہاتھ رکھے کمرے کا جائزہ لینے لگا کمرے کی دو دیواروں میں روشندان بھی تھے اور کھڑکیاں بھی، اور ان کے شیشے بھی پورے تھے۔ کمرہ کشادہ تھا اور اس میں لکڑی کا ایک سنگل بیڈ بھی تھا۔ دیوار گیر الماری بھی تھی اور ایک رائٹنگ ٹیبل اور کرسی بھی موجود تھی۔ اس کے خدشات کے برعکس باتھ روم صاف اور قدرے کشادہ تھا۔

''ہاں جی پھر پسند آیا کہ نہیں؟'' وہ باتھ روم کا جائزہ لینے کے بعد مڑا تو نادر نے جواب میں منتظر نظروں سے اسے دیکھا۔

''ہاں ٹھیک ہے۔'' داؤد نے سر ہلایا۔ ''لیکن یہ بتاؤ اِدھر نیچے کون رہتا ہے۔''

''آپ خوش قسمت ہیں بھائی جان!'' نادر نے ہنس کر کہا۔ ''نیچے کا حصہ ایک ڈاکٹر صاحب نے مطب کے لیے لے رکھا ہے اور مطب کا دروازہ دوسری طرف کھلتا ہے۔ ڈیوڑھی سے اوپر آنے کا راستہ بالکل الگ ہے۔ مطب والے حصے کا دروازہ اندر سے بند رہتا ہے۔ آپ کو کوئی ٹینشن نہیں ہوگی اوپر آنے جانے کی۔''

''چلو پھر تو جان چھوٹی ورنہ میں تو مالک مکان یا کسی اور کرائے دار کے ساتھ کے تصور سے ڈر رہا تھا۔ مجھے کسی کے ساتھ کچھ شیئر کرنے کی عادت نہیں۔ گھر، کمرہ، باتھ روم وغیرہ۔'' اس نے کہا۔

''عادت ڈال لیں بھائی جان!'' نادر زور سے ہنسا۔ ''شادی ہو جائے گی تو بھابی کو کیا کسی اور گھر میں رکھیں گے اور خود کسی اور گھر میں رہیں گے۔''

''شادی ہوگی تو دیکھیں گے۔'' وہ بھی اس جہنم سے جان چھوٹ جانے پر کئی دنوں کے بعد کھل کر ہنسا تھا۔ ''تم مالک مکان سے فائنل کرلو، میں سامان لے کر آتا ہوں، پھر تمہاری چپل کے ساتھ تواضع کروں گا۔'' وہ مسکرایا اور نادر کے آنکھیں دکھانے پر اس نے اسے آنکھ ماردی۔

کمرے سے باہر چھوٹا سا کھلا حصہ بھی تھا، جہاں سورج نکلنے کی صورت میں دھوپ آنے کا امکان ہو سکتا تھا۔

''یار نادر! سردیوں میں کبھی ادھر دھوپ بھی نکلتی ہے۔'' اسے چھت کا کھلا حصہ دیکھ کر خیال آیا۔

''نکلتی ہے بھائی جان! مگر اس میں شدت بڑی ہوتی ہے، جلدی جھلسا دیتی ہے۔'' نادر نے چھت کی مغربی منڈیر سے نیچے جھانکتے ہوئے کہا۔

''اونچائی کا علاقہ ہے نا، سورج اور چاند دونوں سے فاصلہ میدانی علاقوں کی نسبت کم ہے۔'' پھر اس نے مڑ کر داؤد کی طرف دیکھا۔

''اور ہاں گیس کا کنکشن بھی ہے کمرے میں۔ میری مانیں کوئی چھوٹا موٹا گیس ہیٹر خرید لیں یا ایک گیس اسٹوو خرید لیں، کھانا بھی گرم کر سکیں گے اور آگ بھی تاپ سکیں گے۔'' سیڑھیاں اترتے ہوئے نادر نے کہا۔

''مالک مکان کی بیوی نے صبح صفائی کروا دی تھی۔ کمرے اور باتھ روم کی، لہٰذا فی الحال صفائی کا تو کوئی جھنجھٹ ہی نہیں ہے۔ بس، سامان لا کر رکھ لیتے ہیں۔ ہاں گیس اور بجلی کا بل ڈاکٹر صاحب سے شیئر کرنا ہوگا۔ شکر کریں مطب چلاتے ہیں بس اور مطب کے لیے صرف ایک دو روشنیوں کی ضرورت پڑتی ہوگی انہیں یا پھر پانی کی موٹر چلاتے ہوں گے اور ایک واٹر ٹینک موجود ہے اور گیس کا گیزر نیچے لگا ہے۔''

نادر مسلسل بول رہا تھا اور وہ سیڑھیاں اتر کر گلی کے نکڑ تک پہنچ چکے تھے۔ اس گلی میں سبزی کی ایک دکان بھی تھی اور اِکا دُکا اور دکانیں بھی، داؤد نے ان پر غور نہیں کیا۔ اس کا ذہن سامان اٹھا کر یہاں لانے کے بعد اس اذیت ناک کمرے سے ہمیشہ کے لیے نجات میں گم تھا۔

O.....❖.....O

وہ ہفتے کے دن اس نئے کمرے میں منتقل ہوا تھا۔ نادر نے کمرے کو ترتیب دینے میں اس کی پوری مدد کی تھی۔ وہ اپنے گھر سے کاٹن کے پرانے پردے اٹھا لایا تھا، جنہیں اس نے نائلون کی رسی میں پرو کر کھڑکیوں کے دونوں سروں پر کیل ٹھونک کر ان میں ٹانگ دیا تھا۔ داؤد کے کپڑے جو اب تک بیگ میں ٹھنسے تھے انہیں نکال کر اس نے

دیوار گیر الماری کے خانوں میں سلیقے سے رکھا تھا۔ کپڑے رکھنے سے پہلے گھر سے لائے پرانے اخبار الماری کے خانوں میں بچھانا وہ نہیں بھولا تھا۔ کرسی پر رکھنے کو کور چڑھی گدی بھی وہ اپنے گھر سے اٹھا لایا تھا۔

''یار! تم تو بڑے سلیقے والے ہو۔'' داؤد نے باقی کاموں سے فارغ ہو کر نادر کو اس کی کتابیں میز پر ترتیب سے لگاتے ہوئے دیکھ کر کہا۔

''آپ کیا یاد کریں گے بھائی جان!'' اس نے کتابیں رکھنے کے بعد ہاتھ جھاڑے۔ ''آپ نادر کے دیس آئے اور پریشان رہے۔ نادر نے یہ کیسے گوارا کیا۔ یہ نادر ہی کا دل جانتا ہے۔ قسم سے آپ کم سے کم کرائے کی تاکید نہ کرتے تو پہلے دن ہی اس کمرے میں ہوتے۔'' اس نے جذباتی انداز میں کہا۔

نادر کی کوششوں سے کمرہ بہت بہتر لگ رہا تھا۔ سامان اٹھا کر اِدھر آتے ہوئے وہ بازار سے گیس کا ایک چھوٹا چولہا اور ربڑ کا پائپ بھی لیتے آئے تھے۔ نادر نے گیس کے پوائنٹ کے ساتھ پائپ جوڑ کر چولہا چالو کر دیا تھا۔ مالک مکان سے بات کرنے کے بعد نادر گیزر بھی چلا آیا تھا۔ رات تک باتھ روم کا پانی گرم ہو جانے کا امکان تھا۔

''نادر یار! بہت مہربانی تمہاری۔'' ذہنی سکون نے جسم کو بھی ایک عجیب سا سکون دیا تھا۔ ٹھیک کہتی تھیں بہنیں۔ انہوں نے واقعی بہت لاڈ سے رکھا ہوا تھا۔ اسے واقعی کبھی پتا نہیں چلا تھا کہ صرف ایک پورا دن گزارنے کے لیے کتنا تردد کرنا پڑتا تھا۔ نادر کو اس سے کوئی غرض وابستہ نہیں تھی، وہ کنسٹرکشن میٹریل سپروائزر کے پاس کام کرتا تھا اور داؤد سے اس کی ملاقات اتفاقاً سائٹ سروے کے دوران ہوئی تھی۔ نادر نے ہی اسے پہلا کمرہ دلوایا تھا اور وہی اب اپنی سماجی واخلاقی امداد کے لیے حاضر مزاج کی وجہ سے اسے یہاں پہنچانے کا ذمہ دار تھا۔

○......❖......○

اگلا دن اتوار کا تھا۔ چھٹی کا دن جس کے لیے ہفتے بھر انتظار رہتا تھا کیونکہ اتوار کو جب تک دل چاہے سو رہنے کی عیاشی کی جا سکتی تھی، مگر پچھلا دن مصروف گزرنے اور نئے کمرے میں کوئی مسئلہ نہ ہونے کے سبب وہ رات بھر گہری نیند سویا رہا تھا اسی لیے صبح وقت پر آنکھ کھل گئی۔ گھنٹہ بھر یوں ہی بستر میں پڑے رہنے کے بعد وہ اٹھا اور باتھ روم میں گھس گیا۔ پانی گرم اور صاف تھا۔ کئی دنوں بعد اس نے سکون سے شیو اور غسل کیا۔

''یا اللہ! تیری کتنی ایسی نعمتیں ہیں جو آسانی سے میسر ہوں تو انہیں برتتے ہمیں تیرا شکر ادا کرنے کا خیال تک نہیں آتا۔'' غسل کرتے ہوئے اس نے کئی بار سوچا تھا۔

اس غسل نے کئی دنوں بعد اسے تازہ دم اور اس کے ذہن کو درپیش مسائل کی کثافتوں سے آزاد کر دیا تھا۔ وہ گنگناتے ہوئے باتھ روم سے نکلا۔ کمرے کے سرد ماحول کو حرارت بخشنے کے لیے چولہا جلایا اور دیوار گیر الماری کے ایک پٹ میں جڑے آئینے کے سامنے کھڑے ہو کر بالوں میں کنگھی کرنے لگا۔ اب اسے بھوک لگ رہی تھی۔

''لو ناشتے کے لیے کوئی چیز لا کر رکھنا تو میں بالکل بھول ہی گیا۔'' اسے یاد آیا۔ باہر نکل کر کچھ کھانے یا کھانے کے لیے کچھ خریدنے کے ارادے سے سویٹر، جیکٹ، موٹے اونی موزے پہن کر جوگر پہننے کے بعد سر پر اونی ٹوپی رکھتا وہ کمرے سے باہر نکل آیا۔ باہر ابھی تک اندھیرا چھایا تھا اور شدید سردی کا راج تھا، سردی کی شدت کو محسوس کر کے اس کا جسم کپکپانے لگا۔ سیڑھیاں اتر کر نیچے آنے پر اسے لگا سارے محلے پر نیند کا غلبہ طاری تھا۔ کہیں سے کسی

جاندار کی ہلکی سی آواز بھی نہیں آ رہی تھی۔ کل اس نے یہاں صرف ایک سبزی کی دکان ہی دیکھی تھی جو اس وقت بند تھی۔ ہر سانس کے ساتھ منہ سے دھواں اڑاتا وہ جیکٹ کی جیب میں ہاتھ ٹھونسے آگے بڑھا۔ اسے اپنے علاوہ کوئی دوسرا ذی روح نظر نہیں آیا۔ اسٹریٹ لائٹس کی مدھم روشنی میں کچھ ٹھیک سے نظر بھی نہیں آ رہا تھا۔ گلی کے اختتام پر اسے آگے بڑی سڑک نظر آ رہی تھی مگر وہ اندھیرے میں ڈوبی ہوئی تھی۔ وہ مایوس ہو کر واپس پلٹنے ہی لگا تھا جب گرم تازہ روٹی بننے یا آٹے کے آگ پر پکائے جانے کی سوندھی سوندھی خوشبو اس کے نتھنوں سے ٹکرائی۔ سبزی کی دکان کے سامنے کسی جگہ سے ہی وہ خوشبو آ رہی تھی۔ وہ آگے بڑھا، زرد بلب کی مدھم روشنی کے نیچے وہ ایک کھلی دکان تھی جس کے ایک طرف چھوٹے سے بورڈ پر ''روزیٹا بیکرز اسٹیبلشڈ 1971ء'' کے الفاظ درج تھے۔ اس دکان کا کوئی داخلی دروازہ نہیں تھا۔ شیشے کے ایک بڑے سے کاؤنٹر میں بیکری کی اشیا سجی تھیں اور ایک طرف گڑے دیسی تنور سے دھواں اٹھ رہا تھا۔ وہ بے اختیار آگے بڑھا۔ شیشے کے کاؤنٹر کے پیچھے ایک سفید بالوں والا ادھیڑ عمر شخص کھڑا کاؤنٹر پر ڈسپلے کے لیے چیزوں کی ترتیب درست کرنے میں مصروف تھا۔

''السلام علیکم!'' اس نے آگے بڑھ کر اسٹوو پر رکھے پین کو دیکھا جس میں دودھ اُبل رہا تھا۔

''وعلیکم السلام!'' کاؤنٹر کے اندر جھک کر کام کرتا شخص سیدھا ہوا، اس نے موٹے اونی سویٹر پر گیلس پہن رکھے تھے۔ داؤد کو اس کے گیلس دیکھ کر ہنسی آئی مگر اس نے اپنے چہرے کی سنجیدگی کو قائم رکھا۔

''ناشتے کے لیے آپ کے پاس کیا کیا ہے؟'' اس نے پوچھا۔

''سب کچھ۔'' وہ شخص اسٹوو پر اُبلتے دودھ کے قریب گیا اور اپنے پیچھے دیوار میں جڑے شیلف میں رکھے مختلف جاروں میں سے ایک چھوٹا جار اُتار لایا۔ اب وہ جار کھول کر اس میں سے چائے کی پتی نکال کر اُبلتے دودھ میں ڈال رہا تھا۔

''مثلاً۔'' پتی دودھ میں ڈالتے ہی دودھ میں سے چائے کی مہک اُٹھنے لگی۔ اس مہک نے داؤد کو ایک عجیب سی زندگی بخش حرارت کا احساس دیا۔

''مثلاً بریڈ، رسک، جیم، بٹر، کیک رس، پین کیکس، بن اور تازہ گرم باقر خانی۔'' اس شخص نے ناشتے کی اچھی خاصی ورائٹی اسے بتائی۔

''ہوں۔'' داؤد نے سر اُٹھا کر اِدھر اُدھر دیکھتے ہوئے دلچسپی سے اس چھوٹی سی بیکری کا جائزہ لیا جس کا روزیٹا بیکری والا بورڈ دھویں اور گرد سے میلا ہو رہا تھا۔

''مجھے معلوم نہیں تھا اس چھوٹے سے علاقے میں مجھے بیکری آئٹمز کی اتنی وسیع رینج دستیاب ہو سکے گی۔'' اس نے کہا۔

''تم بالکل اجنبی چہرہ ہو۔'' اس شخص نے چشمہ درست کرتے ہوئے داؤد کو غور سے دیکھا۔

''جی کل ہی شفٹ ہوا ہوں اس علاقے میں۔''

''ہوں۔'' اس شخص نے کہا۔ ''تمہارا لب و لہجہ بھی مقامی نہیں ہے، کہاں سے آئے ہو۔''

''اوکاڑہ سے آیا ہوں۔'' داؤد نے ایک بار پھر شیشے کے پیچھے ڈسپلے میں رکھی چیزوں کو دیکھا۔

''اوہ! اوکاڑہ تو بہت دور ہے۔'' اس شخص نے کہا اور کاؤنٹر کے ساتھ آنے جانے کے لیے بنا چھوٹے سے دروازے کا پٹ کھولا۔ ''اندر آ جاؤ تم تو مہمان ہو۔''

اس نے کہا اور خود ایک طرف کھڑا ہو گیا۔ داؤد اس کا شکریہ ادا کرتا اس چھوٹے سے راستے سے اندر داخل ہو گیا۔ کاؤنٹر کے پیچھے تندور اور اسٹوو سے اُٹھتی حرارت تھی۔

''میری تازہ باقر خانی چکھو اور گرم چائے پیئو۔'' اس شخص نے کاؤنٹر کے پیچھے رکھی دو چیری کرسیوں میں سے ایک داؤد کو پیش کی اور وہ چائے کے دو بڑے مگ اُٹھا لایا۔

''یہ خالص ترین دودھ کی چائے ہے۔'' اس نے کہا۔ ''اور یہ عمدہ اور خستہ ترین باقر خانی ہے جو شاید تمہیں پورے ملک میں کہیں اور دستیاب نہ ہو، پوچھو کیوں؟''

''کیوں؟'' داؤد نے اس کا سوال دہرایا۔

''کیونکہ پاکستان میں کسی دوسرے کے پاس ایسی باقر خانی بنانے کی ترکیب ہی موجود نہیں ہے۔'' اس نے کہا اور قہقہہ لگا کر ہنس دیا۔

''واہ پھر تو میں خوش قسمت ہوں جو یہ باقر خانی کھانے یہاں چلا آیا۔'' داؤد نے خلافِ مزاج پہلی بار کسی اجنبی سے دوستانہ انداز میں بات کی۔

''ابھی تو میں تم کو اپنی دوسری خصوصی چیزیں چکھاؤں تو تم خود کو اور بھی زیادہ خوش قسمت سمجھنے لگو کہ تم کو یہاں آنے کا موقع ملا۔'' اس نے کہا اور پہلے سے زیادہ بلند آواز میں قہقہہ لگا کر ہنسنے لگا۔

''اوہ ڈیڈی! ڈونٹ بی سو لاؤڈ (ابا اتنی بلند آواز میں مت ہنسو) ابھی سب لوگ سوتا پڑا ہے۔'' بیکری والے کے پیچھے دیوار گیر شیلفوں میں بنے لکڑی کے ایک چھوٹے دروازے کے پیچھے سے ایک نسوانی آواز آئی اور ساتھ ہی کسی نے زور سے کوئی چیز پٹخی۔

''اوہ آئی ایم سوری ڈارلنگ!'' بیکری والے نے کھلا منہ قابو کر کے بند کرتے ہوئے کہا۔ ''لیکن صبح کے نو بجنے والے ہیں، سارے لوگ ابھی تک سوتے پڑے رہیں تو میرا کیا قصور کہ میں کھل کے ہنس بھی نہ سکوں۔'' وہ بولا۔

''دوسروں کا نیند حرام کرنے کا تمہیں کوئی حق نہیں ہے اس لیے۔'' پیچھے سے آواز آئی اور ساتھ ہی ایک ہاتھ دروازے سے باہر آیا جس میں گندھے آٹے کی پرات تھی۔

''لو یہ ڈو پکڑو اور مزید باقر خانیاں تیار کرنی شروع کر دو۔ کسٹمرز کے آنے کا ٹائم ہونے کو ہے۔'' تحکمانہ انداز میں کہا گیا۔ داؤد باقر خانی ہاتھ میں پکڑے پوری کھلی آنکھوں سے اس بازو کو دیکھ رہا تھا جس پر سرخ اور سبز ڈبی دار نمونے کے سویٹر کا آستین چڑھا تھا۔ آستین جہاں ختم ہو رہی تھی اس سے آگے بازو کے ذرا سے خالی حصے میں دودھیا شفاف رنگت کی جلد تھی۔

''بٹر کا برتن دینا بھول گئیں تم، پروسس بھی کیا بٹر کہ نہیں؟''

''کیا تم سوچ سکتے ہو کہ میں نے نہیں کیا ہوگا۔'' ایک اور برتن پکڑے ہاتھ باہر آیا۔

''نہیں میں نہیں سوچ سکتا کیونکہ بٹر پروسس کرنا پاکستان کی سب سے ماہر بٹر پروسیسر زینا وقار کی ذمہ داری

ہے۔'' بیکری والا ایک بار پھر قہقہہ لگا کر ہنسنا چاہتا تھا مگر پھر شاید اسے کچھ دیر پہلے کی وارننگ یاد آگئی سو وہ منہ بند کرتا ہوا مڑ گیا۔

''ارے مسٹر! تمہاری چائے ٹھنڈی ہو رہی ہے اور باقر خانی بھی۔'' اس نے داؤد کو حیرت سے دیکھتے دیکھا تو بولا۔''اور ٹھنڈی ہو کر تو اس باقر خانی کی ساری خستگی اور مزا ختم ہو جائے گا۔''

''اوہ آئی ایم سوری!'' داؤد نے سر ہلایا اور باقر خانی توڑ کر کھانے لگا۔ باقر خانی واقعی عمدہ اور لذیذ تھی۔ اس نے اپنے گھر میں باقر خانی کبھی نہیں کھائی تھی، البتہ اس کا نام ضرور سنا تھا اور کہیں دیکھی بھی تھی، مگر روزیٹا بیکرز قائم شدہ 1971ء کی وہ باقر خانی کھانا یقیناً ایک لذیذ تجربہ تھا۔

''میرا خیال نہیں تھا کہ اس شہر کے اس چھوٹے سے علاقے کی ایک اندرونی گلی میں مجھے ایک اچھی بیکری دستیاب ہو جائے گی۔'' چائے پینے کے دوران اس نے محض تعلق بڑھانے کی خاطر بیکری والے کی تعریف کی۔

''میرے بھائی نے یہ بیکری 1971ء میں جب یہاں بنائی تھی، اس وقت یہ شہر کا سب سے آباد اور جدید علاقہ تھا۔ میرا بھائی کئی سال ڈنمارک میں رہ کر آیا تھا۔ اس نے وہیں پر بیکنگ سیکھی تھی۔ ہمارا باپ دادا بھی یہی کام کرتا تھا جب انگریز یہاں رہتا تھا۔ یہ علاقہ انگریزوں کی چھاؤنی تھی اور افسروں کو بریڈ اینڈ کیک کی سپلائی میرے دادا کی بیکری سے ہوا کرتی تھی۔ جب زمانہ اور وقت آگے بڑھا تو میرے بڑے بھائی نے روایتی بیکنگ اور نان روٹی سے آگے کچھ اور سیکھنے اور کرنے کا سوچا، پھر وہ ہالینڈ چلا گیا اور جب وہاں سے لوٹا تو اس کے پاس بیکنگ کے مختلف کورسز کے سرٹیفکیٹس تھے اور وہاں کی بڑی بیکریز میں کام کرنے کا تجربہ بھی۔ وہ اپنے ساتھ کمرشل اوون بھی لایا تھا۔ اس کے علاوہ اس کے پاس قسم ہا قسم کے مولڈز تھے اور بے شمار ترا کیب۔ ہم نے نئے عزم اور نئے سرے سے کام جمایا۔ اس وقت ہمارا کاروبار خوب چلا، لیکن پھر بھائی کی اچانک وفات، شہر کی توسیع اور بڑے بڑے ناموں والی بیکریوں کی شاخوں کی آمد نے ہمیں دور پھینک دیا۔ ہم پیچھے رہ گئے اور کسٹمر آگے بڑھ گیا۔'' بڑے میاں کو بات سنانے کا فن خوب آتا تھا۔

''تم صرف باتیں ہی کرتے رہو گے ڈیڈی! یا پھر کوئی کام بھی کرو گے؟'' اندر سے ڈپٹ کر کوئی بولا۔''ذرا دھیان سے سونگھو، باقر خانی زیادہ آنچ پکڑ رہی ہے۔ اس کی خبر لو۔ زیادہ سرخ ہو گئی تو سمجھو تین ہزار کا پڑا ہو گیا۔ کل والے ڈھائی ہزار کا پڑا بھی شامل کر لینا اس میں۔ جمع تفریق کر کے جواب نکال لینا کہ تم کتنے بوڑھے ہو چکے ہو۔''

بڑے میاں اندر سے آتی ڈپٹ سن کر تیزی سے تندور کی طرف لپکے اور لوہے کی دو سلاخیں پکڑ کر سرعت سے باقر خانیاں نکال نکال کر تندور پر رکھی بڑی چنگیر میں رکھنے لگے اور داؤد کچھ دیر پہلے سنی پہیلی پر غور کرنے لگا۔ تین ہزار اور ڈھائی ہزار کے نقصان کی جمع تفریق سے بڑے میاں کی عمر کا کیا تعلق ہو سکتا تھا۔ اس نے اُٹھتے ہوئے سوچا اور جیب سے والٹ نکال کر بیکری والے سے ناشتے کی قیمت پوچھنے لگا۔

''آج کا ناشتہ کامپلیمنٹری ہے۔'' بیکری والے نے ایک گرم باقر خانی ہاتھ میں پکڑ کر آنکھوں کے سامنے کرتے ہوئے اسے غور سے دیکھنے کے بعد کہا۔''تم اس جگہ نئے آئے ہو۔ نیا آیا مہمان ہوتا ہے لہٰذا مہمان کے لیے ناشتہ کامپلیمنٹری تھا۔ کل آؤ گے اگر، تو قیمت ادا کرنی ہوگی۔''

چاہتے ہوئے بھی داؤد اصرار نہیں کر پایا۔ اس محلے میں ایسی بیکری اور ایسا بیکر موجود ہونا ایسا ہی تھا جیسے وہ کوئی انگلش کنٹری سائیڈ اسٹوری پڑھ رہا ہو، یا پھر ایسی ہی کوئی فلم دیکھ رہا ہو۔ بیکری کی ظاہری حالت، بڑے میاں جن کا نام سلمان انور تھا کا حلیہ اور اس یخ بستہ صبح میں ملنے والا باقر خانی اور چائے کا وہ ناشتہ سب کسی ایسی فلم کا سین لگ رہے تھے جیسے وہ کنٹری سائیڈ کا مسافر تھا اور اسے راستے میں چھوٹی موٹی فارمنگ کے ساتھ ساتھ بیکری آئٹمز تیار کرنے والا کوئی خاندان مل گیا ہو۔

روزیٹا بیکرز سے ناشتہ کرنے کے بعد وہ کئی دنوں کے بعد مسرور اور ہلکے دل کے ساتھ دل میں ایک پسندیدہ گانا گنگناتا واپس آیا تھا۔

اس نئی جگہ، نئے محلے اور نئے کمرے سے اس کی پہلی پہلی ملاقات بہت اچھی رہی تھی۔

○……❖……○

''میں نے آپا سکینہ کو فون پر تمہارے جانے کا بتایا تھا۔ تم جانتے ہو وہ کتنے اچھے دل کی خاتون ہیں۔ کھٹ سے عفرا بھابی کو فون کر دیا کہ آمنہ کا بیٹا تمہارے شہر میں نوکری کی غرض سے ٹھہرا ہوا ہے۔ عذرا بھابی کا رات کو مجھے فون آیا تھا، کہہ رہی تھیں آپ بتائیں آپ کا بیٹا کہاں رہ رہا ہے۔ میں خود اس سے رابطہ کرلوں گی۔'' امی فون پر اسے بتا رہی تھیں۔

''سچ تو یہ ہے کہ ہم سب ایک دوسرے سے مصروفیتوں کا رونا روتے روتے اتنی دور ہو چکے ہیں کہ برسوں نہ کسی کی خبر لیتے ہیں، نہ دیتے ہیں، بے چاری عذرا بھابی پر کم عمر میں بیوگی کا عذاب آن پڑا، چھوٹی سی بچی کا ساتھ تھا۔ ہم لوگوں نے بھی کہاں اس کو پوچھا تھا۔ ایسے میں اسے اپنے ماں باپ کے پاس ہی واپس جانا پڑا تھا۔ اب مجھے ہی دیکھو، اس جگہ کا نام سن کر ہی مجھے ان کی یاد آئی ورنہ تو عمر بھر شاید انہیں بھلائے ہی رہتی۔ اب ایسا کرو روبی تمہیں ان کا پتا لکھواتی ہے۔ دھیان سے لکھ لو اور ان سے جا کر ملو۔ کیا پتا تمہارے کتنے کام آئیں۔''

امی لمبی گفتگو کرنے کی عادی تھیں اور وہ انہیں ایک پی سی او سے کال کر رہا تھا۔ یہ ان دنوں کی بات تھی، جب موبائل فون عام نہیں ہوئے تھے اور پی سی او والوں کی چاندی تھی۔ جتنی لمبی کال اتنے زیادہ پیسے۔ داؤد نے بے بسی سے اِدھر اُدھر دیکھا۔ اس نے صرف گھر کی خیر خیریت پوچھنے کے لیے فون کیا تھا اور امی اسے نہ جانے کس کس کے قصے سنانے لگ گئی تھیں۔

''میں اب یہاں بالکل سیٹ ہوں امی!'' اس نے بات ختم کرنے کے لیے کہا۔ ''مجھے کوئی مسئلہ نہیں، سو میں کیوں دور دراز کے بھولے بسرے رشتہ داروں سے ملتا پھروں گا۔''

''دور دراز؟'' امی نے تیزی سے کہا۔ ''دور دراز کے کہاں...... میری اماں کے سگے چچا کے بیٹے کی بیوی ہیں عذرا بھابی۔''

''میری اپنی سگی بھابی نظریں ملانے اور تعلق رکھنے کی روادار نہیں امی! آپ جن بھابی کا ذکر کر رہی ہیں ان سے آپ کا تعلق واقعی دور دراز کا ہی ہے۔'' اس نے کہا۔

''تم ایڈریس لکھو۔ میں روبی کو فون دے رہی ہوں۔ ان سے تم مل لو گے تو مجھے اطمینان رہے گا کہ کوئی ایسا ہے

وہاں جو کسی اونچ نیچ میں تمہارے کام آسکتا ہے۔'' امی نے ڈپٹ کر کہا اور فون روبی باجی کو پکڑا دیا۔

''افوہ! اب یہ سپلائی پتا نہیں کہاں ہے۔'' اس نے فون بند کرنے کے بعد ہاتھ پر لکھا ایڈریس پڑھتے ہوئے کہا۔ ''سپلائی'' کیسا عجیب سا نام ہے اس علاقے کا۔ اس نے سر جھٹکا۔ اگرچہ اس کا اس ایڈریس پر جانے کا کوئی ارادہ نہیں تھا لیکن پھر بھی ہاتھ دھونے سے پہلے اس نے اسے اپنی ڈائری میں نوٹ کر لیا تھا۔

○......❖......○

''روزیٹا کی پیسٹریز اور کافی کا کپ۔''

روزیٹا بیکرز کے مالک جن کا نام سلمان انور تھا، نے داؤد کے سامنے رنگا رنگ پیسٹریز اور کافی سے بھرا کپ رکھتے ہوئے کہا۔ ''زندگی کا ایک حسین تجربہ ہے۔'' داؤد نے مسکرا کر ان کی طرف دیکھا۔ وہ شخص بیانیہ کا ماہر تھا اور زیبِ داستان کے لیے بات کو بڑھا چڑھا کر سنانے کا عادی بھی۔ اس کی بیکری کی ظاہری حالت اور خود اس کے لباس اور انداز کی خستگی کے باوجود داؤد کو اندازہ ہوتا تھا کہ کسی زمانے میں یقیناً اس شخص کا اچھے خاصے پڑھے لکھے لوگوں میں اُٹھنا بیٹھنا رہا ہوگا۔

''یقیناً'' داؤد کو کبھی بھی کسی دوسرے شخص کی بلاوجہ تعریف کرنے کی عادت نہیں رہی تھی مگر اس شخص کا دل رکھنے میں نہ جانے کیوں اسے مزہ آتا تھا۔ اس نے ایک پیسٹری میں کانٹا کھبویا اور اس کا ایک ٹکڑا الگ کر کے منہ میں رکھا۔ ''واہ مزہ آ گیا۔'' اس نے کہا پیسٹری واقعی لذیذ تھی۔

''میں بہترین پیوریز، سٹرینڈ فروٹس اور ایکسٹرا فلنگز استعمال کرتا ہوں ان پیسٹریوں کو بنانے کے لیے۔'' سلمان صاحب نے اپنے لیے کافی کا مگ تیار کرنے کے بعد داؤد کے سامنے بیٹھتے ہوئے کہا۔

''جب ہی تو آپ کے آئٹمز میں بہت تازگی اور ٹیسٹ ہوتا ہے۔'' داؤد نے کہا۔

''لیکن۔'' انہوں نے سر ہلایا۔ ''لوگوں کو قدر نہیں، وہ فار گرانٹڈ لیتے ہیں محنت کو بھی ایمانداری کو بھی۔ میری خالص چیزوں سے بنی پیسٹری پندرہ روپے میں بھی ان کو مہنگی لگتی ہے جبکہ بڑی بیکریز کے باسی بیکری آئٹمز جن کی شیلف لائف ختم ہو چکی ہوتی ہے، وہ چالیس روپے میں خرید کر کھانے میں بھی انہیں فخر محسوس ہوتا ہے۔ صرف اس لیے کہ میں مارکیٹ میں نہیں بیٹھا۔ میری بساط بس محلے کی ایک گلی میں بیکری شیلف لگا کر سستی بیکری بیچنے کی ہے اور......''

''ڈیڈی! کچھ اندازہ ہے، فضلو صبح کا گیا ابھی تک نہیں لوٹا۔'' اندر سے آتی کرخت آواز نے سلمان صاحب کی گفتگو کا سلسلہ توڑ دیا۔

''آج اتنے دن بعد دھوپ نکلی ہے۔ چلا گیا ہوگا دور کہیں ٹھیلا دھکیلتا۔'' سلمان صاحب نے اپنی بات کاٹے جانے پر آنے والے غصے کو دباتے ہوئے کہا۔

''کب آئے گا آخر واپس وہ۔ یہ نانوں کے لیے آٹا اس کا باپ گوندھے گا کیا؟'' اندر سے آواز آئی۔ ''میں بتا رہی ہوں میں تو بالکل نہیں گوندھ سکتی، میری انگلی کا زخم پک چکا ہے۔ مجھ سے مٹھی بند نہیں کی جا رہی۔''

''تو کہا نہیں تھا میں نے کہ ڈاکٹر گنجے کے پاس چلی جاؤ۔ جا کر چیرا دلواؤ انگلی کو۔'' سلمان صاحب اُٹھ کر اندر

جانے والے دروازے کے قریب گئے اور اندر کی طرف رُخ کر کے کسی سے مخاطب ہوئے۔

''کس وقت جاؤں آخر۔ مجھے فرصت ملتی ہے کبھی؟ دودھ میں سنبھالوں، کریم میں پھینٹوں، مکھن میں نکالوں، چینی میں صاف کروں، انڈے میں چنوں، اوونز میں چیک کروں۔ میرے پاس مرنے کی فرصت نہیں، تم چیرا دلوانے کی بات کرتے ہو۔'' اندر سے آواز آئی۔

''افوہ بھئی! ٹھیک ہے۔'' سلمان صاحب بھناتے ہوئے واپس لوٹ آئے۔ ''مت کرو کچھ، فضلو آ کر دیکھ لے گا۔''

''تو پھر آج دوپہر نان نہیں لگیں گے۔ لکھ کر لگا دو اپنی بیکری کے ماتھے پر، کوئی قطاریں باندھ کر یہاں کھڑا نہ ہو۔'' لہجہ مزید کڑوا ہوا۔

''نان بائی کی دکان پر نان نہیں لگیں گے۔'' سلمان صاحب نے بدک کر اندر کی جانب دیکھا۔ ''رکو! میں خود آ کر آٹا گوندھتا ہوں۔''

''رہنے دو ڈیڈی! ہرگز یہ کوشش نہ کرنا۔ آٹے سے دوگنا پانی ڈال کر تگنا گھی ملا کر اس کی لئی بنا کر رکھ دو گے، خوامخواہ دو ہزار کا نقصان ہو جائے گا۔'' اندر والی کا حساب کتاب غضب کا تھا۔

''نان بائی کے تنور پر نان نہ لگیں، ایسا ناغہ اس تندور پر تاریخ میں کبھی نہیں ہوا۔ نہ ہی میں آئندہ ہونے دوں گا۔'' سلمان صاحب مضطرب ہوتے ہوئے اُٹھے۔

''بیٹھے رہو ڈیڈی! میں کر رہی ہوں خود ہی ہاتھ پر گلوز چڑھا کر، تم بس خمیر کا پیکٹ دو مجھے ایک۔'' اندر سے وہی سفید ہاتھ باہر آیا۔ بازو پر چڑھے اونی سویٹر کی آستین سے گیلا آٹا چمٹا تھا۔

سلمان صاحب نے شیلف سے خمیر کا پیکٹ نکال کر اس ہاتھ کو پکڑایا اور واپس داؤد کی طرف مڑے۔

''یہ زینا ہے، زینب وقار۔ میرے بھائی کی بیٹی۔'' انہوں نے خجل ہوتے ہوئے کہا۔ ''زبان کی کڑوی ہے ذرا، لیکن کام کی ماہر ہے، اپنے باپ سے زیادہ ماہر بیکر ہے۔''

''آپ کے بھائی کی بیٹی!'' داؤد نے کہا۔ ''اور آپ کو ڈیڈی کہتی ہے۔''

''ہاں۔'' انہوں نے سر ہلایا۔ ''اس کا ماں باپ کوئی نہیں، میری اولاد کوئی نہیں، سو ہم نے ایک دوسرے سے چچا بھتیجی کے بجائے، باپ بیٹی کا رشتہ جوڑ لیا ہے۔''

''اور یہ فضلو جو کوئی بھی ہے وہ آپ کا؟'' داؤد نے بے وجہ قیافہ لگانے کی کوشش کی اور پھر قیافے کو سوال بنا کر ادھورا چھوڑ دیا۔

''وہ ملازم ہے یہاں۔'' وہ مسکرائے اور پھر انہوں نے سر ہلایا۔ ''ہم ہمیشہ سے اتنے زبوں حال بیکرز نہیں تھے۔ پہلے ادھر ایک نہیں، کئی ملازم ہمارے لیے کام کرتے تھے۔ بھائی کے بعد سمجھو مجھے سنبھالنا نہیں آیا اسے، اس لیے کام بھی گھٹتا گیا اور ملازم بھی۔ ایک ایک کر کے سب ہی روزگار کی تلاش میں یہاں سے چلے گئے۔ لیکن اس فضلو کا کوئی آگا پیچھا بھی نہیں تھا اور بوڑھا بھی ہو رہا تھا۔ اس لیے ادھر ہی پڑا رہ گیا۔ اب وہ بیکری آئٹمز ٹھیلے پر لگا کر شہر میں گھومتا ہے اور بیچتا ہے۔ اس کا اور ہمارا اصل گزارہ اُسی آمدنی پر ہوتا ہے۔''

''تندور گرم کرنے کا انتظام کرو ڈیڈی! تمہیں تو کسٹمرز سے باتیں کرنے کا مراق ہے۔ موقع مل جائے بس، ان ہی کے لیے چائے پانی کرنے لگ جایا کرو۔ دمڑی آنے کے بجائے جو ہے وہ بھی خرچ ہو جائے۔'' کرخت آواز نے دروازے کے قریب آ کر کہا۔

''اوہ ہاں۔'' وہ بوکھلا کر اُٹھے اور تندور کے اوپر لگا گیس سپلائی والو نیچے کر کے تندور میں جھک گئے۔

داؤد کی کافی ٹھنڈی ہو چکی تھی اور اب سلمان صاحب کے مصروف ہو جانے کے بعد وہاں بیٹھے رہنے کی بظاہر کوئی وجہ بھی نہیں تھی لیکن وہ کچھ دیر مزید وہاں بیٹھا نہ جانے کیوں اس دروازے کو گھورتا رہا جس کے پیچھے اس کرخت آواز اور سفید ہاتھ کی مالکن موجود تھی۔ اسے اس کے بارے میں تجسس ہونے لگا۔ ہر ایسی چیز جو اَن دیکھی ہو اور اس کی خبر بھی ہو، اس کو دیکھنے اور جاننے کا شوق شاید انسانی فطرت کا حصہ ہے۔ اس رات لیٹے لیٹے اس نے سوچا۔

سلمان صاحب اس محلے میں اس کے واحد شناسا تھے۔ ان کی وجہ سے اسے کئی مشکلات سے نجات ملی تھی۔ اس کے کپڑے لانڈری والے تک پہنچانے کا ذمہ انہوں نے لے لیا تھا۔ پیسوں کی ادائی پر ان کے ہاں سے صبح شام چائے مل جاتی تھی۔ ناشتہ تو ہوتا ہی ان کی بیکری پر تھا۔ رات کے کھانے کے لیے بھی کبھی وہ دوپہر کو ایک دو نان اس کے لیے بچا کر رکھ لیتے تھے۔ چھوٹا موٹا کوئی اور مسئلہ بھی ہوتا تو سلمان صاحب اس کی مدد کو ہر دم تیار ملتے۔ داؤد کا دل اب اس شہر اور نوکری میں لگنے لگا تھا۔

''اور جو اگر میں پہلے والا کمرہ چھوڑ کر ادھر نہ آتا اور اس محلے میں معجزاتی طور پر مجھے روزیٹا بیکری نہ ملتی تو شاید میں اپنا چیلنج جیب میں رکھ کر دوسرے ہفتے ہی واپس اوکاڑہ چلا گیا ہوتا۔'' اس نے سوچا اور کروٹ بدل کر سو گیا۔

O.......❖.......O

اس روز اتوار تھا، چھٹی کا دن تھا اور دھوپ کھل کر نکلی تھی۔ سورج کی شکل دیکھے کئی دن ہو چکے تھے۔ اس کا دل چھت پر بکھری دھوپ کو دیکھ کر باغ باغ ہو گیا۔ اپنا بستر اور لحاف چھت کی منڈیروں پر دھوپ لگوانے کے لیے ڈالنے کے بعد اس نے ملک پیک سے اپنے لیے خود چائے بنائی اور دو سلائس اور اُبلا ہوا انڈا لے کر باہر چھت پر آ گیا۔ اس روز اس نے غور سے پہلی بار اس چھت کے گرد و نواح پر نظر ڈالی تھی۔ اس چھت سے چند تنگ سی سیڑھیاں اوپر جا رہی تھیں جن کے اختتام پر لکڑی کا ایک چھوٹا سا دروازہ تھا۔

وہ سیڑھیاں چڑھ کر اوپر آیا اور دروازے سے اٹکی کنڈی کھول کر اس کے پار دیکھا۔ اس کے سامنے ایک چھوٹی سی چھت تھی جو اس کمرے کی چھت تھی جس میں وہ رہتا تھا۔ یہاں دھوپ اور بھی زیادہ تیز تھی، وہ سیڑھیاں اُتر کر واپس آیا اور ایک چھوٹی تپائی اور کرسی اوپر پہنچا کر اپنا ناشتہ بھی وہیں لے آیا۔ سردی کی دھوپ میں فرصت سے بیٹھ کر اونگھنا اس کا پسندیدہ مشغلہ تھا۔ ناشتے سے فارغ ہو کر اس نے برتن نیچے فرش پر رکھے اور خود ایک پرانا اخبار سر پر رکھ کر تپائی پر پیر ٹکائے بیٹھ گیا۔ چھت کی صفائی شاید برسوں سے نہیں ہوئی تھی۔ چھت کے ایک کونے میں پانی کا ٹینک نصب تھا جس سے یقیناً پانی رِستا ہوگا جب ہی اس کے اردگرد تازہ سبز کائی سی جمی تھی جبکہ باقی کی چھت کی کائی پرانی ہو کر سیاہ پڑ چکی تھی۔ اس چھت کے اردگرد آس پڑوس کے گھروں کی اونچی نیچی چھتیں تھیں اور دھوپ نکلنے کی وجہ سے گہما گہمی سی محسوس ہو رہی تھی۔ اس نے ایک مانوس سے ماحول کو محسوس کرتے ہوئے انگڑائی لی اور آنکھیں موند لیں۔

''تمہارے ہاتھ تو ہمیشہ سے ٹوٹے ہوئے ہیں۔کون سا ایسا دن ہے جب تمہارے ہاتھ سے کوئی برتن گر کر نہ ٹوٹا ہو۔ برتن توڑنے کا عالمی ریکارڈ قائم کر چکے ہو تم۔'' ایک تیز، کرخت اور مانوس آواز نے اسے ہڑبڑا کر آنکھیں کھولنے پر مجبور کر دیا۔ یہ آواز کہاں سے آ رہی تھی۔اس نے چاروں طرف نظریں گھما کر دیکھا۔

''لو یہ بھی توڑ لو۔'' ٹھک کی آواز کے ساتھ کوئی بولا۔''یہ بھی توڑو، یہ بھی، یہ بھی، ٹھک ٹھکا ٹھک۔'' چیزوں کی اُٹھا پٹخ واضح سنائی دے رہی تھی۔آواز کی سمت کا تعین کرتے ہوئے وہ بے اختیار ہی اُٹھ کر تیزی سے اُدھر گیا۔اس چھت کے ساتھ دائیں جانب نیچے کسی گھر کا ایک کھلا صحن تھا اور صحن کے کونے میں بیٹھی ایک لڑکی گتے کے مختلف سائز کے ڈبے اُٹھا اُٹھا کر اپنے سامنے بیٹھے شخص کی طرف پھینکے چلی جا رہی تھی۔

''یہ بھی توڑ دو...... یہ بھی، سب کچھ ایک ہی دفعہ کیوں نہیں توڑ دیتے تم۔'' وہ چلا رہی تھی اور وہ بوڑھا شخص جس کی جانب یہ ڈبے اُچھل رہے تھے خود کو ان سے بچاتا دانت نکال رہا تھا۔

''تم تو اللہ کرے کسی بس کے نیچے آ جاؤ کسی دن۔کوئی ڈاکو اغوا کر کے لے جائے تمہیں۔ بازار جاتے ہوئے راستے میں گندے نالے میں گر جاؤ کبھی۔'' وہ بولے چلی جا رہی تھی۔

''بس والے مجھ سے بچ کر چلتے ہیں یہ میں بتا دوں تمہیں۔انہیں پتا ہے بابا مار دیا تو لوگ نہیں بخشیں گے اور ڈاکوؤں کو کیا فائدہ ہو گا مجھے اغوا کر کے الٹا میں تو انہی کے گلے پڑ جاؤں گا۔رہ گیا نالہ تو میں تو کبھی گندے نالے کے ساتھ چلتا ہی نہیں۔دوسری طرف چلتا ہوں چاہے آ رہا ہوں یا جا رہا ہوں۔''

''اچھا تو پھر کسی دن چار کارتوس خرید لینا واپس آتے ہوئے اور وہ جو بندوق رکھی ہے نا اندر پچھلی نسلوں کی نشانی، اس میں بھر کر میرے سینے پر فائر کر دینا، میری تو خلاصی ہو تم لوگوں سے۔'' وہ بازو اونچے کر کے کوسنے کے سے انداز میں بولی اور پھر ہاتھ اپنے سر پر رکھ دیئے۔

''کارتوسوں پر پیسے ہی ضائع ہوں گے، بندوق کو اندر باہر زنگ لگا ہوا ہے، اس کی زنجیر بھی ٹوٹی ہوئی ہے۔'' بوڑھا اور زور سے ہنسا۔''اور ٹریگر بھی درمیان سے ٹوٹا ہوا ہے۔''

''ہائے کمبخت! تم ویسے ہی کیوں نہیں مر جاتے۔تمہارا ہارٹ کیوں نہیں فیل ہو جاتا۔'' اس نے اِدھر اُدھر دیکھتے ہوئے کہا اور گتے کا ایک چھوٹا ٹکڑا ملنے پر بوڑھے کی طرف اُچھالا۔

''میں نے اپنے ٹائم پر ہی مرنا ہے تم جتنا مرضی کوس لو۔'' بوڑھا ہنسا اور اُٹھ کر ایک بڑے سے پتیلے میں جس کا نچلا حصہ کالا سیاہ ہو رہا تھا، صحن کے دوسری طرف رکھے حمام سے پانی بھرنے لگا۔

''چلو اُٹھو۔اب میدہ چھانو، خمیر بھگوئے کتنی دیر ہو چکی، کام کی فکر کرو کام کی۔'' وہ لڑکی کی طرف دیکھتے ہوئے بولا۔

''ہائے میری قسمت!'' لڑکی نے دونوں ہاتھوں سے سر پیٹا اور قریب رکھے کالے ہملٹن بوٹ پکڑ کر پاؤں اس میں ڈالنے لگی۔بوٹ پہننے کے بعد وہ اُٹھ کر کھڑی ہوئی۔اس نے سرخ بُند کیوں والا گرم اسکرٹ پہن رکھا تھا اس پر سرخ موٹا اپر جس پر جگہ جگہ آٹا لگا تھا۔

''نان بائی کی بیٹی!'' داؤد نے زیرِلب کہا۔''ارے یہ تو وہی ہے، ہو بہو وہی۔'' وہ بلا وجہ پُرجوش ہوا اور اردگرد

سر گھما کر اس گھر کی سمت کا اندازہ کرنے لگا۔

''ایگزیکٹلی۔'' کچھ دیر سوچنے کے بعد اسے خیال آیا۔''روزیٹا بیکرز محلے کے جس حصے میں واقع ہے۔اس کا عقبی حصہ ایگزیکٹلی یہی ہونا چاہیے۔اس گھر کے جس حصے میں مَیں رہتا ہوں۔'' اسے اپنی جمع تفریق کے درست ہونے پر خوشی ہوئی۔''مجھے اس بات کا کبھی خیال ہی نہیں آیا۔'' وہ مسکرایا۔''آج بھی نہ آتا جو اس چھوٹی چھت کا سراغ نہ ملتا۔''

اسے ایک عجیب سی مسرت محسوس ہو رہی تھی۔وہ آواز جسے وہ اتنے دنوں سے دروازے کے پار سے سن رہا تھا اور اس کی مالکن کے بارے میں پُرتجسس تھا، اتنی قریب اور اتنی بلند تھی کہ کان لگائے بغیر بھی سنی جاسکتی تھی۔اس نے دلچسپی سے اس لڑکی کو دیکھا جو صحن میں اِدھر اُدھر پھرتی مختلف چیزیں اکٹھی کر رہی تھی۔داؤد کو لگا وہ اپنے نقش ونگار اور رنگت میں ایک پاکستانی لڑکی بالکل بھی نہیں لگ رہی تھی۔اس کے سنہری بال سورج کی روشنی میں سونے کی طرح چمک رہے تھے۔

ایک آدھ بار کوئی بات کرتے ہوئے اس نے سر اُٹھا کر اوپر دیکھا تو داؤد نے نوٹ کیا، اس کی رنگت سفید اور چہرے کا کوئی حصہ خصوصاً رُخسار اور ٹھوڑی پر سرخ نشان تھے جیسے خون جمنے پر پڑ جاتے ہیں۔اس سرخ سفید رنگت کے ہوتے ہوئے بھی اس میں بالکل جاذبیت نہیں تھی۔اس کی آنکھیں نیلی تھیں اور ہاتھ پاؤں میں بھی نزاکت نہیں تھی۔وہ منڈیر کی آڑ میں کھڑا نان بائی کی بیٹی کو بکتے جھکتے اِدھر اُدھر کام کرتے صحن میں پھرتا دیکھتا رہا۔اس گھر کا صحن کھلا تھا۔جس کے ایک کونے میں جستی حمام رکھا تھا جس کے گول ڈھکن کے ایک طرف کیے گئے سوراخ کے عین اوپر پانی کی ٹونٹی نصب تھی۔اسی ٹونٹی سے حمام میں پانی بھرا جاتا ہوگا، اس نے سوچا۔حمام کے ساتھ دیوار میں اوپر نیچے کئی خانے تھے جن میں کاٹھ کباڑ ٹھنسا تھا جسے دیکھنے پر محسوس ہوتا تھا کہ اس کاٹھ کباڑ کو وہاں ٹھنسے بھی سالہا سال گزر چکے تھے۔اس پر گرد کی واضح تہہ دور ہی سے دیکھی جاسکتی تھی۔اس کاٹھ کباڑ میں سے باہر کو نکلے آگ جلانے کی لکڑیوں کے سرے، اخبار کے رول، لوہے کی کچھ چیزوں کے باہر لٹکتے کنارے بھی دور سے ہی دکھائی دیتے تھے۔

صحن میں دو بڑے چولہے بھی نصب تھے۔جن پر دھرے بڑے بڑے دیگچوں میں کوئی سیال چیز اُبل رہی تھی۔ نان بائی کی بیٹی وقفے وقفے سے لوہے کے لمبے سرے والی ڈوئی سے اس اُبلتی چیز کو ہلاتی پھر وہ چمچ قریب رکھے چھوٹے برتن پر جما کر اِدھر اُدھر کام کرتی نظر آرہی تھی۔ہاتھ گیلے ہو جانے پر، کسی چیز کو صاف کرنے، کوٹنے، پھٹکنے کے دوران وہ اپنے ہاتھ بار بار اسکرٹ سے رگڑ کر صاف کرتی۔جب ہی ایک مخصوص جگہ سے اس کا اسکرٹ انتہائی میلا لگ رہا تھا۔داؤد کے دیکھتے ہی دیکھتے اس نے پیتل کی بڑی بڑی پراتوں میں ڈھیروں میدہ گوندھا۔بڑے بڑے دیگچوں سے شیرہ نما چیز بڑے ٹب میں اُنڈیلی اور اکیلی وہ ٹب اُٹھا کر اندر ایک کمرے میں لے گئی۔

کمرے سے باہر نکلتے ہوئے اس کے ہاتھوں میں لکڑی کے بڑے بڑے دو کریٹ تھے، جو اس کے چہرے کے تاثرات سے ہی وزنی لگ رہے تھے۔ان کریٹوں کو گھر کے بیرونی دروازے کے قریب رکھنے کے بعد وہ حمام کے قریب رکھے ڈھیروں برتنوں کو دھونے میں مصروف ہوئی۔ برتنوں، کاٹھ کباڑ، چولہوں، کریٹوں سے بھرے اس صحن میں دو عدد ٹرکی، ایک مور، چند مرغیاں اور چار بطخیں بھی آزادانہ اِدھر اُدھر گھوم رہی تھیں۔داؤد نے دیکھا بطخیں

اور مرغیاں دوبار گندھے ہوئے آٹے کی ان ڈھکی پراتوں پر اپنے پنجے جماتے گزر گئیں۔ مور نے تین دفعہ اپنے پَر نیم دائرے کی شکل میں پھیلا کر انہیں جھاڑا اور ٹرکی صحن میں پڑی اِدھر اُدھر بکھری چیزوں اور برتنوں کو ٹھونگیں مارتے پھر رہے تھے۔

ان مناظر کو دیکھتے ہوئے کئی بار داؤد کو ابکائی سی آنے لگی۔ دنیا کے بہترین بیکرز میں سے ایک صاف ستھری روزیٹا بیکری قائم شدہ 1971ء کے آئٹمز کی پس پردہ تیاری کے منظر دیکھ کر اس کے پیٹ میں درد سا اُٹھنے لگا۔ کرخت آواز اور کڑوے لہجے والی نان بائی کی بیٹی ہر کام کرنے کے دوران کئی مرتبہ سر کھجاتی اور پھر بغیر دھوئے انہی ہاتھوں اور ناخنوں سے دوبارہ کام میں مشغول ہو جاتی۔

''دروازوں اور پردوں کے پیچھے چھپے چند مناظر چھپے ہوئے ہی رہنے چاہئیں۔ ان کے کھل کر سامنے آ جانے پر ان سے منسلک ساری فینٹسی بھیانک خوابوں میں بدل جاتی ہے۔'' اس نے سوچا اور بے مزا ہوتا ہوا واپس اپنی کرسی پر آ کر بیٹھ گیا۔

''لاحول ولا! میں اتنے دنوں سے اس بیکری کے پین کیکس، باقر خانی پیسٹریز اور نان کھاتا رہا۔'' اس نے بار بار اپنا سر جھٹکا۔ ''لیکن ڈسپلے تو بہت اچھا ہے صاف ستھرا، کم از کم ان بیکریز سے تو اچھا ہے جہاں باسی کیک اور بدبودار بسکٹ ملتے ہیں۔'' پھر اسے خیال آیا۔ ''بڑی اور نامور بیکریز کے بارے میں کسی کو کیا پتا، ان کے کچنز میں کیا ہوتا ہے، فائیو اسٹارز ہوٹلز تک کے کچنز کا احوال کئی بار ہم پڑھ چکے۔'' اس کا ذہن کبھی روزیٹا بیکری کو فیل کرتا اور کبھی دلائل سے نمبر دیتا رہا۔ سلمان صاحب کی صورت میں جو کمپنی اسے یہاں میسر آئی تھی۔ اسے وہ چھوڑنا نہیں چاہتا تھا، اس دوستی کی وجہ سے جو سہولتیں ملی تھیں ان سے جدا بھی ہونا نہیں چاہ رہا تھا۔

''سلمان صاحب سے تعلق رکھنا ضروری ہے، ان کی دکان سے چیزیں خریدنا کوئی مجبوری تو نہیں ہے نا۔'' آخر میں اس نے فیصلہ کیا۔ چھٹی کا وہ دن نان بائی سلمان اور اس کی کرخت آواز والی کم شکل پھیکی گوری بیٹی پر ہی غور کرتے رہنے کی نذر ہو گیا۔

○......❖......○

''کیوں بھئی کیا بات ہے۔ اب ناشتہ کرنے نہیں آتے؟'' تین چار دن لاشعوری طور پر روزیٹا سے غیر حاضر رہنے پر پانچویں دن ان کے سامنے سے گزرتے ہوئے وہ سلمان صاحب کے ہاتھوں پکڑا گیا۔

''میدہ اب مجھے تنگ کرنے لگا ہے شاید۔'' اس نے بہانہ بنایا۔ ''اس لیے سائٹ پر دوپہر کا کھانا ہی کھا لیتا ہوں۔ ناشتہ گول کر جاتا ہوں۔''

''تو مجھے بتایا ہوتا، میں تمہارا ناشتہ تبدیل کر دیتا۔'' وہ بولے اور اُٹھ کر دروازے کے قریب جا کر منہ اندر کرتے ہوئے بولے۔ ''زینا او زینا! صبح کے لیے تھوڑا گندم کا آٹا گوندھ کر رکھ لینا، ساتھ میں رات کا بچا سالن بھی سنبھال لینا۔''

''اس عمر میں پراٹھا کھاؤ گے ڈیڈی؟'' اندر سے کرخت آواز آئی۔ ''شام تک ہسپتال پہنچ جاؤ گے۔''

''اوہو! میں نہیں داؤد کھائے گا اور پراٹھا نہیں چپاتی کھائے گا۔'' سلمان صاحب نے سر ہلاتے ہوئے کہا۔

''اچھا تو کیا روزیٹا کو ڈھابہ بنانے کا پلان بنا رہے ہو۔'' دروازے کے قریب سے آواز آئی۔ ''میں بتا رہی ہوں میں کوئی ناشتے، کھانے نہیں بنا رہی تمہارے ڈھابے کے لیے۔ پہلے کیا کم بیل کی طرح جوتے رکھتے ہو جواب کاروبار بڑھانے کا سوچ رہے ہو۔''

''بات تو سن لو ذرا تھم کے۔'' سلمان صاحب نے کہا۔ ''میں کوئی ڈھابہ وابہ نہیں بنا رہا۔ میں صرف داؤد کے لیے ناشتہ بنانے کا کہہ رہا ہوں۔''

''یہ جو کوئی بھی ہے نا داؤد، یہ پاؤں رکھنے کی جگہ پر لیٹنے کی تیاریاں کرنے لگا ہے اور تمہارا لگتا ہی کیا ہے آخر جو اس کی مفت خوری بڑھتی جا رہی ہے۔'' اندر سے آئے جواب نے داؤد کی خوددار طبیعت پر کاری ضرب لگائی۔

''آپ بیٹھ جائیں پلیز سلمان صاحب! میں کوئی ناشتہ واشتہ نہیں کر رہا۔ میں لنچ کر لیتا ہوں میرا گزارہ ہو جاتا ہے۔'' اس نے اُٹھ کر سلمان صاحب کے قریب جا کر کہا۔

''ہاں...... ڈلواؤ ہمارے گھر میں لڑائیاں۔'' اس کی بات پر دروازہ کھلا اور وہ اس کے بیچ ایستادہ ہوگئی۔ ''تم تو میسنے، مسکین بن کر کہہ جاؤ گے، تمہارا گزارا ہو جاتا ہے ہمارے گھر میں کل تک کتا بلی ہوتی رہے گی۔''

''میں تم سے مخاطب نہیں ہوں، میں سلمان صاحب سے بات کر رہا ہوں۔'' اس کے چہرے کے نقش و نگار اور ان پر سجے بھورے تل عین نظروں کے سامنے پا کر داؤد گڑبڑا گیا۔

''جو بھی بات کر رہے ہو اور جس سے بھی کر رہے ہو سنا تو مجھے ہی رہے ہو نا۔'' اس نے چھوٹے دروازے سے سر نکال کر باہر جھانکا۔ داؤد، سلمان صاحب کے بالکل ساتھ کھڑا تھا۔

''تم چھوڑو داؤد! اس کی بک بک کو، اسے عادت ہے۔'' سلمان صاحب داؤد کا بازو پکڑ کر پیچھے کو کھینچتے ہوئے بولے۔

''میں کوئی آٹا واٹا نہیں گوندھ رہی سن لیا تم نے، جو ہم کھاتے ہیں۔ وہ اس کو بھی کھلا دینا۔'' وہ پیچھے سے دھاڑی۔

''اوشٹ اَپ زینا!'' سلمان صاحب نے گھما کر پیچھے ہاتھ مارا جو سیدھا اس کے چہرے پر جا کر لگا۔

''انکل پلیز! یہ کیا کر رہے ہیں آپ؟'' داؤد نے گھبرا کر سلمان صاحب کا ہاتھ پکڑا۔ چھوٹا دروازہ کھٹ سے بند ہو گیا تھا۔

''تم نہیں جانتے یہ ہے ہی خبیث ماں کی خبیث اولاد!'' سلمان صاحب نے دانت کچکچاتے ہوئے کہا۔ ''اس کا علاج دوسرے طریقے سے ہی کرنا پڑتا ہے۔'' اب وہ غصے سے کانپنے لگے تھے۔

وہ سلمان صاحب کی بات اور بات کرنے کا انداز دیکھ کر حیرت زدہ تھا۔ سلمان صاحب اس سے مذہب، تاریخ، انگریزی اور اردو ادب، سیاست اور ثقافت پر گفتگو کرتے تھے اور داؤد کو شاید اسی لیے ان کے ساتھ وقت گزارنا پسند تھا۔ وہ اسے اس شہر کی تاریخ سے بھی آگاہ کرتے رہتے تھے جس سے اندازہ ہوتا تھا کہ وہ ماضی میں یہاں کے اچھے، پڑھے لکھے لوگوں میں اُٹھتے بیٹھتے رہے تھے لیکن اس روز سلمان صاحب اپنی وضع داری اور رکھ رکھاؤ بھول کر غصے میں یوں بل کھا رہے تھے کہ لگتا تھا ابھی اندر جا کر لڑکی کی شامت لے آئیں گے۔

''میں سچ کہہ رہا ہوں انکل!'' داؤد نے نرمی سے کہا۔ ''جب سے میں نے یہ والا ناشتہ کرنا چھوڑا ہے میرا معدہ ٹھیک رہنے لگا ہے۔ آپ پلیز میرے لیے زحمت مت کیجیے گا۔''

''ہوں۔'' وہ پھنکارتے ہوئے سر ہلا رہے تھے۔ ''یہ تو میں آج دیکھتا ہوں کہ یہ خبیث کی اولاد اور کتنی بک بک کرے گی۔''

''پلیز انکل! کول ڈاؤن، یہ کوئی ایسا ایشو نہیں ہے جس پر آپ اتنا ناراض ہوں۔ میں آپ کو بتا چکا ہوں کہ مجھے ناشتہ نہیں کرنا۔''

''تم نے ناشتہ کرنا ہے یا نہیں، میری بات کی تو ہیٹی ہوئی ہے نا۔'' انہیں غصے کے مارے کھانسی کا دورہ پڑ گیا۔

''کوئی ہیٹی نہیں ہوئی۔'' داؤد نے جگ سے پانی گلاس میں اُنڈیل کر گلاس انہیں پکڑایا۔ ''بس جانے دیں اس بات کو، آپ لوگوں کے پاس پہلے سے ہی اتنا کام ہے کہ مزید کسی کے لیے تکلف کرنے سے پرہیز ہی کیا کریں۔'' اس کی سمجھ میں نہیں آ رہا تھا کہ اس غصے کو کیسے ختم کرے۔

''پہلے یہ تکلیف کیا کم ہے کہ دنیا کے ماہر ترین بیکرز میں سے ایک یہاں خرچے سے تنگ بیٹھا ہے مگر اپنے معیار پر کمپرومائز نہیں کرتا۔'' سلمان صاحب نے لمبے لمبے سانس لیتے ہوئے کہا۔ ''میں اپنی پروڈکٹس میں بہترین فلور استعمال کرتا ہوں۔ بہترین مکھن، بہترین جوسز، بہترین خمیر، مہنگی ترین شوگر، فلیور، چاکلیٹس میں نے مہنگے سستے کی کبھی پروا نہیں کی۔ میرے پاس بہترین بھٹیاں (اوون) ہیں۔ ہائی جین کا مجھ سے زیادہ خیال کوئی رکھ نہیں سکتا ہوگا، لیکن پھر بھی میں ایک ناکام انسان اس محلے کے ایک کونے میں گمنام کاؤنٹر رکھے سستی ترین چیزیں بیچنے پر مجبور ہوں۔'' اس نے کہتے کہتے سر جھکا لیا۔ داؤد کی نظروں کے سامنے ان کے سب ''بہترین'' کا منظر گھوم گیا۔

''اوپر سے یہ خبیث ماں کی خبیث اولاد!'' پھر انہوں نے سر اُٹھا کر بلند آواز میں کہا۔ ''یہ مجھے جواب دیتی ہے، یہ کروں گی یہ نہیں کروں گی۔'' انہوں نے اندر کی جانب اشارہ کیا۔ ''میں اس کو دیکھ لوں گا۔ میں اس کو دیکھ لوں گا۔'' انہوں نے جیسے اپنی بات کی توثیق کرتے ہوئے سر ہلایا۔

''پلیز انکل! بھول جائیں اس سارے قصے کو اور صرف اتنا یاد رکھیں کہ کچھ بھی ہے۔ آپ کی ہر چیز بہترین ہے اور آپ ایک باکمال بیکر ہیں۔'' داؤد نے انہیں خاموش کرانے کی آخری کوشش کی۔

''ہاں یہ تو ہے۔'' ان کا لہجہ اس بات پر قدرے بہتر ہوا۔ ''اسی لیے تو میں تمہارا قدر دان ہوں۔ تمہیں کوالٹی کی پہچان ہے، ورنہ اس محلے کے لوگ ایڈیٹ ہیں سب کے سب۔ انہیں کچھ پتا نہیں کہ معیار کیا چیز ہوتی ہے اور دنیا کی بہترین بیکریز کیسے چلتی ہیں۔ اپنے احمق اور گندے مندے بچوں کو پانچ پانچ روپے دے کر بھیج دیتے ہیں۔ جاؤ جا کر نان بائی سے کوئی چیز خرید کر کھا لو۔ بھلا بتاؤ دنیا کے بہترین ڈیری فارمز کے پروڈکٹس سے بنی یہ چیزیں پانچ پانچ روپے میں خریدی جا سکتی ہیں؟'' انہوں نے داؤد کی طرف دیکھا۔ ''لیکن مجھے بیچنی پڑتی ہے کیونکہ اگر میں ایک دن نہ بیچوں گا تو باسی ہو جائیں گی۔ ان کی شیلف لائف ختم ہو جائے گی اور معیار پر کمپرومائز کر نہیں سکتا۔'' وہ کئی بار کی، کی باتیں دہراتے چلے جا رہے تھے اور داؤد شرمساری میں کہ کچھ تلخ واقعہ اس کی وجہ سے ہوا تھا، سر جھکائے سنے چلا جا رہا تھا۔

اسی دوران فضلو اپنی موبائل بیکری لے کر واپس آ گیا۔ سلمان صاحب کے عین سامنے آ کر اس نے اپنی شیشے سے کور کی ہوئی ہتھ ریڑھی روکی، جس کے مختلف خانوں میں کیک کے ٹکڑے، پیسٹریز، کریم رول، بسکٹ اور پنیر کے ٹکڑے سجے تھے۔ فضلو کو وقت سے پہلے واپس آتے دیکھ کر سلمان صاحب نے اسے گھورا۔ ''اب تم کیا بُری خبر لے کر واپس آ گئے ہو۔''

''میں نے صبح ہی کہا تھا میری طبیعت ٹھیک نہیں۔ جسم ٹوٹ رہا ہے۔ مجھ سے نہیں کھینچی جائے گی ریڑھی۔''

فضلو نے نڈھال آواز میں کہا اور جیب سے چند چھوٹے نوٹ اور ریز گاری نکال کر کاؤنٹر پر ڈھیر کر دی۔

''سب کام چور، نکمے، ہڈ حرام، روٹیاں توڑنے کے ماہر ہیں۔'' سلمان صاحب ایک مرتبہ پھر بھڑ کے۔ فضلو اس اشتعال کو خاطر میں لائے بغیر سر جھٹک کر وہاں سے چلا گیا۔

''اب بتاؤ۔ ان چیزوں کو میں کس کے ماتھے پر ماروں گا۔'' سلمان صاحب نے داؤد کی طرف دیکھا۔ ''سب کوڑے دان میں جائیں گے سب کے سب، کیونکہ میں معیار پر کبھی کمپرومائز نہیں کرتا۔'' وہ تاسف سے بولے۔

داؤد نے موقع غنیمت جانا اور وہاں سے کھسک گیا۔ اس نے اس روز دل میں فیصلہ کر لیا تھا کہ وہ راستہ بدل کر نسبتاً طویل راستے سے محلے سے نکلا کرے گا تاکہ روزیٹا بیکری کے سامنے سے گزر ہو، نہ سلمان صاحب سے دوبارہ ملاقات ہو۔ یہ بیکری اور سلمان صاحب ایک خوشگوار تجربے سے اچانک ہی ناگواریت میں تبدیل ہونے لگے تھے۔

○......❖......○

''تم چھٹی لے کر کب گھر آ رہے ہو؟'' امی نے فون پر اسے کہا تھا۔

''مجھے بھی آپ کی یاد آ رہی ہے امی! مگر کام ایسا ہے کہ ایک آدھ چھٹی سے زیادہ مل نہیں سکے گی اور سفر اتنا طویل ہے کہ دو دن تو آنے جانے میں لگ جائیں گے۔ پھر وہاں آپ کے پاس میں ایک دن ہی ٹھہر پاؤں گا۔'' اس نے جواب دیا۔

''تم وہاں نہیں گئے نا؟'' امی نے شکوہ کیا۔

''وقت ہی نہیں ملا امی!'' اس نے شرمندہ ہوتے ہوئے کہا۔

ان کا اصرار تھا کہ وہ ان کے کزن کی بیوہ جو کئی سالوں سے اس شہر میں رہ رہی تھیں، ضرور ملنے جائے۔ اپنی ممتا کے ہاتھوں مجبور تھیں۔ یقیناً ان کا خیال ہوگا کہ اس اجنبی شہر میں کوئی پرانا شناسا مل جائے تو شاید ان کے بیٹے کے لیے کچھ آسانی ہو جائے لیکن نہ جانے کیوں داؤد کو کسی ایسے گھر میں جانا جہاں کے مکینوں کو اس نے کبھی دیکھا نہیں تھا، جنہیں وہ جانتا بھی نہیں تھا، عجیب سا خیال لگتا تھا۔

○......❖......○

وہ ہفتے کی شام تھی، جو اس نے حسبِ معمول نادر کے ساتھ شہر اور شہر کے مضافات میں گھومنے پھرنے میں گزاری تھی۔ یہ شہر خوبصورت تھا اور اس کے مضافات اور بھی خوبصورت تھے۔ یہاں پہاڑ تھے، جھرنے اور آبشاریں تھیں۔ پہاڑوں پر بنے چھوٹے چھوٹے گھر تھے اور بھیڑ بکریاں چراتی پہاڑی خواتین بھی، سردی کا زور قدرے ٹوٹنے پر ہی وہ یہاں کی خوبصورتیوں کو دیکھ پایا تھا۔ دن بھر کی تھکا دینے والی مصروفیت کے بعد ان جگہوں کی سیر نے

اس کی طبیعت بشاش کر دی تھی۔

''چلیں بھائی جان! اب چپلی کباب کھانے۔'' واپسی پر نادر نے اسے چھیڑا۔

''چپلی کباب بہت کھا لیے۔'' داؤد بھی ترنگ میں آگیا۔ ''آج تو گھر کا کھانا کھانے کو دل چاہ رہا ہے۔''

''ارے بھائی جان! گھر کا کھانا تو مجھے بھی میسر نہیں۔'' نادر نے سرد آہ بھرتے ہوئے کہا۔ ''حالانکہ میرا تو گھر بھی یہیں ہے۔''

''کیا مطلب ہے تمہارا؟'' وہ حیران ہوا۔

''بس گھر میں، میں ہوں، دو بھائی اور ان کی بیویاں۔ بھابیوں نے کبھی گھر میں کچھ پکایا نہیں۔ کبھی کسی ہوٹل سے کبھی ٹھیلے سے کھانا منگوا کر کھا لیتی ہیں اللہ اللہ خیر صلا۔ میں بھی روزانہ کھانا باہر ہی سے کھا کر جاتا ہوں۔''

''بڑی عجیب بھابیاں ہیں بھئی تمہاری۔'' داؤد کو مایوسی ہوئی۔ بہت دنوں کے بعد اس کا کسی مکمل گھر کے ماحول میں بیٹھ کر کھانا کھانے کو دل چاہا تھا۔

''کیا کریں، ایسا ہی ہے بھائی جان!'' نادر نے شانے اُچکائے۔ ''ماں باپ تو بچپن ہی میں ساتھ چھوڑ گئے تھے۔ بھائیوں کے سر پر ہی پلے بڑھے ہیں۔ اب جو حالات ہیں برداشت کرنے پڑتے ہیں۔''

''اچھا پھر ایسا کرو۔'' داؤد کو اچانک ایک خیال آیا اور اس نے جیب سے اپنی پاکٹ ڈائری نکالی۔ ''مجھے اس پتے پر پہنچا دو۔'' اس نے ڈائری کا ایک صفحہ نادر کی نظروں کے سامنے کیا۔

''سپلائی تو یہاں سے ذرا دور ہے۔'' نادر نے کہا۔

''لیکن آج ہمارے پاس موٹر سائیکل ہے، جلدی پہنچ جائیں گے۔'' اس نے سر ہلایا۔

''چلو پھر مجھے آج وہاں چھوڑ آؤ۔ واپسی میں مَیں خود آ جاؤں گا۔'' داؤد نے کہا اور نادر کے پیچھے موٹر سائیکل پر بیٹھ گیا۔

○......❖......○

اس نے اس شہر میں بہت کم بڑے اور کھلے گھر دیکھے تھے۔ کافی پرانا بنا ہوا گھر تھا۔ جس صحن سے گزر کر وہ اندر آیا تھا، اس کے فرش پر سنگِ سرخ کی مستطیل ٹائلیں اس انداز میں جوڑی گئی تھیں کہ چار، پانچ ٹائلیں مڑ کر ایک خاص فاصلے پر پھول نما نمونہ سا بنا رہی تھیں۔ صحن سے آگے برآمدے کے گول ستون بھی سنگِ سرخ سے بنے تھے اور منقش تھے۔ برآمدے سے گزر کر اسے ایک بڑے، کھلے اور ہوادار کمرے میں بٹھایا گیا تھا۔

''کب سے شیر آیا، شیر آیا کی پکار سن رہے تھے، شکر آج شیر کا دیدار کر ہی لیا۔'' امی کے کزن کی بیوی جنہوں نے اپنا نام عذرا بتایا تھا۔ کمرے میں رکھے صوفوں پر سے سفید چادریں اُتارتے ہوئے بولیں۔ سفید چادروں کے نیچے سے پُرانی طرز کے لکڑی کے لمبے بازوؤں والے اسپرنگ جڑے صوفے نکلے، جن میں سے ایک پر وہ بیٹھ گیا۔

''اے کون آ گیا جس کے آنے کی پکار سن رہے تھے ہم۔'' اسی دم کمرے کے دروازے کے بیچوں بیچ ایک بڑی بی آ کر کھڑی ہو گئیں۔ بڑی بی نے سفید غرارے کے اوپر کاسنی قمیص پہن رکھی تھی، سر پر جالی کا دوپٹا تھا۔

''ارے اس دور میں بھی اس قسم کی خواتین موجود ہوتی ہیں۔'' داؤد نے بڑی بی کو دیکھتے ہوئے سوچا۔

''ارے اماں! یہ داؤد ہے۔ بتایا تو تھا آپ کو رفعت باجی کا بھانجا، صالحہ آپا کا بیٹا۔'' وہ ہنس کر بولیں۔

''ارے ہاں ہاں...... '' بڑی بی پُر جوش انداز میں آگے بڑھیں۔ ''بڑا بھاری پائنچا ہے بھئی داؤد میاں تمہارا۔'' وہ اس کے قریب آکر پیار سے اس کے سر پر ہاتھ پھیرتے ہوئے بولیں۔

''ہائیں بھاری پائینچا!'' داؤد نے ٹھٹک کر اپنی پینٹ کے پائنچے کی طرف دیکھا۔

''اماں ہیں یہ میری!'' عذرا نے مسکرا کر کہا۔ ''ان کا مطلب ہے مشکل سے ہی آنا ہوا تمہارا یہاں۔'' انہیں شاید بڑی بی کے الفاظ پر داؤد کی حیرت کا اندازہ ہو گیا تھا۔

''جی!'' داؤد نے کہا۔ ''دراصل میں اس شہر سے اتنا واقف نہیں ہوں نا اس لیے پہلے نہیں آسکا۔''

''اور اب آگئے ہو تو ہم جانے نہیں دیں گے۔'' وہ اس کے قریب بیٹھتے ہوئے بولیں۔

''میں نے تو سنتے ہی کہہ دیا تھا عذرا کو کہ تمہاری سسرال سے لڑکا اِدھر آیا ہے۔ اسے یہیں رہنے کے لیے بلا لو، کہاں کرائے کے کمرے اور گھر ڈھونڈتا پھرے گا۔'' بڑی بی نے کہا۔

''میں کیسے بلا لیتی اماں! لڑکے کا کچھ پتا ہی نہیں چلتا تھا کہ کہاں ہے۔'' عذرا نے شکایتی نظروں سے داؤد کو دیکھا۔

''شاید ہی کوئی پہلی ملاقات میں اتنا بے تکلف ہوتا ہو۔'' داؤد نے سوچا۔ ''یہ خواتین یوں پیش آرہی ہیں جیسے نہ جانے کب سے مجھے جانتی ہوں۔''

عذرا جنہوں نے اسے کہا تھا کہ وہ رشتے میں اس کی ممانی لگتی تھیں اور انہیں آنٹی کے لفظ سے سخت چڑ تھی لہٰذا وہ انہیں عذرا ممی کہہ کر ہی مخاطب کر سکتا تھا اور بڑی بی جو ان کی والدہ تھیں اسے بتا چکی تھیں کہ وہ جگت اماں تھیں، لہٰذا وہ انہیں کسی اور نام سے بلانے کی زحمت نہ کرے۔ اپنی اپنی عمروں میں وہ خاصی پھرتیلی تھیں۔ جس پھرتی سے دونوں نے اس کے لیے چائے اور اس کے ساتھ کے لوازم تیار کیے تھے۔ اسے دیکھ کر وہ حیران رہ گیا تھا اور اس نے یہ بھی نوٹ کیا تھا کہ چائے کے ساتھ پیش کیے جانے والے سب کے سب لوازمات بھی گھر ہی میں تیار کیے گئے تھے۔

''ہم تو بھئی برس ہا برس سے اسی شہر میں رہ رہے ہیں، ہمیں تو پنجاب کے شہروں کی شکلیں بھی بھول گئیں۔ ہمارے ابا کا گھر کراچی میں تھا، میاں کا تبادلہ اِدھر ہوا تو یہیں کے ہو کے رہ گئے۔ میاں کے عزیز پنجاب میں رہتے تھے سو عذرا کا رشتہ ان عزیزوں میں کر دیا۔ یوں تین صوبوں سے شناسائی ہوئی مگر مستقل ٹھکانا تو اِدھر ہی ہے، مگر اتنے سال یہاں گزارنے کے باوجود یہاں کی زبان نہ سیکھ پائے ہم۔''

بڑی بی نے اپنے پاندان سے چھالیہ نکال کر پھانکتے ہوئے اسے بتایا۔ بڑی بی کا تعلق کراچی سے تھا اور بقول ان کے وہ ایک معروف اردو اسپیکنگ خاندان سے تعلق رکھتی تھیں۔

''میں اردو اسپیکنگ۔ عذرا کا باپ ہزارے والا، عذرا کا میاں پنجابی، لہٰذا ہماری ہما پنجابن۔ میاں! ہم تو سب زبانوں، سب صوبوں کے نمائندے ہیں جو رشتہ داری کی وجہ سے اکٹھے رہ رہے ہیں۔'' وہ ہنستے ہوئے بولیں۔

''خاصی دلچسپ صورتِ حال ہے۔'' داؤد محظوظ ہوا۔ ''لسانی، علاقائی اور تعصباتی جھگڑے تو خوب ہوتے ہوں گے آپ کے گھر میں۔''

''ایسے ویسے۔'' بڑی بی نے اپنے ادھ کھائے دانت دکھاتے ہوئے کہا۔ ''ہر کوئی اپنا راگ الاپ رہا ہوتا ہے۔ میں ہمارے تمہارے کرتی رہ جاتی ہوں۔ عذرا ٹھٹھا اے، ڈینڈا اے کہہ رہی ہوتی ہے اور ہماری وہ ہما...... لا نبے چا نبے کرتی رہتی ہے۔''

''واقعی!'' اس نے بے یقینی سے بڑی بی کو دیکھا۔

''تو اور کیا۔ جب ہم تینوں کی لسانی جنگیں ہوتی ہیں اس وقت ایسا ہی ہوتا ہے۔'' بڑی بی نے اسے یقین دلاتے ہوئے کہا۔

''ہم دراصل اپنی زندگیوں میں رونق برقرار رکھنے کو ایسی جنگیں چھیڑتے ہیں۔'' عذرا امی نے داؤد کے کپ میں چائے کا قہوہ اُنڈیلتے ہوئے بتایا۔ ''ورنہ اماں کو کراچی دیکھے مدتیں ہو گئیں اور ہمارے بچپن میں کبھی پنجاب دیکھا ہوگا۔''

''تمہاری شکل میں ہما کو ایک ووٹ اور میسر آ جائے گا۔'' بڑی بی بولیں۔ ''ارے میں تو کہتی ہوں بیٹا اپنا بوریا بستر اُٹھاؤ اور اِدھر ہی آ جاؤ، اس گھر میں کئی کمرے خالی پڑے ہیں۔''

''لیکن میں جہاں رہ رہا ہوں وہ بھی بہت اچھی جگہ ہے۔'' داؤد کو یہ آفر عجیب سی لگی۔

''اچھی ہی ہوگی، مگر گھر کا سا آرام کہاں۔'' بڑی بی بولیں اور پھر عذرا امی سے مخاطب ہوئیں۔ ''میں تو کہتی ہوں کہ کل ہی کالج سے واپسی پر اس کا سامان گاڑی میں رکھ کر اُدھر سے اُٹھا لاؤ۔ اس سے پتا پوچھ لو اچھی طرح۔''

''ارے نہیں پلیز! اتنی جلدی میرے لیے یہ ممکن نہیں ہے۔'' وہ اس آفر سے گڑبڑا گیا۔ ''میں تین مہینوں کا ایڈوانس کرایہ دے چکا ہوں۔''

''اچھا اماں دیکھتے ہیں۔ داؤد کو بھی سوچ لینے دیں اپنی سہولت کا۔'' عذرا امی، داؤد کے پس و پیش کو بھانپتے ہوئے بولیں۔

''میں تو اس خیال سے کہہ رہی تھی کہ چلو دو سے تیسرا جی ہوگا گھر میں تو کچھ رونق ہو جائے گی۔'' بڑی بی مایوس ہوتے ہوئے بولیں۔

''اماں دراصل خاصی مجلسی خاتون ہیں، انہوں نے شروع سے ہی بھرے پُرے گھر میں وقت گزارا ہے اسی لیے اب انہیں یوں اکیلے رہنا نہیں بھاتا۔ میں صبح اپنے کالج چلی جاتی ہوں اور ہما سکول۔ اماں بیچاری سارا دن تنہا رہتی ہیں، اسی لیے تو اگر کوئی بھولا چوکا ادھر آ جائے تو ان کا دل چاہتا ہے اِدھر ہی رہ جائے۔'' عذرا امی نے بڑی بی کے اصرار کی وجہ بتاتے ہوئے کہا۔

''میں سمجھ سکتا ہوں۔'' داؤد نے کہا اور اپنی پلیٹ میں دوسری دفعہ بیسن کا حلوہ نکالنے لگا۔ وہ گھر اور گھر کے جس ماحول سے اُداس ہو رہا تھا اور جس کے متعلق سوچ کر اس نے اچانک اِدھر چلے آنے کا فیصلہ کیا تھا، وہ اسے حقیقت میں مل رہا تھا اور غیر متوقع طور پر اس کے میزبان بھی پُر خلوص تھے۔ اسے وہ شام بہت اچھی لگی تھی۔ رات آٹھ بجے اس نے دونوں خواتین سے واپسی کی اجازت مانگی۔ اس وقت تک وہ اسے سادہ مگر پُر لطف کھانا بھی کھلا چکی تھیں۔

''واپسی کا راستہ آتا ہے نا؟'' اسے دروازے پر چھوڑنے کے لیے آئیں عذرا امی نے پوچھا۔

''جی اندازہ ہے۔'' اس نے کہا اور باہر نکلنے کے لیے دروازہ کھولا۔ اس کے باہر نکلنے سے پہلے ہی ایک لڑکی اندر داخل ہوگئی۔

''ارے! آج تم خاصی لیٹ ہوگئیں۔'' عذرا مامی نے اندر آنے والی لڑکی سے پوچھا۔

''وہی سواری کا مسئلہ'' وہ بولی۔ ''ابھی بھی نادیہ کو آنا پڑا مجھے ڈراپ کرنے۔''

''اچھا...... اس سے ملو یہ داؤد ہے۔ رفعت باجی کا بھانجا، صالحہ آپا کا بیٹا۔''

''اچھا......!'' لڑکی نے سر اُٹھا کر داؤد کی طرف دیکھا۔ دروازے سے باہر تیز روشنی کا بلب روشن تھا۔ داؤد نے دیکھا۔ وہ ایک دبلی پتلی، سانولی سی لڑکی تھی اور دیکھنے میں کالج کی طالبہ لگ رہی تھی۔

''تو یہ ہیں وہ، جن کا چرچا ہم اتنے دن سے سن رہے تھے۔ آپ سنا ہے عمارتیں بناتے اور ڈھاتے ہیں۔''

''ڈھانے کا تو ابھی تک کوئی تجربہ نہیں ہے، البتہ بنانا سیکھ رہا ہوں۔'' داؤد نے کہا۔

''اور داؤد! یہ ہما ہے۔'' عذرا مامی کو یاد آیا۔ ''میری بیٹی ہما، ایک پرائیویٹ اسکول میں پڑھاتی ہے۔ باٹنی میں ماسٹرز کر رکھا ہے اس نے۔ ایوننگ کلاسز لیتی ہے۔''

''اچھا'' وہ مسکرایا۔ ''میں سمجھ رہا تھا یہ میٹرک یا زیادہ سے زیادہ فرسٹ ایئر کی اسٹوڈنٹ ہوں گی۔''

''کیوں آپ گلیور (Gulliver) ہیں کیا جو آپ کو بونوں کی دنیا کی فرد لگ رہی ہوں۔'' لڑکی نے پوچھا۔

''خیر بونوں کی دنیا کی فرد تو میں نے نہیں کہا۔ البتہ مجھے آپ کے بارے میں یہی خیال گزرا کہ شاید آپ اسکول کالج کی سٹوڈنٹ ہیں۔ ایک تو بار بار یہ سننے کو مل رہا تھا کہ آپ سکول چلی جاتی ہیں یا آپ سکول گئی ہوئی ہیں، دوسرا آپ کی عمومی صحت بھی معاف کیجیے گا کچھ ایسی ہی ہے کہ آپ کو پہلی دفعہ دیکھنے پر کوئی مان نہیں سکتا کہ آپ ماسٹرز کر چکی ہیں۔'' داؤد نے اس کی چوٹ کے جواب میں چوٹ کی۔ ''خیر اب کر چکی ہیں تو اچھی بات ہے۔ فی الحال میں یہ نہیں کہوں گا کہ آپ سے مل کر خوشی ہوئی کیونکہ اتنی مختصر ملاقات میں پتا نہیں چلتا ٹھیک سے خوشی ہوئی کہ نہیں...... اگر پھر ملنا ہوا تو ہی بتا سکوں گا۔''

''کوئی بات نہیں۔'' وہ سر ہلاتے ہوئے بولی۔ ''ویسے بھی مجھے اس سے کوئی فرق نہیں پڑتا کہ کسی کو مجھ سے مل کر خوشی ہوئی یا نہیں، جس کو نہیں ہوتی، یہ اس کا مسئلہ ہے میرا نہیں۔''

''خوب!'' وہ مسکرایا۔ ''چلیں اگر یہ میرا مسئلہ ہے تو میں اس پر سوچوں گا۔'' اس نے سر جھکا کر عذرا مامی کو اللہ حافظ کہا۔

O......❖......O

وہ لڑکی دلچسپ تھی۔ داؤد کو لگا۔ اگر دوبارہ کبھی اس گھر میں جانا ہوا تو اس لڑکی سے خوب گفتگو رہے گی۔

''آپ ٹھیک کہتی تھیں امی! وہ لوگ بہت اچھے اور مخلص ہیں۔ وہاں جا کر میری اُداسی قدرے کم ہوگئی۔ عذرا مامی کے ہاتھ میں آپ کے ہاتھ جیسا ذائقہ ہے۔ میں نے بہت دنوں بعد شوق اور رغبت سے کھانا کھایا۔ اب تو آپ خوش ہیں نا۔ میں نے آپ کی بات مان لی اور ان کے ہاں ہو بھی آیا۔ اب آپ کو اس شہر میں میرے اکیلے پن کا

احساس تو نہیں ستائے گا نا۔'' اس رات اس نے امی کو تفصیلی خط لکھا تھا۔

اس رات وہ گہری نیند سے اچانک ہڑ بڑا کر جاگا تھا۔ نہ جانے کیوں اسے ایسا محسوس ہوا تھا کہ اس کے کمرے کی جس کھڑکی کے آگے اس کا پلنگ بچھا تھا، اس کھڑکی کو کوئی آہستہ آہستہ کھٹکھٹا رہا تھا۔ اس نے تاریک کمرے میں اِدھر اُدھر دیکھنے کی کوشش کرتے ہوئے آواز کی سمت کا تعین کیا تھا۔ تقریباً چار منٹ غور کرتے رہنے کے بعد اسے اندازہ ہوا تھا کہ اس کے سرہانے کی کھڑکی سے دستک نما آواز اُٹھ رہی تھی۔ جب سے وہ اس کمرے میں آیا تھا اس نے یہ کھڑکی کھول کر اس کے پار کبھی نہیں دیکھا تھا اب یہ دستک اسے اُلجھن میں ڈال رہی تھی۔ اس بلندی پر کھڑکی پر دستک کیسے دی جا سکتی تھی جبکہ اس کے خیال میں دوسری طرف کوئی خالی جگہ یا کھلی گلی تھی۔

''کھڑکی کھولو۔'' ایک نسوانی آواز سنائی دینے پر وہ ہڑ بڑا کر اُٹھ بیٹھا تھا۔

''کون ہے؟'' چند لمحوں کے بعد اس نے دھک دھک کرتے دل کو قابو کرتے ہوئے پوچھا۔

''میں ہوں، پلیز کھڑکی کھولو۔'' گھٹی گھٹی سی آواز آئی۔

داؤد نے ہاتھ بڑھا کر بلب کا سوئچ نیچے کر دیا۔

''پلیز ہیلپ می۔'' وہ آواز دوبارہ سنائی دی۔ داؤد کو لگا اس آواز میں آنسوؤں کی آمیزش تھی۔ داؤد نے اُٹھ کر تیزی سے بیڈ کھسکایا اور کھڑکی کی چٹخنی نیچے کر دی۔ چٹخنی کے نیچے ہوتے ہی کھڑکی کا ایک پٹ آپوں آپ وا ہو گیا۔ داؤد نے حیرت اور بے یقینی سے دیکھا۔ نان بائی کی بیٹی کھڑکی کے دوسرے پٹ سے سر جوڑے بیٹھی تھی۔

''یہ...... یہاں...... اور کھڑکی کے پیچھے کیا ہے؟'' اس نے خود سے سوال کیا اور دو قدم آگے بڑھا۔ کھڑکی کے ساتھ ہارڈ بورڈ کی ایک دیوار سی اُٹھائی گئی تھی۔ جس میں ایک چوڑا شگاف تھا۔ اس شگاف سے سر نکال کر اس نے کھڑکی سے سر جوڑا ہوا تھا۔

''تم اِدھر کیا کر رہی ہو؟'' داؤد ایک لمحے کے لیے خوفزدہ ہو گیا۔

''اس نے مجھے اِدھر بند کر دیا ہے۔'' اس نے کھڑکی سے سر ہٹا کر کہا۔ اس کے کندھوں تک آتے سنہری بال بے ترتیبی سے بکھرے ہوئے تھے۔ داؤد نے دیکھا۔

اس کے سرخ و سفید چہرے پر دو جگہ پر نیل پڑے ہوئے تھے اور ماتھے پر چوٹ کا نشان تھا۔ اس کے کان سے خون رِس رہا تھا اور ناک پر سوجن تھی۔ اس کی بائیں آنکھ پر بھی چوٹ آئی ہوئی تھی۔

''یہ تمہیں کیا ہوا؟'' داؤد متوحش ہوتے ہوئے بولا ''اور یہ کون سی جگہ ہے جہاں تم بیٹھی ہو۔''

''مجھے کچھ کھانے کو دے دو پلیز۔'' وہ نقاہت زدہ آواز میں بولی۔

داؤد کو اس ساری صورتِ حال پر گھبراہٹ سی ہونے لگی تھی۔ اس کا دل چاہا کھڑکی بند کر کے چٹخنی چڑھائے اور بیڈ کو اس کی جگہ پر کھسکانے کے بعد لیٹ کر سو جائے لیکن پھر اس کی نظر ایک بار پھر اس لڑکی کے زخم زخم چہرے پر پڑی اور اسے اپنے دل کی آواز پر کان بند کر دینے پڑے۔

کھانے کے لیے اس نے کمرے میں اِدھر اُدھر دیکھا اور پھر الماری کھول کر بسکٹ کا آدھا پیکٹ، نمکو اور

کھجوریں نکال کر پلیٹ میں رکھ کر لڑکی کی طرف پلٹا جس کی آنکھیں اب بند ہو رہی تھیں اور سر جھک کر یوں جھول رہا تھا جیسے اسے خود پر قابو نہ ہو۔

''یہ لو۔'' اس نے پلیٹ آگے بڑھائی۔ وہ آنکھیں بند کیے اسی طرح سر جھلا رہی تھی۔

''اے مس!'' داؤد نے قدرے بلند آواز میں کہا اور جواب نہ ملنے پر دو قدم آگے بڑھ کر اس کے سر پر انگلیاں بجائیں۔ اس نے بمشکل آنکھیں کھول کر داؤد کی طرف دیکھا۔

''یہ لو کچھ کھا لو۔'' داؤد کو اب اس کی حالت پر ترس آنے لگا تھا۔ اس نے خالی نظروں سے پلیٹ کی طرف دیکھا اور تیزی سے پلیٹ پکڑ لی۔ اب وہ مربھکوں کی طرح پلیٹ میں رکھی چیزیں کھا رہی تھی۔ منٹوں میں وہ پلیٹ صاف کر چکی تھی۔

''پانی ملے گا؟'' اس نے پلیٹ واپس داؤد کی طرف بڑھاتے ہوئے کہا۔

''ارے کیا تم کھجور کی گٹھلیاں بھی کھا گئیں؟'' داؤد نے بے یقینی سے پلیٹ کی طرف دیکھا۔

''پانی دو مجھے۔'' اب کے وہ ذرا تحکم آمیز لہجے میں بولی۔ ''وہ میں نے اُدھر پھینک دی ہیں کمرے میں۔''

''ہوں۔'' اس نے جگ سے پانی گلاس میں اُنڈیل کر اس کی طرف بڑھایا۔

''چائے نہیں ہے تمہارے پاس۔'' غٹا غٹ پانی پینے کے بعد اس نے آستین سے منہ صاف کرتے ہوئے پوچھا۔

''اس وقت چائے کہاں سے آسکتی ہے۔'' داؤد نے گلاس میز پر رکھتے ہوئے کہا۔

''کیا تھا جو تم بنا لیتے۔'' اس نے سر کھڑکی سے ٹکا کر کمزور آواز میں کہا۔

''میں نے تمہیں ٹی پارٹی پر مدعو نہیں کیا تھا، کیا ہوتا تو ضرور بنا لیتا۔'' داؤد نے اس کے کان سے رِستے خون کو دیکھتے ہوئے کہا۔

''مگر میری سمجھ میں نہیں آرہا۔ تمہیں ہوا کیا ہے اور تم یہاں بیٹھی کس جگہ ہو۔''

''اس نے مجھے بہت مارا ہے۔'' وہ دوبارہ نیم غنودگی میں جانے لگی۔ ''اور یہاں بند کر دیا۔''

''اس نے کس نے۔''

''ڈیڈی نے۔'' اس کی آنکھیں مکمل طور پر بند ہو رہی تھیں۔ ''ہائے بڑا درد ہے۔'' پھر وہ اپنے کان پر ہاتھ رکھ کر اونچی آواز میں بولی۔

''سلمان صاحب نے؟'' داؤد کے منہ سے حیرت زدہ الفاظ نکلے۔ ''نہیں میں نہیں مان سکتا، وہ ایسا نہیں کر سکتے۔''

''نہ مانو۔'' اس کا سر کھڑکی کے سہارے سے ہٹنے کے بعد پھر سے جھولنے لگا تھا۔ ''میں نے اپنی یہ حالت خود نہیں بنائی ہے۔''

''مگر کیوں مارا انہوں نے تمہیں۔ ویسے جتنی بدتمیز اور منہ پھٹ تم ہو، میں سمجھتا ہوں کہ انہیں غصہ آیا ہوگا کسی بات پر، مگر اتنی بے رحمی سے تمہیں وہ نہیں مار سکتے۔ سچ سچ بتاؤ قصہ کیا ہے۔''

''یہ کوئی نئی بات نہیں ہے۔'' وہ آنکھیں کھولنے کی کوشش کرتے ہوئے بولی۔

''وہ ہمیشہ مجھے ایسے ہی مارتا ہے۔'' اس کی آواز بھرانے لگی۔

''وہ جو اتنا ہنس مکھ اور بامروت نظر آتا ہے نا اصل میں ایسا ہے نہیں۔ وہ بہت اذیت پسند ہے۔ وہ ظالم ہے اور بیمار ذہن۔ وہ اپنی ذہنی بیماری کا سارا غبار مجھ پر اور غریب فضلو پر نکالتا ہے۔ یہ دیکھو۔'' اس نے بھرائی ہوئی آواز میں کہتے ہوئے اپنے سویٹر کے بازو اوپر کیے۔ اس کے گورے بازوؤں پر زخموں کے نشان تھے جیسے کسی نے چاقو سے کٹ گائے ہوں۔

''اوہ میرے خدا!'' داؤد دنگ رہ گیا اور اس نے بے اختیار آگے بڑھ کر اس کا بایاں بازو پکڑ لیا جیسے یقین کرنا چاہتا ہو کہ جو وہ دیکھ رہا تھا وہ حقیقت ہے؟ آگے بڑھنے پر اسے اندازہ ہوا، وہ ایک نیچی چھت کے کاٹھ کباڑ بھرے چھوٹے اور تنگ سے کمرے میں بیٹھی تھی۔

''یہ کون سی جگہ ہے جہاں تم بیٹھی ہو؟'' وہ اس کا بازو پکڑے پکڑے بولا۔

''یہ اس گھر کی چھت پر بنا ایک اسٹور ہے، جس میں ہم رہتے ہیں۔ اس کی پچھلی اور یہ والی دیوار کارڈ بورڈ سے کھڑی کی گئی ہے کیونکہ یہ دونوں جگہ ڈھکی ہوئی ہیں، ان پر موسم اثر نہیں کر سکتا۔''

''اوہ۔'' داؤد نے اس کا بازو چھوڑتے ہوئے کہا۔ اس محلے کے گھروں کے نقشے اتنے پیچیدہ تھے کہ شاید وہ کبھی اندازہ نہیں لگا سکتا تھا کہ گھر کی چھت دوسرے کس گھر کی چھت سے جڑی ہے۔

''میں ڈیٹول لاتا ہوں۔'' اس نے کہا اور باتھ روم سے ڈیٹول کی شیشی نکال لایا۔ ٹشو پیپر پر ڈیٹول اُنڈیل کر اس نے اس کے زخموں کو قدرے صاف کیا۔ ''مگر میرے پاس ان پر لگانے کو کوئی دوا نہیں ہے۔'' اس نے افسوس سے کہا۔

''ٹھہرو، میں تمہارے لیے دودھ گرم کرتا ہوں۔'' اسے لگا لڑکی پر نیم بیہوشی طاری ہونے لگی ہے۔

گرم دودھ کا کپ پینے کے بعد شاید اس کے جسم کو کچھ حرارت پہنچی تھی۔ وہ تھوڑا سنبھل کر بیٹھ گئی تھی۔

''میں زینب ہوں۔'' اس نے داؤد کی طرف دیکھا۔ ''میں کل سے یہاں بند ہوں اس ظالم نے مجھ پر کھانا پینا بند کر دیا، مجھے وحشیوں کی طرح مارنے کے بعد یہاں قید کر دیا۔ مجھے پتا تھا دیوار کے اس پار کسی گھر کی کھڑکی یا روشندان ضرور ہو گا۔ میں نے اس سے۔'' اس نے قریب رکھا لوہے کا ایک ٹکڑا جس کا کنارا کٹا ہوا اور تیز دھار تھا، اُٹھا کر داؤد کو دکھایا۔ یہ دیوار کاٹی ہے۔ ''مجھے لگتا تھا اگر میں ایسا نہ کر پائی تو یونہی بھوکی پیاسی زخموں سے مر جاؤں گی اور وہ چاہتا بھی یہی ہے۔''

''مگر وہ ایسا کیوں چاہتے ہیں۔'' داؤد نے ایک بار پھر اپنا سوال دہرایا۔

''میں بتاتی ہوں، مگر تم وعدہ کرو اس سے جا کر نہیں جڑو گے۔''

''نہیں جڑتا۔'' داؤد نے کہا۔ ''تم بتاؤ یہ ماجرا کیا ہے؟'' وہ نیچی مگر بھاری آواز میں بتانے لگی۔

○......❖......○

وہ سلمان کی بیکری پر آنے والا ایک ایسا گاہک تھا جس پر سلمان پہلے دن ہی سے مہربان تھا اور سلمان اس پر

مہربان کیوں نہ ہوتا وہی تو تھا جو اس جگہ پر اجنبی تھا، ورنہ محلے کے پرانے باسی تو سلمان اور اس کے گھر میں رہنے والوں سے یوں دور دور رہتے تھے جیسے ان سے تعلق رکھنا گناہ ہو۔ وہ بیکری سے اسی صورت کوئی چیز خریدتے تھے جب انہیں فوری ضرورت ہوتی اور دور مارکیٹ میں جانا ناممکن ہوتا۔ دوپہر کے وقت البتہ نان خوب بکتے اور وہ بھی اس لیے کہ محلے کی عورتیں روٹی پکانے کے تردد سے بچنا چاہتی تھیں اور سلمان اُدھار پر نان دینے کو ہر وقت تیار رہتا تھا۔ نان کم قیمت شے تھی اس کی مد میں ہر گاہک کے کھاتے میں درج رقم کو دو چار سے ضرب دے دینے پر پندرہ دن یا مہینے کے بعد اتنی رقم نہیں بن پاتی تھی جو گاہک کو گراں گزرے۔ بیکری کی باقی چیزیں اکثر تو محلے کے بچے ہی خریدتے یا پھر فضلو کی ریڑھی پر منتقل ہو کر باہر بکنے چلی جاتیں۔ سلمان کے گھرانے کے بارے میں شکوک کا شکار محلے والے کبھی کم ہی اُدھر پھٹکتے تھے۔ ایسے میں داؤد کو باقاعدہ گاہک بنانے کے لیے اس کے ساتھ حد درجہ مروت کا برتاؤ سلمان کی مجبوری تھی۔ ویسے تو یہ کوئی نئی بات نہیں تھی، کسی نہ کسی بات کو بہانہ بنا کر وہ اکثر ہی اسے پیٹتا رہتا تھا، مگر دو، تین دن تک داؤد کے انتظار کے باوجود اس کے ادھر نہ آنے کی وجہ اُسے گردانتے ہوئے سلمان نے اسے بُری طرح پیٹا اور زخمی حالت میں کاٹھ کباڑ کی کوٹھڑی میں بند کر دیا تھا۔ اٹھارہ گھنٹے زخموں سے چُور چُور کوٹھری میں پڑے رہنے اور اپنی فریادوں کی کوئی شنوائی نہ ہونے پر اس نے کمرے کی دیوار کاٹ کر جب دوسری طرف آواز دینے کی ٹھانی تو وہ خود بھی نہیں جانتی تھی کہ دیوار کے ساتھ والی کھڑکی کے پیچھے وہی داؤد موجود ہوگا، جس کی وجہ سے وہ اس حال کو پہنچی تھی۔ اس نے کارڈ بورڈ کی وہ دیوار کسی تک رسائی حاصل کرنے اور مدد مانگنے کے خیال سے کاٹی تھی اور اس کوشش میں اس کے پہلے سے زخمی ہاتھ اور بھی زیادہ زخم زخم ہوئے تھے مگر ایک امید اور وہیں پڑے پڑے مر جانے سے بچنے کا تصور اس سے وہ دیوار کٹوا گیا تھا۔

”وہ پاؤڈر اسمگل کرتا ہے، وہ چوری کی گاڑیاں بیچنے والے گروہ کا آلہ کار ہے، یہ بیکری اور تندور دوسروں کی نظروں میں روزگار کے ذریعے کے نام کی ڈھول ہے جو وہ یہاں بیٹھا اُڑاتا رہتا ہے۔“ اس نے زندگی میں پہلی بار کسی کو سلمان کے بارے میں بتایا تھا۔

”پہلے لوگ نہیں جانتے تھے، مگر اب شک میں پڑ چکے ہیں، اسی لیے کوئی ادھر نہیں پھٹکتا، لوگ شاید اس سے ڈرتے بھی ہیں، اس نے خوش اخلاقی، محبت اور مروت کا ڈھونگ رچا کر اسی محلے کے کئی لڑکے اس کاروبار میں پھنسائے ہیں۔ ان لڑکوں کے بارے میں کوئی نہیں جانتا وہ کدھر گئے۔ لیکن جیسے ہی محلے کا کوئی لڑکا غائب ہوتا ہے، اس کی جیب نوٹوں سے بھر جاتی ہے پھر یہ کئی دن مہنگی شراب پینے، مہنگی عورت گھر لانے اور مرغن کھانے کھانے میں مگن رہتا ہے، یہ بیکری محض ایک دھوکا ہے، ایک فریب ہے۔“ اسے خود حیرت ہو رہی تھی۔ وہ ایک ایسے اجنبی کو جس کی کچھ دیر پہلے تک وہ جان لینے کے درپے تھی وہ سب کیوں بتا رہی تھی جو اگر سلمان تک پہنچ جاتی تو وہ اس کی دونوں ٹانگیں چیر دیتا اور دونوں بازو کاٹ کر پھینک دیتا۔ اس سے پہلے وہ اس کی ماں کے ساتھ ایسا ہی کر چکا تھا۔

”مجھے یقین نہیں آ رہا، ایک پڑھا لکھا مہذب شخص حقیقت میں اتنا ظالم کیسے ہو سکتا ہے۔“ داؤد نے اس کی بات سنتے ہوئے نہ جانے کتنی بار کہا تھا۔

”اُلٹا مجھے تم پر شک ہو رہا ہے۔ جتنی بدتمیزی سے تم اس کی کہی باتیں ماننے سے انکار کر دیتی ہو، وہ ایسا ہوتا تو

اب تک تو تمہاری بوٹیاں چیل کوؤں کو کھلا چکا ہوتا۔'' اس نے کہا تھا۔

''یہ میرے ہاتھ دیکھو، یہ میرے بازو، یہ پاؤں۔'' اس نے ذرا فاصلے پر ہو کر اپنے ویلنگٹن بوٹ پاؤں سے اُتار کر اسے اپنے زخمی پاؤں دکھائے تھے۔ ''وہ اپنے ساتھ ہونے والی ہر بُری بات کا غصہ مجھ پر اُتارتا ہے، تم اس کے کمرے میں رکھے ڈنڈے، چابک، چاقو اور رسیاں دیکھ لو تو شاید کبھی یہ سوال نہ کرو کہ وہ اتنا ظالم کیسے ہو سکتا ہے؟''

''تو تم کیوں برداشت کر رہی ہو اب تک، اتنی تو لمبی تمہاری زبان ہے، تم نے کسی کو بتایا کیوں نہیں۔'' اسے ابھی بھی یقین کرنے میں تامل تھا۔

''میں نے تمہیں بتایا تو ہے کہ اس سے پہلے وہ میری ماں کے ساتھ کیا کر چکا ہے۔ میری ماں اپاہجوں کی طرح سسک سسک کر مری۔ سلمان کا خیال تھا کہ میری ماں نے میرے باپ کے کمائے سارے پیسے پیچھے بھیج دیئے تھے، وہ اسے اذیتیں دیتا رہا۔ اس سے جانوروں کی طرح کام لیتا رہا اور آخر میں وہ اس کے ظلم کا شکار ہو کر مر گئی۔

''اتنا ظلم، اتنی بربریت۔'' رات کے آخری پہر اس نے سر جھٹکتے ہوئے کہا تھا۔ ''بتاؤ میں تمہارے لیے کیا کر سکتا ہوں؟'' اس نے پوچھا تھا۔ اس سے پہلے کہ وہ کوئی جواب دیتی، کوٹھری کا دروازہ باہر سے کھلنے کی آواز آنے لگی۔

''تم اپنی کھڑکی بند کر لو۔'' اس نے تیزی سے داؤد سے کہا تھا۔ ''کمرے میں روشنی کی ایک بھی لکیر اسے نظر آ گئی تو۔'' اس کی آواز خوف سے کانپنے لگی تھی۔

اور اس نے پھرتی سے کھڑکی بند کر کے پردہ برابر کر دیا تھا۔ کوٹھری میں پہلے کی سی تاریکی چھا گئی تھی۔

''باہر نکل خبیث کی اولاد، چل کر ڈو تیار کر، فضلو کا سامان ختم ہوا پڑا ہے۔'' سلمان دانت پیستا نیچی آواز میں کہہ رہا تھا۔ مگر زینا کو یقین تھا کہ کھڑکی سے کان لگا کر سنتے اس شخص تک یہ نیچی آواز ضرور پہنچی ہو گی جس کو شاید ابھی بھی اس کی آپ بیتی پر داستان کا گمان تھا۔

''میں زخمی ہوں اور کچھ کرنے کے قابل نہیں ہوں۔'' اس نے دانستہ چلّا کر جواب دیا تھا۔

''نکلتی ہے اُلو کی پٹھی کہ میں......'' اس نے دروازے پر ہاتھ مار کے کہا تھا۔ وہ گھٹنوں کے بل رینگ کر باہر نکلی تھی۔ اسے باہر نکلنا ہی تھا، اندر سانس لینا محال تھا اور اگر سانس لینا ممکن بھی ہوتا تو سلمان کو انکار کرنا ناممکن تھا۔ وہ اسے مزید ایذا پہنچانے سے کبھی باز نہ رہتا۔

''چل آگے لگ۔'' اس نے اس کے سر کی پشت پر زور سے ہاتھ مارا تھا۔ زینا کو اس بات کا بھی یقین تھا کہ کوٹھری کا دروازہ بند ہونے سے پہلے کہی گئی یہ آخری بات اور اس کے سر پر پڑنے والے ہاتھ کی آواز بھی کھڑکی سے کان لگا کر کھڑے داؤد تک ضرور پہنچی ہو گی۔

اس کے جلتے زخموں میں کچھ دیر کے لیے عجیب سی ٹھنڈک اُترتی محسوس ہوئی۔ کوئی دوسرا کان تھا جس نے وہ سب سن لیا تھا۔ کوئی دوسری آنکھ جو اس کے زخم دیکھ چکی تھی۔ اس احساس نے زخموں کے باوجود صبح سے دوپہر تک اسے گھوڑے کی طرح دوڑایا تھا اور اب وہ پاؤں پھیلائے دیوار سے ٹیک لگائے، آنکھیں موندے اسی تصور میں گم بیٹھی تھی، آج اس کے دُکھ اور زخموں کے بارے میں اس کے علاوہ کوئی اور بھی تو سوچ رہا ہو گا۔

اگلا سارا دن اس نے انتہائی بے چینی میں گزارا تھا۔ منطق اور دلیل کی جنگ تھی جو اس کے ذہن میں جاری تھی۔

Seeing is believing

''حقیقت وہی ہے جو آنکھ کو نظر آ رہی ہے۔'' اس کا دل کہتا۔

''کبھی کسی نئی بات کو بغیر پرکھے اس پر یقین نہ کرو۔'' دماغ کہتا۔

کبھی اسے نان بائی سلمان ایک بے ضرر اور معصوم انسان نظر آتا پھر جیسے ہی کوٹھری میں بند اس لڑکی کے زخم نظروں کے سامنے گھومتے اسے سلمان انسان کے بجائے شیطان لگنے لگتا۔

''مگر وہ لڑکی جو ساری دنیا کے سامنے سلمان سے اتنی زبان چلاتی ہے، وہ مظلوم اور معصوم کیسے ہو سکتی ہے۔'' اس کا دماغ کہتا۔'' دو جمع دو چار، چار جمع چار آٹھ کے ترازو پر چیزوں کو تولنے والی لڑکی جو سلمان کو یاد دلاتی رہتی تھی کہ کاروبار میں نقصان ہو جانے کا ذمہ دار وہ ہوگا، وہ کیسے اسی سلمان سے چار چوٹ کی مار کھا سکتی تھی۔''

''میری ماں ڈینش تھی، وہ اپنے ماں باپ کے ساتھ ٹل برگ میں رہتی تھی، میرا نانا شہر کا سب سے بڑا بیکر تھا اور سب سے اچھی بیکری چلا رہا تھا۔ میرے باپ وقار احمد نے میری ماں کو ٹل برگ میں پھنسایا تھا اور میرے نانا سے بیکنگ کے سارے گُر سیکھنے کے بعد میری ماں کو وہاں سے یہاں لے آیا۔ میرا باپ اور اس کا خاندان بہت گھٹیا اور چال باز ہے، اس کا بھائی سلمان ان سب کا باپ ہے۔ میرے باپ نے روزیٹا بیکری جو پہلے تاج دین نان بائی کا تندور کہلاتی تھی کو بیکری کی شکل دی، یہ سلمان جو اپنے باپ کے تندور کی نان خطائیاں ٹرے میں سجائے گلی گلی محلے محلے بیچتا پھرتا تھا، اس بیکری کا منیجر بن بیٹھا۔ میرا باپ اور میری ماں نانا کے تربیت یافتہ ماہر بیکر تھے۔ میری ممی بیکنگ کا سب سامان نانا سے منگواتی تھی، جب ہی تو روزیٹا ایک اعلیٰ بیکری بن کر سامنے آئی مگر پھر میرا باپ مر گیا۔'' وہ مضبوط ڈیل ڈول اور کھلے ہاتھ پاؤں کی ایک صحت مند لڑکی تھی۔ اسے دیکھ کر کوئی سوچ بھی نہیں سکتا تھا کہ وہ خاموشی سے کسی سے مار کھا سکتی تھی۔

''میرے باپ کے بعد سلمان بیکری پر قابض ہو گیا، اس نے میری ماں کا پاسپورٹ اور شناختی کارڈ چھین لیا۔ وہ اسے گھر سے نکلنے تک کی اجازت نہیں دیتا تھا۔ سارا دن وہ بیکنگ میں جتی رہتی اور اس کی بنائی چیزوں پر یہ نام کماتا۔ مجھے اور میری ماں کو یہ دن میں ایک وقت کھانے کو روٹی دیا کرتا تھا۔ پھر اس نے میری ماں کو اس شرط پر پاسپورٹ واپس کرنے کی ہامی بھری کہ وہ اس سے شادی کر لے۔ میری مجبور ماں اس خبیث کے تمام کرتوت جانتے ہوئے بھی صرف اس لیے شادی کرنے پر رضامند ہو گئی کہ وہ اس سے اپنا پاسپورٹ لے کر واپس اپنے گھر جا سکے گی، مگر اس ظالم نے شادی کے بعد اس سے اس احتجاج کا حق بھی چھین لیا جو وہ کچھ لوگوں کے سامنے کیا کرتی کہ ظالم دیور اس پر ظلم کرتا تھا۔

اب تو وہ اپنی مرضی سے اس سے نکاح کر بیٹھی تھی۔ اپنی بیوی بنانے کے بعد اس نے میری ماں کو مکمل غلام بنا کر رکھا۔ دن بھر کام اور اس کے عوض میرے اور اس کے لیے ایک وقت کی روٹی۔ اپنی ذرا سی حکم عدولی پر یہ اس کی خوب ہڈیاں سینکتا۔ وہ بھی منہ بھر بھر کر اسے گالیاں دیتی۔ اس پر یہ اشتعال میں آ کر اسے وہ مار لگاتا کہ اس کے کئی

دن زخم سہلاتے نکل جاتے۔

میں اسی صورتِ حال اور ان ہی حالات میں پلی بڑھی۔ دن بھر ماں کے ساتھ کام کرنے کی وجہ سے بیکنگ خود بخود میرا ہنر بن گئی۔ پھر ایک مرتبہ میری ماں نے کسی طریقے سے یہاں سے بھاگ جانے کی ٹھان لی۔ اس نے کسی سے ساز باز کی اور قریب تھا کہ وہ مجھے لے کر یہاں سے نکل جاتی۔ اسی فضلو کمبخت نے بھانڈا پھوڑ دیا۔ سلمان نے میری ماں کو کمرے میں بند کر کے صحیح معنوں میں اس کی چمڑی اُدھیڑ دی، اس کے بازو اور ٹانگیں توڑ ڈالیں۔ اس کے بعد وہ چلنے پھرنے کے قابل نہیں رہی، اس نے پنجوں کے بل ایک جگہ سے دوسری جگہ گھسٹ گھسٹ کر اور موت کی آرزوئیں کرتے باقی کی زندگی گزاری۔''

''اوہ۔'' داؤد نے جھرجھری لیتے ہوئے کہا تھا۔''تو اس نے واویلا کیوں نہیں مچایا، پولیس، تھانے کچہری تک کیوں نہیں پہنچی؟ اور چلو وہ تو بیچاری معذور ہو گئی تم تو ٹھیک ہو، ہٹی کٹی ہو، تم کیوں سہہ رہی ہو یہ ظلم، گھر سے باہر نکلو، شور مچاؤ، مدد کو پکارو لوگوں کو، اس سلمان کا کچا چٹھا کھل جائے گا اور تمہیں بھی چھٹکارا مل جائے گا۔''

''میں ایسا کرنے کا سوچ بھی نہیں سکتی۔'' اس کا مضبوط توانا جسم بُری طرح کانپ گیا تھا۔''تم سلمان کو نہیں جانتے اس کا خوف میری رگ رگ میں سمایا ہوا ہے۔ وہ ظالم ہے، بہت ظالم۔'' اس کی نیلی آنکھوں میں خوف اور آنسو ایک ساتھ اُترے تھے۔

''تو پھر شاید تمہارے مسائل کا کوئی حل نہیں۔'' داؤد نے سر ہلایا۔''جب تک تم خود کوشش نہیں کرو گی، تمہیں نجات نہیں مل سکتی اسی لیے تو میں سمجھتا ہوں کہ جو کچھ تم سنا رہی ہو۔ سب جھوٹ ہے، گپ ہے، داستان ہے تمہاری گھڑی ہوئی۔''

جواب میں وہ بے بسی اور دُکھ سے اسے دیکھنے لگی تھی۔

''تو اور کیا۔'' داؤد نے اس کی نظروں کی زبان سے نظریں چراتے ہوئے کہا تھا۔''میری تو یہ سمجھ میں نہیں آیا کہ اگر وہ اتنا ظالم ہے تو جسے میں نے اُس سے بدتمیزی سے بولتے سنا ہے، وہ کون ہے۔''

''وہ بھی میں ہی ہوں۔'' وہ تیزی سے بولی تھی۔''بیکری پر بیٹھا سلمان شہد کی بوتل بن جاتا ہے، یہ محلّہ نیا ہے، یہاں ہمیں آئے پانچ سال ہو چکے ہیں۔ روزیٹا بیکری صرف دکھاوے کا کاروبار ہے، سلمان کا اتنے سالوں میں اسمگلروں کے ایک ایسے گروہ سے تعلق بن چکا ہے جس کا آلہ کار بننے کے بعد وہ لاکھوں کماتا ہے اور لاکھوں اُڑاتا ہے۔ یہ بیکری لوگوں کی آنکھوں میں دھول جھونکنے اور مجھے گدھوں کی طرح کام میں جوتے رکھنے کا بہانہ ہے۔ چہرے پر خوشگواری اوڑھے، لہجے اور رویے میں حلاوت گھولے بیکری پر بیٹھا سلمان محض ایک دھوکا ہے۔ اسی طرح کے رویوں سے وہ لوگوں کو پھانستا اور اپنے کالے کاروبار کا حصہ بنا کر ان کو یہاں سے غائب کرواتا ہے۔ فضلو کی ریڑھی پر بکنے والی چیزوں میں نشہ آور چیزوں کی ملاوٹ سے بھی اسے کالجوں اور سکولوں سے نشے کے عادی لڑکے، لڑکیاں مل جاتے ہیں۔ وہ لوگوں کو بتاتا ہے کہ میں منہ پھٹ، بدتمیز اور جھگڑالو بھتیجی ہوں جسے سب برائیوں کے باوجود اس نے سہارا دیا ہوا ہے۔ اسی لیے تو وہ دن بھر وہ مجھے لوگوں کی موجودگی میں اونچی آواز میں ایک لفظ بھی نہیں کہتا اور وہ میرے لیے سنہری وقت ہوتا ہے، میں اس کو جلی کٹی سنا کر اپنی بھڑاس نکالتی ہوں مجھے پتا ہوتا ہے، لوگوں

کے سامنے وہ میری ساری سن لے گا۔'' پوری گفتگو میں وہ فقط اس بات پر مسکرائی تھی۔

''تمہیں بھی وہ کسی ایسے ہی مقصد کے لیے پھنسانے کے چکر میں ہے اس لیے ہوشیار رہنا۔'' اس نے داؤد کو بھی تنبیہ کی تھی۔

''مجھے۔'' داؤد کو جھٹکا لگا۔

''ہاں...... ہاں تمہیں۔'' داؤد نے سر ہلا کر کہا تھا۔ ''تم سے زیادہ آسان شکار کون ہوسکتا ہے، شہر میں اجنبی ہو، محلے میں تمہیں کوئی نہیں جانتا، اچانک غائب بھی ہو جاؤ تو پوچھے گا کون۔ تمہارے پیچھے والے لوگوں کو تو پتا چلتے دیر ہو چکی ہوگی۔''

''اوہ میرے خدا۔'' اس نے اس کی باتیں یاد کیں اور بے یقینی سے سر جھٹکا، دنیا میں کیا اور کتنا کچھ ہو رہا ہے ہمیں پتا ہی نہیں چلتا، میں اور میری ماں بہنیں ایک فاروق بھائی کے دھوکے اور لالچ کا شکار ہو کر یہ سمجھتے ہیں کہ جو ہمارے ساتھ ہوا، وہی سب سے بُرا ہے اگر یہ لڑکی سچ بول رہی تھی تو کیا اس ظلم، زیادتی اور استحصال کے بارے میں ہم سوچ بھی سکتے ہیں۔

''اور وہ سلمان صاحب!'' اسے اس نان بائی کی شکل یاد آئی۔ ''اسے دیکھتے ہوئے، اس سے ملتے ہوئے، گفتگو کرتے ہوئے کوئی سوچ بھی نہیں سکتا کہ اس کے اندر ایسا وحشی درندہ چھپا بیٹھا ہوا ہے۔''

پھر اسے خیال آیا۔ ''ہوسکتا ہے وہ لڑکی جھوٹ بول رہی ہو۔'' لیکن اگر وہ لڑکی کسی بات پر قصوروار بھی ہے تو پھر بھی کیا اس طرح کسی کو مارنا جائز قرار دیا جا سکتا ہے جیسے اسے مارا گیا تھا۔'' اسے نیلی آنکھوں سے ٹپکتی بے بسی اور آنسو یاد آنے لگے۔

''کیا مجھے سوچنا پڑے گا کہ میں اس کے لیے کیا کرسکتا ہوں؟'' اس نے خود سے سوال کیا۔

''کوئی ضرورت نہیں ہے سوچنے کی، بھاگ جاؤ، پیچھا چھڑاؤ ان لوگوں سے، کرنے دو جو یہ کرتے ہیں، ہونے دو جو ہو رہا ہے۔'' دماغ نے جواب دیا۔

''انسانیت بھی کوئی چیز ہوتی ہے۔'' دل دہائی دینے لگا تھا۔ اس نے دل کی طرف سے اپنے کان بند کر لیے۔ ہر نارمل انسان کی طرح اسے بھی اپنا ذہنی سکون عزیز تھا۔

○......❖......○

اس نے دھلی اور استری شدہ سفید چادریں صوفوں پر ڈالیں۔ بڑے صوفے کے ساتھ رکھی پتلی پتلی ٹانگوں والی گول میز پر کروشیے سے بنا میز پوش ڈال کر اس پر سفید مٹی سے بنا روغن کیا ہوا بگلا رکھا، بگلا منہ میں ایک ننھی سی مچھلی دبائے ایک ٹانگ پر کھڑا تھا۔ اس نے ہاتھ میں پکڑا صفائی کرنے والا کپڑا بگلے کی اوپری سطح پر پھیرا، یہ بگلا اس وقت سے یونہی ننھی مچھلی منہ میں دبائے اس میز پر ایک ٹانگ کے سہارے کھڑا تھا جب وہ غالباً کلاس روم کی طالبہ تھی۔

اس کمرے میں موجود ہر چیز سالوں پُرانی تھی۔ لکڑی کا پُرانی وضع کا فرنیچر، فرش پر بچھا سنہری رنگ کا قالین جس پر بھورے رنگ میں کسی راجے مہاراجے کا دربار سجا تھا۔ دیواروں پر سجی روغنی پینٹنگز، سفید تکونے رومال سے ڈھکا آتش دان جس پر ایک طرف چھوٹے بڑے فریمز جن میں خاندان کے مختلف بزرگوں اور بچوں کی بلیک اینڈ

وائٹ تصویریں جڑی تھیں اور جس کے وسط میں لکڑی کے نفیس تراش کے دو اونٹ رکھے تھے، ایک بڑا اونٹ اور ایک چھوٹے سائز میں غالباً اس کا بچہ تھا۔ اسی آتش دان کے آخری کونے میں وہ سجاوٹی لیمپ تھا جس کے اندر پانی اور پانی میں موجود رنگا رنگ مچھلیاں سجی تھیں، لیمپ کو روشن کیا جاتا تو پانی اور مچھلیوں کا منظر آپ سے آپ حرکت کرتا چاروں طرف گھومنے لگتا۔ مگر وقت بہت آگے آچکا تھا۔ لیمپ کا مچھلیاں اور پانی گھمانے کا سسٹم خراب ہو چکا تھا اور اب یہ محض ایک سجاوٹی شے بن کر آتش دن کے اس کونے پر ٹکا رہتا تھا۔

کمرے کے مشرقی کونے میں رکھی اونچی الماری جس کے چاروں طرف شیشے جڑے تھے اس کے نانا، ابا، امی اور خود اس کے سکول کالج کے زمانے میں مختلف مقابلوں میں جیتے کپ اور فریمز میں جڑے سرٹیفکیٹس رکھے تھے۔ وہ اُٹھ کر آہستہ قدموں سے چلتی اس الماری کے قریب جا کھڑی ہوئی۔ بیڈ منٹن، باسکٹ بال، تیز رفتار دوڑوں کے مختلف مقابلے، تقریری مقابلے، مضمون نویسی، نیلی چڑیا اور گرلز گائیڈ، بے شمار سرٹیفکیٹس اور اَن گنت بڑے چھوٹے کپ، میڈلز، اس کا خاندان ہونہار اور محنتی لوگوں سے بھرا پڑا تھا۔ ایک اُداس مسکراہٹ اس کے چہرے پر پھیل گئی اس کی نظر ان کے درمیان چھپے ایک ننھے سے ہاتھی پر پڑی۔ لکڑی کا یہ نیلے رنگ میں رنگا ہاتھی اسے اس کی کالج کی دوست واشیکا نے تحفے میں دیا تھا۔ واشیکا کا تعلق سری لنکا سے تھا اور ہاتھی اس کے نزدیک ایک مقدس ترین تحفہ تھا۔

''اور یہ بیچارہ کس ناقدری سے اِدھر چھپا پڑا ہے۔'' اس نے ہاتھ بڑھا کر ہاتھی نکال لیا اور اس کے اوپر پڑی گرد جھاڑنے لگی یہ ہر اتوار کے دن کا معمول تھا۔ اس کمرے کی تفصیلی صفائی اس کے ذمہ تھی۔ اس نے الماری کے پٹ بند کیے اور ایک بار پھر کمرے پر نظر ڈالی۔ اس کمرے کی ہر چیز پر قدامت اور نیم بوسیدگی طاری تھی۔

''جب یہ چیزیں اتنی پُرانی لگتی ہیں تو میں جوان ہی کو دیکھتے دیکھتے چھوٹی بچی سے بڑی ہوتی اس عمر کو آن پہنچی ہوں، میں کتنی پرانی ہو چکی ہوں گی۔'' نہانے کے لیے تولیہ، شیمپو اور صابن لے کر غسل خانے کی طرف جاتے ہوئے اسے خیال آیا۔

''اتنی پرانی کہ اب اپنی تاریخ پیدائش بھی یاد کرنے کو دل نہیں چاہتا۔''

گرم پانی کی پھوار کے نیچے کھڑے بالوں میں شیمپو کرتے ہوئے اس نے خود کو جواب دیا تھا۔

غسل کے دوران ہی اسے گھر کا بیرونی دروازہ دھڑ دھڑانے کی آواز سنائی دی اور پھر صحن پار کر کے دروازے تک جاتی اماں کی بڑبڑاہٹ کی آواز۔

''اے ہے اس عذرا نے بھی اتوار کا سارا دن اتوار بازار میں ہی گزار دینا ہوتا ہے۔''

''اماں کو امی کا اتوار بازار جانا کتنا کھلتا ہے، حالانکہ امی اتوار بازار سے خریداری کرنا چھوڑ دیں تو ہفتہ بھر ہم ہاتھ پر ہاتھ دھرے بیٹھے رہا کریں، نہ گھر میں کچھ پکانے کے لیے موجود ہو نہ کھانے کے لیے۔''

''آؤ بیٹا! آؤ...... شاباش اِدھر آجاؤ۔'' پھر سے غسل خانے کے قریب سے گزرتی اماں کی پُر تکلف آواز سنائی دی۔ ''اطلاعی گھنٹی خراب ہوئے کتنے ہی دن ہو گئے۔ بجلی والا کمبخت نخرے دکھاتا ہے۔'' وہ کسی کو وضاحت دیتی آگے بڑھ گئیں۔

''یہ کون آگیا آج؟'' اس نے حیران ہوتے ہوئے سوچا اور کپڑے پہن کر بالوں پر تولیہ لپیٹتی غسل خانے سے

باہر آ گئی۔

''ہما! غسل خانے میں وائپر ضرور لگا کر آئیو، مجھ غریب کا پیر پھسل گیا نا کسی روز گیلے فرش پر تو تم دونوں ماں بیٹیوں کو ہی مصیبت پڑے گی۔'' غسل خانے کا دروازہ کھلنے کی آواز پر اسے اماں کی آواز آئی۔

''لگا دیا ہے، آپ نہ بھی کہتیں تو مجھے یاد تھا۔'' اس نے بالوں سے تولیہ نکال کر الگنی پر پھیلاتے ہوئے کہا۔

''داؤد آیا ہے۔'' اسی دم اماں نے اس کے پیچھے آ کر اس کے کان میں سرگوشی کے انداز میں کہا۔ ''چائے کے ساتھ کھانے پینے کا سامان گھر میں ہے یا سب ختم ہو گیا۔''

''مجھے کیا پتا، دن بھر گھر میں آپ ہی تو ہوتی ہیں۔'' اس نے گیلے بال جھٹکتے ہوئے کہا۔

''اچھا تم چلو اندر جا کر اس کے پاس بیٹھ کر باتیں کرو میں کچھ کرتی ہوں۔'' انہوں نے باورچی خانے کا رُخ کرتے ہوئے کہا۔

''آپ بیٹھیں۔ میں بناتی ہوں چائے۔'' اس نے ان کا ہاتھ پکڑا۔

''بھئی! میں تو اونچا سنتی ہوں اور وہ اتنا آہستہ بولتا ہے کہ میرے پلے کچھ نہیں پڑتا۔ تم بیٹھو۔ ابھی تمہاری ماں واپس آتی ہے تو آپ ہی کر لے گی گفتگو اس سے۔'' انہوں نے ہاتھ چھڑا کر باورچی خانے میں گھستے ہوئے کہا۔

''واہ آپ جین آسٹن کو پڑھ رہے ہیں، ہم نے تو سنا تھا آپ انجینئر ہیں۔'' وہ مسکراتے ہوئے بولی، اس کے ہاتھ میں وہ کتاب تھی جو ہما نے پڑھتے پڑھتے رکھی تھی۔

''نہیں تو۔'' اسے دیکھ کر وہ کتاب میز پر رکھتے ہوئے بولا۔ ''میں نے تو اس رائٹر کا نام بھی پہلی دفعہ پڑھا ہے، وہ بھی کتاب رکھی دیکھ کر اُٹھانے پر......''

''یعنی آپ کو مطالعہ میں کوئی دلچسپی نہیں۔''

''مطالعہ میں تو نہیں مطالعہ پاکستان میں ہوا کرتی تھی۔ سٹوڈنٹ لائف کے دوران وہ بھی اچھے نمبر لینے کے لیے۔''

''خوب!'' وہ مسکرائی۔ ''اب انجینئرنگ کی ادق زبان اور علم کا ہمیں تو دور دور تک کچھ پتا نہیں پھر آپ سے کس موضوع پر بات کی جائے۔''

''جس بھی موضوع پر کرنا چاہیں کر لیں لیکن برائے مہربانی اتنی گاڑھی اور مشکل اردو میں مت بولیں، میرے سر پر سے گزر جائے گی۔'' وہ منہ بنا کر بولا۔ ''یہ کیا ہوتا ہے ادق۔ میں نے یہ لفظ پہلی مرتبہ سنا ہے۔''

''حالانکہ آپ دنیا میں نو وارد نہیں ہیں، خاصے پرانے لگ رہے ہیں۔'' وہ ہنسی۔ ''کہاں رہے ہیں اب تک؟''

''اوکاڑہ پاکستان میں۔'' وہ اطمینان سے بولا۔

''اللہ میاں کے پچھواڑے تو نہیں واقع آپ کا گاؤں۔'' وہ مسکرائی۔

''گاؤں نہیں بہت بڑا شہر ہے، صرف شہر ہی نہیں اس کے ساتھ چھاؤنی بھی ہے۔'' اس نے فوراً تصحیح کی۔

''میں معذرت خواہ ہوں، کیونکہ میرا جغرافیہ ذرا کمزور ہے۔'' ہما نے کہا۔

''مطالعہ کا کیا فائدہ جب جغرافیہ کمزور ہو۔'' اس نے چوٹ کی۔

''صرف جغرافیہ سے کام نہیں چلتا، مطالعہ بھی ضروری ہے۔'' اس نے جواب دیا۔

''چلیں ایسا کرتے ہیں میں آپ کو جغرافیہ سمجھا تا ہوں آپ مجھے مطالعہ سکھا دیں۔''

''ضرور۔'' وہ مسکرائی۔

یہ پہلی تفصیلی ملاقات خوشگوار رہی وہ پورا دن ان کے یہاں گزار کے گیا تھا اور اس کی واپسی تک وہ دونوں ہی یہ فیصلہ کر چکے تھے کہ ان دونوں نے ایک دوسرے کی شخصیت کو دلچسپ پایا تھا اور ان کی آپس میں اچھی دوستی ہو سکتی تھی۔

O......❖......O

وہ عذرا مامی کی طرف ایک اچھا اور خوشگوار دن گزارنے کے بعد واپس لوٹا تو اس کا موڈ اچھا تھا۔ عذرا مامی کے گھر میں رکھ رکھاؤ اور وضع داری کے باوجود ایک نامحسوس سی بے تکلفی کی فضا تھی۔ وہ وہاں جا کر خود کو ان لوگوں سے الگ محسوس نہیں کرتا تھا اور اس روز تو اسے ہما کی کمپنی میسر آئی تھی۔ وہ عمر میں شاید اس سے چند مہینے بڑی تھی اور اسی لیے پہلے پہل کے بعد سارا دن اسے تم کہہ کر مخاطب کرتی رہی تھی۔ اسے ہما کی شخصیت دلچسپ لگی تھی۔ وہ اپنی گفتگو کے دوران قصے، کہانیاں، واقعات، لطیفے، اشعار اور اقوال زریں جوڑ جوڑ کر سناتی تھی۔ اس کی حسِ مزاح بھی اچھی تھی مگر ایک بات یہ بھی تھی کہ ہما کی شخصیت میں ایک عجیب سا رعب تھا۔ خاصا پُر اعتماد ہونے کے باوجود داؤد کو محسوس ہوتا رہا کہ وہ ہما کے آگے دب رہا تھا۔ اسے ہما کی کچھ باتوں سے اختلاف محسوس ہوا تھا مگر نہ جانے کیوں وہ خود کو اس کی ہاں میں ہاں ملاتا محسوس کر رہا تھا۔

اس نے انگڑائی لینے کے بعد کروٹ بدلی اور لحاف اپنے اردگرد اچھی طرح لپیٹ لیا۔ اسی دم اس کے سرہانے کی کھڑکی پہ دستک ہوئی۔

''اوہ!'' اسے اچانک گزشتہ رات یاد آ گئی۔ اس نے سر جھٹک کر یقین کرنا چاہا کہ دستک محض اس کی سماعت کا دھوکا تھا لیکن دوبارہ اور سہ بارہ کی دستک نے اسے اپنا دھیان کھڑکی کی طرف کرنے پر مجبور کر دیا۔

''صبح سلمان انکل اسے نکال کر لے گئے تھے، اب وہاں کون تھا جو دستک دے رہا تھا۔'' اس نے سوچا اور پھر دستک کو نظر انداز کر کے سونے کی کوشش کرنے لگا۔

''کھڑکی کھولو، پلیز کھڑکی کھولو۔'' ایک مظلوم اور ملتجیانہ آواز آئی۔

''اوہ نو...... ناٹ اگین۔'' اس نے خود سے کہا۔ ''یہ وہ پرایا پھڈا ہے جس میں ٹانگ اڑانا سخت خطرناک ثابت ہو سکتا ہے۔''

''خدا کے واسطے میری ایک بات سن لو۔'' وہ گھٹی گھٹی سی آواز دوبارہ سرگوشی کے انداز میں اُبھری۔

''اب کیا ہے؟'' اس نے کھڑکی کھولے بغیر اس کے قریب جاتے ہوئے کہا۔

''کھڑکی کھولو پلیز۔''

''نہیں۔ میں کھڑکی نہیں کھولوں گا۔'' وہ قطعیت سے بولا۔ ''تم کو جو کہنا ہے یونہی کہہ دو۔''

''میرا زخم خراب ہو رہا ہے، پلیز میری مدد کرو۔ میرے ہاتھ میں ریشہ پڑ رہا ہے۔'' سسکیوں کے درمیان آواز

آئی۔

نہ چاہتے ہوئے بھی داؤد کے ہاتھ نے بڑھ کر کھڑکی کی چٹخنی نیچے کی۔

''تم نہاتی نہیں ہو کیا؟'' اس کے میلے وجود کو دیکھتے داؤد نے بے اختیار پہلا سوال کیا۔

''نہا لیتی ہوں کبھی کبھار، کیوں کیا ہوا؟'' وہ بھاری آواز میں بولی۔

''کبھی کبھار؟'' داؤد کو کرنٹ سا لگا۔ ''دکھاؤ ہاتھ کدھر ہے تمہارا جو زخمی ہے اور آج بھی کیا تم اس کوٹھری میں بند ہو۔''

''نہیں میں آج بند نہیں ہوں، خود آئی ہوں۔'' اس نے سوراخ سے پیچھے ہٹتے ہوئے اپنا بایاں بازو سوراخ سے نکال کر داؤد کی طرف بڑھایا۔ وہ سفید، گدگدا، پُر گوشت ہاتھ تھا اس کا سائز نارمل زنانہ ہاتھ سے بڑا تھا اس کی موٹی انگلیوں کے ناخن چھوٹے چھوٹے سے تھے اور جلد سے اندر تک کٹے ہوئے تھے۔ ہاتھ کے وسط میں لمبا سا کٹ تھا، جس میں پانی پڑتے رہنے کی وجہ سے ریشہ پڑ رہا تھا۔

''اوہو۔'' داؤد زخم کی نوعیت دیکھ کر پریشان ہو گیا۔ ''اسے تم کسی سرجن کو دکھاؤ، بھئی یہ ایک بڑا زخم ہے۔''

''سرجن!'' اس نے یوں داؤد کو دیکھا جیسے کہنا چاہتی ہو، تم مذاق کر رہے ہو۔ ''سرجن کہاں سے ملے گا مجھے۔ سرجن چھوڑ تمہارے گھر کے نیچے جو ڈاکٹر کلینک چلاتا ہے، مجھے تو وہ بھی نہیں ملے گا۔ مجھے گھر سے باہر نکلنے کی اجازت ملے گی تو ڈاکٹر کو دکھاؤں نا۔''

''یار! کیا مصیبت ہے۔'' داؤد نے جھلا کر اِدھر اُدھر دیکھا۔ ''اچھا رُکو، میں دیکھتا ہوں ڈاکٹر ادھر ہے یا کلینک بند کر گیا۔'' وہ بستر سے نکل کر گرم چادر اوڑھتے ہوئے بولا۔

''تم ڈاکٹر کو بلانے جا رہے ہو؟'' اس کے چہرے اور لہجے دونوں میں خوف اُتر آیا۔

''نہیں۔'' داؤد نے دروازے کے قریب رُک کر مڑتے ہوئے اسے دیکھا۔ بکھرے سنہری بال، چہرے اور آنکھوں میں خوف لیے وہ اس کی طرف یوں دیکھ رہی تھی جیسے قربانی کا جانور قصائی کی بُو پا کر اسے لانے والے کو دیکھتا ہے۔

''میں کوئی دوا لے کر آتا ہوں۔'' وہ کہہ کر باہر چلا گیا۔ سیڑھیاں اُتر کر نیچے آتے ہوئے وہ خود سے سوال کر رہا تھا۔ وہ ڈاکٹر کے پاس دوا لینے کیوں جا رہا تھا۔ اس نے غلطی سے کھڑکی کھول ہی لی تھی تو اسے دوبارہ بند کر کے سو کیوں نہیں گیا تھا مگر اسے خود سے یہ جواب نہیں ملا تھا کہ وہ ڈاکٹر کے پاس سے دوا، گاز اور پٹی کیوں مانگ لایا۔

جب وہ واپس کمرے میں لوٹا وہ پہلے کی سی پوزیشن میں دیوار کے کٹے ہوئے حصے سے چہرہ ٹکائے بیٹھی تھی۔ اس کی آنکھوں میں ابھی بھی خوف تھا۔

داؤد نے پائیوڈین میں گاز بھگو کر اس کا زخم صاف کیا پھر پٹی باندھ دی۔

''اسے بھگونا مت اور درد کی دوا بھی دھیان سے کھانا۔'' اس نے کسی بڑے کی طرح خود کو اس لڑکی سے کہتے سنا تھا۔

''لیکن تم سلمان انکل سے کیسے چھپاؤ گی کہ تمہارے ہاتھ پر پٹی کیسے بندھی؟'' اسے خیال آیا۔

''میں گلوز پہن کر کام کرلوں گی۔اس پر وہ دھیان نہیں دے گا۔'' وہ اپنا پٹی والا ہاتھ دباتے ہوئے بولی تھی۔

''اچھا چلو۔اب جاؤ اور سو جاؤ۔'' داؤد نے قدرے نرمی سے کہا۔

''تم بہت اچھے ہو۔'' وہ دیوار سے پرے ہٹنے سے پہلے بولی۔''میری ماں بھی مجھے اسی طرح پٹی کرتی تھی جب کبھی مجھے چوٹ لگ جاتی تھی۔اس کے پاس دوا کے لیے پیسے نہیں ہوتے تھے تو وہ ایلو ویرا کے پتے کو گرم کر کے زخم پر باندھ دیا کرتی تھی۔میری ماں کے بعد میری پٹی کرنے والے تم پہلے شخص ہو۔تم بہت اچھے ہو۔کل میں تمہارے لیے کیرامل ٹافی بنا کر لاؤں گی۔''

داؤد کو پہلی مرتبہ محسوس ہوا کہ بدتمیز، منہ پھٹ اور بدزبان نظر آنے والی یہ لڑکی درحقیقت بہت معصوم تھی اور مظلوم بھی۔اپنی ماں اور اس کی شفقت کا ذکر کرتے ہوئے جو تاثر اس کی آنکھوں میں اُترا تھا، داؤد اس کو پہچان سکتا تھا وہ اسے سمجھ بھی سکتا تھا۔

''نہیں۔'' اس نے سر جھٹکا ''تم کچھ مت لانا، کچھ مت بنانا، میں نے تمہارے لیے کچھ بھی نہیں کیا۔''

''ویسے بھی یہ اچھی بات نہیں ہے۔'' اس نے ہارڈ بورڈ کی دیوار کے کٹے ہوئے حصے کی طرف دیکھا۔''کل رات تم یہاں بند تھیں اور بات تھی آج تم خود آئی ہو، یہ غلط ہے۔آئندہ یوں مت آنا۔''

''میں......'' اس کے ہونٹ لرزے۔''میں تو سارا دن رات کے آنے کا انتظار کرتی رہی۔میں یہاں آ کر تم سے بات کرنے کے لیے بے چین تھی، مجھے یقین تھا تم میرے زخم سے لاپروائی نہیں برتو گے۔''

''تمہارے زخم کی پٹی ہوگئی اور تمہیں دوا بھی مل گئی، بس اب اس کوٹھڑی میں یوں مت آنا۔آئندہ میں یہ کھڑکی نہیں کھولوں گا۔'' داؤد نے اس سے نظریں چراتے ہوئے کہا وہ اس کے چہرے پر پھیلی مایوسی نہیں دیکھنا چاہتا تھا۔

''چلو اب تم جاؤ۔'' پھر اس نے نظریں اُٹھائے بغیر کھڑکی بند کر کے پردہ برابر کر دیا۔اسے دیر تک کھڑکی کے پار سے سسکیوں کی آواز آتی رہی تھی اور وہ پو پھوٹنے تک سو نہیں پایا تھا۔

O......❖......O

اس لڑکی زینب وقار کے لیے داؤد کی یہ ہدایت کہ آئندہ وہ اس کھڑکی کے قریب نہ آئے۔الفاظ میں ڈھلی ہدایت تک ہی محدود رہی، اس پر عمل نہیں ہو سکا۔زینب وقار جو خود کو زینا بتاتی تھی، کے لیے وہ کھڑکی شاید اس کے ہر درد، دُکھ، محرومی اور دل سے اُٹھتی چیخوں کا روزن تھی۔ہر رات وہ کھڑکی پر دستک دیتی۔داؤد کان لپیٹتا، پہلو بدلتا، دل میں سو پختہ عہد کرتا کہ اسے کھڑکی کی دستک کی طرف دھیان نہیں دینا مگر دوسری جانب سے فریاد کچھ ایسے الفاظ میں کی جاتی کہ اس کا ہاتھ چٹخنی کی طرف بڑھتا اور کھڑکی کھل جاتی۔

''تمہاری وجہ سے میں سو نہیں پاتا، میری ساری روٹین ڈسٹرب ہو کر رہ گئی ہے۔'' وہ اسے ڈانٹتا۔

''صرف پندرہ منٹ اور مجھے صرف ایک اور بات سنانی ہے۔'' وہ التجا کرتی اور پندرہ منٹ گھنٹے ڈیڑھ گھنٹے تک کھنچ جاتے۔داؤد کی خود سمجھ میں نہیں آتا تھا وہ اس کی بات کیوں سنتا تھا۔اس کی باتوں میں ہوتا بھی کیا تھا، اس کی ماں کے ساتھ ہونے والے دھوکے، ماں کی بیکنگ میں مہارتیں، ماں کے اندر کوٹ کوٹ کر بھری وفاداری، معصومیت، شوہر کے مرنے کے بعد سلمان پر بھروسہ اور سلمان انور کے پھینکے جال میں قید، اس کی اکثر باتیں اس کی ماں سے

شروع ہوتیں اور ماں ہی پر ختم ہو جاتیں۔

''تمہاری ماں، بقول تمہارے پڑھی لکھی بھی تھی، وہ سمجھ دار بھی تھی پھر وہ سلمان انور کے دھوکے میں کیسے آ گئی۔ اس نے کسی سے مدد کیوں نہیں مانگی، اپنے والدین سے رابطہ کیوں نہیں کیا، ان کی رہنمائی میں وہ اپنے قونصلیٹ تک پہنچ سکتی تھی۔ سلمان کو مجرم ثابت کر سکتی تھی۔ اس نے اتنی خاموشی سے پھانسی کا پھندا اپنے گلے میں کیسے ڈال لیا۔'' داؤد اس کا والدہ نامہ سن کر پوچھتا۔

''ایک بڑی غلطی کا خمیازہ اسے بھگتنا پڑا۔'' وہ اپنی نیلی نیلی آنکھیں سامنے خلا میں ٹکاتے ہوئے کہتی۔ ''وہ وہاں سے بھی اپنے ماں باپ کو دھوکا دے کر میرے باپ سے شادی کر کے نکلی تھی۔ دونوں نے نانا، نانی کے تین اوون اور دوسرے بیکنگ ٹولز بھی اُڑا لیے تھے، شاید ڈیڈی نے اسے مستقبل کے بارے میں پاکستان کے بارے میں کوئی لمبے سنہرے خواب دکھائے تھے۔''

''پھر بھی...... پھر بھی وہ بہت کچھ کر سکتی تھی۔'' داؤد نے اصرار کیا۔

''ڈیڈی کی زندگی میں اسے کوئی مسئلہ نہیں تھا۔ ڈیڈی کے بعد سلمان نے ممی کو پاؤڈر پر لگا دیا۔ پاؤڈر تم جانتے ہو نا۔'' اس نے دائیں ہاتھ کی شہادت کی انگلی کو انگوٹھے سے مسلتے ہوئے پوچھا۔

''ہوں۔''

''پاؤڈر پر لگنے کے بعد وہ سلمان کے اشاروں پر ناچنے لگی۔ وہیں سے اس کا ذہنی زوال شروع ہو گیا، جب کبھی وہ پاؤڈر کے نشے سے باہر آتی اسے احساس ہوتا کہ وہ کیا کر رہی ہے، وہ سلمان کی منتیں کرتی اسے واپس جانے دے مگر سلمان کو اس کا بڑا فائدہ تھا۔ نشے میں بھی وہ جانوروں کی طرح کام کرتی تھی۔ بیکری کے نام پر روزگار کا ذریعہ چلتا تھا۔ ممی کے بنائے بٹر کوکیز کے ذریعے سلمان اونچے لوگوں تک پہنچا تھا۔ ممی کو واپس بھجوانے کی غلطی وہ کیسے کر سکتا تھا۔ ممی نشے میں اکثر سلمان سے جھگڑا کرنے لگی۔ اسے اپنا وہ پاسپورٹ چاہیے تھا جو سلمان نے اپنے قبضے میں رکھا تھا۔ مگر سلمان نے اس سے کہا وہ اسے پاسپورٹ ضرور دے گا اگر وہ اس سے نکاح کر لے۔ وہ سلمان کے اس ٹریپ میں پھنس گئی اور اپنے رہے سہے پَر بھی کٹوا بیٹھی۔ نکاح کے بعد ممی سلمان کی بیوی تھی جو اپنے شوہر کی اجازت کے بغیر سانس بھی نہیں لے سکتی تھی۔ نشے کی عادت، سلمان کی جابر طبیعت، اس کی مار پیٹ اور دھمکیوں نے ممی کو گیدڑ بنا دیا۔ وہ گھگھیانے، ہاتھ جوڑنے، مار کھانے اور اپنی چوٹیں سہلانے سے آگے بڑھ ہی نہیں سکی اور جب بڑھنے کی کوشش کی تو سلمان کے ہاتھوں اپنے بازو اور ٹانگیں تڑوا بیٹھی۔ میری ممی بہت اچھی تھی۔'' اس کی نیلی آنکھوں سے آنسو ٹپکنے لگے۔

''مت رو! پلیز...... میں تمہارے دُکھ کو سمجھ سکتا ہوں۔''

داؤد کو پتا ہی نہیں چلا وہ زینب وقار عرف زینا کو نظر انداز کرنے کی کوشش کرتے کرتے اس کا ہمدرد کیسے بنا، وہ اس لڑکی کے دل کے اندر موجود غم کے پھپھولوں کے پھٹنے اور بہہ جانے کا راستہ کیوں اور کیسے بن گیا۔ اس کو اس لڑکی کے آنسوؤں نے زیر کیا یا اس کے جسمانی و روحانی رِستے زخموں نے۔ وہ اس سے اور اس کی باتوں سے کنارا کرنا چاہتا تھا مگر کر نہیں پا رہا تھا۔

اور اس کی باتیں ہوتی بھی کتنی بے ضرر تھیں۔ عموماً ممی کی باتوں سے شروع ہونے والی باتیں۔ ''ممی بہت پیاری تھی، وہ سخت محنتی عورت تھی، خالص ڈینش عورت۔ اس کے بال پیارے تھے، اس کی آنکھیں ایسی تھیں اس کے ہاتھ ویسے تھے، وہ ڈینش پیسٹری بنانے کی ماہر تھی۔ لیکن اپنی زندگی کے آخری دنوں میں وہ کچھ بھی نہیں کر سکتی تھی۔ وہ ڈینش پیسٹری کے ذائقے کو یاد کرتی تھی۔ وہ گھر کو یاد کر کے سسکتی تھی۔ وہ دنیا کے بے رحم ترین جانور کے رحم و کرم پر تھی جو اس کو دن بھر کھانے کو سبزیوں کے سوپ کے ایک پیالے، چند بسکٹس اور ایک آدھ لیمن ٹارٹ کے سوا کچھ نہیں دیتا تھا۔ وہ کہتا تھا اگر یہ معذور، خبیث عورت زیادہ کھائے گی تو اس کا گند کون سمیٹے گا۔ آخر میں ممی کے اوپری اور نچلے دھڑ کا آپس میں تمام حسیاتی تعلق ختم ہو گیا۔ نیچے کا دھڑ بے حس ہو چکا تھا۔'' اس کی آنکھوں سے آنسو گرنے لگتے۔

''اوہ میرے خدا ایسی بے رحمی۔'' داؤد صحیح معنوں میں سرتاپا کانپ جاتا۔

''تم ڈینش پیسٹری کھاؤ گے؟'' اُداسی کی گہرائی میں جاتے جاتے وہ اچانک کوئی ایسی بات کر دیتی اور داؤد کو اس کی معصومیت پر حیرت ہوتی۔ وہ لڑاکا، بدتہذیب اور منہ پھٹ لڑکی جس کو اس نے سلمان کی روزیٹا بیکری پر بیٹھے سنا تھا اس کے بارے میں اس کا تاثر کیا تھا اور وہ درحقیقت کیا تھی۔

''ڈینش پیسٹری کے لیے جو چیزیں چاہیے ہوتی ہیں وہ تو میرے پاس نہیں ہیں۔'' پھر وہ اُداسی سے کہتی۔ ''لیکن جو کچھ میرے پاس ہے نا، اس میں سے تھوڑا چرا کر بچا کر میں تمہارے لیے ایک ڈینش پیسٹری ضرور بناؤں گی۔'' اس دن اس نے سرگوشی کے سے انداز میں کہا۔

''میں اپنی ممی کی طرح بہت اچھی بیکر ہوں۔'' پھر وہ سر کو ذرا سا اُٹھا کر بولی۔

''سلمان تھوڑی تھوڑی چیزیں لا کر دیتا ہے۔ لوگ بیکری پر بیکری آئٹمز کم اور نان، شیرمال اور باقر خانیاں زیادہ لینے آتے ہیں۔ دیسی تندور میں پکی چیزیں، جب ہی تو لوگ سلمان کو نان بائی اور مجھے نان بائی کی بیٹی کہتے ہیں۔'' اس نے ہونٹ لٹکاتے ہوئے کہا۔ ''مجھے نان بائی والے لفظ پر بھی اعتراض نہیں ہے۔ مگر میں اس کی بیٹی کہلانے سے نفرت کرتی ہوں۔ وہ دنیا میں واحد اور آخری شخص بھی ہو تو بھی میں اس کی بیٹی کہلانا نہ چاہوں۔ تم جانتے ہو نفرت کا ذائقہ کیسا ہوتا ہے۔'' اس نے داؤد سے پوچھا۔

''ڈارک چاکلیٹ جیسا تلخ۔'' داؤد نے یونہی جواب دیا۔

''نہیں۔'' اس نے سر ہلایا۔ ''ڈارک چاکلیٹ تو بہت مزے کا ہوتا ہے، نفرت کا ذائقہ شاید سانپ کے زہر کی طرح ہوتا ہے جس کو چکھ کر انسان مر جاتا ہے۔''

''مگر تم تو زندہ ہو۔'' داؤد نے اس کے صحت مند چہرے کو دیکھتے ہوئے کہا۔

''میں زندہ تھوڑی ہوں۔'' وہ ذرا پیچھے ہٹتے ہوئے بولی۔ ''میں تو مشین ہوں جو بس چلتی رہتی ہے، مشین میں تیل ڈلتا ہے، مجھ میں وہ بھی نہیں ڈلتا۔''

''اچھی خاصی صحت مند ہو، پھر بھی کہتی ہو تیل نہیں ڈلتا۔''

''یہ۔'' وہ اپنے سراپے کی طرف اشارہ کر کے بولی۔ ''یہ تو وراثتی جرثوموں کی وجہ سے ہے، ہم ایسے صحت مند ہی ہوتے ہیں۔ ڈینش کنٹری ویمن کا سراپا۔''

''مگر تم تو پاکستانی ہو۔ ڈینش تو نہیں ہو۔''

''نہیں میں ایک خالص ڈینش لڑکی ہوں۔''

''حالانکہ تم نے ڈنمارک دیکھا بھی نہیں ہوگا۔''

''میں پانچ سال کی تھی جب وہاں سے آئے تھے۔'' اس نے کہا'' اور ممی نے کوپن ہیگن کے بارے میں مجھے اتنا کچھ بتا رکھا ہے کہ میں وہاں جاؤں تو کونے کونے کو پہچان لوں کہ وہ کون سی جگہ ہے۔ میں ڈینش ہوں، میں کروک پاکستانی نہیں ہوں، مجھے اس بات پر فخر ہوگا کہ میں ڈینش کہلاؤں، مجھے ڈینش کہلانے سے محبت ہے۔''

وہ فخر اور مسرت کے ملے جلے جذبے کے ساتھ آگے بڑھی۔

''میں تمہیں ایک ڈینش کنٹری سائیڈ گیت سناؤں۔'' اور وہ جو اسے کہنا چاہتا تھا کہ وہ اتنی گندی کیوں رہتی ہے، اس کی خوشی سے چمکتی آنکھوں کو دیکھ کر چپ رہ گیا۔

اس کے کمرے سے روشنی کا ایک دائرہ سا اس کوٹھری میں روشن تھا جس میں وہ اپنے ویلنگٹن بوٹوں پر دھپ دھپ کرتی کبھی بائیں ٹانگ اوپر اُٹھا کر کبھی دائیں ٹانگ گھما کر اپنے صحت مند گول بازو گھماتی اپنا پسندیدہ ڈینش کنٹری سائیڈ گیت سنا رہی تھی۔

Let's party to drive them around in cirdes

Let's try to send them to bed

Let's try some playgroup things

Yeh its the danish way to rock

وہ ایک قدم آگے بڑھتے اور پھر دو قدم پیچھے ہٹتے ہوئے داؤد کی طرف دیکھتے ہوئے گا رہی تھی۔ اس کی آنکھوں میں بے فکری اور مسرت تھی۔ اس کے انداز میں ایک عجیب سا تفاخر تھا۔ پھر اس نے گاتے ہوئے ایک گول چکر لگایا اور چکر مکمل کرنے کے بعد عین داؤد کے سامنے رُک گئی۔ اس نے تحسین طلب نظروں سے داؤد کو دیکھا اور اسے خاموش دیکھتے ہوئے خود ہی تالیاں پیٹ کر خود کو داد دیتے ہوئے مسکرا دی۔ یوں گھومتے ناچتے اور گاتے ہوئے اس کے سر پر رکھی ٹوپی نیچے گر گئی تھی اور اس کے کندھوں تک آتے اُلجھے ہوئے سنہری بال روشنی کے دائرے میں سونے کے ایک چھوٹے سے ڈھیر کی مانند چمک رہے تھے۔

داؤد کو اس لمحے میں وہ دنیا کی سب سے خالص، مظلوم اور بے قصور لڑکی لگی جو اپنے دُکھ درد اور اذیت کو بھلا کر صرف اس لمحے کی مسرت میں مست تھی، جس میں وہ کسی دوسرے شخص کے سامنے اپنی مرضی کی گفتگو اور حرکتیں کر سکتی تھی۔

''تم بہت خوبصورت ہو زینا!'' الفاظ بے اختیار داؤد کے منہ سے پھسلے۔ اس کے الفاظ سن کر اس نے خوش ہوتے ہوئے اپنے شانے سکیڑے اور یوں مسکرائی جیسے اسے شرم آ رہی ہو۔

''اور تم دنیا کی سب سے سوئٹ لڑکی ہو۔'' داؤد نے مزید کہا۔

''کیا میں اپنی ممی کی طرح سوئٹ ہوں۔'' اس نے بے یقینی سے داؤد کو دیکھا۔

''میں نے تمہاری ممی کو نہیں دیکھا۔ میں نے تمہیں دیکھا ہے زینا اور یہ حقیقت ہے کہ تم سے پہلے میں نے تم سے زیادہ خوبصورت اور سوئٹ لڑکی نہیں دیکھی۔''

''تم میرے ساتھ چکر چلا رہے ہو؟'' وہ ایک آنکھ بند کر کے بولی۔ اس کے اس جملے نے داؤد کو پریوں کی دنیا سے حقیقت کی دنیا میں لا پھینکا۔

''چکر؟'' اس نے سوالیہ انداز میں پوچھا۔ ''کیا مطلب ہے تمہارا؟''

''ہمارے گھر کے پرلی طرف جو حاجی صاحب ہیں، ان کی بیوی اپنے گھر والوں کو بتا رہی ہوتی ہے کہ شیخ البانڈی میں کون سا لڑکا کس لڑکی سے چکر چلا رہا ہے۔'' وہ فرش سے اپنی ٹوپی اُٹھا کر اپنے سر پر رکھتے ہوئے بولی۔

''تم لوگوں کی باتیں سنتی ہو کان لگا کر۔'' داؤد نے کہا۔ ''یہ کتنی بُری بات ہے۔''

''میں جان کے نہیں سنتی اوونز چلانے بند کرنے اور بیکنگ بھٹیوں کو چیک کرنے کے دوران اس کی باتیں آپ ہی سنائی دیتی ہیں۔''

''مت سنا کرو ایسی باتیں۔'' داؤد نے کہا۔

''تو کیا میں تمہیں ویسے ہی اچھی لگتی ہوں، کوئی چکر وکر نہیں ہے۔'' وہ بولی۔

''زینا! تم کل سے کوٹھڑی میں مت آیا کرو۔ تمہارے چچا کو پتا چل گیا نا تمہارا قیمہ کر دے گا۔'' داؤد نے بات بدل ڈالی۔

''وہ رات کو نشہ کر کے سوتا ہے، نشے کی گولی کھا کر خراٹے مارتا ہے اسے کچھ پتا نہیں ہوتا۔''

''اور فضلو۔''

''فضلو اپنی ریڑھی کے ساتھ سوتا ہے، وہ گھر کے اندر تھوڑی ہوتا ہے۔'' اسے اس وقت کسی کے بارے میں کوئی پرواہ نہیں تھی شاید اس بات کی بھی نہیں کہ وہ پکڑی جاتی تو کیا ہوتا۔

''پھر بھی تم کبھی کبھار آیا کرو نا۔ روزانہ کیوں آ جاتی ہو۔'' داؤد نے کہا۔ اسے لگا جیسے اگر وہ فوری طور پر منظر سے نہ ہٹی تو اسے خود پر اختیار نہیں رہے گا اور اس کے دل میں اس لڑکی کے لیے ایسا جذبہ اُتر آئے گا جو اسے سوچنے سمجھنے کی صلاحیت سے محروم کر دے گا۔ اسے دو کے درمیان تیسرا شیطان والی کبھی کی سنی بات اس روز سمجھ آنے لگی تھی۔

''میں نہ آیا کروں؟'' وہ جیسے ٹھٹک کر پوچھ رہی تھی۔ داؤد نے اپنی زبردستی اس پر سے ہٹائی نظر دوبارہ اس پر ڈالی۔

کالے ویلنگٹن بوٹ، سرخ اسکرٹ، کالی اور سرخ بند کیوں والا بلاؤز، سرخ بغیر آستین کی اونی جیکٹ میں ملبوس وہ درمیانے قد، صحت مند سراپے، نیلی آنکھوں، سرخ و سفید چہرے اور سنہری بالوں والی لڑکی اسے انتہائی پریشانی کے عالم میں دیکھ رہی تھی۔ اس کی آنکھوں میں منع کیے جانے کا خوف تھا۔ اس کے چہرے پر اس کا سا تاثر تھا جیسے ہمسائے کی غلطی سے آئی گیند کھیلنے کو مل گئی ہو اور کوئی اس سے وہ گیند چھین لینا چاہتا ہو۔

''یہ ٹھیک نہیں ہے نا۔'' اس کے چہرے اور آنکھوں کا خوف و پریشانی پڑھنے کے بعد داؤد نے بے بسی سے کہا۔

''سلمان کو پتا چل گیا تو وہ......''

''اس کو نہیں پتا چلے گا پلیز۔'' وہ التجا کے سے انداز میں بولی۔

''زینا! تم کوشش کرو کہ تم یہاں سے چلی جاؤ۔'' داؤد نے اس سے نظریں چراتے ہوئے کہا۔ ''تم اپنے نانا، نانی کا پتہ لگانے کی کوشش کرو۔ مجھ سے بن پڑا تو میں تمہاری مدد ضرور کروں گا۔ تمہیں ان کے پاس پہنچانے میں۔''

''لیکن سلمان مجھے جانے نہیں دے گا۔'' اس کی آنکھوں میں آنسو اُتر آئے۔ ''وہ مجھے کسی سے ملنے تک نہیں دیتا۔ اسے ڈر ہے، میں اس کے کرتوتوں کے متعلق سب کو بتا دوں گی۔ وہ میرے یہاں سے نکلنے سے پہلے مجھے مار دے گا۔''

''یار تم! تم نے پہلے کبھی کیوں کوشش نہیں کی، تمہارے پاس سو طریقے ہیں۔'' وہ جھنجھلا کر بولا۔

''مجھے اس سے بہت ڈر لگتا ہے۔ اسے اپنے سامنے اکیلے دیکھ کر میرا جسم کانپنے لگتا ہے۔ میں نے اس کے جبر کے نیچے زندگی گزاری ہے، مجھے اس کے سامنے سر اُٹھانا نہیں آتا۔''

''پھر بھی تم اسے پٹ پٹ جواب دیتی ہو۔''

''مجھے پتا ہوتا ہے کہ ہر دن کے اختتام پر کسی نہ کسی بات کے بہانے میں نے اس کے ہاتھوں پٹنا تو ہے ہی، دن میں لوگوں کے سامنے وہ مجھے کچھ کہہ نہیں سکتا اسی لیے دن بھر جو منہ میں آتا ہے بولتی جاتی ہوں۔'' وہ ہونٹ لٹکاتے ہوئے بولی۔

''تم صاف ستھری رہا کرو زینا! تمہیں نہانے اور کپڑے بدلنے سے چڑ ہے کیا؟'' جواب میں کچھ دیر تک اسے دیکھتے رہنے کے بعد داؤد نے بالکل ہی مختلف بات کی۔

''میرے پاس بہت کم کپڑے ہیں۔ جو ہیں ان میں سے بھی اکثر ممی کے چھوڑے ہوئے ہیں۔ میں انہیں زیادہ دن اس لیے پہنے رکھتی ہوں کہ بار بار دھلنے سے وہ پھٹ جائیں گے۔ میرے پاس نہانے کا صابن بھی نہیں ہوتا۔ کبھی کبھار سلمان باتھ روم میں صابن چھوڑ جاتا ہے تو میں نہا لیتی ہوں۔ اس لیے مجھے نہانے دھونے، صاف رہنے کی عادت ہی نہیں ہے۔'' اس نے سادگی سے جواب دیا۔

''اوہ۔'' داؤد کو جھرجھری سی آ گئی۔

اس مہذب دنیا میں جہاں کئی لوگ اپنے کتے تک کو نہلانے کے لیے ملازم رکھتے تھے، اس لڑکی جس کا تعلق ایک حوالے سے معاشی طور پر ایک مضبوط ملک سے بھی بنتا تھا، جبراً اور استحصال کا اس طرح شکار تھی کہ اس نے اسے اپنا مقدر سمجھ کر کبھی اس سے باہر نکلنے کی کوشش کرنے کا سوچا بھی نہیں تھا۔

''اگر انسانی حقوق کی علمبردار کسی تنظیم کو زینب وقار کے بارے میں علم ہو جاتا تو وہ اس کے لیے کیا کر سکتی تھی؟'' داؤد سوچ میں پڑ گیا۔

○......❖......○

''اُف تم جن کا بتا رہے ہو وہ تو کریمنلز لگتے ہیں ساری باتوں سے۔'' بہت دن تک سوچ سوچ کر ہارنے کے بعد وہ زینب وقار کا تذکرہ ہما سے کر بیٹھا، جس سے اب تک وہ کافی بے تکلف ہو چکا تھا۔

''تم جانتے ہو کہ جس علاقے میں تم رہ رہے ہو اس کی شہرت نہ صرف خراب بلکہ خطرناک بھی ہے۔ کتنا کہتی ہیں تمہیں امی وہاں سے چلے آؤ۔ اِدھر ہمارے گھر میں اوپر نیچے اتنے کمرے خالی ہیں، مگر بھئی تمہارا تو دماغ ہی بہت اونچا ہے، خودی، خودداری، عزتِ نفس اور نہ جانے کون کون سے بڑے لفظ تمہارے دماغ میں سمائے بیٹھے ہیں، جو تمہیں نہ تو کہیں ڈھنگ سے رہنے دے رہے ہیں نہ خود اپنے لیے اور اپنی امی کے لیے سکون میسر ہونے دے رہے ہیں۔''

اس کی آواز میں استادوں والا رعب تھا اور دبدبہ بھی۔ داؤد کو اس سے بات کر کے ہمیشہ مرعوبیت کا احساس ہوتا تھا۔ اس کے بقول وہ داؤد سے چند ماہ بڑی تھی مگر وہ اس سے یوں بات کرتی اور اسے اس کی کوتاہیوں کا ایسے احساس دلاتی جیسے اس سے نہ جانے کتنے سال بڑی ہو۔

''اس بات سے علاقے کا کیا تعلق ہے۔'' اس نے ہما کی ساری باتیں نظر انداز کرتے ہوئے کہا۔ ''اس کا تعلق کسی بھی اور چیز سے نہیں صرف انسانیت سے ہے۔''

''اوہو انسانیت۔'' وہ مذاق اُڑانے کے سے انداز میں بولی۔ ''کوئی بھی لڑکی آدھی رات کو تمہاری کھڑکیاں کھٹکھٹا کر تمہیں بتائے کہ اس پر بڑا ظلم ہو رہا ہے تو تم انسانیت کے نام پر اس کی مدد کرنے چل پڑو گے۔ واہ کیا بات ہے۔'' اس نے سر جھٹکا ''لگتا ہے تمہاری امی کو بتانا ہی پڑے گا کہ جس علاقے میں تم رہ رہے ہو، اس کی شہرت یوں ہی خراب نہیں۔ اب تو آپ کا بیٹا بھی اس کی لپیٹ میں آ رہا ہے۔''

''پلیز امی سے تذکرہ مت کرنا۔'' داؤد گھبرا گیا۔ ''میں نے تم سے بات صرف اس لیے شیئر کی ہے کہ شاید تم مجھے میرے کنفیوژن سے نکلنے میں کوئی مدد دو، لیکن تم تو مجھے مزید کنفیوز کر رہی ہو۔''

''کنفیوژن۔'' اس نے تیوری چڑھاتے ہوئے دہرایا۔ ''اس بات میں بھی کوئی کنفیوژن ہے کیا؟ یہ تو سیدھا سیدھا بلیک میلنگ کیس ہے، کریمنل چچا کی بھتیجی اتنی شریف زادی کیسے ہو سکتی ہے جبکہ اسے اس بات میں کوئی عار محسوس نہیں ہوتا کہ وہ آدھی رات کو غیر اور جوان لڑکے کی کھڑکیاں بجا کر اسے اپنے ڈولے اور ٹانگیں اور پشت دکھا دکھا کر یہ بتائے کہ وہ کتنی زخمی ہے اور اسے اس کے چچا نے دن بھر کتنا پیٹا ہے۔ بتاؤ جو بھی یہ بات سنے گا وہ کیا مجھ سے مختلف رائے دے گا۔''

''کریمنل چچا کی شریف زادی بھتیجی! ڈولے، ٹانگیں اور پشت۔'' داؤد کو ہما کے الفاظ کی سفاکی پر حیرت ہوئی۔ سانولی رنگت، دبلے پتلے سراپے اور قطعی معمولی نقوش والی وہ لڑکی اتنی صاف گو بلکہ منہ پھٹ تھی کہ اسے باتوں پر نرمی کا غلاف چڑھانا بالکل نہیں آتا تھا۔ وہ صاف، سیدھے انداز میں بات کرنے کی عادی تھی، چاہے اس کے الفاظ کتنے ہی سخت اور کھردرے کیوں نہ ہوں۔

''کیا تم واقعی ٹیچر ہو اور بچے پڑھاتی ہو؟'' اس نے سوال کیا۔

''ہاں میں ٹیچر ہوں اور بچوں کو دنیاوی تعلیم کے ساتھ اخلاقیات اور کردار سازی کے اسباق بھی پڑھاتی ہوں'' اس نے جواب دیا۔ ''مجھے یقین ہے یہ سبق تم نے بھی پڑھے ہوں گے مگر حیرت ہے تم ایک ایسی لڑکی سے اظہارِ ہمدردی کر رہے ہو جس کی اصلیت ہی کنفرم نہیں۔''

''اچھا ٹھیک ہے نہیں کرتا ہمدردی اس سے۔'' داؤد نے اس منطق کے آگے ہتھیار ڈالتے ہوئے کہا۔ ''تو تمہارا کیا خیال ہے، اسے اس کے حال پر چھوڑ دیا جانا چاہیے۔''

''بالفرض وہ بڑی ہی مظلوم اور دُکھی ہے۔'' اس نے اپنا کشیدہ کاری کا فریم ایک طرف رکھتے ہوئے ناصحانہ انداز میں کہا۔ ''لیکن اگر تم اسے نہ ملتے تو بھی تو اس نے اسی حال میں رہنا تھا، تم سمجھو تم اس سے ملے ہی نہیں۔''

''کیسے سمجھ لوں۔'' وہ جھنجلاتا ہوا بولا۔

''افوہ داؤد! تم سمجھتے کیوں نہیں۔ وہ علاقہ ایسے ہی شاطر اور مجرمانہ ذہن کے لوگوں سے بھرا پڑا ہے تم کیوں خوامخواہ خود کو ان لوگوں کے معاملات میں اُلجھانا چاہتے ہو۔'' اس نے سر جھٹکتے ہوئے کہا۔ ''اچھا ٹھیک ہے، تم میری بات نہیں سمجھ رہے نا۔ تو رُکو میں امی سے سارا معاملہ کہتی ہوں۔ وہ خود تمہیں گواہی دیں گی کہ اس شہر میں بدنام ترین علاقہ کون سا ہے۔ امی، امی!'' اس نے اپنا رُخ باورچی خانے کی طرف پھیرتے ہوئے اونچی آواز میں پکار کر کہا۔

''کیا کر رہی ہو؟'' داؤد نے تیزی سے کہا۔ ''پلیز، یہ مت کرو، میں نے تم سے یہ بات شیئر کی ہے۔ عذرا مامی سے کرنی ہوتی تو ڈائریکٹ ان ہی سے کیوں نہ کر لیتا۔''

''کیسے شیئر نہ کروں؟'' وہ سنجیدگی سے بولی۔ ''مجھے تمہاری فکر ہونے لگی ہے، تم نہ جانے کس طرح کے لوگوں میں جا پھنسے ہو۔''

''کسی طرح کے لوگوں میں بھی نہیں پھنسا میں۔'' داؤد نے دانت پیستے ہوئے زیرلب کہا۔ ''سمجھو میں نے کوئی بات کی ہی نہیں۔ نہ ہی تم مزید آپا جان بننے کی کوشش کرو۔'' اسے اپنی حماقت پر غصہ آنے لگا۔ کیوں اس لڑکی سے وہ ذکر کر بیٹھا تھا۔

''اب تو دن بڑے ہو گئے داؤد! تم رات کا کھانا یہیں کھا کر جانا، میں نے یخنی والا پلاؤ دم دیا ہے۔'' عذرا مامی باورچی خانے سے نکل کر اِدھر آئیں۔

''ساتھ میں کوفتے بھی بنا لیتیں۔'' ذرا فاصلے پر تخت پوش پر بیٹھی اماں اپنے سلور گرے بالوں میں چاندی کی کنگھی پھیرتے ہوئے بولیں۔

''وہ بھی بنائے ہیں اماں۔'' عذرا مامی نے کہا۔ ''آپ کون سا میرا ہاتھ بٹانے باورچی خانے تک آ گئیں مجھے ہلا شیری دے کر قیمہ پیسنے پر لگا دیا اور خود یہاں آ کر اپنے ہار سنگھار میں لگ گئیں۔'' عذرا مامی شرارت بھرے انداز میں بولیں۔ اماں نے بال سنوارنے کے بعد اپنے ہاتھی دانت سے بنے جیولری باکس سے سفید موتیوں کی مالا نکال کر پہنی اور سنہری کناروں والا دوپٹہ سر پر اوڑھ لیا۔

''ہماری اماں کو اس عمر میں بھی میچنگ اور کوالٹی کا خیال رہتا ہے اور ایک یہ میری بیٹی ہے۔ اسے خبر ہی نہیں کہ جو شال اس نے اوڑھ رکھی ہے اس کا رنگ کپڑوں کے رنگ سے ملتا بھی ہے کہ نہیں۔'' عذرا مامی نے ہما کی طرف دیکھتے ہوئے کہا۔

''نہ تو اماں کے بناؤ سنگھار کو کسی نے آ کر دیکھنا ہے، نہ ہی میرے رنگ برنگے حلیے کو، اپنی اپنی سوچ کی بات ہے۔'' ہما نے جل کر جواب دیا اور اپنا فریم اُٹھا کر دوبارہ کپڑے میں سوئی پرونے لگی۔

''سنا ہے، تم اس ہفتے گھر جا رہے ہو بیٹا!'' ہما کے روٹھے پن کو نظر انداز کرتے ہوئے عذرا ممانی نے داؤد کو مخاطب کیا۔

''جی ارادہ تو ہے۔'' داؤد نے سیدھا ہو کر بیٹھتے ہوئے جواب دیا۔

''میں نے پرسوں تمہاری اماں سے کہہ دیا تھا کہ داؤد آپ سے ملنے کے لیے آئے تو واپسی پر اس کے ساتھ یہاں چلی آیئے گا، چند دن اکٹھے مل کر رہیں گے۔'' انہوں نے کہا۔

''وہ کہاں آئیں گی، انہوں نے تو عمر بھر اپنا گھر اکیلا نہیں چھوڑا۔'' داؤد نے کہا۔

''آئیں گی، انہوں نے مجھ سے وعدہ کیا ہے۔'' عذرا ممانی نے یقین سے کہا۔

''واہ بھئی! آپ کی تو آپس میں خوب دوستی ہوگئی اور مجھے پتا بھی نہیں چلا۔'' داؤد مسکرایا۔

''گھنٹہ گھنٹہ بات ہوتی ہے ان کی آپس میں۔'' ہما نے دھاگا دانتوں سے کاٹتے ہوئے کہا۔

''کبھی تم ہمارا ٹیلی فون کا بل دیکھو۔ امی کی شاید آدھی تنخواہ بل دینے میں ہی چلی جاتی ہو۔''

''مبالغہ کرنا تو کوئی تم سے سیکھے۔'' عذرا ممانی نے ہما کو گھورا۔ ''دو گھڑی ہم دونوں آپس میں بات کر لیتی ہیں تو کیا حرج ہے اور وہ جو تم خود داؤد کی امی سے کتنی کتنی لمبی بات کرتی ہو وہ......؟''

''تم بھی امی سے بات کرتی ہو؟'' داؤد نے چونک کر پوچھا۔

''ہاں۔'' وہ بے نیازی سے بولی۔ ''وہ مجھے پنجاب کی رِیت روایتوں کے بارے میں بتاتی ہیں اور مجھے سننے میں مزا آتا ہے۔''

''کتنا عجیب اتفاق ہے۔'' داؤد نے سوچا۔ ''عذرا ممانی کو ہمارے خاندان کے اکثر لوگ بھلا چکے تھے صرف میرے اس شہر میں آنے سے یہ تعلق دوبارہ زندہ ہوا اور اب یہ حال ہے کہ میں یہاں آنے کے بعد ابھی واپس جا نہیں پایا اور امی اور ان کے درمیان گاڑھی چھننے لگی۔''

''امی! شہر میں عموماً اس علاقے کے بارے میں لوگ کیا کہتے ہیں جہاں داؤد رہتا ہے۔'' سوئی میں دھاگا ڈالتے ہوئے ہما نے عذرا ممانی سے پوچھا۔ یقیناً وہ کچھ دیر پہلے ہوئی بات کو چھوڑنے والی نہیں تھی۔

''عام طور پر تو یہ ہی کہا جاتا ہے کہ وہاں کے زیادہ تر لوگ مشکوک سے ہیں۔ انڈر ہینڈ ڈیلنگز کرنے والے لوگ ہیں۔ مگر کہے جانے کا کیا ہے چند لوگوں کی وجہ سے وہاں رہنے والے باقی لوگ یوں ہی بدنام ہیں۔'' عذرا ممانی نے اُٹھتے ہوئے کہا۔

''مجھ سے پوچھو۔'' عذرا ممانی کی جگہ اماں آ کر بیٹھ گئیں۔ ''میں تو یہیں کی رہنے والی ہوں۔ میں جو اصرار کرتی ہوں کہ اِدھر ہی چلے آؤ تو یونہی نہیں کرتی۔ وہ علاقہ ہمیشہ سے اسمگلروں، چوروں اور اٹھائی گیروں کا مرکز مشہور رہے۔ ایک سے ایک چار سو بیس اور لٹیرا وہاں کا رہائشی ہے۔ پوری زندگی میں ایک بار میں وہاں گئی تھی، ہمارے ایک ملنے والے چند دن وہاں کرائے کے گھر میں جا بسے تھے ان سے ملنے، توبہ توبہ کبھی تم نے اس محلے کے نقشے پر غور کیا ہے۔ کیا پُر پیچ گلیاں اور گھومتے پھرتے راستے ہیں وہاں کے، اتنا پیچیدہ نقشہ کہ آدمی خود اپنے گھر کا راستہ بھول جائے۔ دیوار سے دیوار جڑی، چھت سے چھت۔ کچھ پتا نہیں چلتا کس کے گھر کی چھت کس کے گھر کا صحن ہے۔ میں تو ابھی

بھی کہتی ہوں سامان اٹھاؤ یہاں آ جاؤ۔ کیا ہماری محبت اور مہمان نوازی میں کچھ کمی پاتے ہو؟''

''نہیں۔'' داؤد ان کی بات سنتے ہوئے چونکا۔ ''ایسی بات تو نہیں ہے۔

''یہ نہیں آئے گا وہاں سے۔'' ہما نے داؤد کو جتاتی نظروں سے دیکھتے ہوئے کہا۔ ''اس کا وہاں دل لگ گیا ہے۔'' اس نے لفظ دل پر زور دیتے ہوئے کہا۔

داؤد نے جھلا کر چہرہ دوسری طرف پھیر لیا۔

O.....❖.....O

''کتنی محبت اور مروت والے لوگ ہیں وہ۔'' چھٹی پر گھر آنے کے بعد امی کے منہ سے عذرا ممانی، اماں اور ہما کے لیے یہ جملہ اس نے کئی بار ہی سنا۔

''اتنے پیار سے فون کرتی ہیں اور اتنی اپنائیت سے مسئلے شیئر کرتی ہیں کہ مجھے تو مانو کسی اور رشتہ دار کی ضرورت ہی محسوس نہیں ہوتی۔''

''میرے متعلق بھی کوئی بات کر لیں امی!'' داؤد نے اپنے پالتو طوطے کے پروں پر ہاتھ پھیرتے ہوئے کہا۔ وہ اس طوطے کے لیے بھی سخت اُداس تھا جو اسے دیکھ کر پھدک پھدک کر ''داؤد آیا، داؤد آیا'' کا شور مچانے لگا تھا۔

''تمہاری وجہ سے ہی تو میں ان کی مشکور ہوں زیادہ۔'' امی نے کہا۔ ''کتنا وہ تمہارا خیال رکھتی ہیں۔ خود ہی تو خطوں میں ان کی تعریفوں کے پُل باندھتے رہے ہو۔ مجھے لانڈری سے کپڑے دھلوانے نہیں دیتیں۔ ویک اینڈ پر میلے کپڑوں کا شاپر ان کے گھر چھوڑ آتا ہوں۔ اگلے ویک پر دھلے دھلائے استری شدہ کپڑے مل جاتے ہیں۔ میری پسند پوچھ پوچھ کر کھانے بناتی ہیں۔ ان کے ہاتھ میں ذائقہ بہت ہے۔ اماں شطرنج بہت اچھی کھیلتی ہیں۔ عذرا ممانی کے پاس بیگم اختر کی غزلوں اور ٹھمریوں کے کیسٹ بڑے زبردست ہیں۔ ہما کے پاس پڑھنے کو بہت اچھی کتابیں ہیں۔ ان کے گھر کا ماحول بہت اچھا ہے۔'' امی کہتے کہتے رُک گئیں۔ ''کہو تو سارے خطوط لا کر تمہیں دوبارہ سے پڑھا دوں، میں نے سب سنبھال کر رکھے ہیں۔''

''تو کون سا مکر رہا ہوں۔'' اس نے کہا۔ ''جو محسوس کیا آپ کو لکھ دیا۔ آپ کو شاید اندازہ نہیں کہ پردیس میں کسی اپنے کی مانوس تصویر بھی نظر آ جائے تو آنکھوں کو اچھی لگتی ہے وہ تو جیتے جاگتے لوگ ہیں۔''

''ہاں تو اسی لیے تو ان کی تعریفیں کرتی ہوں۔ میں تمہاری طرف سے بے فکر ہو گئی ہوں صرف ان کی وجہ سے۔''

''اچھا یہ بتاؤ۔ وہ لڑکی کیسی ہے۔ وہ ہما؟'' ایک رات امی نے باتوں کے دوران اچانک پوچھا۔

''وہ۔'' وہ سنبھل کر بیٹھ گیا۔ ''اچھی ہے مگر خوامخواہ بڑی بن کر مجھ پر رعب جمانے کی کوشش کرتی ہے۔ تھوڑی بدمزاج بھی ہے۔''

''بدمزاج تو بالکل بھی نہیں ہے۔'' امی نے کہا۔ ''مجھ سے تو فون پر اکثر باتیں کرتی ہے اور اتنی دلچسپ باتیں سناتی ہے کہ مزہ آ جاتا ہے۔''

''آپ نے اسے دیکھا نہیں نا ابھی۔ وہ سکول ٹیچر ہے اور گھر میں بھی اس کا رویہ ٹیچرز والا ہی ہوتا ہے۔ وہ

ڈکٹیشن دینے کی عادی ہو چکی ہے شاید۔'' داؤد کو ہما سے ہوئی حالیہ بحث ابھی بھولی نہیں تھی۔

لیکن اسے محسوس ہوتا کہ امی پر عذرا ممانی، اماں اور ہما کی خوش مزاجی کی دھاک خوب بیٹھی ہوئی تھی۔ اس کی واپسی پر امی نے ان تینوں کے لیے تحائف بھجوائے تھے۔ عذرا ممانی کو امی کے بھیجے تحائف پسند آئے تھے لیکن خود امی کے داؤد کے ساتھ نہ آنے پر افسوس بھی ہو رہا تھا۔

اس رات اتنے دن گھر گزارنے کے بعد اس کمرے کا ماحول ایک دم پھر سے اجنبی لگنے لگا تھا۔ اسے کتنی دیر ہی نیند نہیں آئی۔ پو پھٹنے سے کچھ دیر پہلے اسے خیال آیا کہ اتنے دن بعد گھر سے واپسی کی اداسی کے ساتھ وہ لاشعوری طور پر زینب وقار کی دستک کا بھی انتظار کرتا رہا تھا۔ یہ خیال آنے پر اس نے کھڑکی کھول کر دوسری جانب دیکھا۔ اس طرف مکمل تاریکی تھی، مطلب دوسری جانب کوئی موجود نہیں تھا۔

پتہ نہیں وہ کیوں نہیں آئی۔ گھر جانے سے پہلے میں نے اسے بتایا تو تھا کہ کب واپس آؤں گا، پھر بھی وہ نہیں آئی۔ نہ چاہتے ہوئے بھی وہ اس کے بارے میں اور اس کے نہ آنے کے بارے میں سوچتا رہا تھا۔ لیکن اس کے بعد پورا ہفتہ گزر گیا اس کی کھڑکی پر دستک نہیں ہوئی۔

''وہ خیریت سے تو ہے۔'' پورا ہفتہ گزر جانے کے بعد اسے وہم ستانے لگا۔ وہ سلمان کی روزیٹا بیکری کا رخ تک نہ کرنے کا فیصلہ کر چکا تھا لیکن اس کے دل میں زینب وقار سے متعلق اٹھتے وہم اسے ایک بار پھر پرانے راستے پر چلا کر روزیٹا بیکری تک لے گئے تھے۔

مرنجان مرنج بظاہر شریف صورت سلمان انور کالی پتلون پر، چیک شرٹ اور اپنے مخصوص گیلس لگائے نرم کپڑے سے شیشے کے کاؤنٹر چمکانے میں مشغول تھا۔

''السلام علیکم!'' داؤد دانستہ دو قدم پیچھے ہٹا اور اپنا ہاتھ سلمان کی طرف بڑھا دیا۔ سلمان نے ایک نظر اس کے بڑھے ہوئے ہاتھ پر ڈالی اور پھر کوئی ردِعمل ظاہر کیے بغیر گرم جوشی سے اس کا بڑھا ہوا ہاتھ تھام لیا۔ ''کدھر غائب ہو گئے تھے، میں سمجھا ناراض ہو گئے ہم سے۔'' اس نے چھوٹا دروازہ کھولا اور داؤد کو اندر آنے کی دعوت دی۔

''بس میں سائٹ پر زیادہ مصروف ہو گیا۔ کام تیزی پکڑ گیا ہے اس لیے۔'' داؤد نے سلمان کی پیش کردہ کرسی پر بیٹھتے ہوئے کہا۔ وہ کن اکھیوں سے گھر کے اندر کھلنے والے چھوٹے دروازے کو دیکھ رہا تھا۔

''اچھا اچھا!'' سلمان نے مسکرا کر کہا اور جھک کر کاؤنٹر سے پف پیسٹری نکالنے لگا۔

''نہیں سلمان صاحب! میں کچھ نہیں کھاؤں گا۔'' داؤد نے اس کا ارادہ بھانپتے ہوئے کہا۔

''ارے چکھو تو۔ ہمارا نیا آئٹم۔'' وہ پلیٹ میں پیسٹری نکال لایا۔ ''زینا...... ارے بھئی زینا!'' پھر اس نے گھر کی طرف چہرہ کرتے ہوئے آواز لگائی۔

''اوہ اس کا مطلب وہ خیریت سے ہے۔'' سلمان کی پکار پر داؤد کی پسلیوں کا کھنچاؤ قدرے کم ہوا۔

''چائے کی پتی کا جار کدھر ہے زینا!''

''کیا کرو گے پتی کا۔ دو چٹکی پتی باقی ہے۔'' اندر سے کرخت مگر کمزور آواز آئی، داؤد کے کان کھڑے ہو گئے۔

''داؤد صاحب آیا ہے۔ اس کے لیے چائے بناؤں گا۔ تم وہ دو چٹکی پتی ہی دے دو۔ تمہاری تو چٹکیاں بھی اتنی

بڑی ہیں کہ دو بندوں کے لیے چائے تو بن ہی جائے گی۔" سلمان نے کہا۔

"لو یہ بھی لے لو۔" اندر سے پتی کا جار سلمان کے بڑھے ہاتھ میں پٹخا گیا۔ "سب ختم کر ڈالو اپنے دوستوں پر، ہم سب چاہے بھوکے مر جائیں۔"

"تم سب، تم سب......" سلمان عجیب سی ہنسی ہنسا اور مڑ کر اسٹوو جلانے لگا۔ داؤد نے دروازے کی طرف دیکھا۔ دروازے کے آگے لٹکتے پردے کے پیچھے وہ کھڑی تھی۔ وہ بھی داؤد کو دیکھ رہی تھی۔ داؤد نے بے تابی سے ہاتھ کے اشارے سے پوچھا وہ کہاں غائب تھی۔ جواب میں اس کی نیلی آنکھوں سے دو آنسو ٹپکے اور وہ پردے کے پیچھے سے پرے ہٹ گئی۔ داؤد نے بے ساختہ کچھ کہنے کے لیے منہ کھولا لیکن پھر بے بسی سے بند کر لیا۔ وہ اس تک کس طرح پہنچ سکتا تھا۔ اسے کچھ سمجھ میں نہیں آ رہا تھا۔

"آپ ٹھیک ہیں نا، گھر میں سب خیریت ہے نا؟" اس نے یونہی سلمان سے پوچھ لیا، جو اس کے سامنے مختلف طرح کے بسکٹ رکھ رکھا تھا۔

"ہاں سب ٹھیک ہے۔" وہ چائے میں بسکٹ ڈبو کر کھاتا ہوا بولا۔

"آپ کے پاس پاؤڈر تو ہوتا ہوگا۔" داؤد کو خود پتہ نہیں تھا کہ اس نے یہ بات کیوں کہی تھی۔

"پاؤڈر!" سلمان کی کہنی ان دونوں کے درمیان رکھی میز پر سے پھسل گئی۔ "کون سا پاؤڈر؟"

"کوکو پاؤڈر۔" داؤد نے اطمینان سے کہا۔

"اوہ اچھا!" وہ مسکرایا۔ "زینا او زینا!" پھر اس نے رخ گھر کی طرف موڑا۔

"کتنا چاہیے کوکو پاؤڈر؟" اس نے داؤد کو دیکھتے ہوئے پوچھا۔

"تھوڑا سا۔"

"زینا! تھوڑا سا کوکو پاؤڈر چھوٹے لفافے میں ڈال کر لے آؤ۔" سلمان نے کہا۔

"خالی کوکو پاؤڈر ڈالوں کہ......" اندر سے آواز آئی۔

"کوکو پاؤڈر...... سمجھتی نہیں ہو کیا؟" سلمان نے کن اکھیوں سے داؤد کو دیکھا۔

چند لمحوں بعد کوکو پاؤڈر پلاسٹک کی ایک چھوٹی تھیلی میں بندھا داؤد کے سامنے تھا۔

"اب میں چلتا ہوں۔" تھیلی پر ایک نظر ڈالنے کے بعد داؤد نے سلمان سے ہاتھ ملایا۔ "اور ہاں یاد آیا۔" چلتے چلتے وہ مڑا۔ "آپ کے ہاں سے چوہے دان مل سکتا ہے کیا ایک آدھ دن کے لیے۔"

"چوہے دان!" سلمان نے حیرت سے پوچھا۔ "اس کا کیا کرو گے؟"

"میری کھڑکی کے آس پاس ہر رات ایک چوہا پھدکتا رہتا ہے۔ اسے پکڑنا ہے۔" وہ دانستہ اونچی آواز میں بولا۔ "ویسے اب تو کئی راتوں سے نہیں آیا حالانکہ میں اس کا انتظار کرتا رہتا ہوں۔"

"مر مرا گیا ہوگا۔" سلمان مسکرایا۔

"لیکن پھر بھی احتیاطاً چوہے دان رکھنا چاہیے مجھے۔ آج رات تو ضرور آئے گا۔ ویک اینڈ کی رات زیادہ تنگ کرتا ہے اور آج ویک اینڈ ہے۔" داؤد ایک بار پھر دانستہ بلند آواز میں بولا۔

"زینا......! چوہے دان پکڑاؤ بھئی۔" سلمان نے کہا اور کسی گاہک کی آمد پر کاؤنٹر کے قریب جا کر اس کے لیے کیک پیس ڈبے میں رکھنے لگا۔

چوہے دان پردے سے باہر آیا۔ داؤد نے چوہے دان پکڑتے ہوئے دانستہ وہ گداز ہاتھ بھی پکڑ لیا اور آہستہ سے دبایا۔ "آج رات میں تمہارا انتظار کروں گا چوہے! تم آج تو نہیں بچ سکتے۔" پھر اس نے چوہے دان آنکھوں کے سامنے کرتے ہوئے بلند آواز میں کہا۔ سلمان نے مسکرا کر اسے دیکھا۔

"تھینک یو سلمان صاحب! پاؤڈر اور چوہے دان کے لیے۔" اس نے سلمان سے ایک بار پھر ہاتھ ملاتے ہوئے کہا۔ "میرا مطلب ہے کوکو پاؤڈر کے لیے۔" اس نے وضاحت کی اور وہاں سے چلا آیا۔

○......❖......○

"تم کہاں غائب تھیں۔ آئیں کیوں نہیں اتنے دن سے۔" اس کی توقع کے عین مطابق وہ اس رات کھڑکی کے پار موجود تھی۔

"تم کہتے تھے مجھے یہاں نہیں آنا چاہیے۔ میں نے سوچا تم ٹھیک کہتے تھے۔" وہ اداس اور چپ چپ سی لگ رہی تھی۔

"نہیں، میں ٹھیک نہیں کہتا تھا۔ تمہیں آنا چاہیے، روزانہ آنا چاہیے۔" الفاظ خود بخود داؤد کے منہ سے پھسلے۔ زینا نے چونک کر داؤد کو دیکھا۔

"ہاں میں سچ کہہ رہا ہوں۔" وہ سر ہلاتے ہوئے بولا۔

"اس نے تمہارے پیچھے مجھے دو بار بہت مارا۔" وہ داؤد کا اذن سن کر بچوں کی طرح بلکتے ہوئے بولی۔ اسے جیسے نئی زندگی مل گئی تھی۔ جیسے اس کی زبان اپنا دکھ کسی سے کہنے کو بے چین تھی۔

"کیوں؟" داؤد نے مضطرب ہوتے ہوئے اس کا ہاتھ پکڑ لیا۔

"پولیس کے ہتھے چڑھ گئی فضلو کی ریڑھی...... اس کے کونوں کے کھدروں سے پاؤڈر، انجکشن اور سگریٹ نکلے۔"

"پھر؟"

"پھر سلمان نے مجھے بہت مارا۔"

"فضلو کی ریڑھی پکڑے جانے میں تمہارا کیا قصور تھا؟" داؤد نے بے چینی سے کہا۔

"سلمان کا خیال تھا کہ وہ سب چیزیں ریڑھی میں غلط طریقے سے چھپانے میں میرا قصور تھا۔ اس کا خیال تھا کہ میں نے اس کی مخصوص پوشیدہ جگہوں سے وہ چیزیں نکال کر ان کی جگہ بدلی تھی۔ تاکہ فضلو پکڑا جائے۔ میری ہڈیوں میں بہت درد ہوتا ہے۔" اس نے اپنا ہاتھ اپنے گھٹنے پر رکھتے ہوئے کہا۔ "میرے گھٹنے پر اتنی زور کی چوٹ ہے کہ مجھ سے سیڑھیاں نہیں چڑھی جاتیں، میں بہت مشکل سے آئی ہوں آج۔"

"اوہ!" داؤد کی سمجھ میں نہیں آ رہا تھا وہ کیسے اس کا درد بانٹے۔

"میں نے کسی دن اسی طرح مر جانا ہے، کسی کو پتہ بھی نہیں چلنا۔" وہ روتے ہوئے بولی۔ "جیسے میری ماں مری

تھی۔ جیسے یہ اس کو خاموشی سے دفن کر آیا تھا، مجھ تک کو نہیں پتا میری ماں کی قبر کدھر ہے۔ ویسے کسی کو میری قبر کا بھی پتہ نہیں چلے گا۔'' اس نے کہا۔ ''میری ماں کو گل داؤدی کے پھول بہت پسند تھے اور مجھے مارننگ گلوری کے پھول بہت پسند ہیں۔ نہ اس کی قبر پر کبھی گل داؤدی کے پھول چڑھے نہ میری قبر پر کبھی مارننگ گلوری کے پھول چڑھیں گے۔''

''اتنی مایوسی کی باتیں مت کرو زینا!'' داؤد نے ایک بار پھر اس کا ہاتھ پکڑ لیا۔ ''میں تمہیں اتنی آسانی سے مرنے نہیں دوں گا۔''

''تم!'' وہ بے بسی سے مسکرائی۔ ''تم کیا کر لو گے؟''

''میں۔'' داؤد نے ایک لمحے کے لیے خلا میں دیکھا۔ ''میں تمہیں یہاں سے بھگا کر لے جاؤں گا۔ پھر میں تم سے شادی کروں گا۔ تمہاری زندگی کے سارے دکھ درد تمہیں بھول جائیں گے۔ میں تمہیں اتنی خوشیاں دوں گا۔''

زینب وقار کا ہاتھ اس کے ہاتھ سے اچانک نکلا اور وہ دو قدم پیچھے ہٹ گئی۔

''تم بھی میرا مذاق اڑا رہے ہو نا۔'' اس کی آنکھوں میں بے یقینی اور دکھ اتر آیا۔ ''جیسے اردگرد کے سب لوگ اڑاتے ہیں۔''

''نہیں، میں تمہارا مذاق ہرگز نہیں اڑا رہا۔ میں سنجیدہ ہوں۔'' داؤد نے پُر یقین لہجے میں کہا۔

''تم مجھ سے شادی کرو گے؟'' اس نے ایک بار پھر کہا۔ اس کی آنکھوں میں دکھ کی جگہ حیرت اتر آئی تھی۔

''ہاں بالکل۔'' داؤد نے سر ہلایا۔

''مجھ سے؟'' اس نے داؤد کی طرف دیکھا۔ ''میں جو اتنی موٹی ہوں، گندی ہوں، میلی ہوں۔''

''ہاں تم سے۔'' داؤد نے اسے یقین دلایا۔

''قسم کھاؤ'' اس نے سر ہلا کر کہا۔

''جس کی چاہے قسم لے لو۔'' داؤد نے بھی سر ہلایا۔ اس وقت زینب وقار اسے دنیا کی سب سے معصوم، بے ریا، سچی اور کھری لڑکی لگ رہی تھی۔ جس کے چہرے پر پھیلی مسرت، حیرت، بے یقینی اور یقین کا ملا جلا امتزاج دنیا کا سب سے خوبصورت رنگ تھا، اس کے صحت مند سرخ و سفید چہرے پر مسکراہٹ تھی وہ ایک دم شاید شرما بھی گئی تھی، اس کے چہرے کی سرخی بڑھنے لگی تھی۔ اپنی ہنسی اور مسکراہٹ کو چھپانے کی کوشش میں اس کے ہونٹوں اور رخساروں کے خم نمایاں ہو رہے تھے۔

داؤد نے دلچسپی سے اس کے چہرے کے تاثر کو دیکھا اور اس کے سنہری بکھرے بالوں پر نظریں جما دیں جو روشنی کے ہالے میں چمک رہے تھے۔

''تم تو مجھے پہلے ہی بہت اچھے لگتے ہو۔'' وہ جھکی جھکی نظریں اٹھا کر شرماتے ہوئے بولی۔

''تم تو مجھے گولی مار دینا چاہتی تھیں۔ یاد کرو۔''

''نہیں جی۔'' وہ تیزی سے بولی۔ ''اس بندوق سے کارتوس کبھی باہر نہیں آتا۔'' داؤد بے اختیار ہنس دیا۔

''ایک بات بتاؤ!'' اُس نے کہا۔

''ہاں پوچھو۔'' داؤد نے جواب دیا۔

''سچی؟'' وہ بے یقینی سے بولی۔

''ہاں بالکل سچی۔'' داؤد نے اسے یقین دلایا۔

○......❖......○

''تم ہوش میں تو ہو'' وہ کہہ رہی تھی۔ ''مجھے پہلے ہی پتا تھا۔ پہلے ہی اندازہ تھا مجھے، اس جرائم پیشہ انسانوں کے علاقے میں رہ کر تم کوئی چاند ضرور چڑھاؤ گے۔'' اس کا بس نہیں چل رہا تھا، وہ داؤد کا سر پھاڑ ڈالے۔

''توبہ استغفار! تم اور اس سے شادی کرو گے۔ اس سے۔ اس نان بائی کی بیٹی سے...... تم جو ایک اعلیٰ نسب خاندان سے تعلق رکھتے ہو، جس کا ہر فرد اپنی خاندانی نجابت پر فخر کرتا ہے۔ چاہے وہ بچہ ہو، جوان ہو یا بوڑھا...... اسی خاندان کے ایک فرد تم...... اس نان بائی کی بیٹی سے شادی کرو گے جس کے بارے میں بغیر پوچھے ہی پتا چلتا ہے کہ کریمنل ہے، بدمعاش ہے، دو نمبری آدمی ہے۔ اوہ میرے اللہ داؤد...... تم نے اپنے متعلق میری ساری فینٹسیز تباہ کر کے رکھ دیں۔''

وہ واویلا کر رہی تھی، زینا کو برا بھلا کہہ رہی تھی۔ داؤد کو برا بھلا کہہ رہی تھی۔ مگر وہ خاموشی سے اس کے سامنے بیٹھا اس کی سن رہا تھا۔

اسے ہما کے سارے ردِ عمل برداشت کرنا تھے کیونکہ اس وقت اس معاملے میں صرف وہی تھی جو اس کی مدد کر سکتی تھی۔ وہ زینب وقار عرف زینا سے شادی کرنے کا مصمم ارادہ کر چکا تھا۔

اسے زینا کے چند دن مخصوص وقت پر کھڑکی پر دستک نہ دینے نے، اچانک احساس دلایا تھا کہ اس کا لاشعور، اس کی باتوں، اس کے لہجے اس کے چہرے پر پھیلی معصوم مسکراہٹ اور اس کی بیٹھی ہوئی آواز کا اسیر ہو چکا تھا، زینا سے اس کی ہمدردی، لگاؤ اور لگاؤ محبت میں کب ڈھلا، اسے خود پتہ نہیں چلا تھا اور اب یہ عالم تھا کہ وہ اسے جلد سے جلد اذیت کے سمندر سے نکال کر اپنے ساتھ انسانوں کی بستی میں لے جانا چاہتا تھا۔ وہ اسے زندگی کی خوبصورتی کا احساس دلانا چاہتا تھا، اس کی بے بسی اور مایوسی کو امید، یقین اور خوشی میں بدل ڈالنا چاہتا تھا۔ لیکن اسے اس بات کا بخوبی احساس تھا کہ اس کام کے لیے اسے کسی نہ کسی کی مدد کی ضرورت تھی۔ وہ یہ مدد کس سے حاصل کرے نادر سے یا ہما سے۔

وہ کئی دن تک سوچتا رہا تھا اور پھر اس کا قرعہ ہما کے نام پر نکلا تھا۔ ہما سے پہلے بھی وہ زینا کا ذکر کر چکا تھا اور وہ امی سے کافی دوستی بھی گانٹھ چکی تھی۔ وہ اس شہر کی رہنے والی تھی اور سمجھ دار بھی تھی۔

''میں ایک بالکل عام سا انسان ہوں، میرے کریڈٹ پر کوئی بڑے کارنامے اور معرکے نہیں ہیں، جو میرے بارے میں تمہارے ذہن میں کوئی فینٹسی ہو، نہ ہی میرا امیج عظیم انسان والا ہے، جو ایک ایسا قدم اٹھانے سے تباہ ہو جائے گا۔'' اس نے پُرسکون لہجے میں کہا۔

''میں تمہاری نہیں اس خاندان کی بات کر رہی ہوں جس سے تمہارا تعلق ہے۔'' ہما نے دہرایا۔

’’خاندان، ذات، قبیلے یہ سب البتہ فینٹسیز میں ضرور شمار ہوتے ہیں۔‘‘ داؤد نے کہا۔ ’’انسانوں کے خود بنائے ہوئے بے مقصد معیار...... انسان کو تو بس اِترانے کا کوئی سبب چاہیے ہوتا ہے، کسی اور طرح نہ سہی اعلیٰ حسب نسب کے نام پر ہی سہی۔‘‘ اس روز وہ ہما سے کسی طور بھی مرعوب نہ ہونے کا فیصلہ کر کے آیا تھا۔

’’تم بس یہ بتاؤ کہ تم میری مدد کرو گی یا نہیں؟‘‘

’’تمہیں میری مدد کی ضرورت کیوں ہے؟‘‘ وہ طنزیہ لہجے میں بولی۔ ’’انسانی خدمت کی ایک منفرد اور اعلیٰ ترین انسانیت کی تاریخ رقم کرنے چلے ہو تو اپنے زورِ بازو پر بھروسا کرو۔ دوسروں کو مدد کے لیے کیوں پکارتے ہو۔‘‘

’’مجھے اپنے زورِ بازو پر مکمل بھروسہ ہے۔‘‘ داؤد نے کہا۔ ’’اور میں جانتا ہوں کہ یہ کام میں خود اکیلے بھی کر سکتا ہوں۔ تم سے صرف اتنا چاہتا ہوں کہ امی تک یہ خبر تم پہنچا دو۔‘‘

’’کیا بتاؤں ان کو۔‘‘ اس کے لہجے میں طنز کچھ اور بھی شدت سے جھلکا۔ ’’یہ کہ ان کا بیٹا انسانیت کے نام پر ایک نان بائی کی بیٹی کو اس کی مصیبتوں سے نکالنے کے لیے اس کو بھگا کر اس سے شادی کرنے چلا ہے۔‘‘ اس کے چہرے پر طنزیہ مسکراہٹ ابھری۔ ’’انسانیت کا جھنڈا ہی اٹھانا ہے تو اردگرد آنکھیں کھول کر دیکھو۔ انسانیت تو قدم پر پڑی سسک رہی ہے۔‘‘

’’میں قدم قدم پر پڑی سسکتی انسانیت کے دکھ بٹانے کے فی الحال قابل نہیں ہوں لیکن جس ایک دکھ اور اذیت کا مداوا کر سکتا ہوں وہ ضرور کروں گا۔‘‘ داؤد کے لہجے میں قطعیت تھی۔ ’’ٹھیک ہے تم میری مدد نہ کرو۔ تم پر میرا کوئی زور تو نہیں ہے نا، میں خود ہی کچھ سوچتا ہوں۔‘‘

’’اچھا رکو۔‘‘ وہ اچانک کچھ ڈھیلی پڑی۔ ’’مجھے کچھ سوچنے دو، میں کرتی ہوں کچھ۔ ایسے کام جلدی میں کرنا حماقت کہلاتی ہے۔‘‘ اس کا لہجہ اچانک نرم ہو گیا۔

داؤد کا دل مسکرایا۔ وہ ہما کو قائل کرنے میں کامیاب ہو گیا تھا۔

○......❖......○

’’میں نے اپنا پلان بنا لیا ہے، میں نے سوچ لیا ہے کہ مجھے تم کو یہاں سے کیسے نکالنا ہے۔‘‘ اس رات داؤد نے زینا سے کہا۔

’’کیسے؟‘‘ وہ شاید سخت بے یقینی کا شکار تھی۔ اس روز اس نے سارا دن سوچا تھا اور اسے ایک لمحہ کے لیے بھی یقین نہیں آیا تھا کہ جو اس نے داؤد سے سنا تھا، وہ سچ تھا۔ اسے ایسا ہی لگتا رہا تھا کہ داؤد کی بات بچے کا بہلاوا تھا۔ وہ چند لمحوں کے لیے خوش ہو گئی تھی، بس یہ ہی کافی تھا۔

’’تمہیں میں اسی سوراخ سے دیوار کے پار نکال کر بھگا لے جاؤں گا۔‘‘ داؤد نے مسکرا کر کہا۔

’’اس سوراخ سے۔‘‘ اس کی نظریں ہارڈ بورڈ کے کٹے ہوئے حصے پر پڑیں۔ ’’میں اس میں سے کیسے گزر سکتی ہوں، میں اتنی تو صحت مند ہوں۔‘‘

’’کچھ دن کھانا پینا بند کر دو، دبلی ہو جاؤ گی تو آسانی سے نکل آؤ گی۔‘‘ اسے زینا کو چھیڑنے میں مزہ آ رہا تھا،

وہ ایک ایسا کام کرنے جارہا تھا جس سے اس کی زندگی بامعنی ہو جانے والی تھی۔ ''زندگی کسی مقصد کے تحت'' کے نعرے پر عمل کرنے والا کام، کسی مصیبت زدہ بے بس انسان کو اس کے عذاب سے نکالنا بھی تو زندگی کا مقصد ہو سکتا تھا۔

''ہاں یہ ٹھیک ہے۔'' وہ ہنس دی۔ ''میں کل سے کچھ نہیں کھاؤں گی۔''

''بے وقوف! یہ مت کرنا۔'' وہ ہنس دیا۔ ''میرے پاس تمہیں بھگانے کے کئی طریقے ہیں۔''

''سلمان مجھے گولی مار دے گا۔'' اس کا لہجہ خوف سے لرزا۔

''سلمان کے فرشتوں کو بھی خبر نہیں ہوگی۔''

''کیا تم واقعی مجھ سے محبت کرتے ہو؟'' اس نے اپنی آنکھیں داؤد کے چہرے پر گاڑ دیں۔

''ہاں میں تم سے واقعی محبت کرتا ہوں، کیونکہ تم محبت کیے جانے کے لائق ہو۔'' داؤد نے کہا۔

''میں نے آج بالوں میں صابن مل کر انہیں دھویا ہے۔ دیکھو!'' اس ایک جملے نے جیسے اس میں برقی توانائی بھر دی۔ وہ اپنے سنہرے گھنگھریالے بال سوراخ سے قریب لا کر بولی۔ ان سے کسی نائلون سوپ کی خوشبو آ رہی تھی۔

''ہوں'' داؤد نے اس کے بالوں کو سونگھا اور بے ساختہ جھٹکا سا کھا کر پیچھے ہٹا۔

''اور میں نہائی بھی تھی آج۔'' اس نے اپنا گدبدا ہاتھ آگے بڑھایا۔ ''آج میں نے بہار کے موسم کے کپڑے بھی پہنے ہیں۔'' اس نے سفید کپڑے پر ہلکے سبز پتوں کے پرنٹ والا اسکرٹ لہرایا۔ یہ اسکرٹ پرانا اور گھسا ہوا مگر دھلا ہوا تھا۔

''تمہارے زخم ٹھیک ہوئے؟'' داؤد کو اس کے بازوؤں پر پڑے چوٹوں کے نشان دیکھ کر یاد آیا۔

''میرے زخم بڑے ڈھیٹ ہیں، خود ہی ٹھیک ہو جاتے ہیں۔'' وہ مسکرا کر بولی۔ ''یہ دیکھو میں نے تمہارے لیے کیرامل ٹافی بنائی ہے اور ایپل پائی بھی۔'' اس نے اندھیرے میں ڈوبے فرش سے ایک ڈبا اٹھا کر داؤد کی طرف بڑھایا۔ ''میرے پاس صرف ایک سبز سیب تھا۔'' اس نے انگلی سے اشارہ کیا۔ ''لیکن ایک چھوٹی ایپل پائی بنانے کے لیے کافی تھا۔'' وہ شرما کر بولی۔

''بہت مزے کی ہے۔'' داؤد نے ایپل پائی کا ایک ٹکڑا منہ میں رکھتے ہوئے کہا۔

''چلو تم سے شادی کرنے کا ایک فائدہ یہ بھی ہوگا، میرے گھر میں بیکنگ خوب مزے کی ہوا کرے گی۔'' وہ مسکرایا۔

''شادی۔'' اس کا چہرہ مزید لال ہونے لگا۔ ''کیا تم میرے لیے ایک الیکٹرک اوون خرید سکو گے۔''

''ضرور۔''

وہ کھلکھلا کر ہنس دی۔

''اچھا کوئی اچھا سا ڈینش گیت تو سناؤ۔'' داؤد کو اس کی خوشی پر پیار آ رہا تھا۔

''گیت!'' وہ آنکھیں میچ کر یاد کرتے ہوئے بولی۔

''ہاں!'' پھر اسے یاد آیا اور وہ دو قدم پیچھے ہٹی۔

Oh what a taxa trimuph to the sky

They can not overcome a taximetes escaping through the sky

Oh what a taxa trimuph to the sky

to the sky

وہ ہوا میں بازو گھماتی، ٹانگ اٹھا کر لہراتی، گھومتی گا رہی تھی۔ گیت ختم کر کے سیدھی ہوتے ہوئے وہ زور سے ہنسنے لگی اور پھر ہنستی ہی چلی گئی۔ وہ بہت خوش تھی۔ اُس کی خوشی اتنی سچی تھی کہ اس پر بناوٹ کا گمان کیا ہی نہیں جا سکتا تھا۔ اس کی بے ساختہ ہنسی اور لال گلابی چہرے کو دیکھتے ہوئے داؤد سوچ رہا تھا۔

''اس کی زندگی کیسی جہت اختیار کرنے والی تھی۔''

○......❖......○

''تمہیں پتہ ہے آج میں سکول سے واپسی پر اُدھر گئی۔ اس علاقے میں جہاں تم رہتے ہو۔'' اگلے دن ہما نے اسے بتایا۔ ''صرف تمہارے لیے، ورنہ عمر بھر ہم نے اس طرف قدم نہیں اٹھایا۔'' وہ احسان جتانا چاہ رہی تھی۔

''ارے میں ممنون ہوں۔'' داؤد خوش ہو گیا۔ ''پھر تم نے وہاں جا کر کیا کیا؟''

''کرنا کیا تھا۔'' وہ ہاتھ ہلاتے ہوئے بولی۔ ''اس کمبخت نان بائی کے تندور کو ڈھونڈتی ڈھانڈتی اس تک پہنچی۔''

''صرف تندور نہیں بیکری بھی۔'' داؤد نے تصحیح کی۔

''چلو بیکری ہی سہی۔'' اس نے سر جھٹکا۔ ''اب تو تم اس جگہ کو جتنا بھی آنر دینے کی کوشش کرو، کم ہے۔''

''آگے بتاؤ، تم نے کیا کیا۔''

''تمہارا نان بائی تو دکان پر تھا نہیں۔ ایک احمق سا گدھوس رالیں ٹپکا رہا تھا وہاں کھڑا۔'' اس نے درشت لہجے میں بتایا۔

''وہ فضلو ہو گا......پھر؟''

''پھر میں نے اندازہ لگانے کی کوشش کی کہ کس راستے اور کس طریقے سے اس پیچیدہ ترین علاقے سے لڑکی کو بھگایا جا سکتا ہے۔'' اس کی اگلی بات نے داؤد کو مزید خوش کر دیا۔ وہ سنجیدگی سے اس کی مدد کرنے پر خود کو آمادہ کر چکی تھی۔

''پھر......؟''

''پھر کیا۔'' اس نے سر جھٹکا۔ ''ابھی میں سوچ رہی تھی کہ تمہاری انسانیت اور محبوبہ مجسم میری نظروں کے سامنے آ کھڑی ہوئی۔ اس کو دیکھ کر میرا دل ڈول گیا۔''

''کیوں؟''

''پوچھتے ہو کیا'' وہ ڈپٹ کر بولی۔ ''داؤد تمہاری کوئی استھیٹک سینس پہلے بھی تھی کہ اب مری ہے۔''

''کیا مطلب۔'' وہ چونکا۔

''تم ایک لڑکی کو بھگانے کا منصوبہ بنا رہے ہو یا ایک ڈینش گائے کو۔''

''یہ کیا کہہ رہی ہو۔''

''تو اور کیا۔'' وہ پہلو بدلتے ہوئے بولی۔ ''اس کو دیکھ کر مجھے عرصہ بعد ریڈ ڈینش گائے کا خیال آ گیا جس کی تصویریں میں نے ایک رسالے میں دیکھی تھیں۔ لڑکی تو وہ کہیں سے بھی نہیں لگتی۔'' اس نے داؤد کی طرف دیکھا۔

''کیا! تم اس کی انسلٹ کر رہی ہو۔'' داؤد یک دم برا مانتے ہوئے بولا۔

''بُرا مانتے ہو تو مانتے رہو...... وہ لڑکی تو کہیں سے بھی نہیں لگتی، سرخ ڈینش گائے جس پر کہیں کہیں سفید چتریاں پڑی ہوں۔''

''آئی ایم سوری ہما! تمہاری سوچ......'' داؤد بالکل بُرا مان گیا۔

''کیا میری سوچ بھئی۔'' اس نے داؤد کی طرف دیکھا۔ ''میں بالکل سچ کہہ رہی ہوں۔ تمہاری امی تو اسے دیکھیں تو بالکل بے ہوش ہو جائیں۔ اسے بھگانے کے لیے تو تمہیں ٹرک بک کرانا پڑے گا اور ٹرک کے پچھلے کھلے حصے میں رسیاں باندھنی ہوں گی۔ مبادا ڈینش گائے چھلانگ لگا کر سڑک پر نہ جا پڑے۔''

''وِل یو پلیز شٹ اَپ۔'' داؤد کو تاؤ آنے لگا۔

''میرا منہ بند کرانے سے کیا ہوگا، جو بھی دیکھے گا یہ ہی کہے گا۔''

''تم نے کبھی انسان کے اندر کی خوبصورتی دیکھنے کی کوشش کی ہوتی تو شاید یہ بکواس نہ کر رہی ہوتیں۔'' وہ بھنا کر بولا اور وہاں سے اٹھ گیا۔

''لیکن میں تمہاری امی کو ہرگز نہیں بتا رہی کہ ان کا بیٹا ایک ڈینش گائے کو بھگا کر اس سے شادی کر رہا ہے۔ میں اتنا بڑا صدمہ انہیں پہنچانے کا گناہ نہیں کر سکتی۔'' وہ پیچھے سے پکار کر بولی۔

''نہ بتاؤ۔'' ''میں خود بتا دوں گا۔'' اس نے غصے میں کہا اور وہاں سے آ گیا۔

○......❖......○

''میں نے سلمان بیکری والے کے بارے میں پوری معلومات لے لی ہیں بھائی جان! وہ تو پورا بدمعاش آدمی ہے جناب! ادھر جو افغان بستیاں ہیں نا اُدھر اس کا آنا جانا ہے۔ اسلحے کا کاروبار بھی کرتا ہے، یہ بیکری، تندور سب نظر کا دھوکہ ہے بھائی جان! اس آدمی سے بچ کر رہیں۔'' نادر اسے بتا رہا تھا۔

''اس کے کاروبار اور تعلقات کے بارے میں مجھے پوری خبر ہے نادر! میرے پاس اس کے کوکو پاؤڈر کا سیمپل ابھی بھی رکھا ہے۔'' داؤد نے کہا۔ ''مجھے صرف یہ معلوم کرنا ہے کہ کیا سال کا کوئی ایسا دن بھی ہوتا ہے جب وہ گھر پر یا بیکری پر نہیں ہوتا مطلب وہ کہیں جاتا واتا نہیں کیا۔''

''جاتا ہے بھائی جان! نادر نے معلومات کی تھیلی سے اور خبر نکالی۔ ''ان کے پھیرے ہوتے ہیں۔ مطلب یہ جس نیٹ ورک کے لیے کام کرتے ہیں اس کا ہر رکن اپنی باری پر سرحد پار کرتا ہے اور اپنا ٹاسک مکمل کرنے کے بعد واپس آتا ہے۔ اس کو یہ لوگ پھیرا کہتے ہیں۔ سلمان بھی پھیرے پر جاتا ہے۔''

''بس پھر مجھے یہ پتا کر کے بتاؤ کے سلمان کا پھیرا کب آنے والا ہے۔''

''خیر تو ہے نا بھائی جان! سلمان کے پھیرے میں آپ کو کیوں دلچسپی ہے۔'' نادر نے تجسس ظاہر کیا۔

''یہ میں تمہیں اُس وقت بتاؤں گا جب سلمان پھیرے پر جائے گا۔'' اس کا ذہن الجھی ہوئی چیزوں کو ترتیب دینے میں مشغول تھا۔

''تم مجھے بتا سکتی ہو کہ سلمان کہیں کب غائب ہوتا ہے۔'' اس نے زینا سے پوچھا۔ جواب میں اس نے زبان سے کچھ کہنے کی بجائے نفی میں سر ہلا دیا تھا۔

''کیا تمہیں پتا نہیں چلتا کہ وہ گھر پر ہے یا نہیں۔''

''وہ باہر والے کمرے میں سوتا ہے اور وہاں رات کے وقت کبھی کبھی اس کے پاس اور لوگ بھی آ جاتے ہیں۔ ان دنوں وہ بیکری پر نہیں بیٹھتا، ان دنوں فضلو ریڑھی لے کر جانے کے بجائے بیکری پر بیٹھتا ہے۔ مجھے نہیں پتا وہ یہیں ہوتا ہے کہ یا کہیں چلا جاتا ہے۔'' پھر اس نے گھٹی ہوئی آواز میں بتایا۔

''وہ کئی دن غائب رہتا ہے، یہ کیسے ہو سکتا ہے کہ تمہیں پتا نہ ہو، وہ کب غائب ہوتا ہے اور کتنے دن۔'' داؤد اپنی الجھن سلجھانے کے چکر میں اس کے لہجے اور انداز پر دھیان نہیں دے رہا تھا۔

''اس کا ہمارے دلوں پر خوف ہی اتنا ہے کہ ہمیں ہر دم اس کے آ جانے کا دھڑکا لگا رہتا ہے۔ ہمیں کبھی محسوس ہی نہیں ہوا کہ وہ یہاں نہیں ہے۔'' وہ آہستہ آواز میں بول رہی تھی۔

''کیا بات ہے زینا! تم اتنی خاموش کیوں ہو آج۔'' اچانک داؤد کو خیال آیا۔ وہ اداس بھی تھی اور خاموش بھی۔

''کوئی بھی بات نہیں ہے۔'' اس نے سر ہلایا۔ ''صرف آج مجھے ممی بہت یاد آ رہی ہیں۔'' اس نے آنکھ پر انگلی پھیری اور پھر داؤد کی طرف دیکھا۔ ''اس میں انسان کا اپنا تو کوئی قصور نہیں ہوتا نا کہ اس کے ماں باپ مر جاتے ہیں۔ انسان کس خاندان میں پیدا ہوتا ہے۔ یہ بھی خدا کی مرضی ہوتی ہے نا، پھر بن ماں باپ کے بچے کو معیار سے کم تر خاندانوں کو بری شکل وصورت کو اتنی حقارت کی نظر سے کیوں دیکھا جاتا ہے۔''

''کس نے دیکھ لیا تمہیں ایسے؟'' داؤد نے دیوار سے سوراخ پر رکھے اس کے ہاتھ پر ہاتھ رکھ کر کہا۔

''کسی نے نہیں۔'' اس نے اپنا ہاتھ داؤد کے ہاتھ کے نیچے سے نکالتے ہوئے کہا۔

''زینا!'' داؤد نے نرمی سے کہا۔ ''کیا بات ہے؟''

''کوئی بات نہیں ہے۔'' اس نے سر ہلایا اور پھر داؤد کی طرف دیکھا۔ ''وہ لڑکی تمہاری کزن تھی؟''

''کون سی لڑکی؟''

''وہ جو اس روز آئی تھی۔''

''اوہ ہاں!'' داؤد کو کچھ کچھ سمجھ میں آنے لگی۔

''وہ بہت پیاری تھی۔ وہ کہہ رہی تھی مجھے ملنے آئی ہے۔ وہ مجھے دیکھنا چاہتی تھی کیونکہ تم نے اسے بتایا تھا کہ تم مجھ سے شادی کرنا چاہتے ہو۔''

''میں تم سے شادی کرنا چاہتا نہیں زینا! میں تم سے شادی کرنے والا ہوں۔'' داؤد تصحیح کرتے ہوئے کہا۔ ''اس

لڑکی نے تم سے کوئی اوٹ پٹانگ بات تو نہیں کی؟'' اسے خیال آیا۔

''نہیں......اس نے مجھ سے زیادہ بات نہیں کی۔ وہ بس مجھے دیکھے جارہی تھی۔''

''تو تم کو برا لگا وہ تمہیں دیکھے جارہی تھی۔''

''نہیں بلکہ مجھے اچھا لگا۔'' اس نے سامنے دیکھتے ہوئے کہا۔ ''مجھے یقین آ گیا کہ تم نے جو شادی کی بات کی تھی، وہ مذاق نہیں تھی۔''

''بہت غلط بات ہے۔'' داؤد نے منہ بنایا۔ ''تم اس سے پہلے تک میری بات کو سیریس نہیں لے رہی تھی۔''

جواب میں وہ خاموش رہی۔

''آج مجھ سے اسٹون اوون کا ایک حصہ خراب ہو گیا۔ صبح میری شامت آنے والی ہے۔'' پھر جیسے وہ انجانے خوف سے کانپ کر بولی۔

''کیسے خراب ہو گیا اوون۔'' داؤد نے گھبرا کر کہا۔

''اس کا ایک حصہ نیچے سے ٹوٹ رہا تھا، میں نے سلمان کو ڈر کے مارے بتایا ہی نہیں اور آج وہ توازن نہ ہونے کی وجہ سے ایک سائیڈ سے گر گیا اور بس اب۔'' اس کی آواز گھُٹ گئی۔ اسی وقت شاید نیچے سے اسے کوئی آواز آئی تھی۔ وہ ایک سیکنڈ میں سوراخ سے پرے ہٹی اور تیزی سے کوٹھڑی سے باہر نکل گئی۔

''یا اللہ! یہ کیسا پزل ہے میں اسے کیسے کامیابی سے حل کر سکتا ہوں۔'' وہ وہیں کھڑا سوچ رہا تھا۔

○......❖......○

''آج سے ڈیڑھ ہفتے کے بعد سلمان کا پھیرا شروع ہونے والا ہے بھائی جان!'' چند دن بعد نادر نے اسے بتایا تھا۔ ''اب بتائیں اس کے پھیرے میں آپ کا کیا انٹرسٹ ہے۔''

داؤد نے اسے اپنا پلان بتانے میں اس بار ہچکچاہٹ محسوس نہیں کی تھی۔ اسے کسی کی مدد ہر صورت درکار تھی۔

''آپ تو بہت شریف لگتے ہو بھائی جان! آپ لڑکی بھگاؤ گے؟'' نادر بے اختیار ہنس پڑا تھا۔

''پلیز نادر! میں سیریس ہوں۔''

''داؤد بھائی جان! ہے تو یہ نیکی کا کام مگر آپ دیکھیں، آپ ابھی ناتجربہ کار ہیں۔ یہاں ملازمت کے لیے آئے ہیں، آپ کن کاموں میں پڑ گئے ہیں، اس سلمان اور اس کے ساتھیوں کے ہاتھ بڑے لمبے ہیں۔'' نادر نے اسے سمجھایا۔

''تم میرا ساتھ دے رہے ہو یا نہیں؟'' داؤد نے اس کی بات کو خاطر میں نہ لاتے ہوئے کہا۔

''میں دل جان سے حاضر ہوں بھائی جان! آپ سیریس ہیں تو اچھی بات ہے۔ ہم بھی ساتھ کوئی نیکی کمائیں گے۔'' وہ بولا۔

''بس تو پھر ڈن ہے، ہم اسے وہاں سے نکال رہے ہیں۔''

''ڈن ہے۔'' نادر نے اس سے ہاتھ ملایا۔

○......❖......○

''کیا واقعی تم مجھے لے جاؤ گے۔'' اگلی رات زینا نے داؤد کا پلان سننے کے بعد کہا۔ اس کے بازو پر آستین نہیں تھی۔ سلمان نے اوون ٹوٹنے کی پاداش میں اس کا بازو گرم اوون میں جھونک دیا تھا، اس کے بازو پر آبلے پڑے تھے۔ جن پر اس نے ہلدی کا لیپ سا لگایا ہوا تھا۔ داؤد اس کے بازو کی طرف دیکھ نہیں پا رہا تھا۔ ایک لمحے کے لیے اس کا دل چاہا وہ سب احتیاطیں بھول کر اسی وقت ہارڈ بورڈ کی وہ دیوار گرا کر کھڑکی کے راستے اسے اپنے کمرے میں لے آئے اور وہاں سے اسے لے کر اپنے شہر کی طرف کوچ کر جائے۔ مگر اس سوچ پر عمل اور اس کے درمیان مصلحتیں حائل تھیں۔ کمپنی سے اس کا کنٹریکٹ ختم ہونے میں کچھ ٹائم باقی تھا۔ کمپنی تجربہ اس کے مستقبل کے لیے بہت اہم تھا۔ سلمان کے یہاں سے غائب ہونے میں کچھ دن باقی تھے۔ ''کام منطقی انداز میں ہو تو بہتر ہوتا ہے۔'' اسے یہ زریں قول بھی یاد تھا۔ اسی لیے اس نے زینب وقار کے جلے ہوئے بازو، سسکیوں اور تکلیف کے اظہار پر فی الحال صبر کر لیا تھا۔

''تم ذہنی طور پر تیار رہو، میں جب تمہیں اشارہ دوں، بس تم میرے ساتھ چل دو گی یاد رکھنا!''

اس نے زینا کو سمجھایا۔ ''یہاں سے ایک بار نکل جانے کے بعد زندگی تم پر مہربان ہو گی۔ تم دیکھ لینا...... پھر آہستہ آہستہ تم بھول جاؤ گی کہ کبھی تم نے یہ تکلیف اور اذیت بھرے دن دیکھے بھی تھے۔'' وہ اسے تسلی دے رہا تھا۔

''ہم اپنے گھر میں کنونشن اوون بھی رکھیں گے اور پروفنگ کیبنٹ بھی۔'' وہ اسے مستقبل کے خواب دکھانے لگا۔

''ڈوشیئر اور ڈورولز بھی۔'' وہ اپنی تکلیف بھلا کر خواب دیکھنے لگی۔ ''اور ایک اسٹون اوون بھی۔''

''بالکل!'' داؤد نے کہا۔ ''ہم اپنے گھر میں مارننگ گلوری کی بیل بھی لگائیں گے اور گلِ داؤدی بھی کھلائیں گے۔''

''ہر رنگ میں۔'' وہ مسکرائی۔ ''ڈیلیا اور للّی بھی، اور اورنج میگنولیا بھی۔'' اس نے شاید ان پھولوں کو کبھی نہیں دیکھا تھا مگر اپنی ماں کے بتائے نام اسے ازبر تھے۔

''سب کچھ...... وہ سب کچھ ہو گا جو تم چاہو گی۔ حتیٰ کہ میں بھی اپنی زندگی ویسی ہی گزاروں گا جیسی تم چاہو گی۔'' داؤد نے گرمجوشی سے اس کا ہاتھ پکڑ کر وعدہ کیا تھا۔ اس کی نیلی آنکھیں جسم کا سارا دکھ اور درد بھلا کر خواب دیکھنے لگی تھیں۔

○......❖......○

''میں نے عذرا بھابی سے وعدہ کر لیا ہے۔ بس تم اس بار آؤ اور مجھے بھی اپنے ساتھ وہاں لے جاؤ۔'' امی نے فون پر اسے بتایا تھا۔

''لیکن امی! آپ یہاں آ کر کیا کریں گی۔'' وہ حیران ہوا۔

''ان لوگوں سے ملوں گی اور کیا کروں گی۔'' امی نے بے نیازی سے کہا۔ ''روبی دبئی چلی گئی ہے اور اب اِدھر آ کر مجھے دیکھنے والا کوئی نہیں رہا۔ فاروق اپنی فیملی سمیت کینیڈا جانے کی بھاگ دوڑ کر رہا ہے۔ اس کے متعلق لوگ مجھے آ کر جو خبریں سناتے ہیں۔ مجھ سے وہ سنی نہیں جاتیں۔ بہتر ہے میں کچھ دن کے لیے یہاں سے چلی جاؤں۔''

امی اپنے فیصلے پر قائم تھیں۔

''لیکن میں شاید اتنی جلدی نہ آسکوں۔'' اس نے اٹکتے ہوئے کہا۔

''پھر میں اکیلی ہی گاڑی پر بیٹھ جاتی ہوں۔ مجھ سے تنہائی اب برداشت نہیں ہوتی۔''

''اکیلی آنے کا تو سوچئے گا بھی نہیں۔'' وہ گھبرا گیا۔ ''ٹھیک ہے میں آتا ہوں آپ کو لینے۔'' اسے امی کی بات ماننی ہی پڑی تھی۔

O......❖......O

وہ صبح کا وقت تھا اور زینا سے ملاقات ہونے کا کوئی امکان نہیں تھا۔ اسے سہ پہر کی گاڑی سے گھر جانا تھا۔ وہ زینا تک کس طرح یہ پیغام پہنچائے کہ وہ جا رہا تھا۔ اس نے کتنی ہی دیر سوچنے کے بعد کھڑکی کھول کر دیوار کے سوراخ میں ایک رقعہ رکھ دیا۔ رقعے پر اس کے گھر کا ایڈریس، فون نمبر، جانے اور واپس آنے کی تاریخ درج تھی۔

کیا پتا وہ اوپر آ بھی پائے کہ نہیں اسے خیال آیا۔ آئے مگر اسے اس رقعہ کا پتہ نہ چلے۔ کئی طرح کے خیال تھے مگر اس کے پاس اس کے سوا کوئی طریقہ بھی نہیں تھا۔ زینا تک اپنا پیغام پہنچانے کا۔ سلمان کے جانے سے پہلے تو اسے واپس آ ہی جانا تھا۔ وہ صرف اس کو تسلی دینا چاہتا تھا۔ وہ غائب نہیں ہو رہا تھا واپس آنے والا تھا۔

O......❖......O

ہما نے سوزوکی سے اتر کر اپنے سامنے کا منظر دیکھا۔ سڑک کے ساتھ جڑی گلی اندر جا رہی تھی۔ وہ کچھ دن پہلے بھی یہ منظر دیکھ چکی تھی۔ اندر جاتی گلی سے جڑی ان گنت داخلی اور بغلی گلیاں تھیں، تنگ اور پُر پیچ...... اونچی نیچی ٹوٹی پھوٹی اینٹوں والی گلیاں جن کے ساتھ ابلتی ہوئی نالیاں تھیں اور جن میں آدھے پورے کپڑے پہنے بچے کھیلتے تھے۔ اسے کئی تنگ گلیوں سے گزر کر ایک نسبتاً کھلی گلی میں جانا تھا، جہاں روزیٹا بیکری قائم شدہ 1971ء کا بیکری ڈسپلے گیس تھا۔ جس کے پیچھے گرے پتلون پر خاکی شرٹ پہنے گیلس لگائے ہوئے آدمی کھڑا تھا، جس سے اسے ملنا تھا۔

O......❖......O

صحن سے دھوپ ڈھل چکی تھی لیکن وہ ابھی بھی صحن کے کچے فرش پر پاؤں پھیلائے بیٹھی تھی۔ سارے میں مرغیاں کُڑکُڑ کرتی پھر رہی تھیں اور بطخیں اپنی چونچوں سے مٹی ادھیڑتی تھیں۔ ٹرکی برتنوں میں اور کھانے کی کھلی چیزوں پر کودتے گزرتے تھے مگر وہ ان میں سے کسی کو نہ تو کوس رہی تھی نہ ہی منع کر رہی تھی۔

اس کی کھلی آنکھیں سامنے دیکھتے ہوئے خلا میں سپنے بُن رہی تھیں۔ اس کے ہاتھ میں ایک کاغذ تھا جس پر سپنوں کے گھر کا پتا درج تھا اور فون نمبر بھی۔ اسے جلد اس اذیت ناک زندگی سے چھوٹ کر سپنوں کے اس گھر میں جانا تھا، ایک خوشگوار زندگی جس میں وہ سب ہونے والا تھا جو وہ چاہتی تھی۔ وہ اپنی سوچوں میں اتنی گم تھی کہ اسے یہ بھی پتا نہیں چلا کہ ایسا کیا ہوا تھا جو مرغیاں، بطخیں، ٹرکی اور مور اپنی اپنی مخصوص آوازیں لگاتے اِدھر اُدھر کیوں اُڑے اور بھاگے تھے۔ اسے کسی کے بھاری اور تیز قدموں کی آواز بھی سنائی نہیں دی تھی، نہ ہی اس نے کسی کو سیڑھیاں چڑھ کر اوپر کوٹھڑی میں جاتے دیکھا تھا۔ وہ تو بس اس وقت چونک کر اپنے خیالوں سے باہر آئی تھی جب اس نے سلمان کو سیڑھیاں اتر کر تیزی سے اپنی طرف آتے دیکھا تھا۔

داؤد کی امی کتنی پیاری اور سوئٹ تھیں۔ وہ جس دن سے ہمارے گھر آئی تھیں گھر میں کتنی رونق سی ہو گئی تھی۔ وہ اتنی جلدی گھل مل گئی تھیں کہ لگتا ہی نہیں تھا کہ وہ ہمارے گھر پہلی بار آئی تھیں، لگتا تھا وہ ہمیشہ سے یہیں رہتی رہی تھیں۔ انہیں ہمارا گھر بھی کتنا اچھا لگا تھا۔ اور وہ اتنی ہنر مند تھیں کہ انہوں نے مجھ کو کتنے ہی نئے ہنر بھی سکھا دیئے تھے مگر یہ داؤد کتنا عجیب سا ہو گیا تھا یوں رہتا تھا، جیسے جلتے توے پر بیٹھا ہو، ہر وقت ناراض، جلا بھنا، کاٹ کھانے کو دوڑتا تھا۔ اس کو ہنستے دیکھنے کے لیے دل خواہش ہی کرتا رہ جاتا تھا، وہ تو اس دن بھی کھل کر خوش نہیں ہوا تھا جب اس کا اس کمپنی سے معاہدہ کامیابی سے ختم ہوا تھا جس کے لیے کام کرنے وہ اس شہر میں آیا تھا۔ داؤد کے اس شہر میں آنے سے کتنا کچھ بدل گیا تھا اور دو سالوں میں کیا کچھ ہوا تھا۔

میں نے اپنی نظروں کے سامنے داؤد کو ایک ناتجربہ کار، جھینپو اور شرمیلے انسان سے خود اعتماد، ذمہ دار اور سمجھ دار مرد میں ڈھلتے دیکھا تھا۔ شاید داؤد کا وہ تجربہ ناکام رہا تھا جس میں وہ انسانیت کی ایک تاریخی خدمت کرنے چلا تھا کیونکہ اوکاڑہ سے واپس آنے کے بعد اس نے اپنے منصوبے کو عملی جامہ پہنانے کے لیے کوئی قدم اٹھایا تھا نہ اس کا کبھی تذکرہ کیا تھا۔ شاید جذباتی محبتوں کی عمر ہوتی ہی اتنی کم ہے، کچے جذبے اور کچی محبتیں۔ داؤد کو یہ بات شاید اس تجربے سے گزر کر ہی سمجھ میں آنا تھی۔ مگر تجربہ تھا تلخ جب ہی تو اس کے بعد وہ ایک خاموش طبع، لیے دیئے رہنے والا شخص بن گیا تھا۔

وہ اس وقت بھی کھل کر خوش نہیں ہوا تھا جب اسے ایک بین الاقوامی کنسٹرکشن فرم میں مستقل نوکری کی چٹھی وصول ہوئی تھی۔ پُرکشش تنخواہ، گھر، ملازم اسے سب مراعات بھی ساتھ مل رہی تھیں۔ کتنا بے وقوف تھا، وقتی دھچکے کی بنا پر اتنی بڑی خوشی بھی ڈھنگ سے منا نہیں پایا تھا۔

داؤد نے نوکری جوائن کر لی تو اس کی امی دوبارہ اوکاڑہ سے ہمارے یہاں آئیں۔ اس بار وہ ایک حیرت انگیز درخواست کے ساتھ ہمارے یہاں آئی تھیں۔ میں جس کی شادی کی عمر نکل رہی تھی جس کی وجہ سے اماں اور امی کی نیندیں اُڑی ہوئی تھیں۔ میں شکل وصورت میں بھی کچھ خاص نہیں تھی۔ گریجویشن کے بعد سکول ٹیچر بن گئی اور کتنی جلدی اپنی عمر سے بڑی لگنے لگی۔ ہمارے گھر بہت زیادہ لوگوں کا آنا جانا تھا نہ میل ملاقات، تو اہنستا (شادی کا شگون) بھی تو کس طرح۔ داؤد کی آمد انقلابی ثابت ہوئی۔ داؤد تھا بھی تو کتنا ہینڈسم، اس کا بات کرنے کا انداز بھی کتنا منفرد اور اعلیٰ تھا اور اب تو اس کی نوکری بھی اتنی پُرکشش تھی۔

داؤد کی امی کا میرے لیے شادی کا پیغام لانا یوں ہی تھا جیسے سورج مغرب کے بجائے مشرق سے نکلا ہو۔ تو اہنسا تھا اور کتنے زور سے ہنسا تھا۔ اماں اور امی کو پیام قبول کرنے میں کیا تامل ہو سکتا تھا۔ میں نہیں جانتی کہ اس پیام میں داؤد کی کتنی مرضی شامل تھی، تھی بھی یا نہیں۔ لیکن مجھے اپنا پتا تھا میں نے جیسے جہان فتح کر لیا تھا۔

داؤد مجھ سے عمر میں چند ماہ چھوٹا تھا مگر اس کی شخصیت میں نہ جانے کیا جادو تھا کہ میں اپنی پختہ سوچ، ذمہ دارانہ رویوں اور عمر میں کچھ بڑے ہونے کے احساس کے باوجود خود کو اس کے سحر سے بچا نہ پائی تھی۔

آنے والے دنوں میں داؤد کی بیوی بننے کے بعد مجھے اسے یہ باور کرانا تھا کہ ایک خاندانی، اعلیٰ نسب، پڑھی

لکھی بیوی اور ڈینش گائے جیسی نانبائی کی بیٹی میں کیا فرق ہوتا ہے۔ مجھے داؤد کے دل کو ٹٹول کر دیکھنا تھا کہ وہاں اب بھی روزیٹا بیکرز کے نانبائی کی بیٹی کا کوئی رنگ باقی تھا۔ اگر تھا تو مجھے اپنے رنگ کے ساتھ اس رنگ پر غالب آنا تھا، یوں کہ بیتے دنوں کی کوئی گرد اس کے دل پر باقی نہ رہے۔

زندگی اتنی آسان تو نہ ہو گی لیکن اسے آسان ہونا بھی نہیں چاہیے۔

آخر میں نے داؤد تک رسائی حاصل کرنے کے لیے کچھ کم خطرہ تو نہیں مول لیا تھا۔ زندگی میں بڑے اور من چاہے کاموں کو کرنے کے لیے کبھی کبھار بڑے رسک بھی لینے پڑ ہی جاتے ہیں۔ ایڈونچر پسند داؤد کی بیوی کو بھی ایڈونچر پسند ہی ہونا چاہیے تھا نا۔

O......❖......O

Ah haviken taxa trimuph

De kan ikke fa bugt

Oh what a taya trimuph

T o the sky

To the sky

دانیہ سکول میں ہونے والے کسی فنکشن کے لیے اپنی لائنز یاد کر رہی تھی۔ دانیہ کو غیر نصابی سرگرمیوں میں نصابی سرگرمیوں سے زیادہ دلچسپی تھی۔ وہ اس کی سب سے چہیتی بھانجی تھی۔ دانیہ کے پاس سب سے زیادہ سرٹیفکیٹس اور پرائز تھے، لیکن اس کی وجہ امتحانوں میں پوزیشن ہولڈر ہونا نہیں تھا۔ اس بار بھی وہ سکول میں ہونے والے فنکشن کے لیے سکینڈے نیوین کنٹری گرل کا رول منتخب کیے بیٹھی کوئی لائنز یاد کر رہی تھی۔

Ah haviken taxa trimuph

De kan ikke fa bugt

اس نے پڑھتے پڑھتے داؤد کی طرف دیکھا۔

''ماموں! آپ کو اس کا ترجمہ آتا ہے؟'' اس نے یونہی ماموں سے پوچھا جو اس کے بار بار یہ لائنز دہرانے پر بری طرح چونک کر اس کی طرف دیکھ رہا تھا۔ جواب میں وہ کچھ دیر اسے خالی نظروں سے دیکھتا رہا تھا۔ پھر اس نے سامنے صوفے پر بیٹھی ہما کو دیکھا تھا۔

''نہیں۔'' اس نے ہما کو دیکھتے ہوئے کہا تھا اور اپنا دھیان ٹی وی کی طرف کر لیا۔

''ماموں کا بھی پتہ نہیں چلتا، اتنے ریزورڈ، اتنے کم گو، کبھی کبھی تو بالکل ہی ٹرانس میں بیٹھے لگتے ہیں۔ مامی کہتی ہیں تمہارے ماموں نے کچھ زیادہ ہی سٹڈی کر لی ہے۔'' دانیہ نے سر جھٹکا اور اپنی لائنز دہرانے لگی۔

O......❖......O

زندگی بہت مزے میں گزر رہی ہے سوائے ایک کمی کے زندگی میں کوئی کمی نہیں۔ وقت نے بہت کچھ دیا ہے لیکن ہمارا آنگن سُونا ہے۔ اس میں بچوں کی چہکار نہیں، کبھی کبھی یہ کمی بہت شدت سے محسوس ہوتی ہے لیکن داؤد نے

کبھی مجھے اس کا احساس نہیں دلایا۔

داؤد نے زندگی میں محنت کی اور اب وہ گریڈ بائیس پر کام کر رہا ہے ہم وفاقی دارالحکومت میں ایک بڑے سرکاری گھر میں رہائش پذیر ہیں۔ اماں اور امی میری قسمت کو دیر سے مگر خوش آئی کہا کرتی تھیں۔

اماں میری شادی کے پانچ سال بعد دنیا سے چلی گئیں۔ امی اور داؤد کی امی دونوں ہمارے ساتھ رہنے لگیں۔ میں نے اور داؤد نے دونوں کی خدمت میں کبھی کوئی کوتاہی نہیں کی۔ میں جب بھی داؤد کو غور سے دیکھتی ہوں میری نظروں کے سامنے بیتے دنوں کے کئی لمحے گھوم جاتے ہیں۔ آج داؤد ایک گریس فل شخصیت، عہدے کے رعب داب اور زندگی کے ٹھاٹھ باٹھ کے ساتھ ایک کامیاب انسان نظر آتا ہے۔ میں نے شادی سے پہلے خود سے عہد کیا تھا کہ میں داؤد کو باور کرادوں گی کہ ایک خاندانی، اعلیٰ نسب، پڑھی لکھی بیوی اور ڈینش گائے جیسی نانبائی کی بیٹی میں کیا فرق ہوتا ہے۔

آج جب میں داؤد کے دل کو ٹٹولتی ہوں تو مجھے اپنے عہد پر ہنسی آتی ہے، ڈینش گائے جیسی نانبائی کی بیٹی تو شاید اسے کبھی بھول کر بھی یاد نہیں آئی۔ اس کا تو کوئی رنگ مجھے کبھی داؤد کی شخصیت کی کسی جھلک میں نظر نہیں آتا۔

آہ میں کتنی احمق تھی۔ یونہی اس بات کے پیچھے خوار ہوئی کہ داؤد کی زندگی میں وہ ڈینش گائے کیسی لگے گی۔ اتنے سالوں بعد میرے اور داؤد کے درمیان ذہنی ہم آہنگی، محبت، احترام اور آسودگی کا رنگ ہے، جس میں کوئی ڈینش گائے، کسی نانبائی کی بیٹی دور دور تک نظر نہیں آتی۔

ہماری شادی میں داؤد کی مرضی شامل تھی یا نہیں، اس سے کیا فرق پڑتا ہے کیونکہ اتنے سالوں میں، میں نے داؤد کو اپنے سلیقے، محبت، وفاداری اور اطاعت شعاری سے مکمل طور پر پالیا۔ ہے کوئی میرے جیسا دوسرا فاتح تو سامنے آئے۔

○......❖......○

میں شادی کے بعد صرف ایک دفعہ اوکاڑہ گئی تھی۔ ہم چند دن داؤد کے آبائی گھر میں رہے اور پھر داؤد کی امی ہمارے ساتھ وہاں آ گئیں۔ جہاں داؤد کو نئی جاب ملی تھی۔ داؤد کا آبائی گھر بند کر دیا گیا۔ داؤد کا بھائی اپنی فیملی کے ساتھ کینیڈا چلا گیا، ایک بہن دبئی اور دوسری کراچی شفٹ ہو گئی۔ اوکاڑہ والا گھر بند ہی رہا۔ داؤد کی امی کو اپنی بیماری اور آخری دنوں کے دوران اوکاڑہ والا گھر بہت یاد آتا تھا۔ مگر وہ سفر کر کے وہاں جا نہیں سکتی تھیں۔ ان کے انتقال کے بعد ان کو اسلام آباد میں ہی دفن کیا گیا۔ داؤد اور اس کی بہنوں کا خیال تھا کہ اوکاڑہ میں ان کی تدفین کے بعد شاید وہ اکثر ان کی قبر پر نہ جا پائیں۔ لہٰذا اسلام آباد ہی میں تدفین کی جائے۔

اوکاڑہ سے داؤد کا تعلق صرف ایک یاد بن کر ہی رہ چکا تھا۔ لیکن کچھ دن پہلے داؤد کے اوکاڑہ میں مقیم ایک عزیز کا فون آیا جنہوں نے اسے بتایا کہ گھر بند رہنے کی وجہ سے خراب ہو رہا ہے اور اس کی ایک چھت گر رہی ہے۔ انہوں نے گھر کا خریدار بھی تلاش کر رکھا تھا اور داؤد کو اسی سلسلے میں اوکاڑہ آنے کو کہا تھا۔ آج ہم ان کے بلانے پر اوکاڑہ آئے تھے۔ داؤد آ رہا تھا۔ میں یوں ہی اس کے ساتھ ہو لی۔ میرا دل چاہا اس گھر کو میں بھی آخری دفعہ ایک نظر دیکھ لوں جہاں میں شادی کے بعد رخصت ہو کر گئی تھی۔

گھر کے تالے کی چابی داؤد ہی کے پاس تھی۔ گھر کا دروازہ اور تالا گرد آلود تھے اور دروازہ کھلنے پر تاریک ڈیوڑھی میں باہر سے آتی روشنی کی لکیر میں گرد کی ایک واضح تہہ دکھا رہی تھی۔ میں نے آگے بڑھ کر گھر کے صحن کی طرف کھلنے والا دروازہ کھولا۔ صحن کے چاروں طرف برآمدے سے جڑے مختلف کمرے ویسے کے ویسے تھے جیسے ہم چھوڑ کر گئے تھے۔ میں نے ایک ایک کمرے کا دروازہ کھولا۔ بند کواڑوں کے پیچھے چھپی ہوا دروازے کھلتے ہی اپنی مخصوص مہک کے ساتھ باہر نکلی۔ کچھ کمروں میں چادروں سے ڈھکا سامان رکھا تھا۔

''گھر تو بک جائے گا، اس سامان کا کیا کریں گے؟'' میں سوچ رہی تھی۔ پھر میں نے مڑ کر پیچھے دیکھا۔ داؤد باہر ہی کھڑا تھا۔ شاید اسے کوئی پرانا شناسا مل گیا تھا۔ میں داؤد کو دیکھنے واپس ڈیوڑھی میں آئی۔ اسے ڈیوڑھی سے اوپر جاتی گرد آلود سیڑھیوں پر بیٹھے دیکھ کر میں چونک کر آگے بڑھی تھی۔ داؤد کا قیمتی سنہری فریم کا چشمہ سیڑھی کے لکڑی کے کنارے پر رکھا تھا اور وہ آنکھوں پر انگلیاں رکھے دیوار سے سر ٹکائے بیٹھا تھا۔ میں نے حیرت سے داخلی دروازے کی طرف دیکھا۔ جس کا ایک پٹ کھلا اور ایک بند تھا۔ وہاں کوئی موجود نہیں تھا۔ دروازے سے داؤد تک واپس آتی میری نظر دروازے کے بند پٹ میں لگے لیٹر باکس پر پڑی جس کا ڈھکن کھلا تھا۔

میں نے داؤد کی طرف دیکھا، جس کے قریب ڈاک کے کئی لفافے رکھے تھے۔ میں نے آگے بڑھ کر وہ لفافے اٹھائے۔ ہر لفافے پر ٹوٹی پھوٹی اردو تحریر میں گھر کا پتا لکھا تھا، ہر چٹھی داؤد کے نام بھیجی گئی تھی۔

''میں تمہیں دو خط پہلے بھی لکھ چکی ہوں، تم نے مجھے جواب دیا نہ خود آئے۔ میں بہت اذیت میں ہوں۔ تمہاری کزن کی مخبری کے بعد سلمان نے مجھے اور فضلو کو اٹھا کر ایک کیمپ میں لا پھینکا ہے۔ اس نے میری ٹانگوں پر دو، دو فائر کیے۔ میں معذور ہو چکی ہوں۔ اس نے میری جلد سے میرے ناخن اکھاڑ پھینکے ہیں۔ میں ایک عذاب سے گزر کر تمہیں خط لکھ رہی ہوں۔

یہ خط میں شیر دل کو دوں گی، وہ کہتا ہے، وہ یہ خط ڈاک میں ڈال دے گا۔ شیر دل بے چارہ میرا بہت خیال رکھتا ہے۔ مگر تم کہاں ہو۔ تم تو مجھے اپنے گھر لے جانے کے لیے گئے تھے۔ تم نے مجھے لینے آنا تھا تم کہاں ہو داؤد؟''

خط میرے ہاتھ میں لرز رہا تھا۔

میرا دماغ گھوم گیا تھا۔ میری آنکھوں کے سامنے تارے ناچنے لگے تھے۔ میں نے کانپتے ہاتھوں سے دوسرے لفافے سے چٹھی نکالی۔

''تم نے مجھے جواب نہیں بھیجا۔ پتا نہیں تم تک میرا خط پہنچا کہ نہیں؟ تمہاری کزن کہتی تھی کہ میں بے ماں، باپ کی اولاد ہوں اور میرا تعلق ایک نیچ خاندان سے ہے۔ اس نے کہا کہ مجھ سے شادی کر کے تم اپنے خاندان سے کٹ کر رہ جاؤ گے۔ وہ شاید ٹھیک کہتی تھی۔ مجھ جیسی لڑکی کا زندگی کی خوشی پر شاید کوئی حق نہیں ہوتا۔ میرا کوئی اتا پتا جو نہیں۔ میں ایک نانبائی کی بیٹی جو ہوں۔ میرا چچا ایک کریمنل ہے۔ مجھ سے تعلق جوڑنے پر شاید تم بہت خسارے میں رہتے۔ تم مجھ سے شادی نہ کرتے۔

مگر ایک بار مجھ سے مل تو لو۔ ایک بار آؤ تو سہی۔''

میں نے خوف زدہ نظروں سے داؤد کی طرف دیکھا، جواب بھی آنکھیں بند کیے دیوار سے سر ٹکائے بیٹھا تھا۔

تیسرا خط۔

''میں مر رہی ہوں۔ شاید میں زیادہ دن زندہ نہ رہوں۔ ٹانگوں کے زخموں کا زہر میرے جسم میں پھیل چکا ہے۔ مجھے اپنی ماں کی شکل یاد آتی ہے اور اس کی آواز سنائی دیتی ہے۔

To the sky

To the sky

Oh what a taxa trimuph

وہ مجھے آسمانوں کی طرف بلاتی ہے۔

آسمان کی طرف۔ میں تمہیں یہ خط اس لیے لکھ رہی ہوں کہ ہو سکے تو کبھی آنا۔ میری قبر کا پتا کرنا اور اس پر مارننگ گلوری اور کارنیشن کے پھول رکھنا، گل داؤدی اور ورنج مینگولیا لے کر آنا۔ کیا پتا میری ماں کی طرح میری قبر بھی کسی کے علم میں نہ ہو۔ مگر ہو سکے تو آنا۔ تم نے وعدہ کیا تھا مارننگ گلوری کا، گل داؤدی اور مینگولیا کا۔ ضرور آنا، ضرور پتا کرنا۔''

چوتھا خط۔

''آسمانوں کی طرف جانے میں چند ہی دن باقی ہیں۔ اب اپنی ماں کی آواز کے ساتھ مجھے تمہاری آواز بھی آتی ہے۔ تم جو کہتے تھے۔ زینا! تم دنیا کی سب سے سویٹ لڑکی ہو۔ تم جو کہتے تھے۔ میں تم سے شادی کرنا چاہتا ہی نہیں تم سے شادی کرنے والا ہوں زینا!

میری پوری زندگی میں سنے جانے والے دو خوبصورت ترین، دو میٹھے ترین جملے۔ میں سوچتی ہوں کیا ہوتا جو تمہاری کزن کو میں اتنی بری نہ لگتی، کیا تھا جو وہ مجھ سے نفرت نہ کرتی اور کیا ہوتا جو وہ سلمان کو ہمارے تعلق کا نہ بتاتی۔ کیا ہوتا جو وہ ثبوت کے طور پر دیوار کے سوراخ اسے نہ دکھاتی۔ مگر شاید میرے جیسی لڑکی کے لیے خوشی لکھی ہی نہیں گئی تھی۔ جب ہی تو اس نے وہ سب کر دیا جو میری موت پر ختم ہوگا۔ لیکن زیادہ نہیں، صرف ایک پھول پلیز، ایک پھول ضرور لے کر آنا۔''

میرے منصوبے میں تو کہیں کوئی جھول ہی نہیں تھا۔ اوکاڑہ سے واپسی پر داؤد کو اس محلے میں روزیٹا بیکری ملنی تھی نہ ہی سلمان اور اس کی بیٹی۔ سلمان کو میں نے ایسا ہی تو بھڑکایا تھا وہ یا تو اسی روز زینا کو گولی مار دیتا یا اسے وہاں سے غائب کر دیتا اور ہوا بھی ایسے ہی۔ اوکاڑہ سے واپسی کے بعد سے آج تک اگرچہ میں نے داؤد کی زبان پر زینا کا تذکرہ کبھی سنا نہ ہی اسے اس کی یاد میں کبھی کھوئے پایا۔ لیکن میں جانتی تھی، وہ تذکرہ کرتا بھی کیسے؟ نانبائی کی بیٹی کو بھگا کر اس سے شادی کرنے کا سوال تو جب پیدا ہوتا اگر اس کا اس محلے میں کوئی نام ونشان باقی رہا ہوتا۔

سلمان میرے دیئے اس ڈراوے پر ہی تو وہاں سے ایک دن میں بھاگا تھا کہ داؤد اس کے کرتوت ہائی اتھارٹیز کے علم میں لانے والا تھا۔ داؤد کو اوکاڑہ سے واپسی پر نہ نانبائی ملا نہ ہی اس کی بیٹی۔ جب ہی تو وہ گم صم ہو گیا اور زینب وقار کا تذکرہ کرنا ہی بھول گیا۔ میں اپنے پلان کی کامیابی پر خوش اور مطمئن تھی۔ اس کے فیل ہونے کا سوال

ہی کیا تھا۔ میں نے کوئی جھول ایسا چھوڑا ہی نہیں تھا کہ داؤد کو میری ذات پر کوئی شک ہوتا۔

میں نے اپنے کانپتے وجود کو قابو میں لانے کی کوشش کرتے ہوئے ڈرتے ڈرتے داؤد کی طرف دیکھا۔ اب وہ بھی سیڑھیوں کی دیوار سے سر ٹکائے میری طرف دیکھ رہا تھا۔ اس کی نظروں میں میرے لیے ایک واضح پیغام تھا، ایک واضح جذبہ۔ کیا کوئی سمجھ سکتا ہے۔ اس جذبے کا نام کیا تھا۔ اتنے برس میں نے اس اطمینان میں گزار دیئے کہ میرے اور داؤد کے رشتے میں ذہنی ہم آہنگی، محبت، آسودگی اور سکون کے سوا کچھ نہیں ہے۔

مگر داؤد کی یہ نظریں مجھے یہ بات کیوں سمجھا رہی تھیں کہ میرے اور اس کے درمیان ہمیشہ سے کوئی موجود تھا اور آج وہ غیر مرئی وجود چھم سے ہمارے درمیان صاف آن کھڑا ہوا تھا۔ اس وجود کے ہاتھ میں میرا گزشتہ اعمال نامہ تھا اور میرے آنے والے دنوں کی تصویریں بھی۔ وقتی جذبہ اور کچی محبت ایک اَن مٹ نقش کی طرح اس دل پر گڑی تھی جس کو میں اپنے رنگ میں رنگا دل کہتی تھی۔

میں نے گھبرا کر نظریں چرانے کے بعد ایک بار پھر داؤد کی طرف دیکھا۔ اپنے اور اس کے درمیان ایک طویل فاصلے کے درمیان مجھے سالوں بعد ڈینش گائے کے جیسی نانبائی کی بیٹی پورے استحقاق کے ساتھ کھڑی نظر آ رہی تھی۔

○……❖……○

''میں جانتا ہوں جو کچھ ہوا، تمہارے لیے غیر متوقع ہوگا۔ میں ایک لمحہ کے لیے رک کر سوچوں تو مجھے لگتا ہے کہ یہ میری اپنی توقع کے بھی برعکس ہوا ہے۔

جس دن میں تم سے رخصت ہو رہا تھا میں نے دیکھا شدید دکھ، صدمہ، حیرانی اور بے یقینی کے رنگ تمہاری آنکھوں میں جم کر رہ گئے تھے۔ حیرانی اور بے یقینی وہاں موجود میری دونوں بہنوں کی آنکھوں میں بھی تھی۔

''یہ کیا؟ یہ کیوں؟ یہ کیسے اور اب کیسے؟''

جیسے اَن گنت سوال تھے جو ان دونوں کے لبوں پر آنے کے لیے مچل رہے تھے مگر جانتی تھیں کہ میں زندگی میں کوئی کام بلاوجہ اور بغیر سوچے سمجھے نہیں کیا کرتا، اس لیے خاموش رہیں۔

ان کو پتا تھا کہ میری طبیعت کا وہ جذباتی پن، ایڈونچرز کا شوق اور کچھ انوکھا کر دکھانے کی لگن عرصہ ہوا میرے اندر سسکیاں لیتے دم توڑ چکی تھی۔

وہ زمانہ ان کو یاد تھا جب شادی کے تیسرے سال ہی سے ہمارے اولاد نہ ہونے کے باعث انہوں نے دوسری شادی کے لیے اصرار کرنا شروع کر دیا تھا۔ گھر کے سُونے پن کی وجہ سے انہوں نے کون کون سے الفاظ میں مجھے دوسری شادی کر لینے کے مشورے نہیں دیئے تھے۔

تم ان باتوں سے ابھی تک بے خبر تھی، میرا بھی تمہیں ایسی کوئی بات بتانے کا ارادہ نہیں تھا، لیکن اب مجبوری یہ ہے کہ زندگی کے چند تلخ حقائق کا تذکرہ کیے بغیر میری بات مکمل نہ ہو سکے گی۔ اسی لیے مجھے یہ بات بھی یاد کرنی پڑ رہی ہے۔

تم جانتی ہو، اپنی بہنوں کے ان مشوروں پر میں نے کیا جواب دیا تھا۔ میں نے کہا تھا۔

"اگر میرے مقدر میں اولاد ہے تو ہما سے ہی ہو گی اور اگر نہیں ہے تو ایک چھوڑ دس، اور شادیاں کرلوں اولاد نہیں ہو گی۔"

جانتی ہو، میں نے ایسا کیوں کہا تھا، میں نے ان کی بات نہ مانتے ہوئے انہیں مایوس کیوں لوٹا دیا تھا؟ اس لیے کہ میں سوچتا تھا۔ خوابوں کے خوبصورت جزیروں میں رہنے والی، نرم گرم سپنے بُنتی، دنیا کے بہترین ادب کی رسیا، تاریخ کے خوبصورت ترین کرداروں کی شیدائی، حافظ وسعدی کی کانوں میں رس گھولتی شاعری کی پرستار، تلک کمود اور بھیروین کے راگ سننے کی شوقین، نرم دل، حساس، نازک خیالات کی مالک لڑکی، اتنا بڑا جذباتی صدمہ کیسے سہہ پائے گی کہ وہ شخص جو اس کی سوچوں کا محور، اس کی زندگی کی ہر خوشی کا آغاز اور اختتام ہے، اسے ایک محض ایک کمی کی وجہ سے چھوڑ کر کسی اور کا ہو جائے۔

ہاں! میں یہ ہی سوچتا تھا کہ میرے نہ ہونے سے تمہاری زندگی کی زمین سے احساس، خیالات، علم، تاریخ، شاعری، ادب، پھول، خوشبو، راگ اور رنگ کے سارے سوتے خشک ہو جائیں گے۔ تم ایک کتاب To kill a mocking Bird اور نغمے کا قتل اکثر پڑھا کرتی تھی نا۔ مجھے نہ جانے کیوں لگتا کہ تم جیسی حساس دل لڑکی کو دکھ دے کر میں بھی کسی mocking Bird کسی نغمے کے قتل کا مرتکب ہو جاؤں گا۔

تم جو میرے خیال میں آدمیوں سے بھری دنیا میں چند گنے چنے انسانوں میں سے ایک تھیں۔ تمہیں میں کیسے کوئی دکھ دے سکتا تھا، میری زندگی کی ساتھی، میرے دکھ سکھ کی ساتھی، اپنی محبت کے احساس میں مجھے پور پور بھگو دینے والی۔ ایک سرتا پا محبت عورت۔

اور اسی سوچ کے اثر میں، میں نے ایک مضبوط فطری خواہش، ایک جاندار احساس کا گلا اپنے ہاتھوں سے گھونٹ دیا۔ میں نے اولاد سے محرومی عمر بھر کے لیے قبول کر لی، میں نے تمہاری محبت کی زندگی تمہارے احساس کی حیات کے لیے سب کے مشورے ٹھکرا دیئے۔

میں نے صرف تمہیں دیکھ کر جینا شروع کر دیا، جینا بھی کہاں یوں جانو کہ جینے کی سعی کرتا رہا۔ کیونکہ میری زندگی تو کئی سال پہلے مجھ سے اس وقت دغا کر گئی تھی جب گھر سے واپسی پر مجھے شیخ البانڈی کی روزیٹا بیکری قائم شدہ 1971ء کے بجائے ایک ڈھنڈار، ویران گھر دیکھنے کو ملا تھا۔ اب وہاں نہ کوئی سلمان تھا، نہ فضلو نہ ان کی بیکری نہ ہی زینب وقار...... وہ سب کہاں گئے تھے ان کو زمین نگل گئی تھی کہ آسمان کھا گیا تھا، میں جتنی کھوج لگاتا اتنا ہی الجھتا جاتا۔ میں بے بسی کی آخری حد پر کھڑا تھا جس سے آگے نہ پانی تھا، نہ ریت، نہ مٹی، نہ ہی پہاڑ، بس ایک خلا تھا اور مہیب سناٹا، جہاں میری پکار گونجتی، بازگشت کی صورت پھیلتی اور پھر مجھ ہی تک واپس لوٹ آتی ہے اسے سننے والا کوئی نہیں اس کا جواب دینے والا کوئی نہیں۔

زندگی کی سب سے بڑی خواہش کا گلا گھونٹ دیا جائے، زندگی میں ہی زندگی مر جائے تو پھر جینے کی صرف سعی باقی رہ جاتی ہے۔ سو میں نے جینے کی سعی کرنا شروع کر دی۔ یہ ان ہی دنوں کی بات ہے جب امی نے اپنی انگلی سے تمہاری طرف اشارہ کر کے مجھے خاک جزیرے سے زریں محل کا راستہ دکھانا شروع

کیا۔ تمہیں پتا ہے میرے ذہن و دل کا اس وقت یہ عالم تھا کہ میں صورتیں دیکھتا تھا مگر مجھے نظر کچھ نہیں آتا تھا، میں آوازیں سنتا تھا مگر مجھے سنائی کچھ نہیں دیتا تھا۔ میری بصارتوں اور میری سماعتوں میں بس ایک ہی چہرہ بسا تھا، ایک ہی آواز ٹھہر گئی تھی، سرخ سفید رنگ کے امتزاج کی چھب دکھلاتا بھورے تلوں والا چہرہ اور Taxa trimuph گاتی آواز......

میں نے امی کے اشارے پر تمہاری سمت دیکھا، تم مجھے نظر آئیں یا نہیں۔ مجھے پتا نہیں لیکن تم امی کی خواہش تھیں اور میں خلا میں ٹامک ٹوئیاں مار رہا تھا ان ہی ٹامک ٹوئیوں کے دوران میرا ہاتھ تمہارے ہاتھ میں تھما دیا گیا۔

میں نے بالکل بھی مزاحمت نہیں کی۔ تمہارے ہاتھ پر اپنے ہاتھ کی گرفت مجھے ایسی لگی جیسے نابینا کے ہاتھ سفید چھڑی لگ جائے۔ میں نے اس کے بعد کا سفر تمہارے ساتھ یونہی طے کیا جیسے سفید چھڑی ہاتھ میں پکڑے جس سمت حالات لے جائیں چلا جایا جائے مگر ان سالوں میں، میں نے نہ جانے کتنی بار تمہاری اپنے لیے محبت، وارفتگی، شوق اور جنون کی خود اپنے سامنے گواہی دی۔

تم نے کتنی خوبی سے میری بے اعتنائیوں، بے نیازیوں اور لاپروائیوں سے سمجھوتا کیا میرے مکان کو گھر بنایا، سیمنٹ اور گارے سے بنے ڈھانچے کو محبت کے لمس سے سنوارا۔ تم ہر کسی کے لیے محبت تھی۔ سراپا محبت، میں دیکھتا اور دل ہی دل میں سراہتا، کیا میرے گھر والے کیا تمہارے رشتہ دار، کیا دوست وغیرہ۔ تم سب کے لیے سراپا ایثار تھی۔

پھر تم دنیا کی سب سے بڑی نعمت سے محروم کیوں تھی میں یہ بھی سوچتا سوائے ایک لفظ آزمائش کے مجھے خود سے کوئی جواب نہیں ملتا تھا۔ اللہ تعالیٰ شاید اپنے نیک بندوں کو ہی ان چھوٹی بڑی آزمائشوں سے آزماتا ہے، میں خود سے زیادہ اولاد سے محرومی پر تمہارے دکھ پر دکھی ہوتا۔ تم ایسے اچھے، نیک دل، مہربان انسانوں کے لیے بھی اتنی لمبی آزمائش اتنا بے حد و حساب، صبر، میں سوچتا اور تمہارے لیے دعا گو رہتا۔

مگر پھر وہ ہوا جو نہ تمہارے گمان میں تھا نہ میرے گمان میں۔ کیا تم سمجھ سکتی ہو کہ سالوں بعد لکڑی کے سال خوردہ لیٹر بکس میں سے نکلنے والے زرد پڑتے صفحات پر لکھے خطوط کی شکل میں وہ الم ناک دیکھنے اور پڑھنے کے بعد میرے دل و دماغ کی کیا کیفیت تھی۔ کیا تم سمجھ سکتی ہو کہ اپنے احساسات محبت کی ایسی غلط تشریح، میرے دل پر کس تیز دھار آلے کی طرح زخم لگا رہی ہو گی۔ کیا تم سوچ سکتی ہو کہ زخم زخم وجود کے ساتھ ایک ٹانگ پر اچھلتی کودتی، سرخوشی کے عالم میں Taxa Trimuph گاتی اس لڑکی کی زندگی سے بھرپور ان آنکھوں کا تصور میرے لیے کیسا جان لیوا ہو گا۔ جو درد کی شدت کی تاب نہ لاتے ہوئے ہمیشہ کے لیے بند ہو گئیں۔

پتا نہیں کب کہاں اور کیا غلط ہوا تھا گئے دنوں میں جو تمہارے دل کو گمان گزرا کہ زینب وقار کے لیے میرے جذبات وقتی ہمدردی کا نتیجہ تھے، نہ جانے کیسے تم نے سوچ لیا کہ سلمان کو سب بتا کر روز یٹا

بیکری کو اس کے چلانے والوں سمیت غائب کرا کے تم میرے دل سے اتفاقاً ٹکرا جانے والی اس لڑکی کو ہمیشہ کے لیے نکال باہر پھینک سکو گی جو سراپا معصومیت تھی، جو سراپا مظلومیت تھی اور جو سراپا محبت تھی۔

میں نہیں جانتا تھا کہ میری طلب تم ایسی بصارت سے مالا مال لڑکی کو اس طرح اندھا کر سکتی ہے کہ تم ہوا میں تلوار چلاتے چلاتے ایک محبوب ترین مترنم نغمے کا قتل کر بیٹھو گی۔

ہما......! کیا کبھی تم نے اپنے خون آلود ہاتھوں کو دیکھا ہے، کیا تم نے اپنے چہرے پر چھائی سفا کی آئینے میں دیکھی ہے؟ کیا تم نے کبھی اپنے اس دل میں جھانکنے کی کوشش کی ہے جو گوشت پوست کے بجائے کسی بھاری پتھر سے بنا ہے؟

تم نے نہیں دیکھا نا یہ سب کچھ، میں نے دیکھا ہے اوکاڑہ والے آبائی گھر کی گرد آلود سیڑھیوں پر بیٹھے بیٹھے لیٹر بکس سے نکلنے والے دیمک لگے زرد صفحات کے پیچھے اچانک مجھے نرم گرم دستانوں کے نیچے تمہارے خون آلود ہاتھ نظر آئے، میں نے خود اپنی ان آنکھوں سے تمہیں ہواؤں میں اندھا دھند تلوار چلاتے دیکھا اور یقین جانو مجھے اس روز تمہارے سینے میں چھپا نیکی، انسانیت، محبت اور ہمدردی کی مصنوعی چادر میں چھپا وہ پتھر سے بنا دل بھی نظر آ گیا جو لب ڈب، لب ڈب کرتا دھڑکتا نہیں تھا بلکہ وہ بالکل ساکت تھا، نہ وہ کسی کی چیخ پر تڑپتا تھا، نہ کسی کی منتوں پر پسیجتا تھا۔ نہ ہی کسی کی بے بسی پر روتا تھا۔ اس پتھر دل پر خود غرضی کی آنکھ جڑی تھی۔

اور تمہیں پتا ہے اس پتھر دل سے اچانک اور غیر متوقع تعارف کے دوران لمحوں میں برسوں سے نہ حل ہونے والے راز کا عقدہ بھی کھل گیا۔ میں نے لمحوں میں سالوں سے چھپے راز کو دریافت کر لیا۔ ایک چنگیز خانی پتھر دل جہاں سفا کی، بربریت، خود غرضی، ظلم اور صرف اپنی فتح کے جھنڈے گاڑنے کے زعم کا راج تھا اس کے کسی کونے میں کہیں ممتا کے جذبے اتارنے کی گنجائش تھی، کیا وہ دل جو بن ماں باپ کی ایک در بدر مظلوم بیٹی کے خوابوں، خواہشوں اور زندگی سے بھرپور جسم کا قاتل تھا۔ اللہ تعالیٰ کبھی اپنی شفقت، محبت اور رحمت کا پرتو ممتا کا جذبہ اتار سکتا تھا۔

نہیں ہرگز نہیں۔ میرے دل نے لمحوں میں فیصلہ صادر کیا، اتنے سفاک دل میں اتنے قیمتی جذبے کی کوئی گنجائش ہو سکتی ہے نہ ہی وہ اس کا اہل ہو سکتا ہے۔ ان ہی گنے چنے لمحوں میں، میں نے جان لیا کہ اللہ تعالیٰ نے تمہیں اولاد سے کیوں نہیں نوازا۔ جانتی ہو کیوں۔ اس لیے کہ ممتا تو سراپا رحمت ہوتی ہے، وہ تو صرف اس دل کی مکین ہوتی ہے جو بے غرض اور کھوٹ سے پاک ہوتا ہے اور تم نے ایک انسان کو پانے کے لیے اس کے ایک بندے کو حاصل کرنے کے لیے اس دوسرے بندے کو قتل کر ڈالا۔ ضرور سوچنا کہ جو قتل تم کر چکی ہو، اس کی سزا پھانسی کا پھندا ہونی چاہیے یا آئرن چیئر کا الیکٹرک شاک یا پھر زہر کا پیالہ......

میں جانتا ہوں کہ دنیا کی کوئی عدالت تمہیں کسی قتل کا ملزم نامزد کر کے تم پر مقدمہ چلائے گی نہ ہی کسی سزا کا اعلان کیا جا سکے گا کیونکہ تمہارے شاطر ذہن نے قتل کا کوئی ثبوت چھوڑا ہے نہ ہی اس قتل میں

اپنے ملوث ہونے کا کوئی ایسا نشان جو زینب وقار تک جاتا ہو، لیکن میں یہ بھی جانتا ہوں کہ آج کے بعد تمہارا ضمیر تمہاری عدالت بن جائے گا۔ تمہاری نظروں کے سامنے وہ زخم زخم وجود آ کے تم سے سوال کرتا رہے گا کہ وہ مرگِ مفاجات بس ایک جرم محبت کی سزا کے طور پر دینے کا اختیار تم کو کس نے دیا تھا۔

تم اپنی سماعتوں میں انگلیاں ٹھونسو گی اپنی بصارتوں پر ہاتھ رکھو گی، بہری اور گونگی ہو جانا چاہو گی، دل، دماغ اور ضمیر کے سوالوں کے بوجھ سے گھبرا کر مر جانے کی دعا کرو گی مگر ان میں سے کوئی چیز بھی تم پر مہربان نہ ہو گی۔ ناکردہ جرم کی سزا پانے والی تو مر چکی، اب کردہ جرم کی سزا بھگتنے کا وقت آ چکا ہے۔

اور میں، جو آج تم سے ہمیشہ کے لیے رخصت ہو آیا ہوں...... کبھی تمہارے لیے دعا گو نہیں رہوں گا۔ تمہاری بے سکونی، اذیت اور سزا۔ میری زینا کا سکون اور چین بنتی رہے گی۔ وہ جسے زندگی میں دوا ملی نہ کوئی مسیحا، اور کون جانے مرنے کے بعد کوئی قبر بھی اس کا ٹھکانا بنی کہ نہیں...... اس کی قاتل، یوں بے سکون رہے گی تو شاید میرے اندر بھڑکتے الاؤ بھی کہیں کبھی بجھنے لگیں۔

مجھے یقین ہے تم سے علیحدگی کا سبب بتاتے ہوئے میرے وہ الفاظ......

''مجھے اپنی نسل اپنی بقا کے لیے اولاد چاہیے۔''

تمہاری سماعت کے لیے غیر متوقع تھے۔ یہ بھی تو اس سزا کی ایک کڑی ہے نا ہما جو تمہارا مقدر بن چکی ہے کہ جو تم سمجھ رہی تھی۔ یہ اذیت بھی تو نہ ختم ہونے والی سزا ہے کہ میں نے اتنے سالوں بعد ''اولاد'' کو وجہ بنا کر تمہیں ہمیشہ کے لیے چھوڑ دیا۔ اس رُوئے زمین پر شاید یہ آخری بات ہو جس کی تم مجھ سے توقع کر سکتی تھیں۔ مگر اس غیر متوقع وجہ پر ماتم کرنے کے دوران صرف ایک بار یاد کر لینا کہ تم سے یہ غیر متوقع بات تمہارے محبوب شوہر نے نہیں بلکہ نانبائی کی بیٹی کے عاشق نے کہی ہے ایک غیر روایتی اور غیر معمولی محبت کے قتل کی سزا بھی تو اتنی ہی غیر روایتی اور غیر معمولی ہونی چاہیے۔ ہے نا......؟''

O......❖......O

میں نے یہ طویل خط پڑھا اور کمرے میں جلتی مدھم روشنی میں دیوار پر بنتے اپنے سائے کو دیکھا۔ مجھے اپنے سائے سے قدرے بلند ایک صحت مند وجود کا سایہ نظر آیا جس کے اسکرٹ کا عکس نامحسوس ہوا سے لرز رہا تھا۔ اس سائے کے مضبوط بڑے ہاتھوں میں رسی کا پھندا تھا جو وہ ہولے ہولے میری طرف بڑھا رہے تھے۔ کمرے میں ایک ایسے نغمے کی آواز گونج رہی تھی جو میں نے کبھی نہیں سنا تھا۔

This is the Danish way to rock

وہ آواز گنگنا رہی تھی، نانبائی کی بیٹی کی روح داؤد اور میرے تعلق کو پھانسی کا پھندا پہنانے وہاں موجود تھی۔

O......❖......O

اِک اور دریا کا سامنا

وہ گھر سے لمبی شاپنگ کا ارادہ کر کے نکلی تھی۔ پچھلے کچھ عرصہ کی بے پناہ مصروفیت کے باعث کئی اہم کام التواء میں پڑے تھے اور رات ہی کو اسے یاد آیا تھا کہ اسے جمشید کی مطلوبہ کتابیں ڈھونڈنا تھیں، نینی کے لیے براس کے ہینڈی کرافٹس خریدنا تھے اور نانو کے لیے ہینڈ نٹڈ قالین کے نمونے ذہن نشین کرنا تھے۔ صبح اپنے گھریلو کاموں سے فارغ ہو کر وہ بڑا موڈ بنا کر گھر سے نکلی تھی۔

جمشید کے لیے وہ سب سے پہلے مال کی بک شاپس چھانتی رہی۔ نینی کے لیے پنجاب اسمال انڈسٹریز پر دو گھنٹے سر کھپاتی رہی اور جب وہ صرف ایک نظر دیکھ لینے کی غرض سے جینیکو میں داخل ہو رہی تھی تو اسے شک سا ہوا کہ پارکنگ میں دانیال کی پجیرو کھڑی تھی۔ جینیکو سے مایوس واپس لوٹنے پر اسے وہ پجیرو رینگتی ہوئی نظر آئی۔

''آفس ٹائم میں یہ یہاں کیا کر رہا ہے؟'' اس نے سوچا اور پھر اس کی نظر اپنی گاڑی میں موجود گھڑی پر پڑی۔

''دو بج گئے، اچھا لنچ کے لیے آیا ہوگا۔'' گاڑی باہر نکال کر روڈ پر لاتے ہوئے اس نے سوچا۔

اب دانیال کی پجیرو اس کے بالکل آگے تھی اور دانیال کی لیفٹ سیٹ پر موجود لڑکی کی پشت کچھ کچھ اسے نظر آ رہی تھی۔

''یہ کون ہے؟'' اس کے ذہن میں اچانک خیال آیا۔ گاڑی ذرا آگے بڑھانے پر اسے اس سیٹ پر موجود لڑکی کے تراشیدہ بال صاف نظر آئے۔

یقیناً وہ مہرین نہیں تھی، پھر کون تھی، اس تجسس نے اسے اپنے کام بھلا کر گاڑی دانیال کی گاڑی کے پیچھے بھگانے پر مجبور کر دیا۔

کچھ آگے جا کر دانیال کی گاڑی پرل کانٹی نینٹل کے اندر داخل ہوگئی اور وہ خود بھی اینٹرنس میں مڑ گئی۔

پارکنگ تک پہنچ کر پجیرو رُک گئی مگر وہ اینٹرنس کے آغاز ہی پر بریک پر پاؤں رکھے جمی تھی۔

اب دانیال باہر آ چکا تھا اور اس نے دوسری طرف جا کر دروازہ کھول دیا اپنے ساتھ موجود لڑکی کو باہر آنے میں مدد بھی دی تھی اور وہ پھر دونوں ہنستے ہوئے اندر چلے گئے تھے۔

وہ کچھ دیر بریک پر پاؤں رکھے وہاں جمی یہ منظر دیکھتی رہی اور پھر ہاتھ میں پکڑے سن گلاس آنکھوں پر چڑھا کر دوسری طرف مڑ کر باہر نکل آئی۔ اب اس کا رُخ اپر مال کی طرف تھا۔

''کون تھی...... یہ کون تھی؟'' وہ مسلسل سوچ رہی تھی۔ مگر کچھ سمجھ میں نہیں آ رہا تھا اور یہ بھی ظاہر تھا کہ محض ایک بار اس طرح دیکھ لینے پر بغیر کچھ جانے اور سمجھے دانیال پر کسی قسم کا شک بھی تو نہیں کیا جا سکتا تھا۔

اور دانیال جیسے لوگوں کے بارے میں ویسے بھی کوئی بات سوچنے سے پہلے ہزار پہلو دیکھنا پڑتے تھے۔ اور ان کے بارے میں فیصلہ کرنے سے پہلے تو بار بار اپنے فیصلے کو مختلف پیمانوں پر جانچنا ضروری ہوتا تھا، اس لیے محض ایک بار ذرا کی ذرا اس کے ساتھ کسی نامانوس لڑکی کو دیکھ لینے پر یہ کیسے کہا جا سکتا تھا کہ دال میں کچھ کالا ہے۔

جس شخص کا اتنا بڑا بزنس ہو۔ اتنی زیادہ ڈیلنگز اور ڈھیر مصروفیات ہوں، اس کے ساتھ کسی کا بھی نظر آنا باعثِ تعجب نہیں ہونا چاہیے۔ نہر کے ساتھ ساتھ گاڑی دوڑاتے ہوئے اس نے سوچا۔

''مگر دانیال؟'' وہ محسوس کر رہی تھی کہ اپنی ہر تسلی اور سوچ کے باوجود کوئی ایک احساس اس کے اندر اس کی نفی کر رہا تھا، پھر بلا ارادہ اس نے گاڑی گارڈن ٹاؤن کی طرف ڈال دی۔

اچانک اس کا دل چاہا کہ وہ مہرین سے جا کر ملے۔ گو وہ وقت مناسب تو نہیں تھا مگر وہ بغیر سوچے اس کی طرف چل دی تھی۔

اس کی توقع کے خلاف مہرین سوتی ہوئی ملنے کے بجائے دوستوں کے کمرے میں ملی۔

دوستوں کا کمرہ دانیال اور مہرین کی مشترکہ اختراع تھا۔ اس جہازی سائز گھر میں یہ واحد کمرا تھا، جہاں ان دونوں کے مشترکہ دوست جب جی چاہے آ سکتے تھے، اپنی مرضی سے کھا پی سکتے تھے، میوزک سن سکتے تھے، اسٹڈی کر سکتے تھے، شور مچا سکتے تھے، تقریریں کر سکتے تھے، یہ کمرا گویا دانیال اور مہرین کے علاوہ ان کے دوستوں کا بھی ہائیڈ پارک تھا اور اس کمرے سے زندگی کی بڑی دلچسپ باتیں وابستہ تھیں۔

''کسی ملنے والے کی عدم موجودگی میں دانیال اور مہرین کم ہی ادھر آتے ہوں گے۔'' یہ اس کی اپنی سوچ تھی۔

مگر اس روز مہرین اکیلی دوستوں کے کمرے میں موجود تھی۔ اس کا لباس ملگجا تھا، بال بالکل بکھرے ہوئے تھے اور وہ پاؤں صوفے پر چڑھائے بیٹھی تھی۔ اس کی گود میں ایک میگزین تھا مگر یقیناً اس کا دھیان اس میں نہیں تھا۔ پیچھے ریک میں دھرے ڈیک کے وال اسپیکرز میں سے ہلکی ہلکی موسیقی کی آواز آ رہی تھی۔

''چھیتی بوہڑیں وے طبیبا، نئیں تے میں مرگئی آں''

ایک لمحے کے لیے اس کا دل چاہا کہ وہ اسے ڈسٹرب کیے بغیر واپس چلی آئے۔ مگر دوسرے لمحے میں اس کا دل بُری طرح بے چین ہو گیا۔

مہرین تو ایک مجسم مترنم قہقہہ تھی، نازک قہقہہ، جس سے زندگی کا احساس ہوتا تھا، کم از کم شادی کے بعد سات سال تک تو وہ یہ قہقہہ ہی نظر آئی تھی، پھر اب وہ یوں بال بکھرائے کیوں بیٹھی تھی۔ اس نے آگے بڑھ کر ڈیک کا بٹن دبا کر ''تیرے عشق نچایا'' گنگناتی عابدہ پروین کو بند کر دیا اور مہرین حسبِ توقع چونک گئی۔

''لالہ تم!'' وہ پیچھے گردن گھما کر دیکھنے پر جیسے بُری طرح ہڑ بڑا گئی تھی۔

''آؤ ناں آؤ۔'' پھر اس نے بال سمیٹ کر جوڑا بناتے ہوئے کہا اور اپنے کپڑوں پر ہاتھ پھیر کر انہیں سیدھا کرنے کی کوشش کرنے لگی اور اس دوران وہ لاشعوری طور پر اسے غور سے دیکھتی رہی۔

''تم اس وقت کیسے آئیں؟'' اس کو بیٹھنے کا اشارہ کرتے ہوئے اس نے کہا۔
لالہ کو ایسے لگا جیسے اس کے بجائے وہ کہنا چاہ رہی ہو کہ ''تم اس وقت کیوں آئی ہو؟'' اس نے کندھے سے بیگ اُتار کر میز پر رکھا اور جوتے اُتار کر صوفے پر آلتی پالتی مار کر بیٹھ گئی۔
''یونہی بس گھر سے نکلی تھی، یاد آیا تم سے ملے اور اس دوستوں کے کمرے میں بیٹھے عرصہ ہی ہو گیا ہے، کیوں نہ آج تمہیں ڈسٹرب کیا جائے۔ ویسے میرا خیال تھا کہ اس وقت تم سو رہی ہو گی۔ مگر تم یہاں بیٹھی ملیں...... کیا بات ہے؟''
''ہاں بس ایسے ہی۔'' اب تک مہرین خود پر کافی حد تک قابو پا چکی تھی۔
''آج دیر تک مانی کے ساتھ کھیلتی رہی، ابھی اس کی آیا لے کر گئی ہے سلانے کے لیے اور میں مارے سُستی کے یہاں ہی پڑی رہی۔''
وہ بڑے سکون سے اپنی بات کہہ رہی تھی اور لالہ اس کو دیکھتے ہوئے سوچ رہی تھی کہ کتنے کم وقت میں مہرین نے اس نئے ماحول کے مروجہ اصولوں کو سیکھا اور اپنا لیا تھا۔ اندر سے دل خواہ کتنا کرچی کرچی ہی کیوں نہ ہو رہا ہو۔ منہ پر ایک پیٹنٹ مسکراہٹ کا ہونا ضروری ہوتا ہے اور اس وقت یہ حقیقت تھی کہ مہرین کا دل کرچی کرچی تو خیر نہیں ہو رہا ہو گا، مگر وہ پریشان تھی اور اُداس تھی اور اس کے باوجود وہ چہرے پر ایک دل آویز مسکراہٹ سجائے اس سے چائے یا کافی کا پوچھ رہی تھی۔
''یہ میں ہوں مہرین...... لالہ......تمہاری دوست! مجھ سے کیا پردہ؟'' اسے بلیک کافی کا بتانے کے ساتھ اس نے یہ بھی کہنا چاہا، مگر کہہ نہ سکی بلکہ اس کے بجائے وہ اس سے ہمیشہ کی طرح پچھلی پارٹیز، نئے ملبوسات، میک اَپ، ہیئر اسٹائل ڈسکس کرنے کے ساتھ ساتھ اپنے حلقہ احباب میں پھیلی تازہ افواہیں بھی ڈسکس کرتی رہی۔
یہ تو تھا کہ مہرین دوسروں کی شخصیتوں کو ڈسکس کرنا بہت زیادہ پسند نہیں کرتی تھی مگر جب دانیال، رضا، سارہ اور کبھی کبھار وہ خود بھی ماہر نقالوں کی طرح مسز فلاں اور مسٹر فلاں کی نقلیں اُتارتے تھے تو وہ بھی ہنس ہنس کر بے حال ہوتے ہوئے شریکِ گفتگو ہو جایا کرتی تھی، مگر اس وقت جب وہ اسے ایسے قصے سناتے ہوئے ہنسانے کی شعوری کوشش کر رہی تھی تو مہرین وہ شگفتہ رسپانس نہیں دے پا رہی تھی۔ جس کی توقع اس سے ہونی چاہیے تھی۔ اس کے برعکس اس کی ہر تازہ بات پر وہ درمیان میں جیسے چونک کر کہتی۔
''ہوں...... اچھا...... ہاں...... ایسا ہوا تھا؟''
''کیا بات ہے مہرو! تم کچھ ڈسٹرب ہو؟'' اس بار بار کے چونکنے پر بالآخر وہ تھک گئی اور وہ بات کہہ ہی اُٹھی جسے کہنے پر اس کا دل نہیں چاہ رہا تھا۔
''نہیں......'' اب کے وہ چونکنے کے بجائے فوراً بولی۔ جیسے اب نفی نہ کی تو کبھی نہ کر سکے گی۔
''کوئی بات ہے ضرور۔'' اس نے بغور اسے دیکھتے ہوئے کہا۔ ''ماما نے کچھ کہہ دیا؟''
اسے معلوم تھا کہ اپنی ساس سے مہرین سات سال گزر جانے کے باوجود کوسوں دور کھڑی تھی اور ان دونوں کے راستوں میں کوئی لنک روڈ ابھی تک تعمیر نہیں ہوئی تھی۔ اسی وجہ سے دانیال کی ماما کبھی کبھار کوئی ایسی سخت بات

کہہ جاتی تھیں، جس کی زد مہرین کے نازک دل پر پڑتی تھی، مگر ایسی کوئی بات ہوتی تو مہرین اس کو ضرور بتاتی تھی۔ خواہ دانیال سے اس کا ذکر کرے یا نہ کرے۔

''نہیں۔'' جواب میں وہ بڑے یقین سے بولی اور اپنی شال درست کرنے لگی۔

''پھر گرینی کے ساتھ کوئی مسئلہ ہوا؟''

''گرینی کے ساتھ؟'' اب کے وہ اُلٹا سوالیہ انداز میں بولی۔

''گرینی کے ساتھ کیا مسئلہ ہو سکتا ہے، وہ تو اتنی سویٹ ہیں، مگر تم کس چکر میں پڑ گئیں۔ بابا میں بالکل ٹھیک ہوں بس آج سُستی کا دورہ پڑ گیا تھا جب ہی یوں بیٹھی ملی ہوں تو تم چونک گئی ہو۔ ایک تو بھئی یہاں ہر وقت ایکٹو رہنا پڑتا ہے۔ سجے بنے، سنورے سنورائے، ورنہ سب سمجھتے ہیں کہ پتا نہیں کیا ہو گیا اس کے ساتھ۔'' وہ زبردستی ہنس کر بولی تھی، اس کا لالہ کو سو فیصد یقین تھا۔

''ویسے تمہاری اطلاع کے لیے عرض ہے کہ جس وقت تم آئیں، اس وقت میں اُٹھنے ہی والی تھی۔ نہا کر فریش ہونے کے لیے، سجاوٹ بناوٹ شام کو کرنے کا ارادہ تھا۔ آج عمر جعفری کے ہاں ڈنر ہے ناں، میں نے سوچا دانی آ گیا تو تیار ہوں گی، ورنہ تمہیں پتا ہے، وہ مصروفیت میں بھول جاتا ہے اور میں تیار ہو کر سوکھتی رہتی ہوں، کیونکہ اس کے بغیر کہیں جانے کی مجھے عادت نہیں ہے۔''

شاید لالہ کے چہرے پر بے یقینی تھی، جب ہی مہرو کو مزید تفصیل بیان کرنا پڑی تھی۔ مگر وہ خود اس کی بات سننے کے بجائے سوچ رہی تھی کہ مہرین نے کتنی خوبصورتی سے بات کو بدلا تھا۔ اسے پتا تھا کہ ماما اور گرینی کے بعد اب وہ یہی پوچھنے والی تھی۔

''کیا دانی نے کچھ کہہ دیا؟'' اس سوال کے پوچھنے سے پہلے ہی وہ دوسری وضاحتوں پر اُتر آئی تھی۔

''بڑی ترقی ہے بھئی بڑی ترقی! مہرین بی بی آپ نے تو بہت جلدی بڑا کچھ سیکھ لیا۔'' اس نے سوچا اور ٹانگیں نیچے اُتار کر جوتوں میں پاؤں ڈالے۔

''اچھا...... اب میں چلتی ہوں تم نہاؤ دھوؤ اور دعا کرو کہ تمہارا شوہر نامدار وقت پر واپس آ جائے۔''

ایک اور تاریک سایہ مہرین کے چہرے پر سے گزرا، مگر اس نے کمال ہوشیاری سے گردن گھما کر وال کلاک کو دیکھا۔

''کیوں بھئی اتنی بھی جلدی کیا ہے؟'' گردن گھمائے گھمائے اس نے پوچھا۔

''بہت دیر ہو گئی۔ صبح سے نکلی ہوئی ہوں، اب تو بچے بھی واپس آ چکے ہوں گے، سکول سے، ہاں وہ تمہارا بیٹا کہاں ہے۔ تمہارے ہاں آؤں اور اس سے ملے بغیر چلی جاؤں۔ بڑی عجیب سی بات ہے۔''

''وہ سویا ہوا ہے، ورنہ ضرور تمہیں شرفِ ملاقات بخشتا۔'' مہرین نے آگے بڑھ کر اس کے لیے دروازہ کھولتے ہوئے کہا۔ ''سکول سے آ کر تھک جاتا ہے؟''

''اور گرینی؟'' کمرے سے باہر آتے ہوئے اس نے پوچھا۔

''وہ بھی آرام کر رہی ہیں شاید، تم بیٹھتیں تو......'' ایک بار پھر مرا ہوا سا اصرار اس کے حلق سے نکلا۔

''نہیں......اب چلوں گی۔'' وہ سیڑھیاں اُتر کر نیچے آ گئی۔

مہرین اس کو باہر تک چھوڑنے آئی اور پھر اینٹرنس پر کھڑی رہی۔

گاڑی اسٹارٹ کر کے بیک کرتے ہوئے اس نے ایک بار پھر اُدھر دیکھا، وہ اسی طرح ساکت کھڑی اس کی گاڑی کو باہر نکلتے دیکھ رہی تھی۔

گھر واپسی پر بچوں، ان کے ہنگاموں اور پھر حسیب کی آفس سے واپسی کے بعد گہما گہمی نے اسے کچھ سوچنے کی مہلت نہیں دی۔ شام کو پنڈی سے فزی کی آمد پر اس نے عمر جعفری کا ڈنر گول کر دینے کا ارادہ کیا اور حسیب اس کے اس فیصلے پر بہت خوش ہوا۔ نہ جانے کیوں اسے ڈنرز، فنکشنز سے اتنی چڑ تھی۔ وہ خوش تھا کہ اب وہ بصد اطمینان کلب جا سکے گا۔

حسیب کے جانے کے بعد وہ لیونگ روم میں فزی کے ساتھ بیٹھی ڈرائی فروٹ ٹونگتی اور گوسپ ڈسکس کرتی رہی۔

جونی اور عاشی نئی کارٹون فلم دیکھتے دیکھتے سو گئے تھے۔ ان کی آیا کی مدد سے وہ انہیں ان کے بیڈز پر ڈال کر واپس آئی تو فزی بھی آدھی سو چکی تھی۔

''اُٹھو بھئی۔ اپنے کمرے میں جا کر سو جاؤ۔ تمہیں کون اُٹھا کر بیڈ پر ڈالتا پھرے گا۔'' اس نے ہنستے ہوئے اسے اُٹھایا۔

اس کے جانے کے بعد اس نے عادتاً بکھری چیزیں سمیٹنا شروع کیں اور اسی وقت باہر گاڑی کے ہارن نے اسے چونکا دیا۔ اس نے سر اُٹھا کر کلاک دیکھا سوا گیارہ ہو چکے تھے۔

''اس وقت کون آ گیا۔'' وہ ہاتھ میں پکڑے کشن اُٹھائے اُٹھائے ہی دروازے کے قریب آ گئی اور پردہ اُٹھا کر باہر جھانکنے لگی۔

''مہرین!'' گاڑی سے اُتر کر اندر آتی مہرین کو دیکھ کر اس نے زیر لب کہا اور کشن صوفے پر پھینک کر باہر آ گئی۔

''آؤ مہرو......تم......اس وقت؟'' وہ کچھ پریشان سی ہو گئی۔

اس وقت مہرین دوپہر کی نسبت بہتر حلیے میں تھی، مگر وہ ویسا ہرگز نہیں تھا، جیسا کہ عموماً ہوا کرتا تھا۔

''آؤ بیٹھو۔'' اندر آ کر اس نے اسے صوفے پر بٹھایا اور خود دو تین فلور کشن اکٹھے کر کے اس کے سامنے نیچے بیٹھ گئی۔

''تم بھی نہیں گئیں عمر جعفری کے ڈنر پر، میں بھی نہیں گئی فزی آ گئی تھی شام کو۔ میں نے سوچا رات بھر کے لیے آئی ہے، کون اس کو اکیلا گھر میں چھوڑ کر فنکشن اٹینڈ کرتا پھرے۔''

اسے احساس ہو رہا تھا کہ مہرین کا اس وقت یوں آنا معمولی بات نہیں تھی۔ غالباً کسی ایک نئی بات سے بچنے کے لیے ہی اس نے آئیں بائیں شائیں ہانکنا شروع کر دی تھیں۔

''تم کیوں نہیں گئیں؟'' پھر وہ روانی میں کہہ گئی۔ شاید یہی اس کی غلطی تھی کیونکہ الفاظ کے منہ سے نکلنے کی دیر

تھی کہ مہرین کی آنکھوں سے جیسے بند توڑ کر سیلاب بہہ نکلا۔

وہ یقیناً اس اَن سوچی کے لیے تیار نہیں تھی۔ گھبرا کر اس نے اِدھر اُدھر دیکھا۔ قریب کوئی ملازم تو نہیں تھا اور پھر اطمینان کر کے اس کی طرف متوجہ ہوئی۔

''کیا بات ہے مہرو! کیا ہوا؟''

اس نے اپنی فطری نرمی کو لہجے میں سمو کر اس کا نخ ہاتھ اپنے ہاتھ میں لے لیا۔ وہ بغیر جواب دیئے مسلسل روتی رہی اور وہ اس کے قدموں میں بیٹھی اس کا نخ ہاتھ سہلاتی رہی۔

آدھے گھنٹے تک یونہی خشوع وخضوع سے رونے کے بعد بالآخر اس نے سر اُٹھایا اور ٹشو پیپر سے آنکھیں خشک کرنے لگی۔ وہ لپک کر اس کے لیے پانی کا گلاس لے آئی۔

''کوئی رو رہا ہو تو اسے پانی کا گلاس ضرور پلایا جاتا ہے خواہ اسے اس کی ضرورت ہو یا نہیں۔''

اس وقت اسے عرصہ پہلے دانیال کی کہی بات یاد آئی تھی۔

اب مہرین کو پانی کی ضرورت تھی یا نہیں، وہ روایتاً پانی کا گلاس اس کے لیے لے آئی تھی۔ جسے اس نے اس کے ہاتھ سے لے کر سائیڈ ٹیبل پر رکھ دیا تھا اور پھر سر جھکا کر آنکھوں پر ہاتھ رکھ لیا تھا۔

''اطمینان رکھو مہرو! اطمینان رکھو۔'' الفاظ بھی اس نے روایتی ہی دہرائے۔

''میں نے دوپہر کو تم سے کہا تھا ناں للّی! کہ مجھے کوئی پرابلم اور مسئلہ نہیں ہے۔''

بہت توقف کے بعد بھاری آنسوزدہ آواز مہرین کے اندر سے نکلی۔

''مگر تمہیں یقین نہیں آیا تھا، اس لیے کہ تم ہر اس شخص کو جانتی ہو، جو تم سے مخاطب ہوتا ہے، ہے نا للّی!''

پھر اس نے سر اُٹھا کر کہا۔ اس کی سمجھ میں نہیں آ رہا تھا کہ وہ اس کی تردید کرے یا تائید۔

''میں نے تم سے کہا تھا کوئی مسئلہ نہیں، میں نے تم سے جھوٹ بولا تھا۔ میں نے تم سے جھوٹ بولا تھا۔''

پھر وہ آنسوؤں کے ایک دوسرے ریلے کے درمیان ایک ہی بات دہراتی رہی۔

''مسئلہ تھا...... تھا مسئلہ۔'' پھر اس نے سر اُٹھا کر اسے دیکھا۔ وہ جانتی تھی کہ مسئلہ تھا اور حیران بھی تھی کہ مہرین نے اس سے کیوں نہیں کچھ کہا تھا۔ اس وقت بھی وہ اس کی کیفیت کو سمجھ رہی تھی۔ ظاہر تھا کہ دوپہر کے بعد سے اب تک اس کی محسوس کرنے اور برداشت کرنے کی قوت میں اتنی کمی واقع ہوگئی تھی کہ وہ کمزور پڑ کر اس کے پاس چلی آئی تھی۔

''مسئلہ ہے للّی! بہت بڑا مسئلہ ہے۔'' اس نے خالی نظروں سے اسے دیکھا۔ وہ اس تمام وقت میں مسلسل اس کا ہاتھ سہلاتی رہی۔

''دانی!'' پھر اس نے سر اُٹھایا۔

''تم نے ماما کا پوچھا، گرینی کا پوچھا۔ تم نے دانی کا نہیں پوچھا للّی! دانی ہی تو مسئلہ ہے، دانی ہی تو دُکھ ہے۔''

''تم نے خود ہی تو موقع نہیں دیا۔'' وہ کہنا چاہتی تھی مگر خاموش رہی۔ وہ جانتی تھی کہ دانی ہی مہرو کا مسئلہ تھا، اس وقت سے ہی جب اس نے صبح دانی کو کسی نامانوس لڑکی کے ساتھ دیکھا تھا۔ لاکھ وہ اپنی سوچ کو جھٹلاتی رہی تھی۔

ممکنات کے پردے ڈالتی رہی تھی۔ مگر خود وہ دانی کو اتنا زیادہ جانتی تھی کہ صبح اس لڑکی کے ساتھ اس کا گھومنا اسے بُری طرح چونکا گیا تھا اور پھر مہرین کا رویہ اُلجھا ہوا اور پریشان۔ وہ زبردستی کسی کے معاملے میں ٹانگ اڑانے کی قائل نہیں تھی۔ جب ہی تو مہرین نے اس کے لاکھ کریدنے پر بھی مصنوعی مسکراہٹ اور مصنوعی باتوں کا پردہ تانے رکھا تو وہ خاموشی سے لوٹ آئی تھی اور اب وہ خود اس کے سامنے بیٹھی دھواں دھار آنسوؤں کے درمیان۔

''میں نے جھوٹ کہا تھا۔ مسئلہ تھا۔ دانی ہی اصل مسئلہ ہے۔'' کہہ رہی تھی اور اس کی یہ حالت دیکھ کر لالہ کے اندر اس کی فطری مامتا جاگ اُٹھی۔ اس نے آگے بڑھ کر مہرین کا دوسرا ہاتھ بھی تھام لیا۔

''مسئلہ کچھ بھی ہو مہرو! مجھے بتاؤ میں ہوں نا تمہارے پاس۔'' اس کے الفاظ میں کچھ ایسا اثر تھا کہ مہرین کو اپنا دُکھ بیان کرنا آسان ہو گیا۔

بات بظاہر بڑی نارمل سی تھی۔ دانیال کی توجہ گھر سے مہرو سے اپنے بچے سے ہٹ گئی تھی۔ اس کی مصروفیات بہت زیادہ ہو گئی تھیں۔ وہ رات کو دیر سے گھر آنے لگا تھا۔ اہم سے اہم بات بھول جاتا تھا اور مہرو کے شکوہ کرنے پر بُری طرح اُلجھ پڑتا تھا۔ ضروری میٹنگز کا کہہ کر اسلام آباد، کراچی، دوبئی، سنگاپور، لندن، نیویارک جاتا تھا اور دو دو ہفتے بعد لوٹتا تھا۔ جبکہ پہلے انہی جگہوں پر جب وہ میٹنگز یا بزنس ڈیلنگز کے لیے جاتا تھا تو ایک ہفتے کے اندر ہی لوٹ آتا تھا۔ عرصے سے اس نے مہرو سے اپنے ساتھ چلنے کی فرمائش کرنا چھوڑ دیا تھا۔ مانی کی پیدائش پر وہ کتنا خوش تھا، لیکن اب تو اس کو اس بات میں بھی کوئی دلچسپی نہیں رہی تھی کہ مانی کس رفتار سے بڑا ہو رہا تھا، وہ کیا نئی نئی باتیں سیکھ رہا تھا۔

''للّی! میں دانی کے وجود میں اس کی محبت میں کہیں گم ہو چکی ہوں، میری اپنی ہستی فنا ہو چکی ہے اور تم جانتی ہو کہ وہ خود میری انگلی پکڑ کر مجھے اس مقام تک لایا تھا۔ اس کے اس رویے نے مجھ سے سانس لینے کی قوت بھی چھین لی ہے۔ کم از کم مجھے تو ایسا ہی لگتا ہے اور مجھے یہ بھی محسوس ہوتا ہے کہ اگر اس کا رویہ ایسا ہی رہا تو میں اس کی ہستی سے باہر نکلنے کی کوشش میں دیواروں سے ٹکریں مارتی ہی مر جاؤں گی۔'' مہرو کے اس آخری جملے سے للّی کے دل کو ایک دھکا سا لگا۔

ایک لمحے کے لیے بال بکھرائے اپنے حال سے بے خبر بیٹھی مہرو اس جوگن کی طرح لگی جو منزل گنوا بیٹھی ہو۔ وہ کچھ دیر بیٹھی سوچتی رہی کہ کیا کہے۔ کوئی اور وقت ہوتا تو وہ مہرین کو بڑی آسانی سے تسلی دے سکتی تھی۔

''یوں ہو جاتا ہے مہرو! مگر ہم سمجھ نہیں پاتے۔ مرد کی ذمہ داریاں، مرد کی مصروفیات، وغیرہ وغیرہ۔ اب ہر وقت تو وہ ہمارے گوڈوں سے لگے بیٹھے نہیں رہ سکتے ناں، ہمیں عادت ہو جاتی ہے توجہ کی، پیار کی جب ذرا وہ مصروف ہو جائے تو ہم اسے نہ جانے کیا سمجھ کر بلک بلک کر رونے لگ جاتی ہیں، یہی تو ایڈجسٹمنٹ کا وقت ہے کمپرومائز کا وقت۔''

الفاظ یقیناً بڑے حسین اور لچھے دار ہو سکتے تھے مگر اب معاملہ مختلف تھا۔ وہ خود اپنی آنکھوں سے دانی کے اس بدلتے رویے کی ایک وجہ تسمیہ اسی دن دیکھ کر آئی تھی اور ششدر تھی۔ اب اس کی سمجھ میں نہیں آ رہا تھا کہ کیا کہے۔ وہ معاملے کی تہہ تک پہنچے بغیر کوئی فیصلہ بھی نہیں دے سکتی تھی اور اگر اس کی دی ہوئی کوئی تسلی بعد میں جھوٹی ثابت ہو جاتی

تو نہیں۔ وہ مہرو کی نظروں میں سرخرو رہنا چاہتی تھی۔ اس نے سر ہلا کر سوچا۔

''تمہیں یاد ہے ناں للّی! ان دنوں میں ایک بار تم نے کہا تھا۔ ان دنوں میں جب ہم یونیورسٹی میں تھے۔ تم نے کتنے مان سے کہا تھا۔ ''نہیں مہرو ہم سارے ہی تو ایک جیسے نہیں ہوتے ناں، ہم میں سے کچھ مختلف بھی ہوتے ہیں۔ اب دیکھو کم از کم میں اور دانی تو تمہیں کبھی لیٹ ڈاؤن نہیں کریں گے۔''

''تم نے کیسے اتنے دعوے سے یہ بات کہہ دی تھی۔ دانی نے تو مجھے بُری طرح لیٹ ڈاؤن کر دیا ہے للّی!''

اس کی آواز دُکھ کے احساس سے بوجھل ہو گئی۔

''دیکھو مہرو! تمہیں غلط فہمی بھی تو ہو سکتی ہے، ممکن ہے کہ دانی کو مصروفیت کا دباؤ ہو، باہر کوئی ایسا مسئلہ ہو، جس کی وجہ سے......''

اس نے بالآخر تسلی دینے کی کوشش کی۔

''نہیں۔'' جواب میں وہ یقین سے بولی۔

''وہ اور عورتیں ہوتی ہوں گی للّی! جو شوہر کے رویوں کے اُتار چڑھاؤ نہ سمجھ سکیں۔ میں میں ہوں للّی! میں نے تمہیں بتایا ناں کہ میں دانی کے وجود میں کہیں گم ہو چکی ہوں۔ میں اس کے وجود کا حصہ بن چکی ہوں۔ ایک میگنیٹک پاور ہے، جو مجھے اس کے ساتھ ساتھ رکھتی ہے۔ میں کیسے نہ جانوں گی کہ وہ کیوں، کیا کر رہا ہے۔ اس میگنیٹک پاور میں کمی آتی جائے گی اور مجھے پتا چلتا جائے گا کہ میرے اور اس کے درمیان کوئی ہے، جو مجھے اس سے دور کر رہا ہے۔''

''اچھا۔'' اس نے گہرا سانس لیا۔ ''اس وقت تو تم گھر جاؤ اور سو جاؤ، کوئی اچھی سی سلیپنگ پلز لے لو میں پھر تم سے بات کروں گی۔ اس وقت تمہارا ڈرائیور انتظار کر رہا ہے۔''

''ہاں...... یہ ٹھیک ہے۔'' غیر متوقع طور پر وہ فوراً ہی مان گئی اور اُٹھ گئی۔

''اور ہاں دیکھو مہرو۔'' گاڑی کی طرف جاتے ہوئے اس نے اسے پیچھے سے آواز دی۔

''دانی کو مت بتانا کہ تم میرے پاس آئی تھیں یا تم نے مجھ سے کوئی بات کی ہے۔'' وہ سر ہلا کر گاڑی میں بیٹھ گئی۔

اور وہ خود کچھ دیر تک باہر کھڑی زندگی کے اس نئے رُخ کے بارے میں سوچتی رہی پھر سردی کا احساس زیادہ ہونے پر اسے اندر آنا پڑا۔

''تم نے کہا تھا کہ میں اور دانی کبھی تمہیں لیٹ ڈاؤن نہیں کریں گے۔'' بیڈ پر لیٹتے ہوئے اسے مہرین کی بات یاد آئی۔

ہاں...... اس نے ایک بار مہرین سے بڑے یقین کے ساتھ یہ بات کی تھی اور اس وقت اسے بات کے پورے ہونے کا سو فیصد یقین تھا بھی۔ گزرتے وقت میں ایک بار بھی اس کو یہ خیال نہیں آیا تھا کہ کبھی اسے اپنے ان الفاظ کا حساب بھی چکانا پڑ سکتا ہے۔

''مگر دانیال کو ہوا کیا؟'' حسیب کی واپسی پر کچھ دیر اس سے باتیں کرنے اور اس کے سو جانے کے بعد اس نے سوچا۔

دانیال تو ان لوگوں میں سے تھا جو عمر بھر ٹھنڈے ٹھنڈے ایک ہی راستے پر چلتے رہتے ہیں، ان کی شاہراہ پر ایک ہی موڑ آتا تھا اور وہ بھی اچانک اس موڑ پر ہڑ بڑا کر راستہ بدلتے اور اس نئے راستے پر اسی سکون سے چلنا شروع کر دیتے۔ صاف ستھرا شفاف راستہ، نہ کوئی اونچ نیچ نہ کوئی اسپیڈ بریکر، رفتار بھی ہموار، پھر اب ایسا کیا ہوا تھا کہ اس کے اور مہرین کے درمیان موجود میگنیٹک پاور میں کمی واقع ہونے لگی تھی اور یہ ایک ایسا انکشاف تھا جس کا وہ کبھی تصور بھی نہیں کر سکتی تھی۔

وہ دانیال کو عمر بھر سے جانتی تھی اور اس کا دعویٰ تھا کہ جتنا وہ دانیال کے بارے میں جانتی تھی، شاید وہ خود بھی اپنے بارے میں اتنا نہیں جانتا تھا اور مہرین کی تو آمد ہی بہت دیر بعد ہوئی تھی، مگر اس نے کبھی اپنے اس دعوے کا اظہار نہیں کیا تھا۔ اس اظہار کا کوئی فائدہ بھی نہیں تھا کیونکہ دانیال اسے آسانی سے جھٹلا سکتا تھا اور وہ اپنے موقف کو درست ثابت کرنے کے لیے الفاظ ہی ڈھونڈتی رہ جاتی۔

دانیال سے اس کی واقفیت اس دن ہوئی تھی جب ان دونوں کو اکٹھے ایک ہی دن ایک ہی سکول میں ایک ہی کلاس میں داخل کرایا گیا تھا۔ وہ اس کی سگی خالہ کا بیٹا تھا۔ اس کا فرسٹ کزن۔

سکول میں داخل ہونے سے پہلے ڈھیروں کزنز کی کھیپ میں اسے دانیال کا کچھ اتنا پتا نہیں چلا۔ سکول میں داخل ہونے کے بعد وہ دونوں خود بخود ایک دوسرے کے قریب آ گئے۔ دوست تو ان دونوں کے اور بھی بہت سارے تھے، مشترکہ بھی اور انفرادی بھی، مگر کچھ باتیں صرف ان دونوں کے لیے باعثِ دلچسپی تھیں۔

''تمہاری ماما کل ہمارے ہاں آئی تھیں، ان کا ماما کے ساتھ کسی بات پر جھگڑا بھی ہوا تھا۔''

وہ اسے بتاتا۔

یا پھر......

''کل سے میں پھر گرینی کی طرف چلا جاؤں گا، میں نے انہیں بتا دیا ہے میں یہاں نہیں رہ سکتا۔''

اور یہ دانیال کا سب سے بڑا مسئلہ تھا۔ اس مسئلے نے اس کی پوری شخصیت کو اپنے احاطے میں لے رکھا تھا۔

وہ دو گھروں کا مہمان تھا، جب ہی بھوکا رہتا تھا۔

جب وہ دو سال کا ہوا تو اس کی انگلش دادی نے اسے گود لے لیا۔ بقول اس کے انہیں اپنی ساری اولاد میں سے دانیال سب سے زیادہ پیارا لگتا تھا۔

دانیال کی ماما نے خوشی خوشی اسے اپنی ساس کے حوالے کر دیا تھا۔ پتا نہیں اس خوشی کے پیچھے کون سا تصور کارفرما تھا۔ کچھ لوگوں کا خیال تھا کہ وہ پہلے ہی چار بیٹیوں اور تین بیٹوں کے بوجھ سے عاجز تھیں۔ اوپر سے دانیال نے بغیر خواہش کے آ کے انہیں جھنجھلا دیا تھا۔ اس لیے کچھ کا خیال تھا کہ ان کی بیرونی مصروفیات اتنی تھیں کہ وہ گھر اور بچوں کے لیے وقت نہیں نکال سکتی تھیں۔ ایسے میں انہوں نے سوچا ہوگا کہ ایک چیں چیں کم ہو جائے تو کیا فرق پڑے گا۔ جبکہ خود لالہ کی مما کا خیال تھا کہ کوئی اتنی آسانی سے اپنا بچہ کسی کے حوالے نہیں کرتا۔ اور یہ کہ یہ سب اس ذاتی بزنس اور بینک بیلنس کا کمال ہے۔ جو دانی کی برٹش دادی کی ملکیت تھا۔ جس کی وجہ سے دانی کی ماما نے اس کو گرینی کے حوالے کر دیا تھا۔

وجہ خواہ کچھ بھی تھی دانی نے ہوش گرینی کے ہاں ہی سنبھالا تھا۔ یہ گرینی بھی عجیب خاتون تھیں۔ انہیں دیکھ کر لالہ اکثر سوچتی کہ وہ کبھی انگلش رہی ہوں گی۔ اب تو وہ سرتاپا پاکستانیوں سے بڑھ کر پاکستانی تھیں۔ شلوار قمیص کے ساتھ سر پر دوپٹا اوڑھے رکھتیں۔ کبھی کبھار ساڑھی بھی باندھ لیتی تھیں۔ یوں کہ پلو ہمیشہ سر پر ہوتا۔ گاڑھی اردو بولتیں، اتنی شستہ کہ گمان ہوتا، سیدھی یوپی سے آئی ہوں۔ نماز روزے کی اتنی شدت سے پابندی کرتیں کہ بعض اوقات ان پر بنیاد پرست ہونے کا گمان ہونے لگتا۔ اپنے ہاتھ سے ایسے مزیدار اچار، چٹنیاں اور مربے بناتیں کہ کھانے والا انگلیاں چاٹتا رہ جاتا۔

ان کی دلچسپیاں بھی یہی تھیں۔ کھانے پکانا، مہمانوں کی خاطر مدارت کرنا۔ لان بنانا، سنوارنا، درختوں اور پودوں سے انہیں عشق تھا اور ان کا زیادہ وقت لان ہی میں گزرتا تھا اس کے بعد جو وقت بچتا وہ اسے بزنس اور فائلوں کی جانچ پڑتال کی نذر کرنے کی زحمت گوارا کر ہی لیا کرتی تھیں۔ اس کے علاوہ فنکارانہ لحاظ سے وہ ارسٹوکریٹ تھیں۔ ان کے گھر میں دنیا بھر کی نادر اور بیش قیمت سجاوٹی اشیاء تھیں اور انٹیریر ڈیکور اتنا زبردست تھا کہ بڑے بڑے لوگ ان کا گھر محض ایک نظر دیکھنے کے لیے ان کے ہاں آیا کرتے تھے، مگر خود وہ بنیادی طور پر ایک ریزرو خاتون تھیں، زیادہ میل ملاپ انہیں پسند نہیں تھا۔ یہی وجہ تھی کہ ان کا حلقہ احباب بے حد محدود تھا۔

ایسے میں جب انہوں نے دانی کو گود لینے کا فیصلہ کیا تو لوگوں نے یہ بھی کہا کہ وہ تنہائی اور سکون کی عادی ہیں۔ اس عمر میں بچہ کیسے سنبھال سکیں گی، مگر انہوں نے بچہ نہ صرف سنبھالا بلکہ ایسا سنبھالا کہ لوگ حیران رہ گئے۔

گرینی نے اپنے تجربے، ذوق اور خواہش کے تھال سے اخلاق، کم گوئی، بے نیازی، تحمل اور سنجیدگی کے پھول چن چن کر دانیال کی شخصیت پر سجا دیئے۔ پاپ میوزک اور ڈسکو ڈانس کے اس دور میں دانی وکٹورین ایج کا ایک با اخلاق شوہر مرد بن کر دنیا کی دھوپ میں باہر نکلا تو لوگوں نے حسبِ معمول بڑی باتیں بنائیں۔ وہ ہائی سوسائٹی اور بزنس کمیونٹی سے متعلق طبقے کا فرد تھا۔ مگر اس کی عادات اس طبقے کے لوگوں سے بالکل مختلف تھیں۔ اس کی نسل کے دیگر لوگوں کی زندگیوں کا ''کی نوٹ'' فاسٹ تھا۔ فاسٹ فوڈ، فاسٹ میوزک، فاسٹ وے آف لائف، اس کے برعکس وہ دھیما دھیما، خاموش خاموش، سنجیدہ سنجیدہ متوازن زندگی گزارنے کا عادی تھا۔

اس کی سنجیدگی پر ایک تضاد کا بڑا اثر تھا۔ وہ پورا ہفتہ گرینی کے پاس رہتا۔ مگر ویک اینڈ پر اس کی ماما بصد اصرار اسے اپنے پاس لے جاتیں مگر اپنے باپ کے گھر میں وہ ایک اجنبی بچہ بن جاتا۔

اس کے تین بڑے بھائی اور چار بڑی بہنیں تھیں، اس گھر میں ان کا راج تھا، شور ہنگامہ، غل غپاڑا جبکہ وہ ایک تنہا اور خاموش زندگی کا عادی تھا۔ اس ہنگامہ خیز ماحول سے وہ بہت جلد گھبرا جاتا اور واپس گرینی کے پاس جانے کی ضد کرتا۔ جوں جوں وہ بڑا ہوتا گیا، ماں اور گرینی کی کشش باری باری اسے اپنی طرف کھینچتی اور وہ درمیان میں معلق کبھی ادھر کھنچتا، کبھی اُدھر۔ بہن بھائیوں سے گو اس کی کبھی کچھ خاص بنتی نہیں تھی، مگر پھر بھی کبھی کبھار اس کے دل میں خواہش اُٹھتی کہ وہ ان کے پاس جا کر رہے یا یہ کہ کاش وہ گرینی کے پاس نہ آیا ہوتا، وہیں اپنے گھر میں رہ گیا ہوتا تو یوں اپنے بہن بھائیوں میں اجنبیت تو محسوس نہ کرتا، اسے اپنے دونوں چچاؤں اور تین پھوپھیوں کی اس بات پر بڑا غصہ آتا کہ اس کی ماں بڑی ہوشیار تھی، جو گرینی کی دولت کی خاطر اس نے اسے ان کے حوالے کر دیا تھا اور نہ ان کے

کسی بچے کو گرینی نے کیوں نہ مانگ لیا۔ اس تضاد اور کشمکش کو، اپنی ذہنی فرسٹریشن کو بیان کرنے کے لیے دانی نے لالہ ہی کا انتخاب کیوں کیا، وہ یہ نہیں جانتی تھی، مگر یہ ضرور جانتی تھی کہ جب دانی نے پہلی مرتبہ اپنی پریشانی اس سے بیان کی تھی تو وہ تڑپ کر آگے بڑھی تھی اور بڑی محبت کے ساتھ بولی تھی۔

''میں تمہاری دوست ہوں دانی! تمہیں جو کہنا ہو، مجھ سے کہہ لیا کرو۔''

اس میں اس کا بھی کوئی قصور نہیں تھا۔ اس کی فطرت شروع ہی سے پیار کرنے کی تھی۔ محبت، خلوص، ہمدردی جیسے اس کی گھٹی میں پڑی تھی، کوٹ کوٹ کر اس کے وجود کے اندر بھری پڑی تھی۔ کوئی اس سے اپنا دُکھ، پریشانی، کہتا، تکلیف بیان کرتا اور ہمدردی کا رس اس کے اندر سے بہنے لگتا۔ محبت اور خلوص کا پسینہ اس کے مساموں سے پھوٹ پڑتا اور پور پور اس احساس میں بھیگ جاتی کہ وہ دوسرا شخص اس کی توجہ چاہتا ہے۔ خلوص اور محبت کا مستحق ہے۔ چھوٹوں، بڑوں، اپنوں پرایوں انسانوں، جانوروں ہر ایک کے ساتھ اس کا رویہ بچپن سے ایسا ہی رہا تھا۔ دوسروں کی تکلیف کو اپنے دل پر محسوس کرنا، ان کے لیے آنسو بہانا اور ہر وقت مدد کے لیے کمربستہ رہنا اس کا پسندیدہ مشغلہ تھا۔

اسی لیے دانی کے لیے بھی وہ محبت توجہ اور خلوص کا ایسا سرچشمہ ثابت ہوئی، جس میں اپنی پریشانی اور پریشان کن احساسات سے گھبرا کر وہ بلا جھجک پناہ لے لیتا۔ وہ اس کے مسائل توجہ سے سنتی، اس کی پریشانی کو سمجھتی اور پھر اس کو اپنی عقل کے مطابق مشورے دیتی، اس کا ذہن بٹانے کے لیے اِدھر اُدھر کی باتیں کرتی۔ اسے ہنسانے کو لطیفے سناتی اور قہقہے لگاتی۔

دانی بھی اس سے بے حد خوش تھا، اس کا کہنا تھا کہ لالہ سے بڑھ کر محبت کرنے والا دوست اسے شاید عمر بھر میسر نہ ہو۔ وہ اپنے دل کی ایک ایک بات اس سے کر لیتا تھا اور لالہ کی ممتا بھری فطرت کے لیے اس سے بڑا کمپلیمنٹ اور کیا ہو سکتا تھا۔

سکول کے دور میں بھی وہ زیادہ تر اس کے ساتھ رہتا اپنی دلچسپیاں، اپنے مشغلے اس کے ساتھ ڈسکس کرتا۔ ہوم ورک اور ٹیچرز کے ریمارکس دکھاتا وہ اس کی توجہ سکول میں موجود اپنے دوسرے کزنز دانی کے اپنے سگے بہن بھائیوں کی طرف دلاتی تو وہ بے رُخی سے منہ پھیر لیتا۔

''نہیں......ان سے میری دوستی نہیں ہے۔''

گرینی کی تربیت میں اس نے بہت کچھ سیکھا ہو یا نہیں مگر ایک بات طے تھی اور وہ یہ کہ گرینی کے ساتھ رہتے رہتے ان کے بتائے ڈوز اور ڈونٹس پر عمل کرتے ہوئے دانی اپنے ہم عمر بچوں سے بالکل کٹ آف ہو گیا تھا۔ گرینی یہ نہیں سمجھتی تھیں کہ بچہ جب تک بچہ ہوتا ہے، اسے بچوں ہی کی طرح زندگی گزارنی چاہیے۔ آٹھ دس سال کے بچے پر سولہ اٹھارہ سال کی عمر کے رویے مسلط کر دیئے جائیں تو اس کا ہر احساس وقت سے پہلے اتنا میچور ہو جاتا ہے کہ زندگی میں اس کے لیے باعثِ کشش کوئی بات نہیں رہتی۔ ہر وقت کی یہ نہ کرو، وہ نہ کرو، ایسے نہ بیٹھو، ویسے بیٹھو، یوں نہ چلو، ایسے چلو، اس طرح نہ بولو، یوں بولو، بڑوں کے ساتھ یوں، چھوٹوں کے ساتھ یوں، وہ ہر جگہ سعادت مندی دکھانے کا دَور تھا نہیں جب گرینی نے اسے لارڈز کے زمانے کا ایک باادب لڑکا بنا دیا تھا...... تنہا اور اُداس۔ اولیول کے بعد گرینی نے اسے لندن بھجوا دیا اپنے بھائیوں کے پاس اعلیٰ تعلیم حاصل کرنے کے لیے۔ وہ اپنے بچوں کے ساتھ بھی

یہی سلوک کرنا چاہتی تھیں۔ مگر بقول لوگوں کے دانی کے دادا نے ان کی ایک نہ چلنے دی تھی۔ دادا کے انتقال کے بعد وہ ان کے قابو میں آیا تو وہ اپنی من مانی کرنے کے قابل ہو گئیں۔

''سیر کرنے کے لیے دنیا میں کہیں بھی چلے جاؤ، رہنے کے لیے کسی ملک کا انتخاب کرلو، مگر پڑھنے کے لیے صرف انگلینڈ، طالب علم کا لندن۔''

سرتاپا پاکستانی نظر آنے والی گرینی اس موضوع پر خاص انگریز بن کر فخر سے کہتیں۔ اور یوں دانی کا ناتا اپنوں کے ساتھ اپنے ملک سے بھی ٹوٹ گیا۔ ادھر وہ خود تھی سکول کے بعد کینیرڈ کالج کی ہونہار سٹوڈنٹ، تقریریں کرتی، سپورٹس میں حصہ لیتی، ڈراموں میں اہم کردار ادا کرتی۔ اچھے گریڈز کے ساتھ پاس ہوتی سٹوڈنٹ۔

وہ اپنی فیملی کی سب سے ایکٹو اور ذہین لڑکی خیال کی جاتی تھی اور ہر دلعزیز بھی۔ اس ہر دلعزیزی میں اس کی ذہانت اور قابلیت سے زیادہ اس کی محبت کرنے والی فطرت کا بڑا ہاتھ تھا۔ ہر کسی سے محبت، ہر کسی کی مدد کے لیے تیار، ہر کسی کے دُکھ میں شریک، ہر کسی کی خوشی کی حصہ دار، نرم نرم، دھیمی دھیمی۔

دانی کے چلے جانے کے بعد وہ اکثر گرینی کے پاس جاتی، ان کے ساتھ باتیں کرتی، ان کی تنہائی بٹانے کی کوشش کرتی، ان کے دُکھ سکھ شیئر کرتی، اسی طرح جیسے دوسرے لوگوں کے ساتھ کرتی تھی اور یقیناً اپنی محبتی فطرت کے ہاتھوں مجبور ہو کر مگر یہاں اس محبتی فطرت کے ہاتھوں اسے ایک نئے احساس سے دو چار ہونا پڑا۔ بات بڑی روٹین میں برسبیل تذکرہ کہی گئی تھی۔ مگر اس نے دل پر نقش کرلی۔ ایک بار گرینی کے بیمار پڑنے پر اس نے اپنی پور پور محبت بھری فطرت سے مجبور ہو کر دن رات ان کی تیمارداری میں گزار دیئے اور اس کی اس محبت کی آنچ سے متاثر ہو کر گرینی نے اس کا ہاتھ پکڑ کر کہا۔

''تم کتنی اچھی لڑکی ہو، تمہیں دیکھ کر یقین آجاتا ہے کہ انسانوں میں بھی فرشتے موجود ہوتے ہیں۔ معصوم اور ننھے فرشتے، دانی کی شادی کا وقت آیا تو تمہاری ماں کے سامنے دستِ طلب ضرور دراز کروں گی۔''

''دست طلب دراز۔''

اسے پہلے پہل ان الفاظ کا مطلب سمجھ میں نہیں آیا، مگر اردو دانوں سے کنسلٹ کرنے پر جب اس نے مطلب سمجھ لیا تو ایک بے حد پریکٹیکل مائنڈڈ لڑکی ہونے کے باوجود گرینی کی بات دل پر نقش کرلی۔

یہ بڑا اچھوتا اور نیا احساس تھا۔ اس کے اردگرد کزنز، کزنز کے کزنز، بہن بھائیوں کے دوستوں، ماں باپ کے دوست احباب کے بیٹوں، خود اپنے دوستوں کے ڈھیر لگے ہوئے تھے، مگر کبھی کوئی اس طرح نظر نہیں آیا تھا کہ دل ہمکنے لگتا۔ اصل میں اس کا ذہن اتنا باشعور اور عملیت پسند تھا کہ ان باتوں کو مذاقانہ، احمقانہ اور قابلِ ہمدردی کہنے کے سوا اور کچھ کہہ نہیں سکتی تھی مگر کبھی کبھار زندگی میں عجیب باتیں ہو کر رہا کرتی ہیں۔ یہ اس نے بعد میں سوچا تھا اور دانی سے تو وہ ہمیشہ سے اٹیچڈ تھی۔ کم گو اور سنجیدہ دانی جس کے ہر راز کی وہ محرم تھی اور جو لندن سے بھی اسے باقاعدگی سے خط لکھا کرتا تھا۔ دل کی ایک ایک بات بتانے کے لیے کیفیات و احساسات بیان کرنے کے لیے۔ یہ احساس اس کے دل میں راسخ ہو گیا کہ اس کے اور دانی کے درمیان ایک مضبوط تعلق قائم ہونے والا ہے۔

وہ بی۔ اے کا امتحان دے کر فارغ ہو چکی تھی، جب دانی چار سال کے بعد واپس لوٹا تھا۔ وہ کیا ہر کوئی اسے

دیکھ کر حیران رہ گیا تھا۔ چار سال پہلے کے معصوم، خاموش اور حلیم دانی کی شخصیت ہی بدل کر رہ گئی تھی۔ گو خاموش اور سنجیدہ تو وہ اب بھی تھا مگر اس کی ظاہری شخصیت میں انقلابی تبدیلیاں آچکی تھیں۔

چار سال پہلے وہ ایک دبلا پتلا نازک سا لڑکا تھا، جس کے سلکی بال اکثر بکھرے رہتے تھے اور جو ایک جینز کئی دن تک چڑھائے پھرتا تھا۔ دن رات، صبح شام مگر اب وہ ایک بھرپور جوان تھا۔ یوروپین دادی اور ایشین دادا کے مشترکہ حسن کا نمونہ۔

اس کے بہن بھائی اس کی طرح نہیں تھے، ان میں سے کوئی مکمل چٹی چمڑی تھا اور کوئی بالکل ہی سانولا، یہی حال چچا، پھوپھیوں کے بچوں کا تھا، مگر یہ مخلوط قسم کا حسن صرف اس کے حصے میں آیا تھا۔ خوبصورت کٹ میں سجے بنے بال اور پہننے کا سلیقہ غضب کا، مزید قیامت اس کا آکسفورڈین لہجہ ڈھاتا تھا، اس کے مینرز اور گفتگو (جو وہ بہت ہی کم کیا کرتا تھا) حلقے میں اِن ہو گئے۔

بلاشبہ وہ بقول حلقے کی بیشتر لڑکیوں کے اپنے دور کا اپالو تھا گو للّی خود اس نظریے سے متفق نہیں تھی۔ اپالو تو ایک تصور تھا جبکہ دانی ایک حقیقت، ایک زندہ احساس تھا پھر یوں ہوا کہ دانی نے ایک وقت میں کئی کئی لڑکیوں کو چارم کرنا شروع کر دیا بلکہ یہ کہنا زیادہ بہتر ہوگا کہ لڑکیاں خود بخود بلا جھجک اس کے اردگرد چمگادڑوں اور پروانوں کی طرح منڈلانے لگیں۔ مگر خود اس کو اس بات میں خاص دلچسپی نہیں تھی کہ اس کے اردگرد جمگھٹا سا کیوں رہتا ہے بلکہ اس میں بھی کہ رہتا ہے یا نہیں۔ وہ محفلوں میں، تقریبات میں یوں شرکت کرتا جیسے بحالت مجبوری آیا ہو اور آجاتا تو محدود قسم کے لوگوں سے ملنے کے بعد ایک طرف روٹھے بچوں کی طرح بیٹھا رہتا۔

آہستہ آہستہ لڑکیاں جو اچھی بھلی آپس میں باتیں کر رہی ہوتیں۔ ایک کے بعد ایک دوسرے سے ایکسکیوز کر کے اس کے گرد جمع ہو جاتیں۔ وہ بیزار لہجے میں ان کی باتوں کا جواب دیتا اور جھنجھلایا سا نظر آتا۔

اس معاملے میں وہ ابھی تک با اخلاق تھا اور جب انتہا سے زیادہ تنگ پڑ جاتا تو اتنے اخلاق اور ادب سے معذرت کر کے باہر نکل آتا کہ کسی کو منع کرتے نہ بن پڑتی۔ خود تو وہ باہر نکل آتا تھا، مگر اپنے پیچھے جو ایک سو چار ڈگری ٹمپریچر چھوڑ آتا تھا اس کو رفع کرنے کی دوا کوئی ڈاکٹر تجویز نہ کر پاتا۔

اس نئی صورتِ حال کا لالہ نے بڑی گہری نظر سے مشاہدہ کیا تو اسے دانی پر بڑا ترس آیا۔

وہ بیچارا اپنی تربیت کے ہاتھوں مجبور تھا، ورنہ اس کی جگہ کوئی اور ہوتا تو لڑکیوں کی اس بھیڑ کو جس میں سے ہر ایک اس کی ڈور پکڑ لینے کی خواہشمند ہوتی۔ ایک ہی ہلے میں ہٹا کر خود کہیں دور جا اُڑتا، مگر اس کی تربیت میں بدتہذیبی اور باآواز بلند گفتگو ممنوعہ اشیاء تھیں، جب ہی ہر بار وہ بیک وقت مجبور اور بیزار نظر آیا کرتا تھا۔ اس کی شخصیت کا بنظر غائر جائزہ لینے پر لالہ پر یہ انکشاف بھی ہوا کہ خود وہ اس معاملے میں بالکل ٹھنڈا تھا۔ خوبصورت سے خوبصورت، طرح دار سے طرح دار اور شوخ سے شوخ لڑکی کو دیکھ کر بھی وہ بڑی سنجیدگی سے نظریں جھکا کر ہیلو کرتا اور حال احوال دریافت کرتا اور بیٹھنے کے لیے جگہ پیش کرتا۔ کبھی کبھار تو لالہ کو ایسے لگتا کہ اگر اس کا بس چل سکتا تو وہ ہر لڑکی کو آیئے بیٹھیے بہن جی! کہہ کر مخاطب کرتا۔

جذباتی طور پر وہ اتنا سرد اور بے نیاز تھا کہ اگر کسی ڈانس پارٹی میں کوئی آنٹی قسم کی خاتون بھی اس کے پاس آ

کر، ڈو یو لائک ٹو ڈانس وِد می، کہ کیا آپ میرے ساتھ ڈانس کرنا پسند کریں گے؟'' کہتی تو وہ بڑے اخلاق سے وائی ناٹ شیور (کیوں نہیں ضرور) کہہ کر اُٹھ کھڑا ہوتا۔

حلقے کے دوسرے ہم عمروں کی نظر میں وہ بیوقوف، بھولا اور سادہ تھا۔ شاید وہ ایسا ہی تھا۔ کیا وہ اپنی شخصیت کے جادو سے اتنا ہی ناواقف تھا یا ناواقف نظر آنے کی اداکاری کرتا تھا۔ یہ لالہ کبھی نہ جان سکی تھی۔

اس کی شخصیت میں ایک اور چارم اس کے نام کے بزنس، دولت اور بینک بیلنس کا بھی تھا۔ اس کی واپسی پر گرینی نے وہ سب کچھ جو ان کا ذاتی تھا اس کے نام کر دیا تھا اور اس بات نے اس کی پھوپھیوں، چچاؤں کو بُری طرح تپایا تھا۔ گرینی کا موقف تھا کہ جو کچھ ان کے باپ کا تھا، وہ تو سب میں برابر کا تقسیم ہو گیا۔ یہ وہ تھا جو ان کے حصے میں آیا تھا اور اس کو انہوں نے خود اپنی محنت سے بڑھایا تھا تو کیوں نہ اب وہ اسے جوان کا تھا، دے دیں، یہ تو ان کی مرضی تھی ناں، دوست، احباب، رشتہ دار دانی کو رشک کی نظر سے دیکھتے تھے (بعض حسد کی بھی) کہ بیٹھے بٹھائے کس قدر دولت اس کے حصے آئی تھی، ایک جما جمایا کاروبار گھر، گاڑیاں، بینک بیلنس، ابھی اس کو اس کے باپ کی جائیداد میں سے بھی مزید ملنے کی امید روشن تھی۔

اب ہونا تو یہ چاہیے تھا کہ اس قدر دولت اور آسائشات کے ہوتے ہوئے دانی کی شخصیت بدل جاتی۔ شراب، ریس، جوا، ڈانس، کلب، پارٹیز، لڑکیاں، اسے نئی دنیا میں کھو جانا چاہیے تھا۔ مگر اس کے برعکس ایسا لگتا کہ اگر اس کا بس چلتا تو وہ ان سب سے کوسوں دور بھاگ جاتا۔

''مجھے لاشعوری طور پر ان ہنگاموں اور حرکتوں سے نفرت سی ہو چکی ہے۔'' ایک بار لالہ کو اس نے بتایا۔

حلقے میں لوگوں کو اس سے شکایتیں ہونے لگیں۔ مردوں کو اس کے اس قدر پاکیزہ، ان ایکٹو اور خاص طور سے ٹی ٹوٹلر ہونے پر اعتراض تھا اور لڑکیوں کو اس بات پر کہ وہ دل لٹا دینے کو تیار ہوتیں اور وہ ایکسکیوزمی کہہ کر جیب سے گاڑی کی چابی نکالتا سنجیدگی اور متانت سے لوگوں کے درمیان سے گزرتا باہر نکل جاتا۔ یہ احساس کیے بغیر کہ اندر کیا آگ لگا گیا ہے۔

اس سارے ہنگامے میں موجود ہوتے ہوئے بھی وہ ذہنی طور پر صرف گرینی اور خود لالہ سے ہی قریب تھا۔ لالہ کو وہ اب بھی دل کی ساری باتیں بتایا کرتا تھا۔ ''یہ لڑکیاں مصنوعی ہیں، اندر سے بالکل کھوکھلی۔ ان کے پاس صرف حُسن ہے۔ وہ بھی بنایا ہوا سامان آرائش و جمال سے مزین حُسن۔ ان کی باتیں بھی باسی ہیں۔ بار بار کہی ہوئی مختلف لوگوں سے مختلف دنوں میں کہی ہوئیں۔'' وہ کہتا تھا۔

''میں کیا ہوں، انہیں مجھ میں صرف میری دولت اور سماجی پوزیشن کی حد تک ہی دلچسپی ہے۔ شکل وصورت تو ایک اضافی چیز ہے، اگر میرے پاس دولت اور پوزیشن نہ ہوتی تو صرف شکل وصورت پر کون بھوکے پیٹ سونے آیا ہے۔''

''مگر کچھ کا تو تم ہارٹ فیل ہی کرائے دیتے ہو۔'' وہ اسے جان بوجھ کر اُکساتی۔

''یہ بھی مصنوعی سی بات ہے، کوئی کسی کے لیے نہیں مرتا، کل کو یہی لڑکیاں شادی کے بعد یوں ہو جائیں گی جیسے مجھے جانتی ہی نہیں۔ یہ وقتی غبار ہیں جو ظاہر کو دیکھ کر چڑھتے ہیں۔ میرے دل کے اندر کسی کی بھی رسائی نہیں۔ ان

لوگوں کو پتا چل جائے کہ میری سوچ اور نظریہ کیا ہے تو ساری چیخیں مار کر بھاگ جائیں۔''

''کوئی تو...... میرا مطلب ہے، ان میں سے کوئی ایک تو اچھی لگتی ہو گی دانی؟'' وہ جو اس کی باتیں سن کر ڈر گئی تھی خوف کے احساس کے تحت کہتی۔

''نہیں......ان میں سے کسی میں کوئی اٹریکشن نہیں ہے۔'' وہ سر ہلا کر فیصلہ سناتا۔

''اصل میں وہ جذباتی طور پر ٹھنڈا ہے۔ اس کی سوچ کے محور فی الحال کچھ اور ہیں۔ نیا نیا بزنس سنبھالا ہے۔ وہ خود کو اہل ثابت کر کے دکھانا چاہتا ہے اور پھر ابھی اس کی عمر ہی کیا ہے۔ ہوسکتا ہے کہ فی الحال اسے ایسی بات سوچنے کا وقت ہی مناسب نہ معلوم ہوتا ہو۔'' ایک بار اس کی ماما نے صفائی پیش کرتے ہوئے کہا۔

مگر یہ کیسے ممکن تھا، جس ماحول میں وہ رہ کر آیا تھا وہاں رہنے کے بعد بھی کوئی اس قدر انجان اور سرد ہوسکتا تھا۔ اب وہ اچھا خاصا اس سپر سونک ایج کا فرد تھا۔ تازہ بہ تازہ مغربی فلمیں دیکھتا تھا، ماڈرن میگزین اور کتابیں پڑھتا تھا۔ اس سے کم عمر کے لڑکے ایک وقت میں دس جگہ نظریں لڑاتے پھرتے تھے، پھر اسے کسی ایک میں بھی کوئی اٹریکشن نظر کیوں نہیں آتی تھی۔ کبھی کبھی وہ بُری طرح اُلجھ کر اس کے پاس چلا آتا۔

''میں تنگ آ گیا ہوں للّی! میری جان تو سخت عذاب میں ہے۔ ماما، ڈیڈی، بھائیوں، بھابیوں اور بہنوں کا اصرار ہے کہ میں لوگوں سے ملا جلا کروں، فنکشنز اٹینڈ کیا کروں، مگر میں ایسی جگہوں پر جا کر اجنبیت محسوس کرتا ہوں بے جگہ اور بے آرام، مجھے بتاؤ میں کیا کروں؟'' اسے اس قدر پریشان حال دیکھ کر لالہ کی فطری محبت جاگ اُٹھتی۔

''کوئی بات نہیں دانی! تم پروا مت کیا کرو۔'' وہ اسے نرمی سے تسلی دیتی۔

''وہ کیا کرو جو تمہارا دل چاہتا ہے، انکل اور آنٹی سے معذرت بھی تو کر سکتے ہو۔''

''آؤ تمہیں لائٹ میوزک سنواؤں۔ کافی پیو گے؟''

''اوہ للّی ایک تم ہی تو ہو جو مجھے سمجھتی ہو۔'' وہ تشکر سے اسے دیکھتا۔ ''یقین کرو، مجھے ان ہنگامہ مچاتے لوگوں اور قیں قیں کرتی لڑکیوں سے وحشت ہوتی ہے مجھے ان سے بچا لو پلیز۔''

وہ التجا کرتا اور وہ اسے محبت، تسلی، خلوص کے پروں میں سمیٹ لیتی۔ اسے ٹھنڈا کرتی اور اس سے اس کی پسند کی باتیں کرتی۔ آہستہ آہستہ اسے خود بھی یقین ہوتا گیا کہ دانیال کو کسی بھی لڑکی میں کوئی کشش محسوس نہیں ہوتی اور اس کے دل کا نمبر ملانے کے لیے ناز نخرے آرائش زیبائش کے بجائے محبت، توجہ اور خلوص کے ٹوکن استعمال کرنے کی ضرورت ہے اور یہ بھی کہ وہ شعوری طور پر اتنا میچور اور سنجیدہ ہے کہ جذباتی ہونا اس کے بس کی بات نہیں۔

○......❖......○

مگر اس کے اس خیال کو پنجاب یونیورسٹی کے سائیکالوجی ڈیپارٹمنٹ کی مہرین ضیاء نے باطل ثابت کر دیا۔

مہرین ضیاء سے اس کی پہلی ملاقات یونیورسٹی میں اپنے پہلے ہی دن ہو گئی تھی۔ ایڈمیشن لسٹ میں ان کا نام اوپر نیچے آیا تھا اور فیس جمع کروانے کے بعد جب وہ رول نمبر سلپ لے رہی تھی تو اس کی نظر اس پر پڑی تھی جو رول نمبر سلپ ہاتھ میں پکڑے ہوئے قدرے گھبرائی ہوئی سی نظر آ رہی تھی۔ پہلی نظر میں اسے اس میں قابلِ توجہ کوئی بات نظر نہیں آئی تھی۔ مگر اس کی پریشان شکل دیکھ کر پریشانی میں گھرے لوگوں کی مدد کا فطری جذبہ اس میں عود کر آیا۔

"کیا بات ہے۔ آپ کیوں پریشان ہیں؟" اس نے قریب جا کر اس سے پوچھا۔

"میں نے میس ڈیوز جمع کروانے ہیں اور مجھے یہ نہیں معلوم کہ چالان فارم کہاں ملتے ہیں۔" وہ روتی ہوئی آواز میں بولی۔

"ابھی تک تو سارے کام میرے چچا نے کیے تھے مگر آج ان کی طبیعت خراب ہوگئی اس لیے مجھے اکیلے آنا پڑا۔ آپ کو پتا ہے کہ چالان فارم کہاں ملتے ہیں؟" اس نے اس سے راہنمائی چاہی اور لالہ قزلباش کا تو کام ہی خود کو فراموش کر کے دوسروں کے کام آنا تھا اور جس وقت وہ لوگوں سے پوچھ پوچھ کر ایس ٹی سی ہال سے اس کا ہاسٹل فارم اور چالان فارم بنوا کر اس کے ڈیوز جمع کروانے کے بعد ہوسٹل میں کمرہ، بیڈ اور الماری مل جانے کے بعد تالا لگا کر دوپہر کو اسے چار نمبر ویگن پر چڑھا کر واپس آئی تو اس لڑکی مہرین ضیاء سے اس کی نہ نہ کرتے ہوئے بھی اچھی خاصی دوستی ہو چکی تھی۔

مسکین طبیعت اور مظلوم سے چہرے والی مہرین ضیاء سیالکوٹ سے آئی تھی۔ اس کا باپ سیالکوٹ کے کسی کالج کا ایماندار سفید پوش ہیڈ کلرک تھا اور ماں ایک سیدھی سادی مرنجاں مرنج نمازی، پرہیز گار قسم کی گھریلو خاتون۔ اس کی ایک بڑی بہن اور دو چھوٹے بھائی تھے۔ خاندان بھر کی وہ واحد ہونہار لڑکی تھی جو بی۔ اے پاس کرنے کے بعد ایم۔ اے کرنے لاہور چلی آئی تھی۔ لاہور میں اس کے سگے چچا فردوس مارکیٹ کے قریب کہیں رہتے تھے لیکن وہ بھی خاصے سفید پوش طبقے کے فرد تھے اسی لیے مہرین ان پر ایک اضافی بوجھ بننے کے بجائے مجبوراً ہوسٹل میں رہ رہی تھی۔

"ابا کو اوور ٹائم لگانا پڑتا ہے، میری وجہ سے۔" اپنی مجبوریاں اور پریشانیاں ڈسکس کرنے کے لیے اسے لالہ قزلباش سے زیادہ اچھا سامع اور کون مل سکتا تھا۔

"اماں بیمار رہتی ہیں۔ انہیں انجائنا کی تکلیف ہے بلڈ پریشر اکثر ہائی رہتا ہے۔ جوڑوں کی تکلیف بھی ہے ڈاکٹر نے شوگر بھی بتادی ہے اس چیک اپ کے بعد۔" پھر وہ ایک اور پریشانی کا ذکر کرتی۔

"باجی کی منگنی دو دفعہ ٹوٹ چکی ہے۔ لڑکے والے اصرار کرتے ہیں۔ شادی کرو، شادی کرو۔ مگر ہمارے گھر میں جہیز جمع ہی نہیں ہو پاتا۔ اب تو باجی نے بھی سی ٹی کر لی ہے۔ پڑھائیں گی سکول میں۔" تیسری پریشانی۔

"چھوٹے دونوں بھائیوں کے تو وظیفے لگ گئے ہیں شکر ہے، ابھی تو آرام سے پڑھ رہے ہیں مگر میرے اوپر جو اتنا خرچ ہو رہا ہے۔"

وہ سنائے جاتی اور محبت کی ماری لالہ قزلباش ہمدردی اور خلوص کی بکل اسے اُڑھائے جاتی۔ یونیورسٹی میں آنے سے پہلے وہ سوچ بھی نہیں سکتی تھی کہ کبھی اس کی دوستی خالص مڈل کلاس کی لڑکی سے ہو جائے گی اور وہ یوں اس کے دُکھ درد بانٹا کرے گی مگر یہ اس کی فطرت تھی جو اس سے اکثر ایسی انہونیاں کروایا کرتی تھی۔ اس کی اپنی دوسری فرینڈز اس بات پر اس سے اکثر اُلجھا کرتی تھیں کہ وہ ہر جگہ اپنے ساتھ مہرین ضیاء کو کیوں اُٹھا لاتی ہے۔ کینٹین جانا ہو تو مہرین ضیاء ساتھ، مین برج پر دہی بڑے کھانے ہوں تو مہرین ضیاء، کمبل ہوئی جا رہی ہے۔ بک فیئر پر جانا ہو تو مہرین ضیاء اس کے ساتھ فرنٹ سیٹ پر چڑھی ہوئی ہے۔ کسی لائبریری میں جانا ہو، برٹش کونسل یا امریکن سینٹر کا پروگرام ہو تو مہرین ضیاء سب سے آگے۔ آخر اسے کیا بیماری تھی جو اس انتہائی عام سی لڑکی کو ساتھ لگائے پھرتی تھی۔

وہ انہیں کیا بتاتی کہ یہ بیماری تو اسے بچپن سے لگی ہوئی تھی۔ ایک بار جو شخص اس کو اپنی توجہ اور ہمدردی کے قابل لگا پھر جب تک اس کے دُکھ کا کچھ نہ کچھ ازالہ نہ ہو گیا اس نے اس کو نہیں چھوڑا۔ مہرین ضیاء سے دوستی بھی اس کا شاخسانہ تھی۔ وہ اسے اس کے ڈپریشن، مسائل، کم اعتمادی اور ہر وقت کے دُکھ کے احساس سے کچھ دیر کے لیے نکالنے کی خاطر اسے ہر پروگرام میں ساتھ لگائے پھرتی تھی۔ اس وقت ذرا سی دیر کے لیے جو مسکراہٹ اس کی وجہ سے مہرین ضیاء کے چہرے پر آجاتی تھی اس کو حاصلِ حیات معلوم ہوتی تھی۔ وہ کیا کرتی۔ خواہش کے باوجود وہ اپنی اس فطری نیک دلی اور ممتا جیسے جذبے سے انحراف نہیں کر سکتی تھی۔

دوسری طرف مہرین ضیاء تھی جو کبھی کبھار اپنے طور ضرور حیران ہوتی کہ آخر اس لڑکی لالہ قزلباش کو اس میں کیا نظر آیا جو اس نے اس سے دوستی کر لی تھی اور اس دوستی کو نبھانے کی کس قدر کوششیں وہ کیا کرتی تھی۔ انتہائی فیاضی سے اسے قیمتی سوٹ، جیولری، میک اپ، پرفیوم، کتابیں، قلم تحفے میں دیا کرتی تھی۔ کبھی ٹیسٹ میں اچھے نمبر لینے پر کبھی نئے سال کی آمد کے نام پر، کبھی سالگرہ کا بہانہ بنا کر، کبھی خود کو ملنے والی کسی خوشی کا عذر پیش کر کے، مگر یہ بھی تھا کہ مہرین ضیاء بہت زیادہ سوچنے کی عادی نہیں تھی۔

''اب وہ اتنی اچھی ہے تو میں کیا کروں، اس کی دوستی کے متعلق سوچ سوچ کر جان بھی ہلکان کروں اور ناشکری کی مرتکب بھی بنوں۔''

وہ خود کو تسلی دیتی۔ ایک حقیقت یہ بھی تھی کہ بہت عرصے تک مہرین کو لالہ کے بارے میں اس کے اسٹینڈرڈ کے بارے میں صحیح طور پر کچھ پتا نہیں چلا تھا۔

اس کا تعلق ایک امیر گھرانے سے تھا۔ یہ اسے پتا تھا اس کا لباس، میک اپ، جوتے قیمتی اور امپورٹڈ ہوتے تھے۔ اس کے پاس ذاتی گاڑی تھی۔ آزادی انتہا سے زیادہ تھی۔ شکل وصورت اچھی، گوری چٹی بڑی بڑی آنکھیں ڈارک براؤن بال، ہاتھ لگانے پر میلی پڑتی تھی۔ ہر رنگ اس پر کھل اُٹھتا تھا۔ ہر روز اس کا لباس نیا ہوتا تھا۔ عمدہ تراش کے بال شانوں پر جھولتے تھے۔ نت نئی قیمتی گھڑیاں کلائی پر باندھے پھرتی تھی۔ اس کا اسٹائل ہی مختلف تھا۔ عمدہ انگریزی بولتی تھی، علم بھی بے تحاشہ تھا۔ اس کی بنائی اسائنمنٹس ساری کلاس میں گردش کرتی تھیں اور اکثر لڑکے لڑکیاں اس کی انگریزی سمجھنے کے لیے ڈکشنری کا سہارا لیتی تھیں۔

مہرین اس کا یہ ظاہر سرسری طور پر دیکھتی تھی۔ اس کے ذہن پر زیادہ اثر لالہ کے درویشانہ انداز نے ڈالا تھا۔ ٹیچرز، کلاس فیلوز کے ساتھ فراٹے بھرتی انگلش میں گفتگو کر کے جب وہ پلٹ کر اس کی طرف دیکھتی تو اس کے پریشان چہرے پر نظر پڑتے ہی اپنی آن بان شان سب بھول بھال کر اس کی طرف بڑھ آتی۔

''کیا ہوا؟ کیا ہوا؟ دفع کرو کیوں پریشان ہو آؤ باہر چلتے ہیں۔ آؤ کہیں چائے کافی پیتے ہیں۔''

اور مہرین بھول جاتی کہ لالہ اصل میں کیا ہے۔ وہ تو ہر دم مدد پر تیار، پُرخلوص لالہ سے واقف تھی جو اپنی گاڑی پر اسے ہوسٹل چھوڑ جاتی، بازار لے جاتی۔ چچا کی طرف چھوڑ آتی۔ دو ایک بار تو اپنی گاڑی خراب ہونے اور ڈرائیور کے نہ آنے کے باوجود وہ اس کے ساتھ چچا کے گھر تک اسے ویگن پر چھوڑنے آئی تھی کیونکہ اسے اکیلے آنے جانے کی عادت نہیں تھی اور گرمیوں کی اس تپتی دوپہر میں لُو کے تھپیڑے کھاتی ویگن کی فرنٹ سیٹ پر بیٹھ کر قہقہے لگاتی لالہ کو

دیکھ کر کون کہہ سکتا تھا کہ یہ لڑکی شہر کی بے حد اونچی بزنس کمیونٹی کی فرد ہے۔ ایک دو بار اسے احساسِ شرمندگی ہوا۔ یہ خوامخواہ میرے لیے تکلیف اُٹھا رہی ہے۔ اس نے کہنا چاہا مگر وہ بڑی بے نیازی سے ٹال گئی۔

''چھوڑو...... دیکھو کتنا مزہ آ رہا ہے۔ یہ ویگن کا کنڈکٹر کتنے مزے کی آواز لگا رہا ہے۔ گل...... برگ۔ مجھے آج تک نہیں معلوم تھا کہ گلبرگ اصل میں گل برگ ہے۔''

خود لالہ کو بھی مہرین کے مسائل حل کرنے اور تسلی دینے میں مزہ آنے لگا۔ وہ معصوم خوفزدہ دبو سی لڑکی جب ہر معاملے میں مکمل طور پر اس پر انحصار کرنے لگی تو اسے بڑی خوشی ہوئی۔ اس کا انداز اور رویہ مربیانہ ہو گیا اور وہ یوں اسے اپنے تحفظ کی چادر تلے سنبھالے پھرتی۔ جیسے دنیا میں اس کی واحد محافظ وہی ہو۔

یہ محض اتفاق تھا کہ اس عرصے میں مہرین کو وہ ایک بار بھی اپنے ساتھ اپنے گھر نہ لے جا سکی۔ مہرین خود بھی گھبراتی تھی اور اسے بھی یوں محسوس ہوتا تھا کہ اس کا گھر ابھی تک مہرین کے صرف تصور ہی میں ہے اس لیے کچھ زیادہ فرق نہیں پڑتا۔ جب تصور سے نکل کر حقیقت میں نظر آئے گا تو کہیں وہ مرعوب نہ ہو جائے۔ مگر وہ اس سے ملاقات کے بعد اس کا پہلا برتھ ڈے تھا۔ اب اسے مہرین کو بہرحال اپنے ہاں بلانا تھا اور اس بار اس نے بلایا بھی بڑے شوق سے تھا۔ بلایا کیا بلکہ خود جا کر وہ اسے لے کر آئی تھی۔ مہرین نے خاص اس موقع کے لیے اپنی بچت سے ایک اچھا سوٹ خریدا تھا۔ ہلکا میک اپ کیا تھا اور نازک سی جیولری بھی پہنی تھی۔ شعوری طور پر لالہ نے بھرپور کوشش کی تھی کہ مہرین وہ تام جھام، رنگ و بو، شوخی و طراری دیکھ کر گھبرا نہ جائے۔ تقریب میں ایک لمحے کے لیے بھی وہ اس سے علیحدہ نہیں ہوئی تھی مگر مہرین ضیاء کے دماغ کا میٹر تو اس کے گھر کا بیرونی گیٹ، لش گرین لان اور داخلی دروازہ دیکھ کر ہی گھوم چکا تھا۔ راہداری طے کر کے ڈرائنگ روم تک آتے آتے تو وہ غالباً بالکل ہی بیہوش ہونے کو تھی۔ آن کی آن میں لالہ قزلباش جو دوپہر تک اس کے ساتھ قدم بہ قدم اُچھل کر دو فٹ اوپر جا پہنچی تھی اور اسے ایسے محسوس ہو رہا تھا جیسے آج کے بعد اسے گردن اُٹھا کر لالہ قزلباش کو دیکھنا پڑے گا۔ وہ اس محل نما گھر میں موجود بیش قیمت کارپٹ، فرنیچر، پردے، کرسٹلز، جاپانی انڈور پلانٹس، کٹ گلاس کے شینڈ یلیور دیکھ کر ہی وفات پانے کو تھی۔ اگر اسے معلوم ہو جاتا کہ اسی قسم کے کئی گھر مختلف شہروں میں لالہ کے باپ نے بنوا رکھے ہیں تو یقیناً وفات پا ہی جاتی۔ ساری تقریب میں باوجود کوشش کے وہ چہرے پر آتے پسینے اور ہاتھوں میں آتی لرزاہٹ کو روک نہ سکی تھی۔ اس لالہ سے۔ اس لالہ سے میں دوستی کیے بیٹھی ہوں جو مجھ ایسے کئی لوگوں کو خریدنے کی استطاعت رکھتی ہے۔ اس کے سارے الوژنز پل کے پل میں تباہ ہو گئے تو گھبرا کر وہ بار بار سوچتی رہی۔ یہ نہیں تھا کہ وہ کسی احساسِ کمتری میں مبتلا تھی یا دنیا سے بے حد ناواقف تھی۔

حقیقت یہ تھی کہ اب تک اس کی ذاتی دنیا بڑی محدود سی، بڑی خوبصورت سی، صاف ستھری سی تھی۔ پکی چار دیواری اور پکے لینٹر کا گھر، صاف ستھری قلعی کی دیواریں، قرینے سے لگے نواڑی پلنگ اور رنگ دار پایوں کی چارپائیاں، چنیوٹ کا مشہور لکڑی کا فرنیچر، ایک ڈریسنگ ٹیبل کروشیے کے کور سے ڈھکا شیشہ، قرینے سے دیوار کے ساتھ لگی لوہے کی پیٹیاں لمبے اور چوڑی لائنوں والے کھیس، ڈبی دار کھیس، ملتانی بیڈ کور، برتنوں کی ایک الماری جس میں محنت کی کمائی سے خریدے دو درجن شیشے کے گلاس، ایک میلا مین اور ایک ریگل چائنہ کا ڈنر سیٹ، ایک مکسچر بلنڈر،

جرمن سلور کا تھری پیس چائے کا فلاسک اور دو تڑے کل کائنات کے طور پر دھرے رہتے تھے اور سینت سینت کے استعمال کیے جاتے تھے۔ ایک کتابوں کی الماری اور ایک استری فلپس، فیری لائٹ، بڑی مکمل زندگی تھی اپنے حساب میں۔ یہ گھر جو وہ آج دیکھ رہی تھی ان گھروں کی تصویریں اور کہانیاں تو اس نے رسالوں میں دیکھی اور کتابوں میں پڑھی تھیں۔

''ہوتے ہوں گے یہ گھر بھی کسی کے اور نہ جانے کون سی مخلوق وہاں رہتی ہوگی۔'' وہ سوچتی۔

فردوس مارکیٹ کے قریب اس کے چچا ایک چھوٹے سے گھر میں رہتے تھے۔ وہاں آتے جاتے راستے میں بلند و بالا گھر دیکھ کر بھی کبھی اسے خیال یا رشک نہیں آیا تھا کہ یہ گھر کس کے ہیں۔ کون وہاں رہتا ہے۔ وہ اپنی دنیا میں مست تھی لیکن آج یہ گھر اس کی شان و شوکت اور دبدبہ دیکھ کر وہ دل میں شرمندگی محسوس کر رہی تھی۔ لالہ سے دوستی کرنے پر لمبی چھلانگ مارنے پر۔ لالہ سے ایک شکوہ کرنے کو بھی دل بار بار چاہ رہا تھا۔ کیوں اس نے پُرخلوص محبت کی ماری لالہ کا فقیرانہ چولا اوڑھے رکھا اور اسے حقیقت میں جھانک کر جاننے کا موقع تک نہیں دیا تھا۔ وہ جان جاتی تو اُلٹے قدموں واپس ہو لیتی۔ اس تقریب میں وہ اپنی نادانی پر پشیمان، تقریب کے مہمانوں کے رنگ ڈھنگ دیکھ کر نروس اور تقریب کے مختلف ادوار دیکھ کر حیران پریشان ایک طرف جھکی نظروں سے کھڑی رہی۔ لالہ جانتی تھی کہ وہ کیا محسوس کر رہی تھی۔ وہ اسے اس احساسِ شرمندگی یا کمتری میں مبتلا نہیں ہونے دینا چاہتی تھی۔ جب ہی وہ بار بار اسے گوشہ تنہائی سے نکال کر لوگوں کے درمیان لے آتی۔

''یہ میری خالہ، یہ چچی، یہ پھوپھی، یہ ممانی......'' وہ جان بوجھ کر سارے رشتے اسے بتاتی گئی۔

''یہ فلاں کزن، یہ ڈھمکاں کزن۔'' وہ لوگوں کے دائروں میں اسے لیے تیزی سے گھومتی پھری۔ وہ اس کا تعارف نہایت شاندار طریقے سے کرواتی۔

''یہ میری دوست مہرین ضیاء ہے۔ ہماری کلاس کی بے حد ذہین اور محنتی لڑکی۔ دیکھنا اس بار ٹاپ کرے گی۔ اتنی ریگولر ہے کہ حد نہیں۔ ادب اور آرٹ کی بہت ہی دلدادہ ہے۔''

اب کسی کو کیا سروکار تھا کہ وہ کتنی ذہین اور محنتی تھی یا اگر وہ ٹاپ کرے گی تو ان سب کی بلا سے مگر یہ لالہ کا احساس تھا کہ وہ مہرین کی اپنی نظروں میں اس کا امیج شاندار بنائے۔ وہیں اس تقریب میں دانیال بھی تھا جو حسبِ معمول دیر سے آیا تھا اور آ بھی شاید اسی لیے گیا تھا کہ یہ لالہ کا برتھ ڈے تھا ورنہ کسی اور کزن نے ایسی تقریب منعقد کی ہوتی تو وہ کہیں پھٹکتا بھی نہیں۔ اپنی آمد کے بعد حسبِ معمول وہ کچھ دیر ایک دو لوگوں سے ملنے کے بعد ایک نسبتاً نیم تاریک گوشے میں جا چھپا تھا۔ اس کی موجودگی کی میگنیٹک پاور آہستہ آہستہ حرکت میں آ رہی تھی۔ جب لالہ، مہرین کو لیے گھومتی گھامتی اس تک آ پہنچی۔

''انتہائی اعلیٰ قسم کے گدھے ہیں آپ!'' بغیر تمہید کے اس نے ایک شاندار ریمارک سے اسے نوازا۔

''دعا ہے آپ کی۔'' وہ بے حد عاجزی سے سر جھکا کر بولا۔ اور وہ دونوں ہنس پڑے۔

یونہی ہنستے ہنستے اس کی نظر اچانک لالہ کے ساتھ کھڑی مہرین پر پڑ گئی اس کی مقناطیسی قوت نے پہلی بار خود اسے کسی کی طرف بے اختیار کھینچا۔ وہ لڑکی تھی یا کوئی لوہے کی دھات۔ ایک لمحے کو وہ سمجھ نہیں پایا تھا۔ اس کی نظر اس

کے لرزتے ہاتھوں پر پڑی جن میں آتے پسینے کو خشک کرنے کی کوشش میں اس کے ہاتھ میں تھما ٹشو پیپر بالکل بھیگ چکا تھا۔ اس کی نظر اس کی آنکھوں پر پڑی جو روئی روئی ناراض ناراض سی لگ رہی تھیں۔ ایک لمحے کے لیے وہ سن ہو گیا۔ سوچنے سمجھنے کی صلاحیت سے عاری۔ یہ کیفیت پہلی بار اس پر وارد ہوئی تھی۔

''یہ مہرین ہے دانی! میری کلاس فیلو، ذہین محنتی، ٹاپ کرے گی۔''

لالہ پری ریکارڈ ڈکیسٹ کی طرح شروع ہوئی۔ مگر وہ جانتی تھی کہ دانیال کو بھی اس سے کوئی فرق نہیں پڑتا کہ مہرین محنتی ہے، ذہین ترین ہے، ٹاپ کرنے والی ہے وغیرہ وغیرہ۔ وہ تو صرف مہرین کو خوش کرنے کے چکر میں تھی۔ اس سے پہلے کہ اِدھر اُدھر سے ایک ایک کر کے لڑکیاں دانی کے گرد جمع ہو جاتیں وہ مہرین کا ہاتھ پکڑے وہاں سے دوسری طرف چلی گئی۔ اب اس نے مہرین کی پلیٹ میں سینڈوچ اور پیسٹری رکھی اور کسی کام سے مڑ گئی اور اسی لمحے دانیال نے اپنے گرد گھومتی لڑکیوں کے ریلے کو پہلی مرتبہ ایک ہاتھ سے ہٹایا اور مہرین کے سر پر پہنچ گیا۔

''آپ اکیلی کیوں کھڑی ہیں؟ کچھ کھا نہیں رہیں۔ کیا پڑھ رہی ہیں؟''

اور جس وقت مہرین، لالہ کے ڈرائیور کے ساتھ واپس جانے کے لیے باہر نکل رہی تھی اس وقت تک اس کے ہوسٹل، کمرہ نمبر، ملاقات کے اوقات کی پوری تفصیل دانیال کے دماغ میں محفوظ ہو چکی تھی۔ تقریب کے اختتام پر خود لالہ بھی حیران تھی کہ دانیال اس روز اتنی دیر تک بیٹھا کیسے رہا تھا۔ پھر وہ اسے خاص اپنی اہمیت جان کر خوش ہو گئی۔ غالباً وہ دانیال کے دل کا نمبر ڈائل کرنے کے لیے مطلوبہ ٹوکن حاصل کرنے میں کامیاب ہو گئی تھی۔

تقریب سے اگلے روز ویک اینڈ آ گیا۔ لالہ تھکن کی وجہ سے یونیورسٹی نہیں گئی اور اس روز مہرین گھر چلی گئی۔ ہفتے کو لالہ گھر سے بے حد ہشاش بشاش نکلی تھی۔ اس کا ارادہ انٹیلی جنس ٹیسٹ کے موضوع پر ڈاکٹر صبیحہ کے ساتھ الفاظ کے داؤ پیچ لڑانے کا تھا اور وہ پوری تیاری کے ساتھ نکلی تھی۔ اسے بڑا مزہ آتا تھا جب وہ ڈاکٹر صبیحہ کو بُری طرح زچ کر دیتی تھی۔ اور وہ تنگ آ کر ادھوری بات چھوڑ کر اعلان کرتیں۔ ''ناؤ وی شیل موو ٹو دی نیکسٹ ٹاپک'' (اب ہم اگلے موضوع پر آئیں گے) اپنے ارادے میں کامیابی کے بعد وہ مہرین کو ساتھ لیے ڈیپارٹمنٹ کے لان میں آ بیٹھی۔ کلاس میں بھی اس نے محسوس کیا تھا کہ مہرین خاموش خاموش تھی۔ اس کا رنگ بھی زرد ہو رہا تھا۔ کلاس سے باہر آ کر بھی اس نے اس کی اس کیفیت کو محسوس کیا۔ اگر یہ پرسوں والی تقریب کا شاخسانہ تھا تو وہ اس کا ازالہ کرنا چاہتی تھی مگر اسے چیئر اپ کرنے کی ہر کوشش ناکام ہو گئی۔

''کیا بات ہے مہرو؟'' اس نے دنیا جہان کی اپنائیت لہجے میں سمو کر کہا۔

''ایک مسئلہ ہو گیا ہے لالہ۔'' الفاظ بہ مشکل مہرین کے لبوں سے نکلے اور آنسو بند توڑ کر اس کی آنکھوں سے بہہ نکلے۔

''ہوں۔'' اس نے کچھ سمجھتے ہوئے کہا۔ یہ ڈیپارٹمنٹ کا لان تھا جہاں بیٹھ کر ایک خاتون کو یوں بھل بھل روتے دیکھ کر ہر کوئی خوامخواہ ہی رُک کر تماشہ دیکھتا۔ اس نے اسے بازو سے پکڑا اور کینٹین میں کونے والی میز پر لے آئی۔

''اب بتاؤ کیا بات ہے؟'' اسے اندازہ تھا کہ اس کے کان کیا سننے جا رہے ہیں۔ مہرین ویک اینڈ کے بعد گھر

سے آئی تھی۔ اور ہر بار گھر جانے پر کوئی نہ کوئی مسئلہ ہو جاتا تھا۔ اسے یقین تھا کہ ابھی وہ مسئلہ نہیں مسائل کے انبار سنائے گی۔ مڈل کلاس مجبوریاں اور پریشانیاں، ابا کی ریٹائرمنٹ، اماں کی بیماری، باجی کی شادی، بھائی کا داخلہ۔ آج وہ جلدی میں اپنی چیک بک گھر بھول آئی تھی۔ ورنہ مہرین کی بروقت مدد کرنے میں زیادہ آسانی رہتی۔ اس نے بیگ پر ہاتھ مارتے ہوئے سوچا مگر اس کی سوچ کے عین برعکس اُس کے کانوں نے جو سنا وہ کم از کم اس کے لیے ناقابلِ یقین تھا۔ مگر مہرین کو کیا ضرورت پڑی تھی کہ وہ جھوٹ بولتی۔

''اس روز میں گھر جانے کے لیے ہوسٹل سے نکلی تو وہ باہر کھڑا تھا۔ وہ تمہارا کزن جو اس روز تمہارے برتھ ڈے پر ملا تھا جس کا نام دانیال ہے۔'' وہ پوری سچائی سے کہہ رہی تھی، بھل بھل بہتے آنسوؤں کے درمیان۔

''میں گھبرا گئی مگر اس نے مجھے زبردستی لفٹ دی۔ وہ بار بار یہی اصرار کرتا رہا کہ میں اس کی بات سن لوں۔ اس کے اصرار پر مجھے ماننا پڑا۔ گو یہ ایک بہت بڑی حماقت تھی۔ کسی بالکل اجنبی شخص کے ساتھ گاڑی میں بیٹھنا۔ مگر اس نے کچھ اس طرح سے کہا کہ مجھے بیٹھنا ہی پڑا۔ پھر وہ مجھے پرل کانٹی نینٹل کی کافی شاپ پر لے گیا۔ میں بُری طرح نروس ہو رہی تھی۔ مگر وہ مجھے تسلیاں دیتا رہا کہتا رہا گھبراؤ مت، میں تمہیں کچھ نہیں کہوں گا صرف میری بات سن لو۔''

دوپٹے سے آنکھیں اور ناک صاف کرتے ہوئے اس نے ایک لمحے کے لیے گنگ بیٹھی لالہ کو دیکھا اور اس کی کیفیت کو سمجھے بغیر کہتی رہی۔

''وہ کہنے لگا کہ پچھلی شام جب سے اس نے مجھے دیکھا تھا اس کے دل کے قریب سے خون اُلٹے چکر لگانے لگا تھا۔ میں نے اسے تپتی آگ کی بھٹی میں پھینک دیا تھا۔ اس کے اندر بھڑکنی لگی ہوئی ہے اس کا خیال تھا کہ اس کی پیاس، اس کی آگ صرف میں بجھا سکتی ہوں۔ لالہ! تم میری بات سن رہی ہو نا؟'' اس نے درمیان میں رُک کر پوچھا۔

''ہوں۔'' پہلے وہ جو گنگ بیٹھی تھی منٹوں میں نارمل ہو کر تحمل سے بولی۔

''معلوم نہیں وہ کیا کیا کہتا رہا، قسمیں کھاتا رہا۔ اس نے اپنے دل پر میرا ہاتھ رکھ کر کہا۔ تم کہو تو یہ دھڑکنا چھوڑ دے اور نہ جانے کیا کیا۔ پھر وہ مجھے اسٹیشن تک چھوڑنے گیا۔ فلائنگ کوچ پر چڑھایا۔ میرا ٹکٹ بھی اس نے خریدا۔ لالہ میں بے حد اپ سیٹ ہوں۔ اتنی کہ شاید تمہیں بتا نہ سکوں۔ گھر والے دو دن مجھ سے پوچھتے رہے کہ مجھے کیا ہوا تھا۔ مگر میں تو خود جیسے کسی بھٹی میں پھینک دی گئی تھی۔ یہ سب کیا ہوا ہے لالہ یہ کیا ہے؟ میں کیا کروں؟'' اس نے بیگ سے دوسرا ٹشو پیپر نکالا اور آنکھوں پر رکھ لیا۔

لالہ قزلباش کو تو جیسے کسی نے مکسچر بلنڈر میں رکھ کر آن کا بٹن دبا دیا تھا۔ پل کی پل میں اس کا دل و دماغ جسم سب کچھ گھوم گیا۔ وہ کیا سن رہی تھی اور کس کے بارے میں سن رہی تھی۔ اس نے ایک نظر اپنے سامنے بیٹھی مہرین پر ڈالی جو اپنے اندر کا غبار باتوں اور آنسوؤں کے ساتھ نکال رہی تھی۔ کیا دانیال اتنا سنگین مذاق کر سکتا ہے؟ اس نے سوچا۔ کیا مہرین ضیاء میں اتنی کشش ہے کہ وہ دانیال جیسے سرد جذبات رکھنے والے لڑکے کو بھڑکا دے تپتی آگ کی بھٹی میں پھینک دے۔ کیا یہ بات اس نے صرف وقتی جذبات کی رو میں آ کر کہی ہوگی یا پھر مہرین کا دماغ خراب ہو گیا تھا۔ کیا وہ دوسری لڑکیوں کی طرح دانیال کی مقناطیسی قوت کے اثر میں آ گئی تھی اور اول فول بکنے لگی تھی۔ اسے

محسوس ہوا کہ اس کے پاس اپنے کسی سوال کا جواب فی الحال موجود نہیں تھا۔ اس نے آنسو بہاتی مہرین کو چپ کرایا اس کا ہاتھ پکڑ کر اُٹھایا اور گاڑی میں بٹھا کر ہوسٹل تک لے آئی۔ بہت دیر تک اس کے کمرے میں بیٹھی اٹکل پچو باتیں کرتی رہی خود مہرین یقین اور بے یقینی کی کیفیت میں مبتلا تھی پہلا اظہار خواہ کسی قسم کے مرد کی طرف سے آیا ہو اور اس پر ردِ عمل خواہ مثبت ہو یا منفی، پہلا اظہار دل کے تار چھیڑ ضرور جاتا ہے۔ گو مہرین کی سمجھ میں کوئی جذبہ کوئی کیفیت نہیں آ رہی تھی مگر اس کے دل کے تار چھڑ چکے تھے۔

وہ دانیال کے اصل سے واقف نہیں تھی۔ اس کی شخصیت، تعلیم و تربیت، ماحول، دولت، سماجی پوزیشن اپالو جیسے امیج کسی بھی چیز کے بارے میں اس کا علم مکمل نہیں تھا۔ اس کے لیے فی الحال یہ احساس کافی تھا کہ عام زندگی میں جس لڑکے کو وہ قطعی دسترس سے باہر خیال کر کے محض کن اکھیوں سے دیکھنے پر اکتفا کرتی وہ خود چل کر اس کے پاس آیا تھا۔ اس سے اظہارِ محبت کرتا رہا تھا۔ کیسی تسلی محسوس ہوئی تھی کتنا اطمینان ملا تھا۔ اب چاہے خوف کی منزل آئے یقین، بے یقینی کی یا خوش فہمی کے ختم ہو جانے کی، ایک یہ ذرا سا احساس عمر بھر کے لیے کافی تھا۔ وہ ڈھیروں نامعلوم کیفیتوں کے زیرِ اثر رو رو کر آنکھیں سجاتی رہی اور اس کی دوست لالہ قزلباش پہلی مرتبہ تسلی دینے کے معاملے میں بے بس نظر آئی۔

''اچھا دیکھو کیا ہوتا ہے۔ میں دیکھوں گی کہ میں کیا کر سکتی ہوں۔'' شام ہونے پر وہ اُٹھتے ہوئے بولی۔ اس کے الفاظ ناقابلِ یقین حد تک بے ربط تھے مگر مہرین نے انہیں بالکل محسوس نہیں کیا۔

لالہ کو وہ شام بڑی عجیب سی لگ رہی تھی۔ مانوس شہر کے سارے راستے اجنبی معلوم ہو رہے تھے۔ اس کا دل بوجھل تھا اور اُداس بھی۔ مہرین کی طرح وہ بھی یقین اور بے یقینی کی کیفیت میں ڈولنے لگی۔ اس کے گھر پر اس روز ہنگامہ تھا کچھ کزنز اور دوست آئے ہوئے تھے۔ ان کے درمیان قہقہے لگاتے ہوئے بھی اسے اپنے اندر شکست و ریخت ہوتی محسوس ہوئی۔ وہ مہرین سے کہہ کر آئی تھی کہ وہ دیکھے گی کیا کر سکتی ہے۔

مگر دو دن تک اسے دیکھنے کی فرصت نہ ملی۔ کزنز اور دوستوں کی نئی سے نئی کھیپ آتی گئی۔ اگلے روز لاہور میں بسنت منائی جا رہی تھی۔ یہ ساری آمد اسی سلسلے میں تھی۔ بسنت کا سارا دن فائیو اسٹار ہوٹل کی چھت پر دوستوں، عزیزوں اور احباب کو پیچ لڑاتے اور پتنگیں لوٹتے دیکھتے گزرا۔ فائیو اسٹار ہوٹل کی چھت پر بہار آئی ہوئی تھی۔ سیاست، فلم، کھیل سے متعلق لوگ، ہائی سوسائٹی کے سپوت، عشوہ ناز کی جھلک دکھاتی صنف نازک کی ٹولیاں۔ وہاں رنگ ہی رنگ تھے، موسیقی تھی، رقص تھا اور جام تھے۔ وہ ایک کونے میں بیٹھی قہقہے اور شور شرابا سنتی رہی۔ وہاں دانیال بھی تھا جو حسبِ معمول محض روایت نباہنے آیا ہوا تھا اور ساقی و جام کی موجودگی میں ایک طرف بیٹھا اورنج جوس پی رہا تھا۔ برتھ ڈے کے بعد اس نے اسے اس روز ہی دیکھا تھا۔ مائلڈ ٹو بیکو سگریٹ پھونکتے پھونکتے وہ اپنے گرد سے شہد کی مکھیوں کی طرح بھنبھناتی لڑکیوں کو ہٹا کر اس کی طرف چلا آیا۔

''حسبِ معمول بیزار۔'' وہ اپنے دل کی کیفیات بھلا کر دوستانہ انداز میں مسکرا کر بولی۔

''اور کیا۔'' وہ بیزاری سے بولا۔ ''اتنے روز سے شور مچا ہوا تھا بسنت ہے بسنت ہے۔ ہر دوسرا شخص زور دے رہا تھا ضرور آنا۔ میں نے سوچا شاید اس میں ہی کوئی نئی بات ہو۔ اگر مجھے معلوم ہوتا کہ یہاں بھی یہی سب کچھ ہے تو

میں کبھی یہاں نہ آتا۔‘‘

’’بھئی، خوشی منانے کے بہانے ہیں۔ ذرا گیٹ ٹوگیدر ہو جاتی ہے۔ ہلا گلا رہتا ہے۔ اس میں کیا حرج ہے۔‘‘ اس نے موقع کی وکالت کرتے ہوئے کہا۔

’’بے فائدہ پیسہ جھونک رہے ہیں۔ میرا دل گھبرا رہا ہے۔ سوچ رہا ہوں کہ کہیں اور نکل جاؤں۔‘‘ وہ اپنی بات پر اصرار کر کے بولا۔

’’اس سے مزے کی جگہ اور کہاں ہے۔‘‘ اس نے اپنی بسنتی شال کاندھے پر ڈالتے ہوئے کہا۔

’’آؤ تم ذرا میرے ساتھ چلو۔‘‘ وہ اچانک بولا۔

’’کہاں؟‘‘

’’آؤ تو۔‘‘

’’بتاؤ نا۔‘‘

وہ اسے زبردستی اُٹھا کر نیچے لے آیا۔ وہاں سے نکال کر وہ اسے سیلوس کے خاموش اور پُرسکون ماحول میں لے آیا۔

’’تمہیں پتا ہے، پچھلے کچھ دنوں سے میں بے حد اَپ سیٹ ہوں۔‘‘ کافی کا آرڈر دینے کے بعد اس نے اپنی بات کا آغاز کیا۔ ’’اور پوری دنیا میں تمہارے علاوہ میری بات سننے اور سمجھنے والا اور کوئی نہیں ہے۔‘‘

اس وقت لالہ نے دیکھا کہ اس کی آنکھیں سرخ ہو رہی تھیں اور سوجی ہوئی بھی لگ رہی تھیں۔ شاید وہ پچھلی کچھ راتوں سے سو بھی نہیں رہا تھا۔ اس کو یوں پریشان، اپ سیٹ اور اُلجھا ہوا دیکھ کر لالہ پر ممتا چھا گئی۔ وہ بھول گئی کہ کچھ دیر پہلے تک اسے اپنے اندر دُکھ اور اُداسی محسوس ہو رہی تھی۔

’’کیا بات ہے دانی؟‘‘ اس نے ملائمت سے پوچھا اور دانی شروع ہو گیا۔

اس کی گفتگو کا پہلا لفظ مہرین تھا۔ وہ ڈیڑھ گھنٹے تک مسلسل بولتا رہا اپنی عادت کے بالکل خلاف۔ اور اس ڈیڑھ گھنٹے کی گفتگو میں مہرین کا نام تسبیح کے دانوں کی طرح گنتا رہا اور اسی طرح گفتگو کا اختتام بھی مہرین ہی پر ہوا۔ وہ اس ساری گفتگو میں غائب دماغی کی کیفیت میں بیٹھی کولڈ سینڈوچز کو پیسٹری فورک کے ساتھ چھیدتی رہی اور اس کے اندر سے نکلنے والے کریم چکن کے چھوٹے پیسز کے مزید چھوٹے پیس بناتی رہی۔

’’میری مدد کرو للّی! تمہاری دوست نے تو مجھے دہکتے تنور میں پھینک دیا ہے۔ میں لحہ لحہ جھلس رہا ہوں جل رہا ہوں۔ میری تو اپنی سمجھ میں نہیں آتا کہ میں کیا کروں۔ مجھے کیا ہو گیا ہے۔ اگر میں اُس روز تمہاری برتھ ڈے پر نہ جاتا تو شاید اس کی نوبت ہی نہ آتی۔ مگر یقین کرو کہ اُس روز جب میں نے اُسے دیکھا تو مجھے ایسا لگا جیسے میرا وجود جھٹکوں کی زد میں آ گیا ہو۔ جیسے میں نے ننگے برقی تاروں کو ہاتھ میں پکڑ لیا ہو اور ان تاروں کے اندر چار سو چالیس وولٹ کی طاقت سے بجلی دوڑ رہی ہو۔ میرے اندر کی مقناطیسی قوت جو لوگوں میں مشہور ہے تو اُس روز مجھے محسوس ہوا کہ اس کے اندر بھی ایک ایسی ہی مقناطیسی قوت موجود ہے اور وہ مجھے اپنی طرف کھینچ رہی ہے۔ میں کھنچا چلا گیا۔ اس مقناطیسی قوت کے زیرِ اثر اس کی طرف بڑھتا چلا گیا۔ اُس روز تک تو میں کھینچنے کی قوت سے آگاہ تھا کھنچے جانا ایک

اجنبی کیفیت تھی۔ اس لڑکی نے نہ صرف مجھے اس کیفیت سے آشنا کیا بلکہ پل کے پل میں چاروں شانے چت بھی کر دیا۔''

وہ چپ چاپ سنتی رہی۔ دو دن پہلے جو مہرین نے اسے بتایا تھا۔ وہ حقیقت تھی خواب نہیں۔ اس کا دل گھبرا گیا۔

''یہ تم نے اچھا نہیں کیا دانی۔'' اس نے سینڈوچز کی خلاصی کرتے ہوئے متانت اور سمجھداری کے ساتھ کہا۔ ''مہرین بڑی میڈیا کرسی فیملی کی لڑکی ہے۔ ان لوگوں میں خودداری اور عزتِ نفس کوٹ کوٹ کر بھری ہوتی ہے۔ وہ لوگ بے تکلفانہ انداز اور خصوصاً ایسے بے تکلفانہ اظہارِ عشق کے عادی نہیں ہوتے۔ وہ بُرا بھی مان سکتی ہے اور تم جانتے ہو وہ میری دوست ہے۔''

''میں کیا کرتا۔'' وہ بے نیازی سے بولا۔ ''میں نے تمہیں بتایا نا کہ میں بے بس و لاچار تھا۔ بدھ کو وہ مجھے نظر آئی اور جمعرات کی صبح تک میرا یہ خیال تھا کہ مجھے محسوس ہو رہا تھا کہ اگر میں نے اسی وقت جا کر اس سے اپنا حالِ دل نہ کہہ دیا تو میرا ذہنی توازن بگڑ جائے گا سو میں نے کہہ دیا۔''

''اور یہ بھی میں تمہیں بتا دوں۔'' کچھ دیر کے توقف کے بعد وہ خود ہی بولا۔ ''مجھے اپنے جذبے کی شدت اور سچائی کا اتنا یقین ہے کہ مجھے معلوم ہے کہ نہ تو وہ بُرا منائے گی اور نہ ہی تم سے دوستی چھوڑے گی۔ وہ میرے جذبے کی شدت کے سامنے ٹھہر ہی نہیں سکتی اسے ہار مانتے ہی بنے گی۔''

وہ تحمل سے اس کی بات سنتی رہی اور سوچتی رہی کہ یہ کیفیت ایسی ہرگز نہیں تھی جو سمجھانے بجھانے، طبقاتی فرق، تربیت، طبیعت اور ماحول کے فرق اور ممکنہ رکاوٹوں پر تقریر جھاڑنے کا کوئی فائدہ ہوتا۔ اس نے پہلی بار محسوس کیا کہ مدتوں تک جذبات کی خالی صراحی لیے پھرنے والے لوگوں پر جب کوئی ایسی جذباتی کیفیت حملہ کرتی ہے تو خالی صراحی ایک ہی بار میں گلے گلے تک بھر جاتی ہے۔ اچانک ہونے والا حملہ ہوتا ہی اتنا شدید ہے۔ دانیال قزلباش جو صرف اپنی جسمانی موجودگی کی بنا پر ایک پورے ہجوم کو ہاتھ میں لینے کی اہلیت رکھتا تھا اور صنفِ مخالف پر الٹرا ریز پھینک پھینک کر اپنی طرف کھینچنے کے بعد خود بے نیاز لاپروا بن جایا کرتا تھا۔ جب جذباتی طور پر پسپا ہونے پر آیا تو سیالکوٹ کے محلّہ حاجی پورہ کی مہرین ضیاء کی صرف ایک ہی جھلک کافی ثابت ہوئی۔ وہ کون تھی۔ کہاں سے آئی تھی سب سوال غیر اہم ثابت ہوئے بلکہ ذہن میں آئے ہی نہیں۔

گندمی رنگت، کاجل لگی بڑی بڑی آنکھوں، سونے کی چھوٹی کیل سے سجی ستواں ناک اور لمبے سیاہ بالوں کی چٹیا لہراتی مہرین ضیاء نے اس پر ایک لمحے میں بھرپور جذباتی حملہ کیا تھا اور ایک لمحے میں ہوا حملہ ہوتا ہی اتنا شدید اور زہریلا ہے کہ اس کا شکار پانی بھی نہیں مانگ سکتا۔ لالہ نے دانی کی مضطرب کیفیت کو دیکھا۔ وہ بار بار سر ہاتھوں میں تھام لیتا تھا اور میری مدد کرو لالہ میری مدد کرو۔ کرتا جاتا تھا۔ پیدائشی ممتا کی ماری لالہ تڑپ گئی اور دل و جان سے دانیال کو پُرسکون کرنے کی، اسے ٹھنڈا کرنے کی کوششوں میں مصروف ہوئی۔ وہ بھول گئی کہ کچھ عرصے تک وہ گرینی کی باتوں میں لگ کر دانی کو اپنی ملکیت سمجھتی رہی تھی۔

مگر وہ اس حقیقت سے ناواقف تھی کہ جب جذبات کا درجہ حرارت آخری پوائنٹ پر پہنچ جائے تو پھر کول ڈاؤن

کرنے کی ساری ترکیبیں ناکام ہی رہ جاتی ہیں۔ تمام عمر کے ٹھنڈے متحمل، سنجیدہ، کم گو دانیال کا درجہ حرارت بھی ایک ہی بار میں آخری پوائنٹ تک پہنچ گیا تھا اور اب یہ حال تھا کہ وہ اپنے بھڑکتے جذبات کی مشعل ہاتھ میں پکڑے الفاظ، وعدوں، یقین دہانیوں کا الاؤ روشن کرتا، دھیرے دھیرے لَو بڑھاتا جا رہا تھا اور مہرین ضیاء اپنے بچاؤ کے لیے اِدھر اُدھر پناہ تلاش کر رہی تھی۔ وہ خوف زدہ ہو کر آنکھیں بند کر لیتی اور اپنے سامنے اپنی سفید پوشی کی چادر کا نظارہ کرتی۔ بوڑھے، قریب الپنشن، باپ کو یاد کرتی، بیمار مجبور ماں کا چہرہ دیکھتی، بہن بھائیوں کے تصور میں گم ہو جاتی اور پھر اپنے حال کا موازنہ دانیال کے حال سے کرتی۔ بلند و بالا در و دیوار والے محلات کا۔ آسائشات کا۔ اس سوسائٹی کا جہاں سب کچھ جائز اور دسترس میں تھا۔ خود کو اس کا متحمل اور قابل نہ سمجھنے کی پوری کوشش کرتی اور دانیال کی بھڑکائی لَو کی لحہ لحہ بڑھتی تپش سے گھبرا کر مے ڈے پکارتی پھرتی۔

دانیا سچ کہتا تھا۔ اپنی تمام تر حفاظتی تدابیر کے باوجود وہ دانیال کے جذبات کی شدت کے سامنے ٹھہر ہی نہیں سکی اور وہ انچ انچ دہکنے لگی اور پھر جب فائنل پوائنٹ آیا تو مہرین کا سارا وجود دانیال کی بھڑکائی آگ میں کچھ اس طرح دھڑ دھڑ جلا کہ اس کا بلیک بکس بھی نہ مل سکا۔ وہ بے خطر آتشِ نمرود میں چھلانگ لگا چکی تھی۔

لالہ ایک طرف بیٹھی یہ سارا تماشہ دیکھتی رہی۔ کئی بار اس کا دل چاہا کہ وہ دانیال کو سمجھائے۔ ٹھیک ہے کہ تمہارا جذبہ صادق اور تمہارا عشق حقیقت ہے تم اپنے آپ کو بے بس و لاچار محسوس کرتے ہو مگر ایک بار ذرا آنکھیں کھول کر جائزہ لو ماحول کا، تربیت کا، طبیعت کا، عادات کا، طبقے کا۔ کیا یہ سب اتنا آسان ہے؟

یا مہرین کو ہی ایک بار فردوس مارکیٹ والے چچا کا بیٹا یاد دلائے۔ جس کے بارے میں اس نے بتایا تھا کہ گھر والوں کا خیال اس کی شادی اس سے کرنے کا تھا۔ وہ ایم اے کے بعد فارغ اور بیکار تھا۔ اکثر گھر پر ہی ملتا تھا اور مہرین کو اس سے ایک غائبانہ گلہ یہ بھی تھا کہ وہ رشتہ جو ان دونوں کے درمیان بندھنے والا تھا اس سے آگاہی کے باوجود اس نے ایک بار بھی منہ سے کوئی اظہار کبھی نہیں کیا تھا۔

"بزدل ہے اور بنتا شریف ہے۔" وہ کہتی تھی مگر وہ ان دونوں سے کچھ نہ کہہ سکی۔ وہ دونوں تند خو موجوں کی طرح بے خطر آگے بڑھ رہے تھے اور ایک بھی بار اس کی ہمت نہ ہوئی کہ ان کو اس خوابِ غفلت سے جگا کر ان کا دل توڑ دے۔ اظہار کی خواہشمند مہرین شاید دانیال کے رس گھولتے اظہار کے سامنے ٹھہر نہ سکی اور پور پور بھیگ گئی، اس نے یہ بھی بھلا دیا کہ دانیال کا تعلق بھی اسی طبقے سے تھا جس کو ایک بار لالہ کے گھر میں دیکھ کر وہ اپنی نادانی پر شرمندہ ہو گئی تھی۔ مگر وہ غالباً وہی تھی جس کا دانیال کو انتظار تھا۔ جو اس کی دولت، سماجی پوزیشن اور ظاہری وجاہت سے قطع نظر اس کے اندر پر عاشق ہوئی تھی۔ جذبے کی شدت اور سچائی پر۔ جب ہی تو دونوں نے سالوں میں طے ہونے والا فاصلہ دنوں میں طے کر لیا تھا۔

ان دونوں کے درمیان جو ہوا تھا سو ہوا تھا۔ لالہ کی جان مفت میں مصیبت میں پھنس گئی تھی۔ وہ دونوں کی محرم راز تھی اور اسے پہلی بار پتا چلا تھا کہ محرم راز ہونا کس قدر مشکل پوزیشن ہے۔ وہ ان دونوں کی شدتوں میں گھِر جاتی۔ دانیال نے ہوسٹل اور ڈیپارٹمنٹ کے صبح و شام چکر لگانے شروع کر دیئے اور وہ مہرین کو لیے اُڑتا پھرتا۔ مگر پھر بھی آدھی رات کو پریشان حال اس کے پاس آدھمکتا اور منتیں کرتا۔ مہرین کو فون کر دو وہ ممتا بھری طبیعت کے ہاتھوں مجبور

ہو کر ہوسٹل کا نمبر ملاتی۔ فون اٹنڈنٹ لوکل کال پر بلانے سے انکار کرتا تو وہ بہانے بناتی۔ کبھی سیالکوٹ سے باتیں کرنے کا کبھی بوریوالہ سے کبھی ساہیوال سے اور مہرین کے بھاگے چلے آنے پر ریسیور دانیال کے ہاتھ میں دے کر ایک طرف ہو جاتی۔ پھر وہ دونوں دو دو گھنٹے تک نہ جانے کیا باتیں کرتے رہتے اور صبح ڈیپارٹمنٹ میں ذہین وفطین مہرین ضیاء خالی ذہن کے ساتھ بیٹھی لیکچر نوٹ کرنے کے بجائے نوٹ بک پر آڑی ترچھی لائنیں کھینچتی رہتی اور بعد میں شکایت کرتی کہ رات بھر ٹھنڈ میں کھڑے کھڑے فون سننے پر اس کی ٹانگوں اور کمر میں درد ہو رہا ہے۔

مہرین ویک اینڈ پر گھر جاتی تو دانی اس کے ہمسایوں کا نمبر دیتا۔ ''ذرا ملا کے اسے بلا دو۔'' وہ بلا چون و چرا نمبر ملاتی۔

''مہرین کو ساتھ والے گھر سے بلا دیں۔ میں لاہور سے اس کی دوست لالہ بول رہی ہوں۔''

اور پھر وہ ایک طرف ہو جاتی۔ دانیال کو کام کے سلسلے میں باہر جانا پڑتا تو مہرین اس کے سر ہو جاتی۔ کب آئے گا۔ کیوں آیا نہیں۔ پلیز میرا رابطہ کروا دو اور وہ محبت اور ہمدردی کے مارے انکار نہ کر پاتی۔ ان دونوں کی ملاقات کے اہتمام کرتے وقت وہ دریا دلی سے گرینی کی عرصہ پہلے دستِ طلب دراز کرنے والی بات پوری طرح فراموش کر کے صرف ان کے لیے دل سے دعا کرتی۔ دانیال اپنی حالت پر حیران ہوتا تو اسے تسلی دیتی۔ مہرین گھبرا کر کہتی۔

''مجھے ڈر لگتا ہے لالہ! تمہارے طبقے کے لوگ بڑے بے نیاز ہوتے ہیں۔ یہ جانتے ہوئے بھی کہ لوگوں کی ان سے کیا کیا توقعات وابستہ ہیں ان پر کیسے کیسے مان ہوتے ہیں۔ وہ بڑی آسانی سے انہیں لیٹ ڈاؤن کر سکتے ہیں۔''

جب ہی وہ بڑے رسان سے اسے سمجھاتی۔

''سب لوگ ایک جیسے نہیں ہوتے مہرو! میں تمہیں یقین دلاتی ہوں کہ کم از کم میں اور دانیال تم کو کبھی لیٹ ڈاؤن نہیں کریں گے۔''

مگر اس اعتماد کے رشتے اور محرم راز ہونے نے اسے ایک اور مصیبت میں ڈال دیا۔ وہ بڑی سہانی صبح تھی جب مہرین ویک اینڈ سے واپس لوٹی تھی۔ حسبِ معمول رونی صورت بنائے ہوئے۔ وہ جب بھی ویک اینڈ سے لوٹتی۔ ایسی رونی صورت بنائے ہی واپس لوٹتی۔

''نوید (چچا کے بیٹے) کو نوکری مل گئی ہے اور وہ لوگ منگنی کرنے جانے ہی والے ہیں۔''

ہوسٹل کے سیکنڈ فلور پر واقع اپنے کیوبکل میں بیڈ پر بیٹھے بیٹھے اس نے کہا اور دھاڑیں مار مار کر رونے لگی۔ وہ اتنا رو رہی تھی، اتنا بلک رہی تھی کہ لالہ کو محسوس ہوا کہ اس کے آنسوؤں کے سیلاب میں یہ کمرہ سیکنڈ، فرسٹ، گراؤنڈ فلور، یہ ہوسٹل، درخت، سبزہ بلکہ پورا کیمپس ہی بہہ جائے گا۔

''تمہارے گھر والے، تمہارے ماں باپ مہرو۔''

ایک بار پھر اس نے یاد دلانا چاہا مگر وہ اس سے مدد طلب کرنے آئی تھی۔ یاد دہانیاں کروانے نہیں۔ وہ کہہ رہی تھی کہ وہ ہر جگہ کوشش کر کے دیکھ چکی۔ دانیال کہیں نہیں مل رہا تھا۔ ایک بار پھر محبت میں ڈوبی لالہ آگے بڑھی اور دانیال کی تلاش میں سرگرداں ہوئی۔ اس کے ہیڈ آفس سے معلوم ہوا سائٹ پر گئے ہیں۔ سائٹ سے پتا چلا شاہدرہ

گئے ہیں پروڈکشن سائیڈ پر۔ وہاں سے پتا چلا ہیڈ آفس واپس پہنچ گئے ہیں۔ ضروری میٹنگ میں ہیں۔ میٹنگ کے دوران وہ کسی کی بات سننے کو تیار نہیں تھا اور جب اس کے حساب میں میٹنگ ختم ہو چکی تھی۔ رِنگ کرنے پر معلوم ہوا کہ تھک گئے ہیں، ریلیکس کرنے چلے گئے ہیں۔ آواری کے سوئمنگ پول پر ملیں گے۔ مہرین کو لیے جب وہ آوری کے سوئمنگ پول پر پہنچی تو وہ مزے سے سوئمنگ کاسٹیوم میں ملبوس، آنکھوں پر سن گلاسز چڑھائے جاتی دھوپ میں پڑا جھول رہا تھا۔ مہرین کو آگے کر کے وہ منظر سے غائب ہوگئی۔ ان دونوں کے درمیان لمبی بحث چل رہی تھی۔

دو گھنٹے کی بحث کے اختتام پر اس نے دیکھا دانی کا چہرہ سرخ ہو رہا تھا اور مہرین حسبِ معمول اپنے آنسوؤں سے شغل فرما رہی تھی۔ دانی ناراض تھا کہ اس نے اسے نوید والے چکر کا پہلے کیوں نہیں بتایا تھا۔ مہرین کا کہنا تھا کہ وہ اس کی ذہنی کیفیت سمجھے بغیر اس پر خوامخواہ ناراض ہو رہا ہے (جب سے عشق کا بخار چڑھا تھا دانی کو بہت جلد غصہ آنے لگا تھا) ایک لمحے کے لیے اس کا دل چاہا کہ وہ یونہی لاتعلق بنی رہے مگر کاش وہ لاتعلق بنی رہ سکتی۔ اس کی فطرت نے اسے اُٹھ کر ان کے پاس جانے پر مجبور کر دیا۔

''فوراً سے پیشتر پروپوزل بھیجو دانی۔'' اس نے محبت بھرا، خلوص بھرا مشورہ دیا اور وہ کپڑے بدل کر گرینی کی طرف دوڑ گیا۔ دو دن اس نے گرینی اور اپنی ماما کے درمیان بھاگتے گزارے اور دونوں کو ہی راضی نہ کر پایا۔ ماما کو حسبِ توقع کلاس ڈفرنس پر سخت اعتراض تھا اور گرینی کے اعتراض کی اصل وجہ کھل کر سامنے نہ آسکی تھی۔ وہ مضطرب اور پریشان حال حسبِ معمول اس کی طرف بھاگ آیا۔

''یہ تو ناممکن ہے کہ میں مہرین سے دستبردار ہو جاؤں۔'' اس نے قطعیت سے فیصلہ سنایا۔

''وہ کہتی کیا ہیں؟ میرا مطلب ہے گرینی۔'' اس نے پوچھا۔

''کہنا کیا ہے۔ وہی ایک بات کی تکرار بچکانہ فیصلہ ہے۔ جذباتی بات ہے۔ دو دنوں کے لیے چھوڑ دو، خود ہی ہوا ہو جائے گا۔''

''کیا واقعی ہو جائے گا؟''

''عمر بھر نہیں ہوگا۔''

''پھر؟''

''پھر کیا...... کیا یہ باتیں اتنی پُر اثر ہیں کہ ان سے متاثر ہو کر میں اپنی کمٹمنٹ، اپنی محبت چھوڑ دوں۔ میں نے تو عمر بھر میں پہلی بار یہ احساس پایا ہے۔ میں اسے کیسے چھوڑ سکتا ہوں۔''

''وہ کیا کہتی ہیں۔ ماما تمہاری۔''

''وہ تو اور بھی ناقابلِ برداشت باتیں کرتی ہیں۔ تمہیں ایک مڈل کلاس لڑکی کیوں پسند آئی۔ انہیں تو مڈل کلاس کا بخار چڑھا ہوا ہے۔ یہ ہوتا کیا ہے مڈل کلاس، اپر کلاس؟''

''ہوتا ہے تمہاری سمجھ میں نہیں آئے گا۔'' اس نے زیرِ لب کہا۔

''اور پھر مشورے دیتی ہیں تحمل سے سوچو، عقل سے کام لو۔ تمہیں منفرد لڑکی ہی چاہیے نا تو اپنوں میں ڈھونڈ لو۔ ضرور ملے گی۔ پھر کہتی ہیں۔ دیکھو اور کوئی نظر نہیں آتی تو لالہ کو دیکھو۔ کتنی منفرد کتنی نائس لڑکی ہے اس سے شادی کر لو۔

اب بتاؤ بھلا میں تم سے شادی کرسکتا ہوں۔''

وہ پورے کمرے میں اِدھر سے اُدھر چکر لگاتا کہہ رہا تھا۔ پہلے تو وہ اس شادی والی بات پر حیران ہوئی اور پھر اس کے سوال پر پریشان۔

''ٹھیک ہے تم بہت اچھی ہو۔ نائس ہو۔ آئی رئیلی ریسپیکٹ یو اینڈ آئی لو یو ٹو۔ (میں تمہارا احترام کرتا ہوں اور تم سے محبت بھی کرتا ہوں) مگر تم سے شادی تو نہیں کی جا سکتی نا۔ تم منفرد ہو۔'' پھر وہ سوچتے ہوئے بولا۔ ''ہاں ہو۔ مگر تمہاری انفرادیت کیا ہے۔ دوسری تمام لڑکیوں کی طرح تم میں وہ لڑکیوں والی شوخی اور طراری نہیں۔ دعوتِ نظارہ دیتی شخصیت نہیں اس لیے کہ تمہاری شخصیت پر ہروقت ایک ممتا سی چھائی رہتی ہے۔

اپنی پریشانی سے لڑتے لڑتے وہ اس کی شخصیت کے بخیے نہ جانے کیوں اُدھیڑنے لگ گیا تھا۔

''وہ ٹی وی پر ایک کمرشل چلتا ہے نا۔ جہاں ماممتا ہے، وہاں پتا نہیں کیا ہے۔'' کچھ دیر کے وقفے کے بعد وہ بولا۔

''میرا دل چاہتا ہے کہ اس کی تصحیح کروں اور کہوں۔ نہیں بھائی کہو جہاں ماممتا ہے وہاں لالہ ہے۔ ماما اور گرینی کو کیا پتا کہ تمہاری شخصیت میں مجھ جیسے مرد کو اٹریکٹ کرنے والی کوئی بات نہیں ہے صرف مدرہڈ ہی مدرہڈ ہے۔''

وہ اتنی بے رحمی سے اس کی شخصیت کا تجزیہ کررہا تھا کہ لالہ کو اپنے کانوں پر یقین نہیں آیا۔

''ماما اور گرینی کہتی ہیں۔ آخر وجہ کیا ہے جو تم لالہ سے شادی نہیں کرسکتے۔'' ایک لمحہ رُک کر وہ پھر شروع ہوا۔

''میں انہیں کیا سمجھاؤں۔ شادی تو میاں بیوی کا رشتہ ہے۔ ماں، بچے کا نہیں۔ میاں بیوی کے رشتے اور ماں بچے کے رشتے میں بڑا فرق ہوتا ہے۔ میاں بیوی کا رشتہ عاشق معشوق کا ہوتا ہے۔ ماں بچے کا نہیں۔ ماں بچے کی چپقلش شیریں ہوتی ہے۔ اس میں ملاحت ہوتی ہے اور نرمی بھی جبکہ میاں بیوی کی چپقلش میں مٹھاس کے ساتھ ساتھ بلیک کافی کی تلخی کا ہونا بھی ضروری ہوتا ہے اور مجھے یقین ہے للّٰی کہ تم اس رشتے میں بلیک کافی کی تلخی ہرگز نہیں ڈال سکتیں۔ تمہارا تو خمیر ہی مدرہڈ سے اُٹھا ہے۔

اس لیے میں تمہارا احترام تو کرسکتا ہوں اور مجھے یہ بھی معلوم ہے کہ تمہاری محبت، ظرف، ہمدردی، توجہ اور ممتا کا پیمانہ اتنا وسیع ہے کہ جتنی بار بھی میں مدد اور تسلی کے لیے تمہارے پاس آؤں گا، تمہارے خلوص سے فیض یاب ہو کر ہی لوٹوں گا۔ مگر گرل فرینڈ یا بیوی کے رشتے میں میرے لیے تم اَن فٹ ہو۔ میں تمہاری گود میں سر رکھ کر ممتا بھری تسلی کا متمنی تو ہوسکتا ہوں محبوبانہ ادا کا نہیں۔''

وہ اپنی دھن میں کہے چلا جارہا تھا اور لالہ کو معلوم تھا کہ بہت سی باتیں وہ صرف اپنا ایگریشن نکالنے کے لیے کہہ رہا تھا۔ مگر وہ ہاتھ اُٹھا کر اسے روکنا چاہتی تھی۔

''میں جانتی ہوں میری شخصیت میں کیا کمی اور کیا اضافہ ہے۔ تم بے شک مجھ سے شادی نہ کرو دانی! مگر ایسے بے رحمانہ بخیے تو نہ اُدھیڑو۔'' یا پھر بھڑک ہی جاتی۔ اسے اپنی انسلٹ ہی سمجھتی۔ مگر وہ تو خود پہلی بار اپنی حقیقت سے اتنا واضح طور پر آگاہ ہوئی تھی۔ بہت سی باتیں وہ ٹھیک ہی کہہ رہا تھا۔ اس کے پاس تو صرف مدرہڈ ہی مدرہڈ تھی۔ یہ اور بات تھی کہ دانی کے منہ سے اپنے بارے میں ایسی باتیں سن کر اس کا کلیجہ چھلنی ہو رہا تھا اور اس کے اندر کوئی

دھاڑیں مار کر رو رہا تھا۔ اندر ہی اندر پانی بہتا چلا جا رہا تھا۔ مگر دسمبر کی اس خنک شام کو باہر درختوں سے ٹپکتے زرد پتوں کی طرح بکھرے وجود کو اکٹھا کرنے کے بعد وہ بڑی مضبوطی اور ہمت سے بولی۔

''تم انہیں سمجھاؤ دانی! تم واقعی مہرین کے بغیر زندہ نہیں رہ سکتے۔''

اور یہ زندہ نہ رہ سکنے کی ہی تو دھمکی تھی جو گرینی اور ماما کو پتنگے لگا گئی تھی۔ لاڈلا سپوت بھوکا پیاسا بیٹھا خودکشی کرنے کو تیار ہو رہا تھا اور وہ دونوں سرپٹ سیالکوٹ کے محلّہ حاجی پورہ کے ضیاء احمد خاں کے گھر دوڑی تھیں۔ ان تنگ اور بقول ماما کے گندی گلیوں کی طرف جہاں جانے پر انہیں شدید قسم کی الرجی نے آ گھیرا تھا۔ وہ دونوں تو اپنی ممتا سے مجبور ہو گئی تھیں مگر ضیاء احمد خاں بھی اصول کے پکے آدمی تھے۔ نہ تو وہ ان کی آن بان سے متاثر ہوئے نہ چمکتی دمکتی لمبی سجیلی شوفر ڈرون گاڑی سے۔''

''ہم رشتہ طے کر چکے ہیں بہن جی! آپ سے شرمندہ ہیں۔ ویسے بھی ہم برادری سے باہر......''

انہوں نے نظریں جھکا کر کہا تھا اور اس چھوٹے سے گھر کے اندرونی کمرے میں موجود مہرین دیواروں سے سر ٹکراتی پھر رہی تھی۔ گرینی اور ماما سخت غصے کے عالم میں واپس لوٹی تھیں۔ اور مہرین کی اماں حیران تھیں۔ کیسی مہمان تھیں چائے کی پیالی تک کو منہ نہ لگایا۔ چلو رشتے ناتے تو خدا کے ہاتھ میں ہیں پر، یوں بھری میز چھوڑ کر اُٹھ جانا کہاں کی شرافت تھی۔

ادھر لاہور میں دانیال قزلباش مہرین کے باپ کی بات سن کر جنونی ہو گیا تھا۔

''ہر حال میں...... ہر حال میں......'' وہ دیواروں، میزوں، پر مکے مارتے ہوئے کہہ رہا تھا۔ ''اب تو معاملہ انا اور ضد کا ہے۔'' وہ سنجیدہ، کم گو، ویل مائنڈڈ دانی کہیں تحلیل ہو گیا تھا۔ اب اس کے سامنے تو جیسے کوئی وحشی کھڑا تھا۔

''وہ اس کے والد ہیں دانی! ان کی بھی کچھ کمٹ منٹس ہوں گی۔'' اس نے کہنا چاہا۔

''مگر انہیں مہرین کی شادی میرے ساتھ کرنی پڑے گی اور تم دیکھنا وہ خود ایسا کریں گے۔'' وہ فیصلہ کن انداز میں بولا۔

ایسے میں اس کے بڑے بھائی جمال کام آئے۔ اپنی حفاظت اور ناجائز کام نکلوانے کے لیے جو اسلحہ سے لیس مشکوک قسم کے آدمی انہوں نے پال رکھے تھے اور جن کی موجودگی سے دانی اب تک سخت چڑا کرتا تھا انہی کے ذریعے سے سارا کام ممکن ہو سکا انہی میں سے ایک آدمی جمال بھائی نے ایک روز صبح صبح مہرین کے گھر بھجوا دیا اور شام کو دانی ان کی لکھی ایک تقریر نما چیز فون پر براہِ راست مہرین کے والد کے کان میں اُنڈیل رہا تھا۔

''یہ جو شخص صبح بے مقصد آپ کے دروازے پر آیا تھا میرا آدمی تھا۔ آپ عقلمند ہیں جان سکتے ہیں کہ میں کیا اور کہاں تک کر سکتا ہوں۔ مہرین کی شادی سیدھے سیدھے مجھ سے کر دیجیے۔ ورنہ میں تو ویسے بھی قسم کھا چکا ہوں۔ آپ اسے چاہے پاتال میں ہی کیوں نہ چھوڑ آئیں۔ اپنی قسم کے صدقے میں اسے وہاں سے بھی اغوا کر لاؤں گا۔ میرا باپ، میرا پورا خاندان اور میں خود اتنا اثر و رسوخ رکھتے ہیں کہ پورے معاشرے میں آپ کی فریاد سننے والا کوئی نہیں ملے گا اور نہ کوئی ایف آئی آر کٹے گی، نہ مقدمہ درج ہو گا۔ اُلٹا آپ خود ہی مصیبت میں پڑ جائیں گے۔ آپ تحمل سے نتائج کو سوچ کر اگلا انکار بھجوایئے گا۔''

یہ گفتگو ایسی تھی جس کی توقع دانی سے کی ہی نہیں جاسکتی تھی۔ وہ دھمکیاں جو شاید عمر بھر بھی وہ کسی کو مذاق میں نہ دیتا، وہ لہجہ جو اس کے ہاں غیر ممنوعہ تھا۔ عشق اور جذبات انسان کو کس قدر سیدھے راستے سے ہٹا سکتے ہیں اس نے سوچا۔

ضیاء احمد خاں عقلمند آدمی نکلے انہیں اندازہ ہو گیا تھا کہ ان کا واسطہ کس سے پڑا تھا۔ ایک فون کال کے نتیجے میں وہ نہ صرف رشتہ دینے پر راضی ہوئے بلکہ جلد از جلد رخصتی پر تیار بھی ہو گئے۔ انہیں زندگی سے زیادہ عزت عزیز تھی۔ اور یوں گارڈن ٹاؤن کے اس محل نما سے بنگلے میں ایک مختصر مگر شاندار بارات دسمبر کی ایک سرد شام کو سیالکوٹ کے محلّہ حاجی پورہ کی مہرین ضیاء کو بیاہ لائی۔

اور پھر لالہ نے دیکھا۔ شادی ہونے کی دیر تھی کہ دانی کا جنون، اس کی وحشت جیسے ایک دم سکون پذیر ہو گئی۔ مزاج پھر سے فریزنگ پوائنٹ پر پہنچ گیا۔ جیسے جس بات کا اُبال چڑھا تھا وہ تو ہو گئی اب اپنی جون میں واپس آ جانا چاہیے۔ محبوب سے عشق، عشق سے نکل کر وہ بیوی سے محبت کے دور میں داخل ہو گیا۔ اور پھر زندگی کی روٹین بن گئی۔ بزنس، آفس، فارن ٹورز، اپنی عزیز از جان مہرین کو اس نے نہایت احتیاط سے لپیٹ کر گھر میں ڈال لیا تھا۔ اب اس کے کھوئے جانے یا ہاتھ نہ آسکنے کا ڈر نہیں تھا۔ جب ہی جذباتی تندی تیزی کا بخار اُترنے لگا تھا۔ اب میٹھی، نرم محبت کا دور شروع ہوا تھا۔ وہ مہرین کو اسی طرح چاہتا تھا اس کا خیال رکھتا تھا۔ نظروں سے اوجھل نہیں ہونے دیتا تھا۔ مگر جنون کی وہ بلاخیزی جو مہرین کو پہلی نظر دیکھنے کے بعد اس پر چڑھی تھی اب سکون پذیر ہو چکی تھی۔

دوسری طرف مہرین تھی جو ابھی تک عالم حیرت میں تھی۔ یقین اور بے یقینی میں ڈولتی پھرتی تھی۔ چاند کی تمنا کرتے وقت جس خوف سے وہ دوچار ہوئی تھی، اس کا تصور کوئی دوسرا نہیں کر سکا تھا۔ راستے میں کیا کچھ نہیں دیکھا تھا۔ باپ کا غصہ، بے یقینی، شب خیزی، ماں کی صلواتیں، بہن بھائیوں کی نظریں مگر پھر راستہ کیسا صاف ہوا تھا۔ چاند کا حصول کیسا آسان ہوا تھا۔ وہ یقین کرنے کی کوشش میں آنکھیں بند کر لیتی۔ آنکھیں کھلنے پر اسے اپنا گردوپیش بدل جانے کا احساس ہوتا۔ وہ محلّہ حاجی پورہ کے سفید پوش مکان سے نکل کر پوش محلات میں آ پہنچی تھی۔ شادی سے پہلے اس کی نظر میں صرف دانی تھا، دانی کی محبت تھی۔ اس کا خدا گواہ تھا کہ اس نے کبھی بھی پوش محلات پر، بینک بیلنس پر، سماجی حیثیت پر نظر نہیں ڈالی تھی۔ اگر ڈال لیتی تو منہ کے بل گر جاتی۔ نہیں ڈالی تھی جب ہی تو یہاں پہنچی تھی۔ مگر اب بات دوسری تھی۔ دانی کی محبت سے پرے اب یہاں اور بھی بہت کچھ تھا۔

وہ طبقہ تھا، وہاں کے لوگ تھے، لوگوں کی باتیں تھیں۔ تمسخرانہ نظریں تھیں۔ دانیال کی ماں، بہنوں کی شعلہ بار نگاہیں تھیں۔ ایڈجسٹمنٹ کا مسئلہ، کمپرومائز کرنے کا مسئلہ، سب کچھ عشق عاشقی سے تو حل نہیں ہوتا۔ ایسے میں اس کی گھبرائی ہوئی پریشان حال شکل دیکھ کر اس کی رفیقِ اول وہ بے غرض ممتا صفت لالہ قزلباش اس کی مدد کو آئی۔ نئی زندگی، اس کی ضروریات، اس کے تقاضے، نیا ماحول، ایڈجسٹمنٹ۔ قدم بہ قدم لالہ، مہرین کے ساتھ چلی۔ اور اس وقت تک چلی جب تک مہرین مکمل طور پر فٹ نہیں ہو گئی۔ اور فٹ ہو جانے کے بعد مہرین کی زندگی رنگ تھی، خوشیاں تھی، بیش قیمت لباس، رئیر اسٹونز، قیمتی جیولری، فارن ٹورز، ایک سے بڑھ کر ایک گھر، گاڑیاں، اونچا طبقہ، اونچے فنکشنز تھی۔ دانیال کی محبت، اس کی توجہ کے سہارے وہ سب سمجھ گئی۔ ایڈجسٹ ہوتی چلی گئی اور پھر اسی کا حصہ بن

گئی۔

اردگرد کے لوگ بھی اس کی ترقی پر حیران تھے۔اس نے اتنی محنت اور جانفشانی سے خود کومختلف خانوں میں تقسیم کر لیا تھا کہ کہیں کسی تشنگی کا احساس نہیں ہوتا تھا۔دانیال کو اس کی توجہ، لمحہ لمحہ لو بڑھاتی محبت کی ضرورت تھی۔اسے انچ انچ جلنے میں مزہ آتا تھا۔وہ اپنے ایندھن کو بڑی احتیاط سے استعمال کرتی رہی۔اس طرح کہ دانیال اس کے بغیر خود کو ادھورا محسوس کرتا تھا۔وہ اس کی پسند، اس کے مزاج میں ڈھل گئی۔اس نے آتش نمرود میں کود کر دانیال سے عشق کیا تھا۔اسے معلوم تھا کہ وہ مختلف مرد تھا۔اس کی ضروریات مختلف تھیں۔وہ اس کی طرف سے مختلف اوقات میں بالکل مختلف قسم کے اظہار کا طلبگار تھا۔سو وہ اس کے وجود کی گہرائیوں تک رسائی حاصل کرنے کے لیے اس کے وجود میں فنا ہوگئی۔اس نے جوگنوں کا سا چولا اوڑھ لیا۔ظاہری آسائشات سے پرے اس کی زندگی، اس کی ہستی، اس کا سب کچھ صرف دانیال تھا۔وہ دانیال کی محبت میں گم اور مطمئن تھی۔اس وقت تک جب تک اس کے ہاں مانی نہیں آیا تھا۔

مانی کی پیدائش پر وہ بے حد خوش تھا۔خوشی کا اظہار سارے میں برملا کرتا پھرتا تھا۔مگر پھر نہ جانے کیا ہوا۔وہ محسوس کرنے لگی کہ وہ آہستہ آہستہ اس سے دور ہوتا جارہا تھا۔وہ اپنی ہر کوشش ہر حربہ آزما کر دیکھ چکی تھی۔اس کی توجہ اس کی محبت حاصل کرنے کے لیے مگر کچھ عرصے سے وہ تھکا تھکا رہنے لگا تھا۔مصروفیات بڑھ گئی تھیں۔ٹورز بڑھ گئے۔اور وقت مفقود ہونے لگا تھا۔شروع میں یہ اسے اپنا واہمہ لگا مگر بعد میں وہ اپنے اندر سے اُٹھتی آوازوں کو دبا نہ سکی تھی۔اس نئے ماحول نے اس پر اتنا اثر ضرور کیا تھا کہ وہ دل کی بات چھپانے لگی تھی۔اداکاری کرنے میں کامیاب ہونے لگی تھی۔جب ہی تو سارے میں اسے کوئی دل کی بات کہنے سننے والا نہیں ملتا تھا۔وہ پریشان حال، اُجاڑ صورت گھر میں بیٹھی رہتی اور دانی اور بیزار ہو جاتا۔پھر نہ جانے کس طرح مگر ہمیشہ کی طرح اس کی رفیقِ اول بے غرض ممتا صفت لالہ قزلباش جواب مسز لالہ حسیب سہگل تھی، اس کے پاس آئی۔

"کیا بات ہے مہرو؟" وہ اس سے پوچھتی رہی۔اور اس سے تو وہ دل کی کوئی بات نہیں چھپاتی تھی۔مگر اب اس نئی سیکھی عادت کے ہاتھوں مجبور ہو کر وہ اسے جھٹلاتی رہی۔

اس شام کو ایک تقریب کے سلسلے میں دانی کی رفاقت میسر آنے کا امکان تھا مگر وہ رات تک نظریں دروازے پر لگائے بیٹھی رہی اور وہ نہیں آیا۔اس کی برداشت کے پیمانے میں صرف ایک قطرے کی کمی تھی۔وہ پوری ہوئی تو وہ لبالب بھر گئی اور اس نے بھاگ کر ممتا صفت لالہ کی طرف رُخ کیا۔مدتوں بعد وہ چھلک کر روئی تھی۔بلک بلک کر۔لالہ کا گھر، ڈیفنس کا سارا علاقہ، بلکہ وہ سارا شہر راوی سمیت اس کے آنسوؤں میں بہہ جانے کو تھا۔جب لالہ نے اسے تسلی دے کر کہا تھا۔

"اچھا...... میں دیکھوں گی کہ میں کیا کر سکتی ہوں اب تم گھر جاؤ۔"

اور وہ جیسے عرصے کے بعد سکون پذیر ہوئی تھی۔آنسو پونچھ کر خاموشی سے واپس آگئی تھی۔یوں جیسے معمول کے مطابق وزٹ کرنے گئی ہو۔

O......❖......O

مہرین خود تو اپنے دُکھڑے بیان کر کے واپس آ گئی تھی مگر سالوں بعد لالہ کو نئے سرے سے ایک نئی اُلجھن میں مبتلا کر آئی تھی۔ اتنے عرصے میں مہرین اور دانی کو یوں اکٹھا اور خوش دیکھ کر وہ بھی بڑے دل سے خوش ہوتی رہی تھی۔ ان دونوں کی انڈر اسٹینڈنگ اسے مثالی لگا کرتی تھی۔ وہ اپنی زندگی کو مختلف طریقوں سے انجوائے کرتے تھے۔ سوشل فنکشنز ہائی سوسائٹی ڈیلینگز سے پرے بھی ان کی میل ملاقات کے اپنے ڈھنگ تھے۔ ایک مختلف حلقہ احباب بھی تھا وہ خود، سارہ، رضا، نعمان، صبا اور عمر وغیرہ مہینے میں کم از کم ایک بار وہ ان کو اپنے ہاں اکٹھا کرتے دوستوں کے کمرے میں محفل جمتی۔ شور ہنگامہ بپا ہوتا۔ اور یوں ملاقات کا بہانہ بن جاتا۔ مصروفیات میں سے وقت نکال کر وہ چھ ماہ میں ایک بار کچھ دن صرف اپنے لیے مخصوص کر لیتے۔ گھومتے پھرتے آپس کے تعلق کی نئے سرے سے تجدید کرتے۔ اتنی خاموشی اور سکون سے انہوں نے ایک دوسرے کی خوبیوں اور خامیوں کو سمجھا تھا کہ محسوس ہی نہیں ہوتا تھا کہ وہ دونوں شروع سے اکٹھے رہتے نہ آئے ہوں گے۔

دانیال کے مزاج سے تو خیر لالہ بہت اچھی طرح واقف تھی۔ شدت کے جذبات مگر دھیمی لو پر بھڑکتے ہوئے۔ وہ آج بھی اسی کا قائل تھا۔ بیوی سے عاشق معشوقی کا رشتہ استوار کیے ہوئے بلیک کافی کی تلخی سمیت۔ مگر اتنے عرصے میں اس نے مہرین سے نئی واقفیت حاصل کی تھی۔ حاجی پورہ کی مہرین جب بیاہ کر گارڈن ٹاؤن آئی تھی تو لالہ کا خیال تھا کہ عشق اور محبت کا اپنا بھی کمال ہو گا۔ مگر نئے ماحول کی چکا چوند مہرین کو متاثر کیے بغیر نہیں رہے گی اور اب معلوم ہو گا کہ دانیال کا یہ اندر کس نے دیکھا تھا۔ مگر اس نے دیکھا کہ اعلیٰ طرزِ زندگی، دولت، بینک بیلنس، قیمتی لباس، سامان آرائش و جمال، گاڑیاں، گھر، پوری دنیا کے ٹورز، نادر زیورات یہ سب کچھ مہرین کے لیے ثانوی چیزیں تھیں۔

یہ سب مل جانے پر بھی دانی کو پا لینے کی سرشار کر دینے والی کیفیت اس پر ہر وقت حاوی رہتی۔ اس کی زندگی کی واحد اور بڑی خوشی اور کامیابی دانیال کا حصول تھی۔ یہی اس کے لیے ناممکن تھا جو معجزے نے ممکن کر دکھایا تھا۔ ورنہ پہلے یوٹیلٹی سٹور کے چکر لگانے والی اور جمعہ بازاروں میں خوار ہونے والی مہرین ضیاء کھڑے کھڑے دنیا جہان کی چیزیں خرید لینے کی استطاعت رکھنے والی مسز مہرین دانیال بن جانے پر بھی اتنی ہی بے نیاز، فقیر منش اور مطمئن نظر آتی تھی۔ جتنی پہلے تھی۔ ان سب چیزوں میں اسے کوئی کشش محسوس نہیں ہوتی تھی۔ ہاں کبھی کبھی وہ ان سے بیزار ضرور ہو جاتی تھی۔

"یہ دنیا بڑی عجیب ہے۔ یہاں انسان کو اصل مار کر جینا پڑتا ہے۔" وہ کہتی۔

"نہ چاہنے کے باوجود سجے بنے رہو، پارلرز کے چکر لگاؤ، قیمتی کپڑے پہنو، ناپسندیدہ لوگوں سے ملو۔ یہ تو نری قید ہے۔" وہ صاف گوئی سے کہتی۔

گو دانیال نے کبھی اسے خلافِ طبع کام پر مجبور نہیں کیا تھا مگر بعض مجبوریاں آپ سے آپ نرغے میں لے لیتی ہیں۔ مہرین کو بھی ایسی ہی مجبوریاں تھیں ساس کی، نندوں کی، جٹھانیوں کی جن کا خیال تھا کہ وہ لاکھ جنم لینے پر بھی ان کی طرح پولشڈ نہیں بن سکتی۔ وہ ان کو بن کر دکھانا چاہتی تھی۔ اسی لیے ان مجبوریوں سے سمجھوتا کر بیٹھی تھی۔

"ورنہ تو میں وہی ہوں محلّہ حاجی پورہ کی ہر کلاس میں فرسٹ کلاس لینے والی سادہ اور بے نیاز مہرین ضیاء۔"

اپنے سجے بنے وجود کی تعریف کیے جانے پر وہ ہنس کر سادگی سے کہتی۔

''مجھے بڑا بُرا لگتا ہے جب میں اپنے میکے جاتی ہوں۔ وہ لوگ مجھ سے اپنی مہرو کے بجائے قزلباشوں کی بہو والا سلوک کرتے ہیں۔ اول تو دانی مجھے جانے نہیں دیتے، چلی جاؤں تو ان سب کا مؤدبانہ رویہ مجھے پریشان کر دیتا ہے۔''

اس کے ماں باپ نے جس طرح گن پوائنٹ پر اس کا رشتہ دیا تھا وہ واقعہ زندگی بھر کے لیے ان کو خوفزدہ رکھنے کو کافی تھا۔ اگرچہ بعد میں وقت نے ثابت کیا تھا کہ کل تک دھمکیوں کے بل پر نکاح کرنے والا لڑکا دراصل کتنا سعادتمند اور نیک فطرت ہے مگر وہ مہرین سے قزلباشوں کی بہو کا سلوک کرنے پر مجبور تھے۔ خود مہرین کو اپنے ماضی کا کوئی کامپلکس نہیں تھا۔ پھر بھی وہ ساس، نندوں، جٹھانیوں کی تمسخرانہ نگاہوں سے خائف تھی۔ جب وہ میکے جاتی تو اپنے سادہ لوح روایت پسند ماں، باپ کے دیئے جوڑے اور پیسے لا کر چھپا دیتی تھی۔ مانی کی پیدائش پر انہوں نے جو جوڑے اس کو اس کے لیے، دانیال کے لیے، سسرال والوں کے لیے دیئے تھے۔ بچے کے کپڑے، اس کے کھلونے سونے کی چھوٹی سی انگوٹھی نہ جانے کن جتنوں سے بنائے تھے وہ بھی کسی کو دکھائے بغیر اس نے اپنے پُرانے کپڑوں کے نیچے رکھ دیئے تھے البتہ لالہ کو ضرور بتایا تھا۔

''میں دکھا ضرور دیتی مگر دکھا دینے پر مجھ سے زیادہ دانی کی پوزیشن آکورڈ ہو جاتی اور یہ میں ہرگز نہیں چاہتی۔''

اس نے کہا تھا اور دانی پر تو وہ پوری طرح فنا ہو چکی تھی۔ اتنا سنبھال کر رکھتی تھی جیسے وہ شیشے کا بنا ہو۔ اس کا ایک ایک عمل دانی کے موڈ اور پسند کے طابع ہوتا تھا۔ پسند ناپسند کی یہ پابندیاں بھی اس نے خود ہی لگا رکھی تھیں ورنہ دانی اچھا خاصا لبرل آدمی تھا۔ مگر یوں فنا ہو جانا، جوگن بن جانا بھی مہرین کی ایک مجبوری تھی۔ یہ مجبوری اس مڈل کلاس ماحول نے اس کی گھٹی میں ڈالی تھی۔ جہاں سے وہ آئی تھی ورنہ اس طبقے میں تو ایسا تصور ہی عنقا تھا اور شاید اس کے فنا ہو جانے کی خاصیت ہی وہ مقناطیسی پاور تھی جس نے دانی جیسے بظاہر ٹھنڈے مزاج مگر دراصل شدت پسند شخص کو اپنی طرف کھینچا تھا۔ اسی دھوپ چھاؤں میں ان کی زندگی کی گاڑی مزے سے چل رہی تھی۔

دوسری طرف لالہ خود تھی۔ دانی کی شادی کے بعد مہرین کے ڈیپارٹمنٹ چھوڑ دینے کے بعد اس نے فائنل میں ٹاپ کر لیا تو اس کی زندگی کے افق پر حسیب نمودار ہو گیا۔ حسیب اس کے ماموں کا بیٹا تھا اور اس سے سات آٹھ سال بڑا تھا۔ نہ جانے کون کون سی ڈگریاں لینے کے بعد وہ تقریباً دس بارہ سال امریکہ میں گزار کر جب لوٹا تو اپنی سنجیدہ شخصیت، ذہین آنکھوں، سنہرے فریم کی عینک اور ٹھہری ہوئی گفتگو سمیت لالہ کو ڈسٹرب کر گیا۔ اس نے لاشعوری طور پر اس سے پرے رہنا شروع کر دیا۔ ان پر شادی سے پہلے دانی کے دیئے ریمارکس کا بڑا اثر تھا۔ خواہ وہ باتیں اس نے اپنا ایگریشن نکالنے کے لیے ہی کہی ہوں۔ اب تو وہ خود بھی اپنی ممتا بھری کیفیت سے سخت خائف ہو چکی تھی۔ اسے یقین ہونے لگا تھا کہ جو مرد بھی اسے قریب سے جان لے گا اس سے متاثر نہیں ہو گا۔ اس لیے اس نے حسیب سے دور رہنا شروع کر دیا۔ یہ شاید اس دوری کا باعث تھا کہ حسیب نے اس کے حصول کی خواہش کا برملا اظہار کر دیا۔ نہ کوئی دھما کا ہوا نہ ہی کوئی افیئر بنا اور وہ بیاہ کر حسیب کے گھر آ گئی۔ اپنی کمپرومائزنگ اور نیک فطرت کے سبب اس نے بڑی جلدی ایڈجسٹ کر لیا۔ ماحول اور رہن سہن میں کوئی خاص فرق نہیں تھا۔ حسیب کا گھر اسے

اپنے ہی گھر کی ایک ایکسٹینشن لگا۔ یوں اسے کوئی مشکل درپیش نہیں آئی۔ وہ ایک دوسرے سے خوش تھے اور زندگی میں مگن تھے اب بھی وہ بڑی یکسوئی سے زندگی گزار رہی تھی۔ ویسے ہی لوگوں کی مدد کو ہردم تیار۔ رونے والوں کے ساتھ رونے والی اور ہنسنے والوں کے ساتھ ہنسنے والی۔ مگر اس نئے چیلنج نے اسے پریشان کر دیا تھا۔ مہرو اور دانی، دانی اور مہرو۔ اس دن کے بعد اس کے سر پر یہ دو نام سوار ہو گئے۔ اُٹھتے بیٹھتے، سوتے جاگتے، کھاتے پیتے، گھومتے پھرتے اسے اپنے ذہن پر بوجھ سا محسوس ہوتا اور مہرین تھی کہ یونیورسٹی کے زمانے کی طرح اشکوں کے دریا بہائے دے رہی تھی۔

''بھئی محض شک ہے تمہارا۔ دانی کوئی بچہ تو نہیں ہے اب۔'' وہ اسے سمجھاتی۔

''نہیں للّی! کوئی ہے ضرور۔ میرے اور اس کے درمیان۔ بھلا میں کیسے نہ سمجھوں گی۔'' وہ سر ہلا کر کہتی اور شوں شوں کرنے لگتی۔

''تم نے کچھ دیکھا ہے۔ کچھ سنا ہے؟'' وہ اپنے تجربے کو چھپا کر پوچھتی۔ ''تمہیں کیسے پتا ہے؟''

''یہ دیکھنے یا سننے کی بات نہیں ہے۔ مجھے آپ سے آپ پتا چل گیا ہے۔ یہ میری انٹیوشن ہے جس نے مجھے بتایا ہے۔ دانی کے دل کی جس شاہراہ پر میں چل رہی ہوں وہ بلاک ہوگئی ہے۔ پہلے اس شاہراہ کا صاف ستھرا راستہ تھا اردگرد رنگ برنگے جھنڈے لگے ہوئے تھے۔ جیسے کسی وی آئی پی کو خوش آمدید کہنے کے لیے تیاریاں کررکھی ہوں۔ میں بڑے آرام اور سہولت سے اس کے دل تک پہنچ جاتی تھی پر اب تو کئی دن سے وہاں سرخ جھنڈیاں لگی ہیں۔ آٹھ دس ڈرم اوندھے پڑے ہیں۔ راستہ بند ہے۔'' پھر وہ دوبارہ رونے لگ جاتی۔

''جو سڑک زیر تعمیر ہوتی ہے اس پر، متبادل راستہ اختیار کیجیے کے بورڈ بھی لگے ہوتے ہیں مہرو۔'' وہ رسان سے کہتی۔

''دانی کے دل تک پہنچنے کے لیے ایک ہی راستہ ہے متبادل وغیرہ کچھ نہیں۔ میرا راستہ بند ہوگیا ہے اب اس نے کسی نئی کمپنی کو ٹھیکہ دے دیا ہے للّی! اب میں کیا کروں۔'' اس کی ہچکی بندھ جاتی۔

لالہ جانتی تھی کہ عشق میں فنا ہو جانے والی جوگنوں کا یہی حال ہوا کرتا ہے۔ وہ محبوب کے ایک ایک موڑ سے آپ سے آپ واقف ہو جاتی ہیں۔ آنے والے خطروں کو درمیان میں آنے والے ہیولوں کو دل کی آنکھ سے دیکھ لیتی ہیں۔ یہی مہرین کا حال تھا۔ اس کے لیے تو آگے پیچھے دائیں بائیں صرف دانیال ہی تھا وہ کیسے نہ جانتی۔

مگر پھر بھی اس نے اس بار اپنی ممتا بھری طبیعت کو قابو میں رکھ کر مہرین اور دانی کو یہ مسئلہ خود حل کرنے کا موقع دینا چاہا تھا۔ آخر کب تک میں ان دونوں کے پیچھے خوار ہوتی رہوں۔ اس نے لمحہ بھر کے لیے خود غرض ہو کر سوچا۔ مگر یہ اس کی قسمت میں ہی نہیں تھا۔ ابھی وہ فیصلہ کرنے یا نہ کرنے کے درمیان ہی اٹکی ہوئی تھی کہ اسے گرینی نے بلا بھیجا۔

وہ سر پر ساڑھی کا پلو ڈالے ہمیشہ کی سی آن بان سے بیٹھی تھیں۔

''میں نے تمہیں ضروری کام سے بلایا ہے لالہ بچے۔'' انہوں نے بغیر فالتو بات کیے کہا۔

''شاید تمہیں علم نہ ہو کہ دانی اور مہرو کے درمیان روز بروز فاصلے بڑھ رہے ہیں۔ وہ مجھے تو نہیں بتاتے مگر میں

خود سے سمجھ رہی ہوں۔ میں وجہ بھی نہیں جانتی۔ مگر کوئی بات ایسی ضرور ہے جو ان دونوں کو ایک دوسرے سے دور کر رہی ہے۔''

وہ کہہ رہی تھیں اور وہ ایک دفعہ پھر پھنس جانے کی کیفیت خود پر محسوس کر رہی تھی۔

''میں تم سے مدد چاہتی ہوں تم ان دونوں کی مشترکہ دوست ہو انہیں اچھی طرح جانتی ہو۔ ہم مل کر کوئی ایک لائحہ عمل بنا کر ایک بڑی ممکنہ ٹریجڈی کو ہونے سے روک سکتے ہیں۔''

لاتعلق رہنے کے فیصلے پر عملدرآمد کرنے کے بجائے اسے گرینی کی درخواست پر غور کرنا پڑا اور دن رات سوچنے کے بعد اس نے ایک مختلف فیصلہ کر لیا۔ اپنی کیئرنگ اور نیک دل طبیعت کے باعث اسے یہ فیصلہ کرنا ہی پڑا۔

وہ شازینہ ہمایوں تھی ایک مشہور و معروف سیاستدان کی بیٹی جو دانیال اور مہرین کے درمیان آ گئی تھی اور جسے دانیال نے دل کی نئی شاہراہ تعمیر کرنے کا ٹھیکہ دے دیا تھا۔ اس کے بارے میں کافی معلومات اسے خود دانیال کی بہن رخشی نے بہم پہنچائی تھیں اور پھر اس نے اپنی لائن آف ایکشن تیار کی۔ اتفاق سے کچھ دن پنڈی میں گزار کر جب وہ واپس آئی تو حسیب لندن جا چکا تھا۔ اس کا وہاں کچھ عرصہ رہنے کا پروگرام تھا۔ اس نے اسی موقع کو غنیمت جانا۔ مہرین سے وہ کہہ چکی تھی کہ دانیال کو یہ شک نہ ہونے دے کہ اس نئے کرائسس کے بارے میں وہ کچھ جانتی تھی۔

○......❖......○

وہ صبح بہت خوشگوار تھی جب وہ دانیال کے آفس بغیر اطلاع کے پہنچی تھی۔ اتفاق سے وہ آفس میں موجود تھا اور اس کی سیکرٹری کے مطابق فائلز چیک کر رہا تھا۔ اس نے انٹرکام پر اپنی آمد کی اطلاع بھجوائی اور فوراً ہی اندر بلا لی گئی۔ اس نے بہت دن کے بعد دانیال کو دیکھا تھا۔ بلیک پینٹ اور گرے سوٹ میں ملبوس اس کی شخصیت ہمیشہ کی طرح سجی سجائی تھی۔ ایک سو چار ڈگری کا دانیال قزلباش بخار چڑھا دینے والی۔ وقت نے اس کی شخصیت پر کوئی خاص اثر نہیں ڈالا تھا۔ لالہ نے کافی دن کے بعد دانیال کو غور سے دیکھا وہ اسے دیکھ کر حیران ہوا تھا۔ مگر ہمیشہ کے شولرس انداز میں اسے خوش آمدید کہہ رہا تھا۔

''آج یہاں کیسے؟ زہے نصیب۔''

انٹرکام پر اپنی سیکرٹری کو فی الحال کوئی کال نہ ملانے اور کوئی ملاقاتی اندر نہ بھیجنے کا حکم سنا کر اس نے کہا۔ وہ جواب دیئے بغیر اس کے شاندار کمرے کا جائزہ لیتی رہی۔ وہاں موجود ہر چیز امپورٹڈ تھی۔ سوائے دانیال کے۔

''تمہارا آفس تو بے حد شاندار ہے۔ پہلی مرتبہ اتفاق ہوا دیکھنے کا۔'' اس نے ایسے ہی تمہید باندھی۔

''بات کیا ہے۔ تمہارا انداز بتا رہا ہے جیسے تم خواتین کے کسی فلاحی ادارے کے لیے امداد مانگنے آئی ہو۔ کتنے کا چیک چاہیے؟'' وہ مسکرا کر بولا۔

''امداد؟'' اس نے چونک جانے کا مظاہرہ کیا۔

''ہاں امداد۔'' پھر اس نے کرسی کی پشت سے سر لگایا۔ ''میں امداد حاصل کرنے ہی آئی ہوں دانی! مگر کسی فلاحی ادارے کے لیے نہیں، اپنے لیے۔ اپنی ذات کے لیے۔'' اس کے لہجے میں نہ جانے کیسا درد تھا کہ دانیال قزلباش کا دل اچانک بُری طرح گھبرا گیا۔

''تم چائے پیو گی یا کافی یا کچھ اور لو گی؟'' اس نے گڑبڑاتے ہوئے کہا۔

''کچھ نہیں دانی! مجھے تمہارا صرف کچھ وقت درکار ہے اور کچھ نہیں۔'' وہ بے حد جذباتی انداز میں بلیک اینڈ گولڈ کارروڈ میٹل آفس ٹیبل کے گلاس ٹاپ پر بازو ٹکا کر بولی۔ دانیال دیکھ رہا تھا کہ اس کی آنکھوں کے ڈورے گیلے ہو رہے تھے۔

''للّی اور یہ اندازِ شکستگی۔'' اس نے پریشان ہو کر سوچا۔

''ہاں بولو لیکن پہلے تم ذرا ریلیکس کرو۔ مجھے تم پریشان نظر آ رہی ہو۔'' اس کی بات سننے سے زیادہ وہ بچنے کی کوشش کر رہا تھا۔ ''ویسے کیا اس وقت ہی بات کرنا ضروری ہے؟ پھر کسی وقت میرا مطلب ہے فارغ وقت میں۔ گھر پر کسی وقت۔''

''نہیں...... اسی وقت ضروری ہے، فارغ وقت کہاں ملے گا۔ مجھے تمہاری سیکرٹری نے بتایا ہے، آج تمہاری کوئی میٹنگ نہیں۔ تم نے صرف مختلف جگہوں پر وزٹ کرنا ہے۔ کیا تم میرے لیے اپنی وزٹس ملتوی نہیں کر سکتے۔ دانی پلیز! مجھے تمہاری مدد درکار ہے۔ میں تم سے اکیلے میں بات کرنا چاہتی ہوں۔ یہاں اور اسی وقت اور مجھے معلوم ہے، گھر پر تنہائی نہیں مل سکتی۔''

''اچھا۔'' اس نے پیچھے ہو کر ریوالونگ چیئر گھماتے ہوئے یوں کہا جیسے کوئی راہِ فرار نہ ہو۔

''کہو کیا بات ہے؟'' یقیناً وہ دل میں اپنی سیکرٹری کو شائستہ قسم کی گالیوں سے نواز رہا ہو گا۔

''میری سمجھ میں نہیں آ رہا، میں کیا کہوں۔'' اس نے بات کا آغاز کیا۔ ''میں بہت دن سوچتے رہنے کے بعد تمہارے پاس آئی ہوں۔ کیونکہ میں اس نتیجے پر پہنچی ہوں کہ تمہارے علاوہ اور کوئی نہیں جس سے میں بات کر سکوں، دل کا حال بتا سکوں، مشورہ لے سکوں۔ آج سے پہلے تک تو یہی ہوتا آیا تھا کہ تمہیں مدد کی ضرورت ہوتی تھی اور تم میرے پاس چلے آتے تھے مگر آج...... اوہ دانی! میں بے حد اپ سیٹ ہوں۔ بے حد اپ سیٹ۔''

اس نے اپنی آنکھوں پر ہاتھ رکھا اور آنسو بہہ نکلے۔ اب تک دانیال اندرونی خوف کا شکار تھا یہ سوچ رہا تھا کہ کوئی دُکھڑا مہرین نے اسے جا سنایا ہو گا اور وہ اسے سرزنش کرنے آئی تھی۔ مگر یہاں تو معاملہ ہی اس سے برعکس نظر آیا۔ لمحہ بھر میں اس کا لہجہ مضبوط ہوا۔ اور وہ اپنی جگہ سے اُٹھ کر لالہ کی چیئر کے پیچھے آن کھڑا ہوا۔

''ریلیکس لالہ! پلیز ٹیل می واٹ از ہیپنڈ۔''

اس نے زندگی میں پہلی مرتبہ لالہ کو اس مربیانہ انداز میں مخاطب کیا جس میں اب تک ضرورت پڑنے پر وہ اس کو مخاطب کرتی رہی تھی۔ مگر آنسو تھے جو بہے چلے جا رہے تھے اور رُکنے کا نام لینا گناہ جان رہے تھے۔ ایسی آکورڈ پوزیشن میں آج سے پہلے وہ اب تک کبھی نہیں پھنسا تھا اور اسے یہ بھی نہیں معلوم تھا کہ اس سچویشن کو کیسے ہینڈل کیا جاتا ہے۔ اس نے ایک نظر اپنی پینٹ کی کریز پر ڈالی۔ ٹائی درست کی اور آہستگی کے ساتھ گھٹنوں کے بل لالہ کے سامنے بیٹھ گیا۔ یوں کہ آدھے سے زیادہ بوجھ اگلے قدم پر تھا۔

''اس طرح کیا فائدہ لالہ! اس طرح تو مجھے کچھ پتا نہیں چلے گا۔'' اس نے اپنا دایاں ہاتھ لالہ کے ہاتھ پر رکھ کر اسے تھپتھپاتے ہوئے کہا۔ لالہ نے بھیگی پلکیں اُٹھا کر ایک نظر کارٹیئر سے مزین کلائی پر ڈالی اور شوں شوں کے

بعد شروع ہوگئی۔

"میرا مسئلہ حسیب ہے دانی!" اس نے کہا۔ "تمہیں تو پتا ہے وہ کتنا ریزروڈ، سیلف سینٹرڈ اور میچورڈ آدمی ہے۔ بس اس کی انہی خوبیوں سے متاثر ہو کر تو میں نے اس سے شادی کی تھی۔ میری اپنی شخصیت میں بھی کوئی گلیمر، کوئی رنگ و بُو نہ تھا، اس لیے ہمارے درمیان بہت جلد بڑی اچھی انڈر اسٹینڈنگ ہوگئی۔ زندگی اچھی بھلی گزر رہی تھی مگر اب نہ جانے کیا ہوگیا ہے۔ حسیب نے پینترا بدل لیا ہے۔ اس کا طرزِ زندگی، اس کی مصروفیات، اس کی دلچسپیاں بدل گئی ہیں۔ کھانا پینا، سونا جاگنا، اُٹھنا بیٹھنا ہے تو سب ویسے ہی ہے مگر میری موجودگی میں بھی مجھ سے ماورا۔ میرے سامنے بھی اور میری ہی نظروں سے اوجھل۔ ایک اَن دیکھی دیوار درمیان میں تعمیر ہونا شروع ہوگئی ہے۔ وہ گھر سے باہر رہتا ہے۔ لوگوں میں، خوش گپیوں میں، بزنس ڈیلنگ میں ہنستا کھیلتا رہتا ہے اور میں گھر کے اندر ایک اَن چاہے ورٹیگو میں مبتلا چکر کھاتی پھرتی ہوں۔ میرا دماغ پھٹتا ہے۔ دل دھاڑیں مارنے کو چاہتا ہے۔ ہاتھ گھر میں موجود ہر چیز کو توڑنے پھوڑنے کے بعد حسیب کا گلا دبا دینے کی خواہش کرتے ہیں۔ مگر پھر مجھے محسوس ہوتا ہے کہ میں تو بے حد کمزور ہوں۔ پانی کا گلاس تک پکڑنا مجھے محال ہے۔ میں کچھ کیا توڑوں گی، گلا کیا دباؤں گی؟"

یہ جذباتی گفتگو جو کتھارسس کے زمرے میں آتی تھی، دانیال کا دماغ چکرا گئی۔

"اور تمہیں پتا ہے، ایسا کیوں ہوا؟" کچھ دیر مزید رونے کے بعد اس نے سر اُٹھا کر کہا۔

"اس میچور ایج میں حسیب کو خیال آ گیا کہ اچھی بھلی نوجوانی اور جوانی یونہی ضائع کی۔ دوسروں کی طرح حُسن و شباب کا نوٹس لیے بغیر۔ اس عمر میں، دانی سوچو اس عمر میں۔" وہ اسے بھی اصرار کر کے اپنے استعجاب میں شرکت کا دعوت نامہ دیتے ہوئے بولی۔

"اب پتا ہے، وہ کیا کرتا ہے؟ وہ ہر اس فنکشن میں جاتا ہے جہاں سرکل کی ساری نوجوان طرحدار لڑکیاں آتی ہیں۔ وہ کاکا بن کر ان کے درمیان بیٹھا رہتا ہے۔ وال اسٹریٹ جنرل اور اکانومسٹ کی دنیا سے نکل کر کاسموپولیٹن اور ووگ کے آرٹیکلز ڈسکس کرتا ہے۔ گونِ ود دی ونڈ اور لارنس آف عریبیہ دیکھنے والا بیسک انسٹنکٹ اور ہاورڈز اینڈ دیکھنے لگا ہے۔ کل تک جو بیتھووِن اور موزارٹ کی سمفنیز پر جھوما کرتا تھا اب اس حلقہ یاراں میں ایم ٹی وی ایرک کلیپٹن اور اپیچے انڈین کے ویڈیوز ڈسکس کرتا ہے۔ کل تک جسے یہ نہیں پتا تھا کہ کون سے رنگ کی شلوار کے ساتھ کون سے رنگ کی قمیص پہننا چاہیے آج ان سے فرانس کے مشہور ڈریس ڈیزائنرز کی ہسٹریز پر بات کرتا ہے۔ ہر روز ایک نیا فنکشن، ہر روز ایک نئی شہد کی مکھی۔ جب وہ بے بی، بے بی کی دھن پر سیٹی بجاتا گھر واپس آتا ہے تو میرا دماغ سن ہو جاتا ہے۔ ہاتھ پاؤں بے جان ہو جاتے ہیں اور میں خالی نظروں سے اسے دیکھتی رہ جاتی ہوں۔ ہائے دانی! مجھے بتاؤ میں کیا کروں۔ میں تو اس کے کورٹ میں پڑی وہ گیند بن گئی ہوں جسے اس نے اُٹھا کر سائیڈ لائنز پر رکھ دیا ہے اور خود ہر روز نئی سے نئی بال پر پریکٹس کرتا پھر رہا ہے۔"

اس نے ایک مرتبہ پھر بہہ نکلنے والے آنسوؤں کے سیلاب میں گم ہوتے ہوئے کہا۔

"یہ تم کہہ رہی ہو؟" دانی کچھ نہ سمجھ سکنے، کچھ یقین نہ کر سکنے والی کیفیت میں بولا۔

"حسیب! تمہارا مطلب ہے حسیب یہ سب کچھ کرتا پھر رہا ہے۔ حسیب! اوہ نو۔"

وہ اس بات کو ہضم نہیں کر پا رہا تھا۔ اوپر سے آنسوؤں کی یہ مسلسل برسات اسے کنفیوز کیے دے رہی تھی۔ پھر فون کی بیل پر اسے ادھر متوجہ ہونا پڑا۔ اسے ایک انتہائی اہم بزنس ڈیل سائن کرنے جانا تھا اور اس کی سیکرٹری کے مطابق وہ لیٹ بھی ہوسکتا تھا۔ اس نے جھنجھلا کر سیکرٹری کو ڈانٹا۔ ادھر اس کے آفس میں جو جھڑی لگی ہوئی تھی پہلے اس سے تو نبٹ لیتا۔ اسے روتی ہوئی عورت کو خاموش کرانے کا کوئی تجربہ نہیں تھا۔

''لالہ! پلیز میری بات سنو۔'' اس نے ایک کمزور سی سعی کی۔ ''میں تمہارے مسئلے کو سمجھ رہا ہوں۔'' ایک پکا جھوٹ بولتے ہوئے وہ قطعی نہیں گھبرایا۔ ''ہم اس پر بات کریں گے۔ پھر بات کریں گے اور ضرور کریں گے لیکن اس وقت پلیز ...... تم ......'' اس کی سمجھ میں نہیں آ رہا تھا کہ اس سے کیسے کہے کہ اس وقت چلی جاؤ۔

''میں تمہارے پاس بڑے مان سے آئی تھی دانی میرا خیال تھا کہ صرف تم ہی میری بات سن اور سمجھ سکو گے۔ جیسے آج تک میں نے تمہاری سنی اور سمجھی۔ بتاؤ کب تم نے مدد مانگی اور میں نے انکار کیا۔ مجھے کیا معلوم تھا کوئی ایسی ضرورت پڑے گی تو تم یوں اجنبی بن کر وقت کی کمی اور اہم کاموں کا بہانا کرنے لگ جاؤ گے۔'' وہ اس کا مطلب سمجھ کر بھڑک اُٹھی۔

قرض تو اس لڑکی کے واقعی بہت سارے تھے واجب الادا بھی تھے۔ اس وقت اچانک اسے اپنی کمینگی پر شرمندگی محسوس ہوئی اور اس احساسِ شرمندگی سے مغلوب ہو کر ہی اس نے انتہائی اہم ڈیل سائن کرنے کے کام کو گولی مارتے ہوئے اپنی اس فرسٹ کزن کو اُٹھایا اور گاڑی میں بٹھا کر پُرسکون ماحول کی تلاش میں سالوس لے آیا۔ یہی وہ جگہ تھی جہاں کئی سال پہلے وہ اسے اپنی اُلجھن، اپنی پریشانی سنا رہا تھا اور اب اس کے سامنے بیٹھا اس کے ازدواجی مسائل سن رہا تھا۔ اسے اب بھی یقین کر لینے میں تامل ہو رہا تھا۔ حسیب کو وہ شروع سے جانتا تھا۔ وہ عمر میں اس سے چار پانچ سال بڑا تھا۔ مگر وہ اس کی شخصیت، اس کی دلچسپیوں اور طرزِ زندگی سے بخوبی واقف تھا اور حیران تھا کہ اتنے سال تک اتنی ریزروڈ سیلف سینٹرڈ اور منجمد اثاثے جیسی زندگی گزارنے والے شخص کو کس باؤلے کتے نے کاٹا تھا جو وہ یوں جون بدل گیا تھا۔

''تمہیں غلط فہمی بھی تو ہوسکتی ہے لالہ! کم از کم آج تک تو میں نے اسے جس فنکشن میں بھی دیکھا ہے وہ بزرگ نما لوگوں میں کھڑا وال اسٹریٹ جنرل ہی ڈسکس کر رہا ہوتا ہے۔''

اس نے اگلی بار ایسی ہی تنہا ملاقات میں کہا۔ واجب الادا قرض مع سود اُتارنے کے لیے اسے لالہ کی بات اس کی ڈیمانڈ کے مطابق سننا پڑ رہی تھی۔ جب ہی تو وہ ان دو ملاقاتوں کے علاوہ پچھلے کئی دن سے دن رات کے اوور ٹائمز میں اس کی طرف سے آئی فون کالز بھی بھگتا تا رہا تھا۔

''وہاں وہ کیسے یہ سب کچھ کرسکتا ہے جہاں اس کو اتنی اچھی طرح جاننے والا کوئی ایک شخص بھی موجود ہو۔'' وہ بھیگی آواز میں بولی۔

''اور آج کل وہ لندن گیا ہوا ہے۔ وہاں بھی مجھے معلوم ہے اسے ایک سے زیادہ چمٹ چکی ہیں، جونکوں کی طرح چمٹی ہیں اسے، خون میرا چوس رہی ہیں۔'' وہ ٹرانس کی کیفیت میں بول رہی تھی۔

''تو تم اسے سمجھاؤ، اس سے بات کرو۔'' اس نے اُلجھ کر مشورہ دیا۔ مشورہ دینے کا فن بھی آج تک اسے نہ آیا

تھا۔

''کر کے دیکھ چکی ہوں وہ اُلٹا میرے گلے پڑ جاتا ہے۔ اسے مجھ ہی میں خامیاں نظر آتی ہیں۔ کہتا ہے، تم خود ہی ڈل ہو، بور ہو اور اپنی ان خامیوں پر تم بے نیازی اور سادگی کے پردے ڈال کر مطمئن کرنا چاہتی ہو۔'' لالہ نے اچانک عین دانیال کی شہ رگ پر ہاتھ رکھ دیا تھا۔

''تم بتاؤ، کیا میں بور ہوں، میں ڈل ہوں۔ میں کیا نہیں کرتی۔ کہاں نہیں جاتی۔ کہاں میں نے اس کا ساتھ چھوڑا ہے۔ جب سے شادی ہوئی ہے اپنا آپ بھول کر اس کے ساتھ لگی ہوئی ہوں۔ اس کی خوشیاں، اس کے راضی نامے، اس کا گھر، اس کے بچے۔ میں تو کہیں نفی ہو چکی ہوں درمیان میں سے اور یہ سب میں نے کیوں کیا؟ اس لیے کہ مجھے گھر بنانا اور بسانا اچھا لگتا ہے۔ ایسا گھر جہاں انسان رہتے ہوں مسافر نہیں اگر میں اپنے ساتھ کی دوسری لڑکیوں کی طرح سوچتی تو دیکھتی حسیب اس جہنم زار سے جسے لوگ گھر کہتے ہیں کیسے باہر نکلتا۔ میری تو غلطی یہ ہے کہ میں نے گھر بنانے کی خواہش میں خود کو منفی کر دیا۔ میں تو اسی جرم کی سزا بھگت رہی ہوں۔'' وہ پھر سے رونے لگی۔

''کوئی پریکٹیکلیٹی نہیں رہ جاتی بندے کے ذہن میں۔ جب وہ ایسے کرائسس کی زد میں آ جائے۔'' ایک ملاقات میں اس کے سمجھانے بجھانے پر چمک کر بولی تھی۔ ''تم عجیب باتیں کرتے ہو، پریکٹیکل ہو۔ تم خود پر کبھی عورت پنا سوار کر کے دیکھو تمہارے ہوش ٹھکانے لگ جائیں گے۔ اگر تمہیں ایسی سچویشن سے گزرنا پڑے۔ کبھی کہتے ہو، اتنا ہی ناقابلِ برداشت ہے تو چھوڑ دو حسیب کو۔ واہ کتنے مزے سے یہ بات کہہ دی۔ تم میری جگہ ہوتے تو تمہیں پتا چلتا کہ ایسی بات سینے پر کیسے زخم لگا جاتی ہے۔ میں جو گھر بنانے اور بسانے کی خواہش کرنے والی عورت ہوں، ایک مسئلے کو حل نہ کر سکنے پر گھر اُجاڑ دوں اور حسیب کو وہ کرنے دوں جو وہ چاہتا ہے۔ میں تو بھائی صاحب عمر بھر ایسا نہ ہونے دوں گی۔'' اس نے میز پر مکا مار کر کہا۔

''تو پھر مجھے بتاؤ، مجھ سے کیا چاہتی ہو۔'' دانیال اس بن بادل کی مسلسل برسات سے، ایک ہی قسم کی باتوں سے، تسلیاں دینے کے تھکا دینے والے عمل سے، اپنے دیئے تمام مشورے ریجیکٹ ہو جانے سے اُکتا چکا تھا۔

''تم...... '' وہ جو کچھ دیر پہلے شعلہ بار ہو چکی تھی اچانک ٹھنڈی ہو کر بھیگی آواز میں بولی۔ ''اور کچھ نہیں کر سکتے تو میری بات ہی سن لیا کرو۔ میرا رونا ہی دیکھ لیا کرو میرا دل پھٹنے کی آواز ہی سن لیا کرو۔'' وہ اسے پھر پسپا کرنے لگی۔

''مگر یہ سب باتیں اپنے تک رکھنا دانی! کسی سے نہ کہنا۔ مہرین سے بھی نہیں۔ ٹھیک ہے۔ وہ میری دوست ہے۔ مگر اس سے یہ بات نہیں کر سکتی۔ اپنی ناکامی اور دُکھ پر اس سے بات کرتے ہوئے مجھے کیسا احساسِ شرمندگی ہو گا۔ اس کی قابلِ رشک زندگی کے سامنے میں خود کو جھکی ہوئی، کھوئی ہوئی محسوس کروں گی۔''

ڈبے سے ٹشو پیپر لینے کے بہانے اس نے سر اُٹھا کر ایک ذرا دیر کے لیے دانیال کو دیکھا۔ وہ نارمل انداز ہی میں بیٹھا تھا اسے سخت مایوسی ہوئی۔

''میری بات سن لیا کرو۔'' اس...... ایک التجا پر دانیال کو اپنے معمولات میں کئی تبدیلیاں کرنا پڑیں۔ اب دن کے کسی ایک حصے میں یا تو لالہ کے پاس اسے گھر جانا پڑتا یا پھر اسے اپنے آفس میں خوش آمدید کہنا پڑتا۔ اپنی گاڑی میں بٹھا کر آؤٹنگ کرانا پڑتی۔ اسے تسلیاں دینا پڑتیں۔ اور سب سے بڑھ کر اس کے آنسو پونچھنے پڑتے، اس کی

باتیں سننا پڑتیں۔

''مرد ذرا سا بھی راستہ بدلنے کی کوشش کرے، عورت کو فوراً پتا چل جاتا ہے۔'' وہ کہتی۔ ''اپنے مرد سے منسلک ہر عورت کے اندر ایک عجیب سا ''مانو میٹر'' لگا ہوا ہوتا ہے۔ وہ عورتیں جن کی تمام تر حسیات اس مانو میٹر پر مرتکز ہوتی ہیں۔ انہیں آپ سے آپ پتا چل جاتا ہے کہ پیچھے سے وولٹیج کم آ رہی ہے اور وہ چونک جاتی ہیں جیسے میں چونکی تھی۔ دانیال تم اس اذیت کو کبھی نہ سمجھ سکو گے جو میں محسوس کرتی ہوں، دن رات، صبح شام۔''

''تم نے تو خود سائیکالوجی پڑھ رکھی ہے لالہ! اس میں تو کئی حل ہوں گے، مرد کی فطرت سے ڈیل کرنے کے۔'' وہ بیچارگی سے بولا۔

''سب کتابی باتیں ہیں؟'' وہ سر جھٹک کر کہتی۔ ''جب انسان حقیقت میں انہیں اپلائی کرنے لگے تو پتا چلتا ہے کہ وہ تو بنیادی ضروریات ہی پوری نہیں کر سکتا پریکٹیکل کی۔ تمہیں پتا ہے دانی! جب تمہارا اور مہرو کا سلسلہ شروع ہوا تھا۔ تو میں ایک طرف کھڑی تمہاری جنوں خیزیاں دیکھتی رہتی تھی اور سوچتی تھی کہ شاید مہرین غلطی کر رہی ہے، تمہارا کیا ہے، تم پر جذباتی دور آیا۔ یہ ختم ہو گیا تو نقصان میں تو مہرو ہی رہے گی نا۔ پھر اسے بڑا کچھ سہنا پڑے گا۔ مجھے مہرو کی بیوقوفی پر، اس پر ترس آتا تھا۔ مگر اب میں سوچتی ہوں کہ میں کتنا غلط سوچتی ہوں۔ مہرو تو بے حد خوش قسمت ہے اور تم اپنے قول کے کتنے پکے۔ تم جیسے تھے ویسے ہی ہو۔ مہرو کی محبت برقرار ہے، تمہارا گھر سجا بنا خوشیوں کا گہوارہ ہے۔ جہاں انسان رہتے ہیں۔ آج میں مہرو پر رشک کرتی ہوں دانی اپنا حال دیکھتی ہوں تو اس سے آنکھ نہیں ملا پاتی۔ جب ہی تو تمہارے گھر جانا چھوڑ دیا ہے۔''

ایک بار اس نے کہا۔

''اور اس نے بھی میرے پاس آنا چھوڑ دیا ہے۔ وہ اپنی زندگی اپنی دنیا میں اتنی مگن ہے کہ اسے کسی تیسرے فرد کی ضرورت ہی نہیں۔ ہے نا، دانی! تم لوگوں کو کسی تیسرے کی ضرورت نہیں ہے نا۔ اسی لیے تم لوگ اب گیٹ ٹو گیدر بھی نہیں کرتے۔ دوستوں کا کمرہ تم نے بند کر دیا ہے نا؟'' پھر اس نے اس سے تائید چاہی اور وہ نہ جانے کیوں نظریں چرا کر رہ گیا۔

''تم اپنی سوچو۔ یہ بتاؤ تم نے کیا کرنا ہے۔'' اس نے بات بدل ڈالی۔

''میں نے کیا کرنا ہے۔'' اس نے واپس سر گاڑی کی سیٹ کی پشت سے لگاتے ہوئے کہا۔

''میں نے تو رونا ہے عمر بھر یا پھر اس وقت تک جب تک حسیب واپس پرانے رستے پر نہیں آ جاتا۔ میں اس کو چھوڑ نہیں سکتی دانی! مجھے بنے ہوئے گھر، پوری شخصیت کے بچے اچھے لگتے ہیں۔ اس لیے میں اسے چھوڑنا نہیں چاہتی۔''

''لیکن اگر اس نے تمہیں......'' وہ کچھ کہنا چاہتا تھا۔ مگر کہتے کہتے رُک گیا تھا۔

پھر لندن سے حسیب کی واپسی ہوئی۔ دانیال نے خاص طور سے اسے دیکھنا شروع کر دیا اور یہ دیکھ کر دنگ رہ گیا کہ لالہ ٹھیک ہی کہتی تھی۔ حسیب کی واپسی کے چوتھے دن اس نے اسے آواری کے ''ویلنٹائن ڈے'' ڈنر پر پہلی مرتبہ فرح کے ساتھ دیکھا۔ فرح کو وہ اچھی طرح جانتا تھا۔ وہ اس کی اس خالہ کی بیٹی تھی۔ جو عرصے سے لندن میں رہتی

تھی۔ فرح اس سے پانچ سال چھوٹی تھی تو حسیب سے کتنی چھوٹی ہو گی۔ وہ شوخ و شیریں، تیز و طرار۔ الٹرا ماڈرن "فرح سرفراز" کو قہقہے لگاتے دیکھتے ہوئے سوچتا رہ گیا۔ مگر اتنی جرأت نہ کر سکا کہ اُٹھ کر حسیب کے پاس جائے اور اس سے آنکھوں میں آنکھیں ڈال کر پوچھے۔

"لالہ کیوں نہیں آئی تمہارے ساتھ؟ اور یہ فرح کیسے تمہارے ساتھ وغیرہ۔"

مگر اس کے اپنے اندر چور تھا۔ جواب میں حسیب بھی پوچھ سکتا تھا۔

"پہلے تم بتاؤ مہرین کیوں نہیں آئی تمہارے ساتھ اور یہ اجنبی حسینہ کون ہے جس کے ساتھ پہلو جوڑ کر بیٹھے ہو۔"

سو وہ اپنے سامنے کی حقیقت سے نظریں چرائے اجنبی حسینہ کے ساتھ بیٹھا الجھی ہوئی گفتگو کرتا رہا۔

پھر بار ہا اس نے حسیب کے ساتھ لالہ کے بجائے فرح کو دیکھا۔ بسنت کے فنکشن پر۔ کنز میں کھانا کھاتے ہوئے، لبرٹی میں شاپنگ کرتے ہوئے۔ وہ دیکھتا رہا اور نظریں چراتا رہا۔ اس کے اپنے اندر چور تھا۔

دوسری طرف لالہ تھی۔ جو ہر دوسرے دن نیا قصہ لے کر آ جاتی تھی۔

"اب وہ اس کو لے آیا ہے۔ فرح کو کہتا ہے کہ پاکستان دیکھنے آئی ہے۔ اس نے بہت سارا پڑھ رکھا ہے، سرفراز انکل نے اسے انویسٹمنٹ کے چانسز دیکھنے کے لیے بھیجا ہے۔ میں اسے پاکستان دکھا رہا ہوں اور بزنس سکھا رہا ہوں اور اس دیکھنے اور سیکھنے کے عمل میں میری ذات کرش ہوئی جا رہی ہے۔ میں اس کے لیے کل کا اخبار بن چکی ہوں۔ میں اس کے کوٹ کا وہ بٹن ہوں جس کے ٹوٹ جانے پر اس نے دوبارہ لگانے کے بجائے اسے دراز میں رکھ دیا ہے۔ میں اس کی ڈائننگ ٹیبل کا وہ نیپکن ہوں، جس سے اس کا دل چاہتا ہے تو کبھی کبھار ہاتھ پونچھ لیتا ہے۔ نہیں تو ٹشو پیپر کے ڈبے خالی کرتا پھرتا ہے۔" وہ اس کے سامنے بیٹھی روتی جاتی اور کہتی جاتی اور وہ بے چین ہو جاتا۔ پگھلتا جاتا۔

"دیکھو لالہ!" بہت سوچ سمجھ کر اس نے کہنا چاہا۔ "بعض دفعہ ایسا ہوتا ہے انسان یکسانیت۔ سے تنگ پڑ جاتا ہے۔ اس لیے ہو سکتا ہے۔ اس لیے حسیب۔" وہ نہ جانے کیوں حسیب کی وکالت کرنا چاہتا تھا۔ مگر وہ بھڑک اُٹھی۔

"یکسانیت سے تنگ کیا مطلب۔ کیسی یکسانیت ہر نیا دن، نئی مصروفیت، نئے اتفاقات نئے رنگ نئے ڈھنگ لے کر آتا ہے۔ پھر یکسانیت کیا ہوتی ہے۔"

"میری مراد اس یکسانیت سے نہیں تھی۔ میرا مطلب ہے۔ میاں بیوی کے رشتے میں بھی تو کبھی کبھار یکسانیت آ جاتی ہے۔ ہو سکتا ہے، وہ اس سے باہر نکلنا چاہتا ہو۔ جیسے تم میں بہت ساری خوبیاں ہیں۔ ممکن ہے کہ وہ کچھ ایسی خوبیاں بھی چاہتا ہو، جو تم میں نہ ہوں۔ کسی اور میں نظر آ جائیں۔ آخر ایک انسان تمام خوبیوں کا حامل تو نہیں ہو جاتا۔ ہو سکتا ہے کہ کچھ خوبیاں کسی ایک میں۔ کچھ دوسرے میں کچھ کسی اور میں۔ ہو سکتا ہے وہ دل کے ہاتھوں مجبور ہو کر۔"

"تمہارا مطلب ہے وہ خوبیاں یکجا کرنے کے لیے بندے پر بندہ ڈھونڈتا جائے۔" ایک مرتبہ پھر وہ بات کاٹ کر بولی۔ "کچھ ایک میں کچھ دوسرے میں کچھ کسی اور میں مائنڈ یو دانیال قزلباش۔ ایسا دوستی میں تو ممکن ہے مگر

ازدواجی زندگی میں نہیں۔ ازدواجی زندگی میں انسان یوں خوبیاں یکجا کرنے کی کوشش میں نئے نئے رشتے جوڑنے لگے تو آج دنیا کے ہر شخص نے شیخانِ عرب کی طرح حرم رکھا ہوا ہو۔ یہ دلیل تو بڑی بودی ہے دانی! شادی تو ہے ہی کمپرومائز کا دوسرا نام۔ تم کیسے کہہ سکتے ہو جس سے شادی کرنے والے ہو، وہ پرفیکٹ ہے۔ تو جب وہ پرفیکٹ نہیں ہے تو پھر اس کی خوبیوں سے متاثر ہونے کے ساتھ ساتھ خامیوں سے بھی سمجھوتا کیوں نہیں کر لیتے۔'' وہ اپنی بات بھول کر براہِ راست اس سے مخاطب ہوئی تو دانیال بُری طرح گڑبڑا گیا۔

''اور دل کے ہاتھوں مجبور ہونے کا کیا ہے۔'' کچھ ٹھہر کر وہ بولی۔ ''دل کے ہاتھوں تو میں بھی مجبور ہو سکتی ہوں۔ یکسانیت سے تو میں بھی تنگ آ سکتی ہوں۔ لیکن اگر میں اپنے گھر، بچوں اور کمٹمنٹ کے تحفظ کے لیے اپنے آپ کو پوری طرح قابو میں رکھتی ہوں۔ تو پھر میرا خیال ہے کہ حسیب بھی ایسا کر سکتا ہے۔ وہ خود کو تبدیلی کی خواہش پر حق بجانب سمجھتا ہے تو میں بھی تو ایسا سمجھ سکتی ہوں۔ مگر میں کروں تو ہنگامہ کھڑا ہو جائے۔ تم خود سوچو۔ اگر تمہاری مہرو کہے کہ میں یکسانیت سے تنگ آ گئی ہوں۔ یا یہ کہ دانی میں وہ تمام خوبیاں نہیں ہیں جو میں چاہتی ہوں اور وہ باہر نکل کر نئے نئے لوگوں میں خوبیاں یکجا کرتی پھرے، یکسانیت کا علاج کرتی پھرے تو تم کیا محسوس کرو گے؟''

ایک بار پھر اس نے اسے براہِ راست مخاطب کر لیا تھا اور دانیال کو اپنے اندر ایک عجیب طرح کی جلن محسوس ہوئی تھی۔

لالہ اپنے کام میں مصروف تھی۔ اس نے دانیال کو بھی اپنے ساتھ مصروف کر رکھا تھا۔ وہ اس کی باتوں اور رونے دھونے کا عادی ہونے لگا تھا۔ عورت کی نفسیات کے نت نئے پہلو کھل کھل کر اس کے سامنے آتے جاتے تھے۔ کون جانتا تھا کہ لالہ کو مہرین کے ری ایکشنز فیڈ کرتے تھے۔ جنہیں وہ آگے بیان کرتی تھی۔ وہ دیکھ رہی تھی کہ مہرین اپنی بقا کے لیے دانیال کے دل کی شاہراہ پر قدم قدم چلنے کے لیے ہر طرح سے ہاتھ پاؤں مارنے کے باوجود وقت سے پہلے ہی ڈھے سی گئی تھی۔ ایک خاص قسم کا احساسِ شکستگی اس کے طور اطوار میں آ گیا تھا۔ پھر اس نے دیکھا کہ مہرین کی گفتگو اور اس کے رہن سہن میں تبدیلی آتی جا رہی تھی۔ اتنے برس گارڈن ٹاؤن کے ''قزلباش ہاؤس'' میں گزارتے گزارتے وہ اچانک پلٹا کھا کر محلّہ حاجی پورہ کی مہرین ضیاء نظر آنے لگی تھی۔

''میرا دل چاہتا ہے میں ویگن یا رکشہ پر گارڈن ٹاؤن سے ریلوے اسٹیشن جاؤں۔'' وہ کہتی۔ ''اور کرایہ زیادہ مانگنے پر ڈرائیور سے ہاتھ نچا نچا کر لڑائی کروں، میرا دل چاہتا ہے میں یوٹیلٹی سٹورز کے چکر لگاؤں، جمعہ بازاروں میں پھروں، فٹ پاتھوں سے سستی سستی چیزیں خریدوں۔ دکانداروں سے معمولی چیزوں پر بھاؤ تاؤ کروں۔'' وہ خلا میں گھورتی ہوئی کہے جاتی۔ ''میں خود کو انار کلی اور بخشی مارکیٹ میں سیل لگی دکانوں میں گھومتے دیکھتی ہوں۔''

''کل جب میں مانی کے ٹانسلز دکھانے ای این ٹی اسپیشلسٹ کے پاس گئی تو اس کی ریسپشنٹ سے میں نے اتنی زیادہ فیس مانگنے پر جی بھر کر لڑائی کی۔ بڑا مزہ آیا۔''

وہ ہنستے ہوئے کہتی اور لالہ کو جھرجھری آ جاتی۔ اگر اس کی ساس نندوں کو پتا چل جائے تو...... وہ تو اپنے حالات پر ری ایکٹ کرتی پھر رہی تھی۔ مگر کون سمجھ سکتا تھا۔

''کبھی کبھی...... میں سوچتی ہوں لالہ! اگر میں اس روز تمہارے برتھ ڈے پر نہ جاتی، یا تمہارے گھر کا گیٹ اور

بیرونی لان پر نظر پڑنے پر جو کپکپاہٹ مجھ پر طاری ہوئی تھی۔ اس کے زیراثر اُلٹے قدموں اندر آنے سے پہلے ہی بھاگ جاتی تو کتنا اچھا ہوتا۔'' وہ کہتی۔

''نہ دانیال کی نظر مجھ پر پڑتی۔ نہ میں قابو میں آتی۔'' اس کی آنکھوں میں وحشت اُتر آئی۔ ''اس کا کیا گیا، بھلا بتاؤ۔ اس کا کیا نقصان ہوا۔ نقصان تو سراسر میرا ہوا۔ میں اس کے پیچھے جوگن ہو کر اپنا گھر، محلّہ حاجی پورہ، اپنے ماں باپ، بہن بھائی چھوڑ آئی۔ میں نے اپنا رشتہ اپنے ماحول سے اپنے کلچر سے اپنی زبان سے توڑ لیا اور اس کی ذات میں فنا ہو گئی۔ بن باس تو میں نے لیا۔ بھلا بتاؤ اس کا کیا گیا؟ وہ تو مزے سے اپنے اندر کی آگ بجھا کر دیس دیس کا پانی پینے لگا۔ اسے کیا کہ کوئی پیچھے تشنہ لب کھڑا ہے، دوسروں کو کربلا میں چھوڑ کر خود میٹھے چشموں سے سیراب ہونے والوں کے سینے میں کیا دل نہیں ہوتا لالہ۔''

وہ اس سے پوچھتی اور لالہ کا ممتا کا مارا دل تڑپ کر رہ جاتا۔

''نقصان تو میرا ہو گیا نا ہر طرح سے۔ اس نے الفاظ کے وعدوں کے تسلیوں کے جال پھینک کر مجھے قابو میں کر لیا۔ میرا خدا گواہ ہے کہ میں نے ہر طرح فرار حاصل کرنا چاہا۔ میں بھاگتی پھرتی تھی۔ پر وہ ہر موڑ پر میرے سامنے آ کھڑا ہوتا۔ ''تمہیں میری سننی پڑے گی۔ میرے اندر آگ لگا کر بھاگتی کہاں ہو۔'' ہائے لالہ کاش میں کیمپس میں پڑھنے ہی نہ آئی ہوتی۔ نہ میں یہاں آتی نہ تم سے ملتی۔ نہ اس تک پہنچتی۔'' وہ پچھتاووں میں گھر جاتی۔

''بی۔اے کر کے مزے سے گھر بیٹھ کر کشیدہ کاریاں کیا کرتی اور جب فردوس مارکیٹ والے چچا کا بیٹا نوید بارات لے کر آتا تو مڈل کلاس سپنے آنکھوں میں سجائے اس کے ساتھ رُخصت ہو جاتی۔ کیا ہوتا جو اس سے محبت نہ ہوتی۔ کامیاب ازدواجی زندگی کے لیے محبت کوئی ضروری نہیں ہوتی۔ تمہیں پتا ہے، وہ لیکچرار لگ گیا ہے۔ گورنمنٹ ڈگری کالج گجرات میں۔ کتنی آسان ہوتی گورنمنٹ ڈگری کالج گجرات کے لیکچرار کی بیوی کی زندگی۔ میں اس کا گھر سنبھالتی بچے پالتی اور تھوڑی تنخواہ زیادہ خرچ پر اس سے پل پل لڑتی پھرتی۔ زندگی میں گھما گھی تو ہوتی۔ لڑائی ہوتی۔ جنگ ہوتی۔ یوں چپ چاپ اپنے سرد راستوں پر چلتے چلتے ایک دوسرے کا خون نچوڑنے کے غم میں گھلنے سے تو بہتر ہوتا۔''

''تمہیں کیا پتا کہ قسمت کیسی ہوتی۔ کیا گورنمنٹ ڈگری کالج گجرات کا لیکچرار بھی راستہ نہیں بدل سکتا تھا۔ کسی اور کے چکر میں نہیں پڑ سکتا تھا؟'' اس نے رسان سے سمجھانا چاہا۔

''نہیں۔'' وہ قطعیت سے نفی کرتے ہوئے بولی۔ ''مڈل کلاس زندگی میں اوروں کے چکر میں پڑنا سب سے بڑی عیاشی ہوتی ہے اور ہر کوئی اس عیاشی کا متحمل نہیں ہو سکتا۔ نوید تو کبھی بھی نہیں۔ وہاں ایک کی پوری نہیں ہوتی دوسری ذمہ داریاں کون اُٹھاتا پھرتا ہے اور بالفرض اگر وہ کسی اور کے چکر میں پڑنے کی عیاشی کر بھی لیتا تو مجھے کیا غم ہونا تھا۔ اس سے تو صرف شادی ہی ہوتی نا۔ وعدے، قسمیں، تسلیاں، جاں نثاری کے دعوے تو نہ ہوتے سارا غم ان وعدوں، قسموں، جاں نثاری کے وعدوں کا ہی تو ہے۔ ورنہ شادی تو ہر ایک کی ہوتی ہے ایسے حالات بھی اکثر پڑ آتے ہیں۔ مگر وعدے، قسمیں تسلیاں اور دعوے ہر جگہ نہیں ہوتے۔ میرا تو اندر ان وعدوں اور قسموں نے ختم کر دینا ہے۔'' وہ رو رو کر کہے جاتی۔

”بعض دفعہ مجھے ڈر لگتا ہے جیسے میں نے جس شدت سے دانیال سے محبت کی ہے۔ کہیں اتنی ہی شدت سے نفرت بھی نہ کرنے لگ جاؤں۔ محبت سے مغلوب ہو کر سرنگوں ہو جانے کی روایت تو ہمیشہ سے موجود رہی ہے لیکن مجھے ایسا لگتا ہے کہ میں دانی سے مایوس ہو کر اس سے نفرت کے ہاتھوں مغلوب نہ ہو جاؤں۔“

ایک روز مہرین نے لالہ کو بالکل ہی ڈرا دیا۔ لالہ کے اندر کی نفسیات ان آؤٹ آف ورڈز ہو کر رہ گئی۔

”میں نے دانیال سے ٹوٹ کر محبت کی ہے فنا ہو کر۔ لیکن اگر یہ رشتہ وقت اور تجربے کے ہاتھوں مجروح ہو گیا نا لالہ تو میری پوری کی پوری ہستی ایک عظیم الشان شکست، ایک زبردست نفرت سے دوچار ہو جائے گی۔“ وہ کالے سیاہ حلقوں کے درمیان موجود اُداس آنکھوں سے اشک بہاتے ہوئے کہتی گئی۔

مگر لالہ جانتی تھی کہ مہرین ان لوگوں میں سے نہیں تھی۔ جو کسی سے زبردست نفرت کرنے لگتے ہیں۔ خصوصاً ان سے جن سے انہوں نے عظیم الشان محبت کی ہو۔ اپنے سارے دلائل، دل کی تمام کیفیات کے اظہار کے باوجود لالہ کو معلوم تھا کہ مہرین اپنے دل پر نقش دانیال کی شبیہ کی پوجا کرتی تھی۔ ہر روز صبح وہ جھاڑو پھیر کر اس شبیہ کو صاف کرتی تھی۔ تازہ پانی کی پھوار ڈالتی، عقیدت کی اگربتیاں جلا کر فضا کو مقدس بناتی اور میں تم سے محبت کرتی ہوں، مجھے چھوڑ نہ جانا کے بھجن گاتی تھی۔ اسے معلوم تھا۔ تمام عمر مہرین کو یونہی رونا پڑا تو وہ روتی رہے گی۔ مگر دانیال سے نہ نفرت کر سکے گی اور نہ ہی اسے چھوڑ سکے گی اور اگر دانیال نے اسے چھوڑنے کی کوشش کی تو......تو وہ اس کوشش میں کامیابی سے پہلے خود دنیا چھوڑ جائے گی۔ وہ مہرین کے گٹس اور جرأتوں کو اچھی طرح جانتی تھی مگر اس کی گفتگو نے اسے نیا موضوع دے دیا اور اس نے مہرین کے الفاظ من وعن اپنے اور حسیب کے تعلق کے حوالے سے دانیال کے گوش گزار کر دیئے۔

”وقت اور تجربے کے ہاتھوں میرا رشتہ جو محبت نرم دلی، انسانیت اور ہمدردی پر دوسروں سے جڑا ہوا تھا۔ مجروح ہونے لگا ہے۔ دانیال، مجھے ڈر ہے کہ میں جو محبت اور نیک دلی کی علمبردار تھی کہیں شدید نفرت اور عظیم الشان شکست سے نہ دوچار ہو جاؤں، حسیب سے ایسی نفرت نہ کرنے لگ جاؤں کہ جو نہیں چاہتی۔ وہ کرنے پر مجبور ہو جاؤں۔ اعتماد اور محبت کا رشتہ ٹوٹ جانے پر مجھے خود سے حسیب کو چھوڑ نہ دینا پڑے۔ مگر اس سے حسیب کو کیا فرق پڑے گا۔ تم سوچو دانی! بھلا مہرو جس شدت سے تم سے محبت کرتی ہے جس طرح تم پر فریفتہ ہے۔ جاں نثار کرتی ہے۔ اگر اتنی ہی شدت سے تم سے نفرت کرنے لگ جائے تو تمہیں کیسا لگے گا؟“

ایک بار پھر وہ براہِ راست دانیال اور مہرین کے رشتے پر آ گئی۔ اور لیمونیڈ سے لطف اندوز ہوتے ہوئے دانیال کے ہاتھ میں پکڑا گلاس بُری طرح لرز گیا۔

”آئی ایم سوری!“ اس نے ٹشو پیپر سے میز کی سطح پر چھلک جانے والے قطروں کو صاف کرتے ہوئے کہا اور اُلجھے ہوئے انداز میں سر جھٹکنے لگا۔

”پتا نہیں تم مردوں کی کھال اور عقل اتنی موٹی کیوں ہوتی ہے۔ تمہارے دل اتنے سخت کیسے ہو جاتے ہیں۔ تم لوگ تمام رشتوں، انسانیت کے سارے تقاضوں سے ماورا ہو کر اپنی دنیا سجانے کے ہی خواہشمند ہوتے ہو اور سجا بھی لیتے ہو۔ تم لوگ عمر بھر نہیں جان سکتے دانی کہ کسی کو اپنے رویوں سے کتنے دُکھ کتنی اذیت سے دوچار کر کے اپنی نت نئی

دنیا سجاتے ہو۔ تمہارے ظلم و تعدی بے رحمی کی کوئی انتہا بھی ہے۔ توجہ......توجہ......توجہ تمام عمر تم لوگ توجہ، محبت، اخلاص کے ہجوم میں راجہ اِندر بنے بیٹھے رہنا چاہتے ہو۔ جہاں تمہیں اس میں کمی محسوس ہوئی تم اس ہجوم سے نکل کر دوسرے ہجوم میں داخل ہو جاتے ہو۔ کبھی تم نے عورت کے دل میں بھی جھانک کر دیکھا ہے۔ کتنے دُکھ، کتنے غم، کتنی شکستیں وہ اپنے اندر چھپائے کھڑی مسکراتی رہتی ہے۔ تم لوگوں کو ایک بار قربانی کے اس پُل صراط سے گزرنا پڑے جس پر سے عورت گزرتی ہے۔ تو تم زندگی سے چھٹکارا حاصل کرنے کی دعا کرنے لگو۔ کبھی یہ تصور بھی کیا ہے کہ عورت بھی اگر اپنا حق جان کر توجہ محبت اور اخلاص کے ہجوم بدلتی رہے تو تمہارے دلوں پر کیا گزرے۔ مگر اس نے نہ تو کبھی اسے اپنا حق مانا ہے نہ اسے اپنا حق جانا ہے۔ تم لوگوں نے مردوں کی تاریخ میں تو جنگیں شکستیں فتح اور حکومت رقم کر دی۔ مگر عورت کی تمام تاریخ بس ان چند جملوں میں قید کر دی کہ وہ پوری کی پوری عمر مرد کو خوش رکھنے کی کامیاب یا ناکام جدوجہد میں گزار دے۔

میں سوچتی تھی کہ محبت کی شادی وغیرہ سب بکواس ہوتا ہے۔ محبت کی شادی ہمیشہ اور ضرور ناکام ہوتی ہے۔ جذبات کا اندھا پن انسان کو سوچنے سمجھنے کی صلاحیت سے عاری کر دیتا ہے اور اسے ہر طرف ہرا ہی ہرا سوجھتا ہے۔ اسی لیے میں نے حسیب کا پرپوزل قبول کر لیا۔ جس سے میری کبھی پندرہ منٹ سے زیادہ بات بھی نہیں ہوئی تھی۔ مگر اب میری سمجھ میں آیا ہے کہ شادی میں کامیابی کے لیے جذباتی محبت ضروری ہوتی ہے۔ تمہاری اور مہرو کی مثال سامنے ہے۔ میں بھی ان لوگوں میں شامل تھی جو تمہاری شادی کی کامیابی کو شک کی نظر سے دیکھتی تھی اور اب ان لوگوں میں بھی شامل ہوں جو تمہاری شادی کو رشک کی نظر سے دیکھتے ہیں، تمہاری ثابت قدمی اور مہرو کی خوش قسمتی کے قائل ہو گئے ہیں۔ جب کبھی مجھے یہ خیال آتا ہے کہ حسیب سے کوئی بہت زیادہ قلبی تعلق نہ ہونے کے باوجود اس کی نئی روش پر میرا یہ حال ہے۔ اگر کبھی بد قسمتی سے تم سے وہ سرزد ہو جاتا جو حسیب کر رہا ہے تو مہرو کا کیا حال ہوتا۔ میں تو حسیب سے پریکٹیکل قسم کی محبت میں مبتلا تھی۔ میاں بیوی کی محبت اس لیے اب تک سروائیو کر رہی ہوں، مہرو کی غیر منطقی طوفانی اور جذباتی محبت عاشقی معشوقی کے رشتے میں ایسی دراڑ پڑتی تو وہ مر ہی جاتی۔ میں تمہاری عظمت کی قائل ہو گئی دانی! تم نے اپنی محبت اور مہرو کو زندہ رکھ کر ایک ناقابلِ شکست مثال قائم کر دی ہے۔'' اب کے دانیال کے ہاتھ سے گلاس بالکل ہی چھوٹ گیا۔

''اگین آئی ایم سوری۔ ایکسٹریملی سوری للی! مگر اب میرا خیال ہے کہ چلیں۔'' لڑکھڑاتے ہوئے الفاظ اس کے منہ سے نکلے اور وہ تیزی سے اُٹھ کھڑا ہوا۔

○......❖......○

''مجھے ایسا لگ رہا ہے جیسے ان دونوں کے تعلقات معمول پر آتے جا رہے ہیں۔ میں اس ریپڈ ریکوری (اچانک بہتری) کی وجہ سمجھنے سے قاصر ہوں، مگر جو بھی ہوا ہے، بہت اچھا اور بروقت ہوا ہے۔'' گرینی نے دنوں بعد اسے بتایا۔

''کیا تم نے ان سے کچھ کہا تھا۔ کسی سے کوئی بات کہی تھی؟''

اس نے اس بات کا جواب نہیں دیا۔ اور مہرو کے پاس چلی آئی۔ بڑے دنوں سے دوستوں کے کمرے میں

پریشان حال، بال بکھرائے مہرو۔

بلھے شاہ نوں سدھو شاہ عنایت دے بُوہے
جنے پائے نیں اونہوں چولے ساوے تے سُوہے

اور

چھیتی بوہڑیں وے طبیبا نئیں تے میں مر گئی آں

سنتی ملتی تھی۔ اس روز مہینوں پیچھے دوستوں کے کمرے سے مہرو کی پسندیدہ۔

رنگ پیراہن کا خوشبو زلف لہرانے کا نام
موسم گل ہے تمہارے بام پر آنے کا نام

مہرو عرصے بعد بہتر حلیے میں بیٹھی تھی۔ ایسا حلیہ جو گارڈن ٹاؤن کے دانیال قزلباش کی بیوی کا حلیہ تھا۔ ضیاء احمد خان صاحب کی بیٹی کا نہیں۔

''دو ماہ پہلے میں نے دانی سے کہا۔ میں سیالکوٹ سے ہو آؤں تو بڑی خوشی سے بولا۔ ضرور ہو آؤ۔ شادی کے بعد پہلی مرتبہ اس نے خوشی سے مجھے جانے کو کہا تھا۔ پہلے وہ جانے کے نام سے ہی بھڑک اُٹھتا تھا۔ میرا راستہ جو بند ہو گیا تھا۔ اس کے دل کی شاہراہ پر ٹھیکہ جو کسی اور کو دے دیا تھا اس نے۔ لوگ اِدھر اُدھر باتیں کرتے تھے۔ دانی کسی لڑکی میں انوالو ہے، مگر میں نے آنکھیں بھینچ کر بند رکھی تھیں میں کچھ دیکھنا سننا نہیں چاہتی۔ اگرچہ میں محسوس کرتی تھی۔ میرے دل کے اندر اندھیرا پھیل رہا تھا۔ مجھے معلوم تھا کہ دانی کی طرف سے وولٹیج میں کمی ہو رہی ہے۔ مگر میں یقین کرنے سے پہلے مر جانا چاہتی تھی۔''

لالہ کا خدشہ درست تھا، مہرو، دانی کی زندگی سے نکلنے یا نکالے جانے سے پہلے مر بھی سکتی تھی۔

''لیکن تمہیں پتا ہے، کچھ دنوں سے معاملہ سلجھنے لگا ہے۔ میں ڈور پکڑنے کی کوشش کرتی ہوں تو کوئی بار سرا میرے ہاتھ میں آ بھی جاتا ہے۔ پرسوں میں نے دانی سے کہا کہ سیالکوٹ سے ہو آؤں تو ناراض ہو کر کہنے لگا۔

''ہرگز نہیں۔ مجھے تمہاری یہاں موجودگی کی ضرورت ہے۔''

''کیا وہ نئی کمپنی معیاری میٹریل لگانے میں ناکام ہو گئی ہے لالہ یا دانی کا اعتماد اس پر سے اُٹھ رہا ہے؟''

وہ پوچھ رہی تھی۔

''مجھے ایسا لگتا ہے کہ سرخ جھنڈیاں اور بے ترتیبی سے پڑے ڈرم ایک ایک کر کے اُٹھ رہے ہیں، راستہ بند ہے۔ سڑک زیر تعمیر ہے کے بورڈ اُکھاڑے جا رہے ہیں۔ یہ کیسے ہو رہا ہے لالہ۔''

''جو بھی ہو رہا ہے، میرا یقین مجھے واپس ملتا جا رہا ہے۔ دانی مجھے لیٹ ڈاؤن نہیں کر سکتا۔ تم نے ٹھیک کہا تھا لالہ۔''

لالہ اس کی بات کا جواب بھی دیئے بغیر اُٹھ آئی۔ اسے خود بھی جس کامیابی کا یقین نہیں تھا۔ اس کامیابی کی کچھ کچھ جھلک نظر آنے لگی تھی۔

پھر دو ہفتے کے بعد اسے مسٹر اینڈ مسز دانیال قزلباش کی جانب سے دوستوں کے کمرے کی مشہور و معروف گیٹ

ٹو گیدر کا انویٹیشن کارڈ ملا۔ اس نے شکر کا ایک گہرا سانس لیا اور عرصے کے بعد اپنے گھر کی طرف متوجہ ہوئی۔ جہاں اسے کچھ بکھرے ہوئے ہونے، کسی بات کی کمی ہونے کا احساس ہونے لگا تھا۔

○.....❖.....○

کارڈ کے ملنے کے چھ گھنٹے بعد رات گیارہ بجے دانی اچانک اس سے ملنے کے لیے آ گیا۔

''آج میں تم سے کچھ باتیں کرنے آیا ہوں للّی۔'' وہ اس کے سامنے فلور کشن پر دو زانو ہو کر کہہ رہا تھا۔ ''کچھ ایسے اعترافات جو میں صرف تمہارے سامنے کر سکتا ہوں''

''کرائسس میں تم آئی تھیں للّی! مگر احساس مجھے میرے گناہوں کا کرا گئیں۔ شاید تمہیں شک تک نہ ہوا ہو کہ جس بحران سے تم گزر رہی ہو۔ ایسا ہی ایک بحران بالکل انہی دنوں میں میری اور مہرو کی زندگی میں بھی آیا ہوا تھا۔ جب تم میرے پاس آئیں۔ مجھے معلوم ہے کہ تم میں اور مہرو میں کتنی دوستی ہے۔ ایک زمانہ تھا کہ وہ تم سے دل کی ساری باتیں کہے بغیر رہ ہی نہیں سکتی تھی۔ مگر جب وہ میری زندگی میں شامل ہوئی تو میں نے اس سے کہا۔

''ضروری نہیں کہ انسان ہر بات ہی دوسروں کو بتاتا پھرے۔ اپنی انتہائی ذاتی باتیں انسان کو اپنے دل تک ہی رکھنی چاہئیں۔ لالہ لاکھ تمہاری انتہائی گہری دوست سہی مگر مجھے اچھا نہیں لگتا کہ تم اس کو ہر بات سنا دو۔ وہ بھی جو انتہائی ذاتی ہو۔''

''اور تمہیں پتا ہے للّی کہ وہ میری کہی ہر بات کو حرفِ آخر سمجھ لیتی ہے۔ جب ہی اس نے تمہیں نہیں بتایا کہ اس کے اور میرے تعلق میں پچھلے دنوں کیا طوفان آیا رہا ہے۔'' (جب طوفان آخری پوائنٹ کو چھونے لگے اور سب کچھ ملیا میٹ ہو جانے کا خطرہ ہو تو بعض اوقات حرفِ آخر مٹانے بھی پڑ جاتے ہیں دانی) لالہ نے دل میں سوچا۔

''تمہیں یاد ہے نا للّی! پہلی مرتبہ تمہارے گھر مہرو کو دیکھ کر میری کیا حالت ہوئی تھی۔ اس نے اس شدت کا الیکٹرک شاک مجھے لگایا تھا کہ میں سرتاپا کانپ گیا تھا۔

پہلے میں ان لڑکیوں کو جانتا تھا جو آپ سے آپ میری طرف کھنچی چلی آتی تھیں۔ یہ جس نے مجھے اپنی طرف کھینچا۔ میں اسی کا ہو گیا۔ تمہیں یاد ہو گا کہ مہرو کے ابا کے انکار سے مجھ پر کیسا جنون سوار ہو گیا تھا۔ مجھے لگتا تھا۔ اگر مہرو مجھے نہ ملی تو نہ جانے دنیا میں کیسی قیامت آ جائے گی۔ یا جیسے میں خود ہی زندہ نہ رہ سکوں گا۔ جب ہی تو میں اس کو حاصل کرنے کے لیے اَن چاہے طریقے استعمال کرنے پر مجبور ہو گیا۔

''شادی کے بعد۔'' کچھ توقف کے بعد اس نے پھر کہنا شروع کیا۔ ''شادی کے بعد میرے ذہن کو سکون آ گیا۔ میرے اعصاب کا تناؤ دور ہو گیا۔ میرے اندر کی جلن میں کمی آ گئی۔ میں نے جو چاہا تھا اور جس کے بغیر میں پاگل ہو جانے کو تھا، وہ مجھے مل گئی تو جیسے ساری دنیا معمول پر واپس آ گئی۔ مہرو نے مجھے قطرہ قطرہ سمیٹنا شروع کیا۔

بچپن سے ہی خود کو اس توجہ سے محروم سمجھتا تھا۔ جس کا میں مستحق تھا۔ گرینی کی ساری توجہ میری تربیت پر مرکوز رہی اور ماما کی محبت تقسیم شدہ تھی، اس میں میرا حصہ اتنا کم اس لیے بھی تھا کہ میں ان کے گھر میں بھی نہیں رہتا تھا۔

مجھے ایک ایسے شخص کی، ایک ایسی ساتھی کی ضرورت تھی۔ جس کی تمام تر توجہ کا مرکز میری ہی ذات ہو، جو جیئے تو میرے لیے، مرے تو میرے لیے، وہ سب لڑکیاں جو بقول تم لوگوں کے میری عاشق تھیں۔ ان کے لیے اہم صرف میری ذات نہیں تھی۔ میرے ساتھ ساتھ ان کی نظر میری دولت، سماجی پوزیشن اور بینک بیلنس پر بھی تھی۔ اسی لیے میں کسی ایک پر بھی نظر نہ ڈال سکا۔ مہرین کو ایک نظر دیکھتے ہی میرے اندر کی طاقت نے مجھے بتایا کہ وہی وہ تھی جس کی توجہ صرف مجھ پر ہوگی۔ اس لیے میں اسے اپنے گھر میں لے آیا اور اس کی توجہ کے مزے لوٹتا رہا۔ میں بڑا خوش تھا۔ بڑا مگن تھا۔ جب تک مانی نہیں آ گیا۔ مانی کے آنے پر بھی جو باپ بن جانے کی فطری خوشی ہوا کرتی ہے۔ وہ مجھے بے حد زیادہ ہوئی تھی۔ مگر جب میں نے محسوس کیا کہ مہرین کی توجہ جو صرف میرے لیے مخصوص تھی۔ اب بٹ گئی ہے۔ دو حصوں میں تقسیم ہوگئی ہے تو میں بھڑک اُٹھا۔ میرے اور اس کے درمیان مانی اس کے فیڈرز۔ اس کے ڈائپرز اس کی چھوٹی چھوٹی تکلیفیں، بے بی سیرپ اور لوریاں آنے لگیں تو میں خود بخود مہرو سے دور ہونے لگا۔ مجھے ایسے لگتا تھا جیسے مہرو جو اب تک صرف بیوی تھی۔ عاشقی معشوقی کے رشتے والی بیوی سے سرتاپا ماں بن گئی ہے۔ میرے ساتھ بھی ماؤں والا برتاؤ کرنے لگی ہے۔ میرے لیے یہ نئی بات تھی، میں اس سے سمجھوتا نہیں کر سکا اور گھر کی دنیا سے باہر نکل آیا۔'' اس نے سر جھکا لیا۔

پہلی مرتبہ حیرت انگیز طور پر مجھے اپنے گرو مکھیوں کی بھنبھناہٹ اچھی لگنے لگی اور میں سوچنے لگا کہ میں کتنا بیوقوف تھا جو اتنا عرصہ ایک کنویں کے مینڈک کی طرح زندگی گزارتا رہا تھا۔ بالکل اسی طرح جیسے حسیب نے تمہیں بور اور ڈل کہنا شروع کر دیا۔ مہرو بھی میرے لیے بور اور ڈل ہوگئی۔ کوٹ کا اُترا ہوا بٹن۔ گزری کل کا اخبار میز پر پڑا ہوا نیپکن، میں اپنے اوپر وارد ہونے والی نئی کیفیت میں گم ہو کر اندھا دھند نئے راستوں پر چلنے لگا۔ یہ جانے بغیر کہ جس کو اپنے جذبات کے اندھے طوفان سے مغلوب ہو کر اپنے عشق میں فنا کر بیٹھا ہوں۔ اس کا کیا حال ہو رہا ہوگا۔ شازینہ کے ملنے کے بعد تو شادی ہی مجھے گلے میں پھنسی ہڈی محسوس ہونے لگی۔ میں نے سوچا کہ شادی نری مصیبت ہے، مرد کے لیے قطعی طور پر ایک عمر قید۔''

(کبھی تم نے سوچا کہ یہ عورت کے لیے بھی ایک مصیبت ہے تمہارے لیے عمر قید، اس کے لیے عمر پہرا) لالہ نے سوچا۔

میں مہرو سے، اس کے تصور سے پیچھا چھڑانے کے لیے اس کو اُجاڑ صورت، رونی صورت، غیر دلچسپ، بور، ڈل اور نہ جانے کیا کیا کہتا تو میرے اندر کا آدمی ساتھ ساتھ میرے ضمیر میں میرے وعدوں، دعوؤں، تسلیوں اور کمٹمنٹ کے چھرے گھونپتا جاتا۔ میں اس کشمکش میں مبتلا پریشان ہوگیا۔ میرا سانس دھونکنی کی طرح چلنے لگا ہی تھا جب ہمیشہ کی طرح تم میری مدد کو آئیں۔ مسئلہ تمہارا تھا۔ حل مجھے مل گیا۔ مدد طلب تم نے کی، ہو میری گئی۔ دُکھ تم اپنا کہتی تھیں اور مجھ پر آشکارا مہرو کا ہو جاتا تھا۔ تمہاری باتیں سننے کے بعد میں سوچتا۔ عورتیں تو ساری ایک جیسی ہوتی ہیں۔ مرد کے راہ بدل لینے پر ان کی کیفیات بھی ایک سی ہی ہوتی ہوں گی۔ مہرو میں ایک خوبی یہ ہے کہ اس نے میرے سامنے کبھی آنسو بہاتے میرا دامن پکڑ کر انصاف طلب کرنے کی کوشش نہیں کی۔ میرا محاسبہ کرنے پر خود کو تیار نہیں کیا۔ ورنہ یہ کیسے ممکن تھا کہ میں راستہ بدل جاؤں اور اس کو پتا نہ چلے۔ کبھی کبھی مجھے لگتا جیسے اس کی واقعی یہ

سمجھ میں نہیں آیا کہ میرے اور اس کے درمیان کوئی تیسرا آ گیا ہے۔ وہ اس تعلق میں دراڑ پڑنے کو بھی اپنی ہی کوئی خامی سمجھتی رہی۔

(کیا واقعی تم مہرو کو اتنی احمق اور بے حس سمجھتے ہو۔)

''اگر اسے علم ہو جاتا تو ایک بار کم از کم ایک بار تو وہ مجھ سے ضرور پوچھتی۔''

(وہ ساری عمر بھٹکتی مگر کبھی سوال نہ کرتی۔ سوال کرنے کے بعد اس پر جو تمہیں عمر بھر کے لیے کھو دینے کا خوف سوار تھا، وہ اسے سوال کرنے بھی کیسے دیتا، ورنہ جس عشق میں تم نے اسے گرفتار کر رکھا ہے۔ اس میں تو تمہارا پہلا قدم ہی کسی اور سمت اُٹھنے پر بغیر کچھ دیکھے سنے اس کے دل پر زخم بننے لگے تھے۔ کاش تم نے اس کے اندر جھانکا ہوتا۔)

''لیکن ایک تم تھیں۔ جو حسیب کے قدم کہیں اور اُٹھنے پر اس کا ذرا سا مزاج بدلنے پر جان گئیں تم نے اپنے دُکھ کو الفاظ دیئے۔ تو میں کیفیت مہرو کی جان پایا۔ تم نے ایک بار کہا تھا۔ ایک لمحہ کے لیے خود پر عورت پن سوار کر کے دیکھو اور سوچو کہ ایسی صورت میں کیسی اذیت سے وہ گزرتی ہے۔ تمہارے تو ہوش ٹھکانے لگ جائیں۔''

میں نے اس رات پہلی بار اپنی نئی روش پر بے اعتنائی پر ایک لمحہ کے لیے خود کو مہرو کی جگہ رکھ کر سوچا تو میرا دل چھلنی ہو گیا۔ پھر تم نے جب یہ کہا کہ تبدیلی کی خواہش تمہیں بھی تو ہو سکتی ہے، یکسانیت سے تم بھی تو تنگ آ سکتی ہو اور ساتھ ہی یہ بھی کہ اگر مہرو تبدیلی کی خواہش کرے یکسانیت سے تنگ آ جائے تو میرا ردِعمل کیا ہو گا۔ خدا کی قسم میرے اندر باہر آگ لگ گئی تھی اس روز۔ میں تو ایک لمحے کے لیے بھی یہ تصور نہیں کر سکتا تھا کہ مہرو کہیں اور کسی اور کا سوچے پھر تم نے جب یہ کہا کہ مہرو نے جس شدت کے ساتھ مجھ سے محبت کی ہے۔ اگر اسی شدت سے نفرت بھی کرنے لگے تو میرا کیا حال ہو گا۔ بس اسی روز میری قوتِ مدافعت ختم ہو گئی۔ حقیقت ننگ دھڑنگ میری آنکھوں کے سامنے آ کھڑی ہوئی۔ اپنی خودغرضی اور کمینگی پر میں اس طرح شرمندہ ہوا کہ مجھ میں آنکھیں اُٹھانے کی ہمت نہ رہی۔ میں نے سوچا کہ اگر یہ سب جو میں کر رہا ہوں اور دلائل بڑے بڑے دیتا پھر رہا ہوں۔ یکسانیت سے تنگ آ گیا۔ میاں بیوی کے تعلق سے بور ہو گیا۔ کسی نئے راستے کا انوکھے تعلق کا متلاشی ہوں۔ اگر یہ سب مہرو یونہی کہے، اور اسی طرح کرے تو میرا کیا حال ہو گا۔ کیا میں ایک لمحے کے لیے بھی یہ برداشت کر سکوں گا کہ مہرو کا نام میرے علاوہ کسی اور مرد کے ساتھ لیا جائے۔ بس اسی بات نے مجھے تاش کے پتوں کی طرح پھینٹ کر رکھ دیا اور میں اُلٹے پاؤں گھر کی طرف مہرو اور مانی کی طرف بھاگ گیا۔

تم نے کہا کہ اگر مہرو کے ساتھ ایسا کوئی واقعہ ہو جائے تو وہ تو تصدیق کرنے سے پہلے ہی مر جائے۔''

''مہرو کی موت کے تصور نے میرا دماغ ہلا کر رکھ دیا۔ اگر ایسا ہو جاتا تو میں قاتل ہوتا۔ اس کا اور اس کے اعتماد کا، اس کی محبت کا۔''

''آج تک میں نے تمہاری بہم پہنچائی امداد پر تمہارا شکریہ ادا نہیں کیا۔ مگر آج میں تمہارے سامنے سر جھکا کر تمہارا شکریہ ادا کرتا ہوں۔ گو انجانے میں سہی تم نے اپنے دل کا سکون ڈھونڈتے ڈھونڈتے مجھے بچا لیا۔ میرا گھر، میری مہرو کو بچا لیا۔

مجھے یاد ہے ایک بار میں نے تم سے کہا تھا کہ تم میں مرد کے لیے کوئی کشش نہیں، صرف مامتا ہی مامتا ہے۔ مگر اب میں یہ سوچتا ہوں کہ ایک تم ہی پر کیا موقوف، دنیا کی ساری عورتیں پیدائشی طور پر ممتا کی ماری ہوتی ہیں۔ مدر ہڈ ہی مدر ہڈ ہوتی ہیں۔ بس اپنی ضرورت کے لیے مرد کا ساتھ حاصل کرنے کی خاطر بیوی بن جاتی ہیں۔ اپنی ممتا میں بلیک کافی کی تلخی ڈالتی ہیں۔ اس لیے کہ مرد کے نفس کی ڈیمانڈ ہی یہ ہوتی ہے۔ وہ اپنی ممتا پر پردے اپنے سروائیول کے لیے ڈالتی ہیں۔ ورنہ وہ تو پیدائشی مائیں ہوتی ہیں۔ گڑیا کھلانے والی بچیاں ایک مثال ہیں۔

ہم مرد کتنے خودغرض ہوتے ہیں۔ یہ سمجھے بغیر کہ توجہ، محبت، اخلاص کے جو پھول عورت چن چن کر ہمارے اوپر نچھاور کرتی ہے۔ یہ جو روز کے روز نت نئی بھینٹ چڑھاتی ہے۔ یہ فن بھی اس نے اپنے اندر کی ممتا سے ہی سیکھا ہے۔

میرے تو عورت کے بارے میں، اس کی فلاسفی اس کی اندرونی کیمسٹری کے بارے میں اس کی نفسیات کے بارے میں سارے نظریئے ہی بدل گئے ہیں اور اس نظریئے کے بدلے جانے کا محرک تم ہو۔ للّی! لیکن تم میں بس ایک ہی کمی ہے۔ تم جیسی لڑکیاں تمام عمر ہی مدر ہڈ خود پر سوار رکھتی ہیں۔ سراپا ممتا۔ سراپا توجہ۔ مگر ایک مشورہ ہے کہ حسیب کو صرف تمہاری ممتا نہیں چاہیے۔ اسے بلیک کافی کے ذائقے سے آشنا کرو۔ وہ خود بخود لوٹ آئے گا۔

''اور ہاں......'' جاتے جاتے وہ رُکا۔ ''حسیب کے سلسلے میں مَیں تمہاری کیا مدد کر سکتا ہوں۔ جو خود ''یونیورسل ہیلپر'' ہو۔ اس کی کوئی کیا مدد کر سکتا ہے۔ مجھے یقین ہے کہ تم خود اپنے لیے کوئی ایسا حل ضرور نکال لو گی، جو تمہاری زندگی کو پھر سے نارمل کر دے گا۔ ویسے میرا خیال ہے کہ یہ وقتی دور ہے خود بخود گزر جائے گا۔ کوئی نشان چھوڑے بغیر۔ تم بھی حوصلہ رکھنا۔ اگر حسیب سے کوئی خطا ہو ہی گئی ہے تو تمہیں تحمل سے کام لینا چاہیے۔ یہ خطا بھی کیا چیز ہے۔ خطا کی نہیں سزا حاضر۔'' پھر وہ مسکرا کر بولا۔ ''کبھی کبھار اگر خطا کی طرف سے چشم پوشی کر لی جائے تو کیا حرج ہے۔'' وہ جاتے جاتے کہہ رہا تھا۔

عورت کی فلاسفی، اندرونی کیمسٹری، نفسیات اور نہ جانے کیا کیا کے بارے میں نظریات بدل جانے کا دعویٰ کرنے والا جاتے جاتے پھر بھی لاشعوری طور پر مرد کی حمایت کر گیا تھا۔ (خطا کی طرف سے چشم پوشی کر لی جائے تو کیا حرج ہے) گویا خطا کرنا مرد کا حق اور چشم پوشی کرنا عورت کا فرض ٹھہرا۔ اس نے اسے جاتے ہوئے دیکھ کر سوچا اور اس کے چہرے پر ایک طنزیہ مسکراہٹ پھیل گئی۔

بات تو ساری اس دعوے کی تھی جو میں نے مہرین کے سامنے کیا تھا۔ ''میں اور دانیال تمہیں کبھی لیٹ ڈاؤن نہیں کریں گے۔'' باوجود کوشش کے اس دعوے کی بنا پر میں خود کو تمہارے اور اس کے بگڑے تعلق سے لاتعلق نہ رکھ سکی۔ مجھے علم تھا کہ مہرو عمر بھر اپنے لیے تم سے لڑ نہیں سکے گی۔ وہ تو ایک ہی ہلے میں اپنے چیدہ چیدہ ہتھیار پھینک کر سر جھکا بیٹھی تھی۔ مجبوراً مجھے میدانِ عمل میں آنا پڑا۔ میری فطرت کہ میں کسی کو اس قدر اذیت میں دیکھ ہی نہیں سکتی اور پھر میرا اس میں کیا نقصان تھا۔ میری ذرا سی کوشش سے ایک بگڑتا گھر ایک ایسا گھر جو مجھے بے حد عزیز ہے گرنے سے بچ گیا تو میرا کیا حرج ہوا۔ گلیسرین کی چند شیشیوں، تم سے ملاقات اور اس ملاقات میں ڈالے جانے والے ڈراموں پر مغز آرائی اور کچھ ایسے فنکشنز میں شرکت کی قربانی جہاں میں اپنے بجائے دانستہ حسیب کے ساتھ فرح کو بھیجتی رہی

کے عوض تم دونوں کا گھر بچ گیا تو مجھ سے بڑھ کر خوش کون ہوگا۔“

اس نے تصور میں دانیال کو مخاطب کیا اور اپنے منصوبے میں اس قدر کامیابی پر خوش ہوتے ہوئے کلاک پر نظر ڈالی۔ رات کا ڈیڑھ بج رہا تھا۔ حسیب نہ جانے کب کا کلب سے واپس آچکا تھا۔ اس نے لیونگ روم کی لائٹس آف کیں اور اپنے بیڈ روم کی طرف آئی اندر لائٹ آن تھی۔ ٹی وی کا ہلکا ہلکا شور بھی سنائی دے رہا تھا۔ اس نے ذرا دروازہ کھول کر اندر جھانکا۔ اندر حسیب اور فرح موجود تھے اور ایم ٹی وی یورپین ٹاپ ٹونٹی ویڈیو کاؤنٹ ڈاؤن دیکھ رہے تھے۔

”لالہ کو کیا پرواہے۔“ وہ اندر داخل ہونا ہی چاہتی تھی کہ حسیب کی آواز پر اسے رُکنا پڑا۔

”سارے لوگ کہتے ہیں، حسیب! تم خوش قسمت ہو۔ قابلِ رشک زندگی ہے تمہاری۔ خاندان کی سب سے نائس، لونگ، کیئرنگ اور ہیلپ فل لڑکی تمہاری بیوی ہے۔ وہ خوش مزاج ہے، محبت کرنے والی ہمدرد لڑکی ہے۔ اسے گھر بنانے کا سلیقہ آتا ہے۔ یہ ہے۔ وہ ہے۔ مگر اتنے سالوں میں مَیں تو ان خوبیوں کی نمود کا ہی منتظر رہا۔“ پیچھے سے ہو کر ڈریسنگ روم میں آ کر کھڑے ہونے پر اس نے سنا، حسیب کہہ رہا تھا۔

”مگر سب لوگوں میں تو وہ بے حد مقبول عام ہیں۔“ فرح کی آواز آئی۔

”لوگوں کا کیا ہے۔ لوگ تو یہ دیکھتے ہیں یہ لڑکی ظاہری طور پر کتنی اچھی ہے۔ اس کا دُکھ سمیٹا، اُس کے سکھ میں شریک ہوئے۔ ایک کے ساتھ رو لیے، دوسرے کے ساتھ ہنس لیے، بلیاں، کتے، بکریاں پال لیں اور ان کے دُکھ میں تڑپ تڑپ کر دنیا کو دکھا دیا اور لونگ کیئرنگ کا لیبل اپنے اوپر لگا لیا۔ کوئی یہ نہیں جانتا کہ اِدھر اُدھر اس قسم کے کام کرتی پھرتی لڑکی اپنے گھر میں اپنے شوہر کے ساتھ کیسا سلوک کرتی ہے۔ شروع دن ہی سے اسے میرے ساتھ کسی قسم کی محبت نہیں ہوئی، میرا خیال نہیں آیا۔ میری مدد کو کبھی دل نہیں تڑپا۔ اس نے مجھے سارا کا سارا میرے اوپر چھوڑے رکھا۔ اور خود اس کے دُکھ میں شریک کبھی اُس کے سکھ میں شریک۔ اب تم خود ہی دیکھ رہی ہو۔ پچھلے دو ماہ سے وہ مسلسل مجھے نظر انداز کر کے دانیال کے پیچھے پھر رہی ہے۔ اب بھی جب سے آیا ہوں اسے لے کر بیٹھی اس کے دُکھڑے سن رہی ہے۔ دو ماہ سے دانیال کے آفس...... دانیال کے گھر کے درمیان گھن چکر بنی ہوئی ہے۔ میری سمجھ میں نہیں آتا۔ اتنا ہی اس کو دانیال کا خیال تھا تو اس سے شادی کیوں نہیں کر لی اس نے۔“ حسیب کا ٹھہرا ہوا نرم لہجہ تلخ اور اکھڑ ہو رہا تھا۔

”دانیال بھائی کہاں کرتے ان سے شادی۔ وہ تو خود مہرین سے دھواں دھار عشق میں مبتلا تھے۔“ فرح نے لاپروائی سے کہا۔

”تو پھر کیوں وہ اس کے پیچھے ”مدد برائے عالم انسان“ کے بینر اُٹھائے پھرتی ہے۔ دانیال کو یہ مسئلہ ہو گیا۔ دانیال کو یہ پریشانی پڑ گئی۔ میں تو عرصے سے یہی سنتا چلا آ رہا ہوں۔ اور جب میں کہتا ہوں کہ میرے ساتھ فلاں جگہ چلو، یا مجھے تمہاری مدد کی ضرورت ہے۔ تو وہ دور بھاگتی ہے۔ تم خود کر لو ناں حل مسئلہ۔ تم خود چلے جاؤ ناں فلاں جگہ۔ اور اب اتنے دنوں سے جو میں یہ بہانا نہیں مان رہا تو میرا موڈ نہیں۔ فرح کو لے جاؤ۔ اس کی آؤٹنگ ہو جائے گی۔ کہہ کر ٹال جاتی ہے۔ میں تو تنگ آ گیا ہوں۔ اس زندگی سے، یہ بھی کوئی زندگی ہے آفس جاؤ، گھر آؤ تو

گھر خالی ملے اور جو بیوی گھر میں موجود ہو تو اسے انسانیت کے عالمگیر مسائل میں اُلجھنے کے سوا کوئی کام نہ ہو۔ نہ کوئی شور ہنگامہ نہ کوئی ہلچل، بچے ہیں تو ان کے سر پر چھڑی لیے سوار، پڑھو اپنا کام کرو، کیا فیملی لائف ایسی ہوتی ہے۔ دوسری طرف تم ہو، تمہاری کمپنی میں انسان کو زندگی کا احساس ہوتا ہے۔ شور ہنگامے کا احساس ہوتا ہے۔ پھیکی بے جان اُداس اور تنہا زندگی گزارنے سے بہتر نہیں بندے کو موقع ملے تو وہ رنگوں، روشنیوں سے بھرپور زندگی کو آگے بڑھ کر گلے لگالے۔''

اس نے دیکھا حسیب ہاتھ میں پکڑا ریموٹ آگے بڑھا کر ٹی وی کی آواز اونچی کر رہا تھا اور پھر فل والیوم کی موسیقی میں کمرے سے آتی آوازیں دب کر رہ گئیں۔

کچھ بھی نہیں ہوا تھا۔ بس ایسا لگا تھا جیسے ایک پل میں حسیب کے دل کی جس شاہراہ پر وہ چل رہی تھی۔ کسی نے وی آئی پی خوش آمدید کے بورڈ ہٹا کر رنگ برنگ جھنڈے اُکھاڑ دیئے تھے۔ ایک دھماکے سے کوئی وہاں خالی ڈرم بے ترتیبی سے لڑھکا کر ارد گرد سرخ جھنڈیاں لگا گیا تھا۔ اسے پتا بھی نہیں چلا تھا۔ اور وہ حسیب کے کوٹ کا اُترا بٹن بن گئی تھی۔ کل کا اخبار، ڈائننگ ٹیبل کا نیپکن۔

پہلے تو اس کو اپنے کانوں پر یقین نہیں آیا تھا۔ وہ حسیب تھا جو یہ سب کہہ رہا تھا۔ جس سے اس نے شادی ہی اس لیے کی تھی کہ وہ میچور شخص تھا۔ اور وہ عام لڑکی نہیں شوخ اور تیز طرار، اس کا خیال تھا کہ اسے حسیب کے ساتھ تعلق بنانے میں عاشقی معشوقی کا ڈھونگ رچانا نہیں پڑے گا۔ بلیک کافی کی تلخی نہیں ڈالنا پڑے گی۔ مگر یہ وہی حسیب تھا۔ جس کے ساتھ نہ کوئی وعدہ تھا۔ نہ دعویٰ تھا۔ بس معاہدہ تھا اور معاہدہ بھی ایسا جو اچھا بھلا کامیاب جا رہا تھا۔ دونوں فریق ایک دوسرے سے راضی ایک دوسرے سے خوش، زندگی کامیاب، پھر بیچ میں یہ کیا ہوا تھا۔ وہ کہاں اتنی مصروف رہی تھی کہ اس کے اپنے گھر میں نقب لگ گئی تھی۔ وہ کیوں اتنی مطمئن ہوگئی تھی کہ اس کی سڑک کا ٹھیکہ کسی اور کمپنی کو دیا جانے لگا تھا۔ حسیب سنجیدہ بُردبار، متحمل میچور، حقیقت پسند، وال سٹریٹ جرنل اکانومسٹ اور فار ایسٹرن اکنامک ریویو پڑھنے والا۔ عالمی بینک اور آئی ایم ایف کی سالانہ رپورٹس کا قاری۔ وہ عمر بھر سے ایک ذرا سا غافل ہوئی اور اس نے کبھی نوٹس نہ لیے گئے ہوئے کاسموپولیٹن اور ووگ پکڑ لیے تھے۔ بیتھوون اور موزارٹ کی سمفیز چھوڑ کر ایم ٹی وی یورپین ٹاپ ٹونٹی کاؤنٹ ڈاؤن دیکھنے لگا تھا۔ اپنے دل کی ڈرائینگ سیٹ پر رنگ اور روشنیوں کو جگہ دے دی تھی۔

''کیا یہ واقعی اس کی غلطی تھی۔ کیا وہ واقعی غافل تھی؟'' اس رات اپنی طرف سے منہ موڑ کر سوئے ہوئے حسیب کو دیکھ دیکھ کر وہ سوچتی رہی۔

''کیا مرد کی فطرت ہوتی ہی ایسی ہے کہ جب تک توجہ، محبت، اخلاص کے پھول نچھاور ہوتے رہیں۔ وہ خوش رہتا ہے اور جہاں کسی وجہ سے بھینٹ میں کمی محسوس ہوئی وہ دوسرے ہجوم میں شامل ہو جاتا ہے۔ تمام قربانیاں تمام خوشیاں فراموش کر دیتا ہے۔

اسے کیا معلوم تھا کہ دانیال کے سامنے جو بہانے بنا رہی تھی۔ وہ حقیقت میں ڈھل جائیں گے۔

''مگر میں کس کو مدد کے لیے پکاروں؟'' اگلے تین چار دن میں حسیب کی بدلی ہوئی روٹین کو بغور دیکھنے کے بعد

اس نے سوچا۔ نہ تو میں کرائسس کی زد میں آ کر دانیال کی طرف بھاگی بھاگی کسی ہمدرد کے پاس جا کر مدد کی طلبگار ہوسکتی ہوں۔ نہ مہرین کی طرح۔

چھیتی بوہڑیں ویں طبیبا نئیں تے میں مر گئی آں

سن کر کسی غیر مرئی مددگار کو پکار سکتی تھی۔ نہ ہی وہ احساسِ شکست سے مغلوب ہو کر مہرو کی طرح مڈل کلاس سوچوں اور یوں نہ ہوتا، یوں ہو جاتا کے پچھتاووں میں مبتلا ہو کر حقیقت سے فرار حاصل کر سکتی تھی۔ ایک لمحے کے لیے اس نے سوچا کہ حسیب کا بہانا بنا کر وہ جو کچھ دانیال کے کان میں اُنڈیلتی رہی تھی۔ اگر واقعی اس وقت اس پر ایسا کرائسس آتا تو وہ دانی کی مدد کی طلب گار بن کر اس تک پہنچتی؟

شاید کبھی بھی نہیں۔ کیونکہ اس کو مدد دینے۔ توجہ اور ہمدردی کے پھول برسانے۔ ممتا نچھاور کرنے کی عادت تھی۔ اپنے مسائل جو اگرچہ اب تک بہت ہی کم بلکہ نہ ہونے کے برابر پیش آئے خود حل کرنے لینے کی عادی تھی۔ حل نہ کر سکنے پر برداشت کر لینے کی عادی تھی۔ دانیال کے بارے میں اپنا اولین احساس برباد ہو جانے پر اس نے ایسا ہی کیا تھا۔ اسے چیخنا، چلانا، واویلا مچانا نہیں آتا تھا۔ وہ جو حسیب کا بہانا بنا کر دانیال کے سامنے روتی چلاتی رہی تھی۔ وہ تو محض کمٹمنٹ کا تقاضا تھا۔ اپنے ری ایکشن سے زیادہ اس کھیل میں مہرین کے فیڈ کیے الفاظ اور گلیسرین کے قطروں کا کمال تھا۔ اپنے دل کا دُکھ کہہ کر خود کو کمزور ظاہر کرنے سے تو اسے شروع ہی سے خوف آتا تھا۔

اب بھی وہ حسیب کے اس نئے موڈ کا تذکرہ کرتی تو کس سے۔ ماں باپ یا تو بھڑک اُٹھتے یا نصیحتیں کرتے، دوست احباب مزہ لیتے۔ بیچاری لالہ! اس کا تذکرہ کرتے۔ مہرو یقین ہی نہ کرتی کہ اس کا بھی کوئی مسئلہ ہو سکتا ہے اور دانیال تو پہلے ہی کہہ چکا تھا کہ وہ تو خود یونیورسل ہیلپر تھی۔ اس کی کوئی کیا مدد کر سکتا تھا۔ حقیقت میں وہ کسی کو پکار نہیں سکتی تھی۔ اسے اپنی مدد خود کرنا تھی۔ اسے گھر بنانا اور بسانا اچھا لگتا تھا۔ پوری شخصیت کے بچے اچھے لگتے تھے۔ حسیب کو واپس پرانی روٹین، پُرانے مزاج پر لانے کا کام اسے خود کرنا تھا۔ نئی کمپنی کا ٹھیکہ زبردستی منسوخ کرانا تھا۔ کیونکہ وہ یونیورسل ہیلپر تھی۔ کرائسس سے گھبرا کر مے ڈے پکارنا۔ اسے زیب نہیں دیتا تھا۔ اس کے چہرے پر ایک بیچاری قسم کی مسکراہٹ پھیل گئی۔

لوگ اس کو خوبی سمجھتے ہیں۔ تعریفوں کے ڈونگرے برساتے ہیں۔ مگر کون جان سکتا ہے کہ مددگار، ہمدرد، ممتا کی ماری عورت ہونا کتنی بڑی آزمائش ہے۔ دوسروں کے دُکھ کو اپنا دُکھ سمجھتے سمجھتے ہمدردیاں بانٹتے، تسلیاں دیتے دیتے وہ تھک جائے یا اسے خود کوئی مسئلہ درپیش ہو تو وہ کسی کو پکار نہیں سکتی۔ اس لیے کہ لوگ سوچتے، اس جیسے اچھے لوگوں کو بھی کبھی کوئی مسئلہ درپیش ہو سکتا ہے۔ کوئی کیا جانے کہ اس جیسے ممتا کے مارے لوگوں کے لیے ہی تو ساری مشکل ہے۔ دُکھ اور اذیت کا ایک دریا عبور کر کے آئیں تو پتا چلتا ہے کہ آگے ایک اور دریا کا سامنا ہے۔ دانی اور مہرو کے کرائسس کا دریا عبور کرتے کرتے سر اُٹھا کر دیکھنے پر اسے کتنا اچانک پتا چلا تھا کہ آگے ایک اور دریا ایک ذاتی دریا کا سامنا تھا۔

مگر وہ ہمت ہارنے والوں میں سے نہیں تھی۔ مہرو کی طرح بلک بلک کر زندگی گزارنا اس کے لیے محال تھا۔

''جیتے جی خودکشی کرنے سے بہتر نہیں کہ انسان تکلیف پہنچانے والے کو قتل کر دے۔ ایک جان کا زیاں ہی تو

مقصود ہے۔''

اس نے خود کو بک اپ کیا اور میدانِ عمل میں کود گئی۔ اس کی ذاتی کوششوں کے صدقے دنوں میں لندن والی خالہ کو فرح کا رشتہ اس کے بتائے ہوئے لڑکے کے ساتھ کرنا پڑا۔ وہ مشکور تھیں۔ اتنا من چاہا داماد انہیں بیٹھے بٹھائے مل گیا تھا۔ اس کی اَن تھک محنتوں کے صدقے حسیب کو واپس وال اسٹریٹ جرنل، فار ایسٹرن اکنامک ریولو اور اکانومسٹ کی طرف بیتھوون اور موزارٹ کی سمفیتر اور گون وِدی ونڈ اور لارنس آف عریبیہ کی طرف لوٹنا پڑا۔

اس نے حسیب کے ساتھ نئے سرے سے تجدید تعلقات کی خاطر ممتا کی چادر پر ہمدردی، توجہ اخلاص کے پھول سجا لیے، بلیک کافی کی تلخی ڈالنے کی کوشش کی اور حسیب لوٹ آیا۔ یہ جانے بغیر کہ اپنا اعتماد ٹوٹ جانے پر وہ کیسی زخم زخم ہو چکی تھی۔

وہ اب حسیب کے کوٹ کا بٹن تھی۔ اس کا من چاہا نیپکن تھی۔ اس کے لیے تازہ اخبار تھی۔ حسیب کے دل کی شاہراہ پر راستہ بند ہے کے بورڈ اس کے لیے ہٹ چکے تھے۔ مگر کون جانتا تھا کہ اس کے اپنے دل تک حسیب کی کتنی رسائی باقی رہ گئی تھی۔ بنے ہوئے گھر، پوری شخصیت کے بچوں کی خواہش نے اسے کیسا من مار کر ایک تکلیف پہنچانے والے شخص کے قتل سے بچایا تھا۔

وہ سکندر اور سارہ کی ہاؤس وارمنگ پارٹی تھی۔ جہاں رنگ، روشنیاں اور خوشبوئیں تھیں وہیں اس پارٹی میں مسز مہرین دانیال قزلباش کے عین سامنے بیٹھی مسز لالہ حسیب سہگل نے مہرین کے ہنستے کھیلتے، خوش باش مترنم قہقہے جیسے وجود کو دیکھتے ہوئے سوچا کہ

عورت کی آزمائش کا دور کب ختم ہو گا۔ وہ کب تک محبت، توجہ، اخلاص کے ساتھ بلیک کافی کے ذائقوں کی بھینٹ چڑھاتی رہے گی۔ مرد کو خوش رکھنے کی اَن تھک کوشش کرتی رہے گی۔ مرد کو اپنی ذات کی طرف متوجہ رکھنے کے لیے وہ کب تک عمر پہرے پر بیٹھی رہے گی۔ مرد کی فطرت بدلنے میں کتنی صدیاں لگیں گی۔ کب تک وہ محض توجہ، ہمدردی اور اخلاص کی حرص لیے عورت سے ناتا جوڑتا رہے گا۔ اور عورت کی آنکھ ذرا چوک جانے پر فرض کی ادائیگی میں ذراسی کوتاہی پر اپنے رستے بدلتا رہے گا۔ خطائیں کرتا رہے گا۔ کب تک عورت کو چشم پوشی کرتے رہنا پڑے گی۔ کب تک وہ اس کی طرح میدانِ عمل میں آ کر عارضی طور پر مرد کو دوبارہ اپنی جانب متوجہ کرنے کی سعی کرتی رہے گی۔ مرد خواہ وہ دانیال قزلباش ہو۔ حسیب سہگل ہو یا گورنمنٹ ڈگری کالج گجرات کا لیکچرار نوید رضا۔ کب تک عورت کے اندر جھانکنے کی خواہش کرتا رہے گا۔ عورت کی تاریخ کب بدلے گی، اس میں فتح اور حکومت کے باب کب درج ہوں گے۔

کب گھر بنانے اور بسانے کی آرزومند ممتا کی ماری عورت کو یہ اعتماد حاصل ہو گا کہ اس نے مرد کو مکمل طور پر فتح کر لیا ہے۔ سرنگوں کر دیا ہے۔ اور اب خواہ وہ توجہ محبت خلوص کو مختلف دائروں میں تقسیم کرے۔ ممتا کا لبادہ اوڑھ لے۔ عمر پہرے میں چوک جائے۔ اس کی پاداش میں اسے کرائسس کے، آزمائش کے ایک اور دریا کا سامنا نہیں کرنا پڑے گا؟

وحشت کا استعارہ

فضا میں بجتی موسیقی ایک لمبی لے کے ساتھ تھم گئی۔ ڈانسنگ فلور پر ہلتے قدم بھی اس کے ساتھ ہی ایک لمحے میں یوں رکے جیسے کوئی سانحہ رُونما ہو گیا ہو۔ ہال میں کب سے بجھی روشنیاں ایک بار پھر زندہ ہوئیں اور لوگوں کے اِدھر اُدھر چلنے پھرنے کا وقت آیا۔ وہ ایک تواتر کے ساتھ ایک منظر کے شروع ہونے اور ختم ہونے کا نظارہ بہت دیر سے کر رہی تھی۔ آج اس کے سر میں درد تھا اور شام ہی سے طبیعت بوجھل تھی۔ مگر یہ مسٹر اور مسز جاوید صدیقی کا ڈنر تھا جس کو چھوڑ دینا اس کے بس میں نہیں تھا مگر یہاں آ کر اسے اندازہ ہوا کہ اس کی طبیعت اتنی خراب ہے کہ یہ بند ماحول، مختلف خوشبوئیں، قہقہے اور موسیقی برداشت کرنا اس کی ہمت سے باہر ہوا جا رہا ہے مگر پھر بھی دو گھنٹے سے صبر کیے غائب دماغی کی کیفیت میں بیٹھی تقریب کے اختتام کا انتظار کر رہی تھی۔ روشنیاں ایک بار پھر بجھنے لگیں تو اس نے سر اِدھر اُدھر گھما کر نجیب کو تلاش کرنے کی کوشش کی۔ اس کوشش میں ناکام واپس لوٹتی ہوئی نظر اچانک سامنے کی روشنی کے عین نیچے کھڑے شخص پر پڑی اور دوسرے لمحے ہال ایک بار پھر نیم تاریکی میں ڈوب گیا۔

اس شخص کو اس نے کتنے عرصے کے بعد دیکھا تھا۔ ایک بار پھر غائب دماغی کی کیفیت میں مبتلا ہوتے ہوئے اس نے سوچا۔

''چاہے کتنے ہی سالوں کے بعد مگر میری پہچان کمزور تو ہرگز نہیں ہوئی۔''

اس نے بند ہوتی آنکھیں کھولنے کی کوشش کرتے ہوئے کہا مگر ایک لمبی کوشش کے بعد بھی اپنی کیفیت پر قابو نہ پا سکنے پر وہ مجبور ہو کر اُٹھی اور آہستہ قدموں سے چلتی باہر نکل آئی۔ سب لوگ اپنی مصروفیتوں میں گم تھے۔ اسی لیے اسے یقین تھا کہ یوں چلے آنے کا کوئی نوٹس نہیں لے گا۔

باہر تازگی تھی اور خنک ہوا تھی۔ یکبارگی اس کا دل چاہا کہ اپنے مرتبے کا لحاظ کیے بغیر خنک سیڑھیوں پر بیٹھ جائے مگر پکڑ لیے جانے اور دیکھ لیے جانے کا احساس اس کے دل میں یوں راسخ تھا کہ اس خواہش کا حصول ناممکن معلوم ہوتا تھا۔ قریب سے گزرتے بیرے سے کرسی منگوا کر وہ لان میں بیٹھ گئی۔

''نشی...... نشی۔'' وہ تقریباً نیند کی آغوش میں جا چکی تھی، جب کسی کے آواز دینے پر چونک گئی۔

''نشی...... نشی یہ تم ہو۔'' وہ اب قریب آ چکا تھا۔

''ہاں...... یہ میں ہوں، مگر تم کون ہو؟'' اس نے آواز دینے والے کو دیکھے بغیر سوچا اور پھر سر اُٹھایا۔

''میں نے تمہیں اندر ہی دیکھ لیا تھا۔ تمہارے پاس آنے والا تھا مگر جب دوبارہ نظر پڑی تو تم غائب تھی بہت سوچا تو یہی خیال ہوا کہ تم یقیناً باہر ہی ہو سکتی ہو۔ سو باہر آ گیا۔''

''کیسے ہو زین!'' اس کی بات کے دوران اس نے اپنے ذہن کو سوچنے سمجھنے کے قابل بناتے ہوئے جھنجھلاہٹ محسوس کی مگر پھر سیدھی ہو گئی۔

''اچھا ہوں۔ شکر ہے کہ تم نے پہچان لیا۔'' اس نے اشارہ کر کے اپنے لیے جو کرسی منگوائی تھی اس پر بیٹھتے ہوئے کہا۔

''نہ پہچاننے کی کوئی وجہ تو نہیں۔'' اس نے کچھ دیر اس کو دیکھنے کے بعد سر کرسی کی پشت سے ٹکاتے ہوئے کہا۔ ''جب کہ میں وہ سوچ رہی تھی کہ تمہارا یہاں موجود ہونا ہی بجائے خود اتنی ناقابلِ یقین حقیقت ہے کہ پہچاننے میں خود بخود تامل ہونے لگے۔'' مگر اب ایک عرصے سے وہ کسی بھی بات پر چونک جانے کی عادی نہیں رہی تھی۔

''ایک لمبا عرصہ جو گزر گیا لیکن خیر غنیمت ہے کہ انقلاباتِ زمانہ کے باوجود بھی میں تمہیں یاد رہا۔'' اس نے مسکرا کر کہا۔

''ارے زین تم ادھر کہاں آ گئے۔ میں وہاں تمہارے انتظار میں بیٹھا تھا۔'' کسی نے پیچھے سے آواز دی اور وہ اٹھ کر چلا گیا۔ نشاط کو اچانک احساس ہوا کہ اس کی طبیعت ناقابلِ برداشت حد تک بوجھل ہو رہی ہے مگر وہ ساکت ہو کر وہیں بیٹھی رہی۔ ہال سے لوگوں کی باتوں کی آواز بلند ہونے لگی۔

''یقیناً کھانا سرو کیا جا رہا ہو گا۔'' اس نے وہیں بیٹھے بیٹھے سوچا۔

''میں دور سے دیکھ رہی تھی کہ یہ کون بیٹھا ہے۔ پہچان نہ سکنے پر ادھر آ گئی۔ اچھا تم ہو۔'' مسز مجید نے اس کے سامنے آ کر کہا۔

''ہاں آں!'' وہ نہ چاہتے ہوئے بھی سیدھی ہوئی۔ ''میری طبیعت کچھ ٹھیک نہیں تھی۔ خیر چلو۔ اب اندر چلتے ہیں۔'' وہ مسز مجید کی بے سروپا گفتگو سننے کی متحمل نہیں ہو سکتی تھی۔

کھانے کے دوران لوگوں کی بھیڑ میں اس نے نجیب کو ایک کونے میں کھڑے دیکھا۔ شبیر ملک کے ساتھ کھڑا وہ کیا باتیں کر رہا تھا، اپنی پلیٹ میں دھری نوڈلز سے کھیلتے ہوئے اس نے سوچا۔ لندن سے آئی ہوئی پارٹی کے پروگرامز، سٹاک ایکسچینج کا رجحان۔ ڈالر کی گرتی اور سٹرلنگ پونڈ کی بڑھتی ہوئی قیمتیں۔ ''کچھ لوگ کی باتیں اور سوچ کتنی محدود ہوتی ہے۔'' اس نے پلیٹ میز پر رکھتے ہوئے خود سے کہا اور نجیب کی جانب بڑھ آئی۔

''کریم سلطان زبردست ڈیلنگ کر گیا۔'' نجیب کہہ رہا تھا۔ ''بڑی مہارت سے اس نے لیٹر آف کریڈٹ حاصل کر لیا۔ اب اس کے ایکسپورٹس بہت بڑھ جائیں گے۔'' وہ خاموش کھڑی یہ مخصوص باتیں سنتی رہی۔

''کیا خیال ہے اب چلا نہ جائے۔'' اس کے خاموش ہونے پر اس نے سکون سے کہا۔

''ابھی سے، ابھی تو وقت کچھ بھی نہیں ہوا۔'' اسے اسی جواب کی توقع تھی۔

''نہیں...... میرا خیال ہے کہ چلا جائے۔'' اس نے اسی سکون سے اپنی بات دہرائی۔ اور یہی اس کی سب سے

بڑی خوبی تھی کہ وہ بہت پریشان اور گھبرا جانے کے باوجود اطمینان کا دامن ہاتھ سے نہیں چھوڑتی تھی۔

''میرا خیال ہے آپ کی طبیعت ٹھیک نہیں۔'' شبیر ملک نے اپنا خوفناک جبڑا کھول کر ہنستے ہوئے کہا۔

''آپ کا خیال درست ہے۔اسی لیے میں جلدی جانے کا کہہ رہی ہوں۔'' اس نے ذرا رکھائی سے جواب دیا۔

''پھر تو آپ ریسٹ کریں، جاؤ بھئی نجیب احمد تمہاری وائف کی طبیعت خراب ہے۔'' شبیر ملک کے لہجے میں مسخراپن نمایاں تھا۔

''اچھا تو پھر کدھر ہیں مسٹر اینڈ مسز مجید۔'' نجیب نے اِدھر اُدھر دیکھتے ہوئے کہا۔

مسز مجید سے الوداعی کلمات کہتے ہوئے اس نے دیکھا زین نجیب کے پاس کھڑا تھا۔اور جب وہ آہستہ آہستہ چلتی ادھر آئی تو وہ بہت دلچسپی سے اس کی باتیں سن رہا تھا۔

''اچھا بھئی زین صاحب ہم چلتے ہیں پھر ملاقات ہوگی۔'' اس نے سگریٹ سلگاتے ہوئے کہا۔

''تم نے تو تعارف کروایا نہیں نشی لیکن پھر بھی دیکھ لو ہم نے خود ہی واقفیت بنالی۔''

''ارے!'' نجیب نے اس کی طرف گھوم کر دیکھا۔''تم لوگ ایک دوسرے کو جانتے ہو۔''

''جانتے کیا جناب، پہچانتے بھی کہیے۔کسی زمانے میں یہ ہماری فرسٹ کزن ہوا کرتی تھیں۔غالباً ان کو یاد ہے۔''

''کمال ہے یار! ہاتھ ملاؤ دوبارہ سے۔'' نجیب نے سر ہلا کر کہا۔''یہ تو سسرالی رشتہ ہوا نا...... نشی تم نے کبھی ذکر ہی نہیں کیا۔''

''ذکر کرنے کا کبھی موقع ہی نہیں آیا۔'' وہ جیسے نجیب سے اس قدر تپاک کی توقع کر ہی نہیں سکتی تھی۔

''پھر تو جو ہم آپ کو اپنے گھر آنے کی دعوت دے رہے تھے، اب پکی سمجھیں۔اب یہ دہرا قرض ہوا۔ایک ہماری اس دنیا میں پہلا قدم رکھنے کا اور دوسرا نشی کے فرسٹ کزن ہونے کا۔یہ قرض جلد ہی اتر جائے تو اچھا ہے۔''

وہ حیران ہو کر نجیب کو بات بے بات چہکتا دیکھ رہی تھی۔''یا خدا! یہ وہ شخص ہے جس کی گردن کبھی سیدھی ہوئی ہی نہیں۔'' اسے اپنی آنکھوں پر یقین نہیں آ رہا تھا کہ وہ زین سے اس طرح خوش دلی سے مل رہا ہے۔

''ضرور ضرور۔'' زین سدا کا بے تکلف تھا۔

''یہ کیا مصیبت ہوئی کہ ہر جگہ اخلاقاً نہیں رواجاً جانا ضروری ہے۔'' تقریب سے واپسی پر وہ بیزاری سے سوچتی رہی۔

○......❖......○

گھر واپس آ کر اس نے لباس تبدیل کیا اور بالوں کو ربر بینڈ میں جکڑ کر ڈریسنگ ٹیبل کے سامنے آ بیٹھی۔میک اپ کی دبیز تہہ کے اترتے ہی اس کا زرد اور بیزار چہرہ نمایاں ہو کر آئینے میں نظر آنے لگا۔

''مجھے قطعی علم نہیں تھا کہ زین محمود تمہارا کزن نکل آئے گا۔'' نجیب نے بیڈ پر لیٹتے ہوئے کہا۔

''کیا مصیبت ہے۔'' اس پر جھلاہٹ سوار ہوگئی اور اس نے ہاتھ میں پکڑا ہیر برش ڈریسنگ ٹیبل پر دے مارا۔

''نکل آئے گا۔ سے کیا مطلب، وہ میرا کزن ہے۔'' اس نے درشتی سے کہا۔ نجیب سے بات کرتے ہوئے نہ جانے کیوں اس کے لہجے میں درشتی اتر آتی تھی۔

''ہاں میرا مطلب یہی ہے۔ کزن ہے۔'' اس نے نیند کی گولیاں پھانکتے ہوئے کہا۔ ''بہت ترقی کرے گا، بہت۔''

''کیوں کرے گا۔'' اس نے سٹول پر بیٹھے بیٹھے اپنا رخ نجیب کی طرف کیا۔

''کیوں کرے گا؟'' اس نے سر اُٹھایا۔

''اس لیے کہ اس کا حق ہے۔ اس لیے کرے گا۔''

''آپ کو کیسے علم ہوا کہ اس کا حق ہے۔''

''اس لیے کہ اس نے بورریوالہ میں ایک ٹیکسٹائل مل سے آغاز کیا۔ ایک ہی سال میں اس کی مل نے کمپیٹیشن کا میدان جیت لیا۔ پھر اس نے واہ میں ایک فارماسوٹیکل کمپنی کھولی اور آج اس کی کمپنی کا بڑا نام ہے۔''

''بورریوالا، واہ۔'' اس نے دہرایا۔ ''تو اب یہاں کیا کرنے آیا ہے۔''

''یہاں۔'' نجیب نے سونے کی تیاری کرتے ہوئے منہ پھاڑ کر جمائی لی۔ ''یہاں وہ ایک ہوٹل کھولنا چاہتا ہے۔ ہوٹل بھی کیا۔ بقول اس کے موٹل کھولنا چاہتا ہے۔ اور اپنی ٹیکسٹائل مل کی ایک نئی برانچ بھی غالباً۔''

''زین محمود اور بزنس۔'' اس نے رخ موڑ کر آئینے میں بغور دیکھتے ہوئے کہا۔ ''دنیا میں اس سے بڑھ کر ناممکن بات کیا ہوگی۔''

''اس کے پاس انویسٹ کرنے کے لیے بہت کچھ ہے، بہت کچھ اور آج کل وہ کسی برابر کے شیئر ہولڈر کا منتظر ہے۔ عجیب اتفاق ہے کہ وہ تمہارا کزن نکل آیا۔'' نجیب نے کروٹ بدلتے ہوئے کہا۔

''ہوں۔'' اس نے آئینے میں اپنے بھاری پپوٹے دیکھتے ہوئے سوچا۔ ''اسی لیے، گویا اسی لیے نجیب احمد تم اس وقت سے بائیں بائیں کر رہے تھے۔ وہ کسی برابر کے شیئر ہولڈر کا منتظر ہے اور تم اور بہت سے لوگوں کی طرح اپنی آنکھیں اور دانت کھولے کھڑے ہو۔'' اس نے ربر بینڈ اتار کر بالوں میں تیزی سے برش پھیرا۔ ''اپنے اونچے استھانوں سے نیچے اتر کر کسی کو دیکھ لینے کا اس سے بہتر موقع اور کیا ہوگا۔''

''مگر۔'' اس نے چہرے پر کولڈ کریم پھیلاتے ہوئے سوچا۔ ''مگر سب سے اہم سوال تو یہ ہے کہ زین کے پاس اتنا سرمایہ آیا کہاں سے؟''

وہ آج اسے ڈنر میں دیکھ کر پہلے ہی ششدر تھی، کہاں زین محمود اور کہاں جاوید صدیقی اور زین کے مینرز......

''کمال ہے یارو، ہمیں خبر ہی نہیں۔'' اس نے ڈریسنگ ٹیبل کے لیمپ بجھائے اور بیڈ کی طرف آ گئی۔

''یہ کیا رشتہ ہے تمہارا زین محمود کے ساتھ؟'' اونگھتا نجیب لائٹ آف ہونے کی کلک سے پھر جاگ گیا۔ وہ جواب دیئے بغیر لیٹ گئی۔ نجیب نے جواب کا انتظار کیا اور پھر کروٹ بدل لی۔ چند لمحوں بعد کمرہ اس کے خراٹوں سے گونج رہا تھا۔

''خودغرض، مطلب پرست۔'' اس نے ایک بیزار اور حقارت آمیز نگاہ نجیب پہ ڈالی۔ روزانہ رات کو سونے

سے قبل نجیب پر دانت کچکچانا اس کا معمول بن گیا تھا۔

''مگر تم میری اپنی حماقتوں کی سزا ہو۔ میں تم پر غصہ کیسے کر سکتی ہوں۔'' وہ اکثر یہ سوچتی تھی۔ مگر جوں جوں نجیب کے ساتھ گزرتی زندگی طویل ہو رہی تھی اسی رفتار سے اس کی نجیب سے نفرت اور بیزاری بڑھتی جا رہی تھی۔

''تم کبھی آئینے میں خود کو غور سے دیکھو تم کتنے کریہہ المنظر اور مکروہ دکھائی دیتے ہو۔'' اس نے کُڑھ کر سوچا اور کروٹ بدل لی۔

''مگر تمہیں اس سے کیا کہ تم کیسے دکھائی دیتے ہو، اس معاشرے میں جو مقام تمہارا ہے اور جو عزت تمہیں آئے روز ملتی ہے اس کا احساس تمہیں خود ایک نظر دیکھنے کی فرصت دے بھی کیسے سکتا ہے۔''

''اور میں۔'' اس نے خود پر ایک نظر ڈالی۔ ''میں خود بھی تو تمہارے لیے نشانِ امتیاز ہوں۔ اتنا مکروہ نظر آنے کے باوجود اتنی خوش رُو اور میٹرڈ بیوی کا حصول بھی تو کسی نشانِ امتیاز سے کم نہیں۔''

اس نے بے چینی سے کروٹ بدلی دیوار پر نائٹ بلب کی روشنی میں اس کی شادی کی تصویر ایک سائے کی طرح نظر آ رہی تھی۔

''بیوٹی اینڈ دی بیسٹ'' اسے اس تصویر کو دیکھنے پر ہمیشہ یہی خیال آتا تھا۔

''لیکن کیا حق ہے مجھے ایسا سوچنے کا، یہ راستے تو میرے اپنے اپنائے ہوئے ہیں۔ مجھے کوئی حق نہیں ہے نجیب کو برا کہنے کا۔ نجیب تو میری اپنی تجویز کردہ سزا ہے۔'' وہ اپنی سوچ کی زنجیر کو ہمیشہ اس آخری کڑی سے ملانے کی کوشش کرتی تھی۔ مگر اکثر ناکام رہتی ہے۔ جتنا وہ نجیب کے لیے سوچنے کی کوشش کرتی اتنا ہی اس کا ذہن نہیں نہیں پکارتا غائب ہو جاتا۔

''اور پھر کیا نہیں ہے میرے پاس۔'' اس نے اٹھ کر بیٹھتے ہوئے سوچا۔ ''وہ سب جس کی میں نے تمنا کی تھی کہ میرا مقدر ہے۔''

''دنشی۔ نشی۔ یہ تم ہو نشی۔'' کچھ گھنٹے قبل زین نے اس سے پوچھا تھا۔

''ہاں یہ میں ہوں، مگر تم کون ہوں۔'' اس نے خاموش جواب دیا تھا۔

''یہ میں ہوں میں نشاط ظفر جو کبھی تھی۔ نشاط نجیب جواب ہے۔'' اس نے نائٹ بلب کی روشنی میں سامنے کے آئینے میں خود کو گھورا۔

''اور وہ تم زین محمود جس کے بارے میں نجیب نے پوچھا تھا کہ اس سے اس کا کیا رشتہ تھا۔''

''زین۔'' اس نے خود کلامی کے سے انداز میں کہا۔ ''ٹیکسٹائل اور فارماسوٹیکل کمپنی، ناممکنات کو ممکن بنانے کا فن تم نے کہاں سے سیکھا۔'' اب اس کی سمجھ میں آ رہا تھا کہ وہ اس وقت سے اتنی پریشان اور دل گرفتہ کیوں ہو رہی ہے۔

''کوئی اس سے یہ نہ پوچھے زین کون ہے۔ کوئی اس سے یہ نہ پوچھے وہ اس کا کیا لگتا ہے۔'' جاوید صدیقی کے ڈنر پر زین کو دیکھ کر اس نے سوچا تھا۔

''مگر نجیب۔'' اس نے قریب لیٹے نجیب پر نگاہ ڈالی۔

''یہ شخص ہمیشہ مجھ سے وہ سوال کرتا ہے جن کا پوچھا جانا میرے لیے باعثِ اذیت بن جاتا ہے۔''
وہ کسی کو کیوں یہ بتائے کہ زین محمود کسی زمانے میں علاوہ فرسٹ کزن ہونے کے میرا منگیتر بھی تھا تو تم کیا سوچو۔''اس نے مسکرا کر نجیب کو دیکھا۔
''مگر تم کیا سوچو گے۔ کچھ بھی نہیں۔ تمہارے پاس خرافات کے متعلق کچھ سوچنے کا وقت ہی کہاں ہے۔''
دوسرے ہی لمحے ایک تکلیف دہ احساس اس کے دل میں اتر آیا۔
''مگر تمہارے ان خرافات کے متعلق کچھ نہ سوچنے کے سبب ہی تو یہ سب ہے۔''اس نے اردگرد نگاہ ڈالی۔''یہ سب جو کبھی میری منزل تھی۔''
''تمہیں اپنی منزل کے حصول کا اتنا یقین کیسے ہے۔''ایک بار زین نے پوچھا تھا۔
''اس لیے کہ وہ منزل میرا مقدر ہے۔''اس نے کھلکھلا کر جواب دیا تھا۔
''یہ بات بھی تو ماضی کا حصہ ہے۔''اس نے بیڈ سے ٹانگیں لٹکاتے ہوئے خود سے کہا۔
امی ابو کے کامران کے پاس عمان چلے جانے کے بعد اور عائشہ، ماریہ کی شادیوں کے بعد اب تک اس نے ماضی کے بارے میں کبھی نہیں سوچا تھا۔ پھر یہ زین کو کیا سوجھی تھی اچانک ٹپک پڑنے کی۔ مگر شاید تمہیں ہمیشہ سے ہی اچانک ٹپک پڑنے کی عادت ہے۔ پہلی بار بھی تم ایسے ہی اچانک آئے تھے۔

O......❖......O

بچپن ہی سے وہ اپنے سب گھر والوں سے مختلف تھی۔ اپنے چھوٹے سے گھر میں وہ اجنبیوں کی طرح رہتی تھی۔ اسے کچھ بھی اپنا اپنا نہیں لگتا تھا، زندگی کے بارے میں اس کا تصور ہمیشہ سے ہی مختلف اور بلند رہا تھا۔
''میں یہاں نہیں رہ سکتی۔ یہ عائشہ اور کامران کا گھر ہے، میرا گھر نہیں ہے۔'' دس برس کی عمر میں پہلی بار اس نے بآوازِ بلند اعلان کیا تھا۔
''نشی! تم احمقانہ باتیں مت سوچو۔ یہ تمہارا، عائشہ اور کامران تینوں کا گھر ہے۔'' ابو نے اسے رسان سے سمجھایا تھا مگر اس کی سمجھ میں یہ بات بیٹھتی ہی نہیں تھی۔
''گھر تو ویسے ہوتے ہیں جیسے صبا کا گھر ہے۔ جیسا عینی کا گھر ہے۔'' وہ منہ بنا کر اپنی کلاس فیلوز کے گھروں کا تذکرہ کرتی۔ ''اتنے بڑے بڑے لان جن میں وہ کھیلتے ہیں۔'' وہ حسرت سے کہتی۔
''اس کا کوئی ہم عمر نہیں ہے گھر میں، اس لیے ایسا سوچتی ہے۔'' امی اپنا خیال ظاہر کرتیں۔
مگر ایسا نہیں تھا۔ محمود چچا کے انتقال کے بعد جب چچی جان بچوں سمیت ترکی سے واپس آ گئیں تو جہاں سب کے خیال میں زین اور ماریہ کے آ جانے سے گھر میں مزید رونق ہوگئی تھی وہاں وہ اور بھی اس گھر سے بیزار ہوگئی۔ اسے اپنا گھر اور بھی چھوٹا اور پُرشور لگنے لگا چچی جان، زین اور ماریہ کے اچانک چلے آنے پر اس پر مزید جھلاہٹ سوار ہوگئی۔
''کیا مصیبت ہے، یہ لوگ کہیں اور جا کر کیوں نہیں رہتے۔'' وہ پاؤں پٹک پٹک کر کہتی۔
''خاموش رہو نشی، خدانہ کرے جو ان میں سے کوئی سن لے۔ تمہیں علم نہیں کہ وہ لوگ اس وقت کتنے دکھی ہو رہے ہیں اور یاد رکھو یہ گھر صرف ہمارا ہی نہیں ان کا بھی ہے کیونکہ اسے تمہارے دادا نے بنوایا تھا۔'' امی اسے سختی سے

ڈانٹتے ہوئے کہتیں مگر اس پر کوئی اثر نہیں ہوتا۔

''یہ کتنے لوگ جمع ہو گئے اس گھر میں، اب تو میں یہاں ہرگز نہیں رہوں گی۔'' وہ چلاّ چلاّ کر کہتی۔ ایسے میں زین خاموشی سے سنتا اور پھر اچانک مسکرا کر کہتا۔

''یہاں نہیں رہو گی تو پھر کہاں رہو گی نشی؟''

''کہیں بھی مگر یہاں نہیں رہو گی۔'' وہ جھلا کر کہتی۔

''یہ کہیں بھی کہاں ہوتا ہے نشی؟'' وہ اور بھی مسکرا کر کہتا تو وہ دھپ دھپ کرتی سیڑھیاں چڑھ کر چھت پر جا بیٹھتی۔ جہاں اسے دور دور تک بڑے گھر اور ان کے مکین نظر آتے۔ ایسے گھر جن کا موہوم سا تصور ہمیشہ سے اس کے ذہن میں بسا تھا۔

○......❖......○

جوں جوں وقت گزرتا گیا اس کی خودسری بڑھتی گئی۔

''چچی جان یہاں آ کر ہی بیٹھ رہیں۔ واپس کیوں نہیں جاتیں۔'' وہ بار بار کہتی۔

''کہاں چلی جائیں۔ ترکی میں تمہارے چچا اب رہے نہیں اور یہاں ان کا کوئی قریبی عزیز نہیں ہے۔ تمہیں کیا معلوم وہ کتنی مجبور ہیں۔ اور پھر انہیں یہاں کیا ملتا ہے جو آسائشیں ان کو وہاں حاصل تھیں ان کا عشرِ عشیر بھی نہیں۔ پھر تم چیختی رہتی ہو اگر کبھی کوئی سن لے تو کیا سوچے۔ خاص طور پر اگر زین سن لے تو کیا سوچے۔ وہ بہت خوددار لڑکا ہے۔ سو اب اپنا چلاّنا بند کرو۔'' امی غصے میں آ کر کہتیں۔ لیکن اسے اس بات کی پروا نہیں تھی کہ زین کیا سوچ سکتا ہے۔ اس نے کبھی اس کو اتنی اہمیت ہی نہیں دی تھی۔ اس کو زین کی کم گوئی، مہذبانہ انداز اور ذمہ دارانہ رویوں سے ویسے ہی چڑ تھی۔ وہ گھر میں ہمہ وقت یوں نظر آتا جیسے سب گھر والے اس کی ذمہ داری ہوں، خود اس کی اپنی خودسری اور چڑچڑے پن پر جب امی گھبرا جاتیں تو وہ ہنس کر کہتا۔

''ابھی ناسمجھ ہے۔ وقت کے ساتھ ساتھ سمجھ جائے گی۔'' اس کا یہی لہجہ اسے زہر لگتا تھا مگر زین پر اس کی بڑبڑاہٹ کا کبھی اثر نہیں ہوا تھا۔

اس کی خودسری میں اس وقت مزید نکھار آ گیا جب اس نے کالج میں ایڈمیشن لیا۔ بچپن ہی سے وہ اس بات سے آگاہ تھی کہ وہ شکل وصورت میں اپنے دونوں بہن بھائیوں سے بہت بہتر ہے، کالج کے ماحول اور دوستیوں نے اس پر نیا رنگ جمانا شروع کر دیا۔

''اُف نشی! تم کس قدر اٹریکٹو ہو۔'' ایک دوست کہتی۔

''ہائے تم اپنے بالوں کو فلاں سٹائل میں کٹوا لو۔'' دوسری کہتی۔

''نشی! تمہارا حسن اس قدر باوقار ہے، تمہیں تو کہیں کی شہزادی ہونا چاہیے تھا۔''

تیسری کہیں سے سرگوشی کرتی۔ وہ پہلے ہی شہزادیوں جیسی آن بان سے رہتی تھی۔ ایسے جملوں نے اسے اور بھی خودسر بنا دیا۔ وہ خود بخود اپنے آپ کو عائشہ، ماریہ اور کامران سے ممتاز اور منفرد سمجھنے لگی۔ پھر ایک بار جب زین اسے گھر لے جانے کے لیے کالج آیا تو اس نے اپنی دوستوں کو مختلف سرگوشیاں کرتے سنا۔ ''اُف نشی! تمہارا کزن کتنا ہینڈسم ہے۔''

''ارے یہ بھی کہیں کا شہزادہ لگتا ہے۔''

''دنشی! تم کتنی خوش قسمت ہو، تمہارا کزن اتنا گڈ لکنگ ہے۔''

ان دنوں میں پہلی بار اس نے زین پر توجہ دی۔ وہ ٹین ایج کا دور تھا۔ جب فلموں اور ویمن میگزین رومانس کا جادو سر چڑھ کر بول رہا ہوتا ہے۔ اس جادو کے زیر اثر اس نے خود بخود زین کی طرف توجہ دینا شروع کر دی۔ مگر زین اپنا کوئی سرا ہاتھ میں آنے ہی نہیں دیتا تھا، اس کا معمول اور مزاج بہت مختلف تھا۔ ان سب سے بڑا ہونے کی وجہ سے وہ سب کی مدد خود پر فرض سمجھتا تھا۔ اپنی پڑھائی کی خاطر وہ کسی پر بوجھ بننا پسند نہیں کرتا تھا۔

''یوں کرتے ہیں، کچھ ٹیوشنز لے لیتے ہیں۔'' وہ چٹکی بجا کر کہتا۔

''یوں کرتے ہیں کہ چھٹی کے دن ہی تایا جان کو کچھ ریسٹ دے دیتے ہیں۔''

وہ ابو کے سارے کام بھاگ بھاگ کر کرتا۔

''آؤ۔ عائشہ اور ماریہ کو کہانیاں سنائیں۔'' وہ اس کو بھی دعوت دیتا۔ مگر وہ نخوت سے منہ پھیر لیتی۔

وقت کا اس سے زیادہ بے ڈھب مصرف اور کیا ہوگا کہ انسان بچوں کو کہانیاں سنانا شروع کر دے۔ وہ دل میں سوچتی۔ فارغ وقت میں وہ عائشہ، ماریہ اور کامران کو ترکی زبان میں یاد کیے گیت سناتا۔

اوسکو دارا گیدیریکین آلدی دا بیریا مور (اوسکو دارا جاتے ہوئے ایک روز بارش ہونے لگی) وہ اکثر یہ گیت باآواز بلند گنگناتا ہوا نظر آتا۔

اس کو رفتہ رفتہ یوں محسوس ہونے لگا جیسے زین کی اتنی مصروف زندگی میں اس کے لیے کوئی گنجائش ہی نہیں ہے۔ جب کہ وہ اس حقیقت سے بھی واقف تھی کہ وہ روزانہ کے معمول میں اس کی ضرورتوں، خواہشوں کا حد سے زیادہ خیال رکھتا تھا۔ اس کی خاطر وہ اپنا ضروری سے ضروری کام بھی چھوڑ کر اس کے ساتھ چل پڑتا۔ مگر یہ کوئی امتیازی سلوک نہیں تھا وہ باقی سب گھر والوں کے لیے بھی ایسے ہی کرتا تھا۔

پھر اس نے سنا کہ امی، ابو اور چچی جان نے اس کی اور زین کی منگنی کر دینے کا فیصلہ کیا ہے تو پہلی بار اسے امی ابو کے فیصلوں پر جھنجھلاہٹ محسوس نہیں ہوئی۔ ہاں اب وہ فخر سے دوستوں میں یہ اعلان کر سکتی تھی کہ اس کے جس کزن کو دیکھ کر وہ آہیں بھرتی ہیں وہ اب مکمل طور پر اس کی دسترس میں ہے۔ اس نے امی ابو کے اس فیصلے کے اعلان پر پہلی بار زین کو کھل کر ہنستے ہوئے دیکھا تھا وہ اس کو خوش دیکھ کر خوش تھا۔

''زین بھائی۔ اس خوشی میں اوسکو دارا تو سنا دیں۔'' کامران نے ہنستے ہوئے کہا تھا۔

اوسکو دارا گیدیریکین آلدی دا بیریا مور

(اوسکو دارا جاتے ہوئے ایک روز بارش ہونے لگی)

اس نے پُر مسرت لہجے میں سنانا شروع کیا۔

کاتب بینم بین کاتبین ایل نا کاراشر

(میں اس کی ہوں وہ میرا ہے کسی کو کیا)

یہ مصرعہ سناتے ہوئے اس نے بڑے یقین کے ساتھ اسے دیکھا تھا، ہاں ایسے ہی ہوتا ہے ویمن میگزینز

اسٹوریز میں...... ’’میں اس کی ہوں وہ میرا ہے کسی کو کیا؟‘‘

اس نے زیرلب گنگناتے ہوئے سوچا تھا۔ پسند کیے جانے کا احساس اس عمر میں کتنا بھلا لگتا ہے۔ اس روز اسے پہلی بار محسوس ہوا تھا۔

اس روز کے بعد زین کے رویے میں بہت فرق آ گیا۔

’’تمہیں کسی چیز کی ضرورت تو نہیں نشی؟‘‘ اپنی زبردست مصروفیت کے دوران فرصت کے کسی لمحے میں وہ اس سے خاص طور سے پوچھنا نہ بھولتا۔

’’یہ دیکھو یہ کتاب، وہ فلاں خوشبو، یہ نرگس کے پھول یہ لارڈز کا پان میں تمہارے لیے لایا ہوں۔‘‘

گاہے گاہے ایسے چھوٹے تحائف حاصل کر کے اسے یوں محسوس ہوتا جیسے دنیا صرف اسی کے لیے بنی ہو۔ وہ اسے کہیں لے جانے کو کہتی۔ وہ اپنا اہم سے اہم کام ملتوی کر دیتا۔

’’گولی مارتے ہیں فلاں کام کو چلو پہلے تمہیں چھوڑ آئیں۔‘‘ وہ کہتا۔

اتنی توجہ نے اس کا دماغ مزید بگاڑ دیا، زین سے منگنی کے بعد کا کچھ عرصہ اس نے خوابوں کی دنیا میں سوتے جاگتے گزار دیا۔ پھر رفتہ رفتہ کالج کے ماحول میں اس نے مزید قدم جمانے شروع کیے۔ وہ سکول کے زمانے سے اچھی ڈیبیٹر تھی۔ کالج میں پہلی بار اس نے تھرڈ ایئر میں ڈیبیٹس میں شامل ہونا شروع کیا اور کالج کے لیے ٹرافیاں جیتنے کا آغاز کیا۔ دوسرے شہروں میں دوسرے کالجز میں اکثر آنے جانے سے اس پر حقیقت کھلنی شروع ہوئی کہ دنیا بہت وسیع ہے۔ اور دنیا میں رنگ اس قدر ہیں کہ ان کا شمار ناممکن ہے۔ وہ جو کچھ عرصے کے لیے فراموش کر چکی تھی کہ اس نے وسیع اور خوبصورت گھر اور آرام دہ زندگی کے خواب دیکھے تھے، رفتہ رفتہ اسے یہ سب پھر سے یاد آنے لگا۔ پھر دوستوں کی باتیں اسے اب بھی اپنا آپ یاد دلاتیں۔ جاتے ہوئے اس نے ذرا تکلف سے تیار ہونا شروع کر دیا۔

’’شہزادیوں کا سا حسن۔‘‘

’’اتنی تمکنت اتنا غرور، تمہارے حسن ہے میں کہ کچھ کہا ہی نہیں جا سکتا۔‘‘

وہ اکثر اس سے کہتیں۔

’’تمہیں تو کسی محل میں رہنا چاہیے۔ شہزادیوں کی طرح۔‘‘

اس کا دماغ یہ سب سن کر پھر خراب ہونے لگا۔

O......❖......O

انٹر کالجیٹ ڈیبیٹس کا زمانہ ایک بار پھر آیا۔ اب کہ وہ بزعم خود میچور ہو چکی تھی، دنیا میں رہنے کا ڈھنگ اچھی طرح جان چکی تھی۔ لوکل بوائز کالج کا انگلش ڈیبیٹ کمپٹیشن جیت کر جب وہ سہیلیوں کے ساتھ باہر نکلی تو لڑکوں کے ایک گروپ نے باقاعدہ ان کا پیچھا شروع کیا۔

’’ہائے نشاط ظفر۔‘‘ کسی نے پیچھے سے نعرہ لگایا۔ وہ کچے ذہن کی لڑکی تھی۔ اس کے اپنے بارے میں اس وقت کوئی اصول نہیں تھے۔ پھر سراہا جانا کس کو برا لگتا ہے۔ بظاہر لاپروا نظر آتے ہوئے ہیلز پر مضبوطی سے پاؤں جمائے وہ آگے چلتی رہی پھر تہہ کیا ہوا ایک کاغذ اس پر آ کر گرا جو اس کی ایک دوست نے سنبھال لیا۔

''اُلو کے پٹھے، لفنگے۔'' اس نے دل میں خوش ہوتے ہوئے بظاہر دانت پیستے ہوئے کہا اور کالج کے گیٹ سے باہر نکل آئی اور کاغذ دوست سے چھین لیا۔

اسے نہیں معلوم تھا جس نے وہ کاغذ پھینکا تھا وہ کون تھا، کیسا تھا مگر جو کچھ لکھا تھا وہ اس کی خود آگاہی کے احساس کو مزید جلا بخش گیا۔

عجلت میں وہ لفظ کاغذ پر تقریباً گھسیٹے گئے تھے مگر کتنے خوبصورت لگ رہے تھے۔ اس نے ان دنوں بارہا ان الفاظ کو پڑھا۔

گلاب چہرے پہ مسکراہٹ
چمکتی آنکھوں میں شوخ جذبے
وہ ہنستی تو ایسا لگتا کہ جیسے چاندی پگھل رہی ہو
وہ جب بھی
کالج کی سیڑھیوں سے سہیلیوں کو لیے اترتی
تو ایسا لگتا کہ جیسے دل میں اتر رہی ہو
کچھ اس تیقن سے بات کرتی کہ جیسے
دنیا اسی کی آنکھوں سے دیکھتی ہو
گلاب چہرے پہ مسکراہٹ
وہ اپنے رستے میں دل بچھاتی ہوئی نگاہوں سے ہنس کے کہتی
تمہارے جیسے بہت سے لڑکوں سے میں یہ باتیں
بہت سے سالوں سے سن رہی ہوں
میں ساحلوں کی ہوا سی لڑکی
سمندروں کے لیے بنی ہوں

اور آخر میں یہ جملہ۔ ''ہاں نشاط ظفر! تم ساحلوں کی ہوا سی لیے سمندروں کے لیے بنی ہو۔''

بے نام پتے کا یہ کاغذ اس کی زندگی کا ایک نیا موڑ ثابت ہوا۔ ہاں! وہ یونہی سراہے جانے کے قابل تھی۔ دن میں کئی بار وہ اپنے سراپے کو آئینے میں دیکھتے ہوئے سوچتی۔

''تعریف ایسے ہی کی جاتی ہے مگر دیکھو، اس نے اپنا نام تک نہ لکھا۔'' اس کی ایک دوست نے اس سے کہا۔

''کیا زین تمہاری یونہی تعریف کرتا ہے، کوئی شعر، کوئی مصرعہ، کوئی جملہ؟'' دوسری نے پوچھا۔

''زین اور تعریف۔ کوئی شعر، کوئی مصرعہ، کوئی جملہ، ناممکن۔'' اس نے سر جھٹک کر کہا۔

''تو پھر کیا ہے وہ شخص جو اتنا نہیں کر سکتا۔ کچھ تو کہے نا آدمی۔''

''وہ ٹھیک ہی کہتی ہیں، فلاں کتاب، فلاں خوشبو، نرگس کے پھول اور لارڈز کے پان کی کیا تک ہے۔ ان سب کا کیا فائدہ۔ ایسا تو وہ سب کے لیے کرتا ہے۔'' ان کی باتیں سن کر وہ اکثر سوچتی تعریف تو ایسے ہی ہونا چاہیے۔

گلاب چہرے پر مسکراہٹ
چمکتی آنکھوں میں شوخ جذبے

وہ خوابوں کی دنیا میں دوبارہ داخل ہو جاتی۔ اور اس کی توجہ زین سے ہٹ کر کسی نئے نکتے پر مرکوز ہو جاتی۔

O......❖......O

کالج کی اینول ڈیبیٹس میں وہ سٹیج سیکرٹری کی حیثیت سے ڈبیٹرز کے نام اناؤنس کر رہی تھی۔ جب اس کی ایک دوست نے اس کے کان میں سرگوشی کی۔

''وہ جو بیٹھے ہیں نا وہ صاحب، سامنے کی لائن میں دائیں سے تیسرے، تمہارے بارے میں پوچھ رہے ہیں۔''

''کیوں؟'' اس نے سر جھکائے جھکائے پوچھا۔

''معلوم نہیں ویسے سنا ہے کچھ ٹی وی سے تعلق ہے ان کا۔'' اس نے سر اٹھا کر سامنے کی لائن میں دائیں سے تیسرے شخص کو دیکھا۔ وہ اسی کی جانب دیکھ رہا تھا۔ پروگرام کے ختم ہونے کے بعد وہ سیدھا اس کی طرف آیا۔

''مس نشاط ظفر پلیز، میں آپ سے بات کر سکتا ہوں۔''

''جی فرمایئے۔'' اس نے خوش دلی سے کہا۔

''میں آپ کے چہرے کے تاثرات اور اناؤنسمنٹ کے طریقے سے بہت متاثر ہوا ہوں۔ کیا آپ ٹی وی کے لیے اناؤنسمنٹ کرنا پسند کریں گی؟''

''ہاہا......'' اس کا دل ایک لمحے کے لیے کھل اٹھا۔ مگر دوسرے ہی لمحے ڈوب سا گیا۔

''یہ کس طرح ممکن ہے۔ امی ابو اس کی اجازت تو ہرگز نہ دیں گے۔'' اس کے چہرے پر مایوسی چھا گئی۔

''گھبرانے کی بات نہیں ہے۔ ٹیلیویژن سینٹر کا ماحول بہت اچھا ہے۔ آپ عام تاثر کا شکار معلوم ہوتی ہیں۔''

وہ رضامندی اور مایوسی کے تاثرات لیے اسے دیکھتی رہی۔

''یہ میرا کارڈ ہے۔ آپ جو بھی فیصلہ کریں مجھے مطلع ضرور کیجئے گا۔'' اس نے کارڈ اسے پکڑاتے ہوئے کہا۔

''ویسے آپ کا ایڈریس یا فون نمبر پوچھ سکتا ہوں۔'' وہ جاتے جاتے مڑا وہ ابھی تک خاموش کھڑی تھی۔

''اور ہاں آں! مجھے یقین ہے کہ آپ سکرین ٹیسٹ اور آڈیشن میں بآسانی کامیاب ہو جائیں گی۔ آپ کا چہرہ اور آواز اس یقین کی بنیادی وجہ ہے۔ ویسے آپ کا ایڈریس؟''

''میں آپ کو خود ہی بتا دوں گی۔'' وہ چونک گئی اور تیز قدموں سے اپنی کلاس فیلوز کی طرف آ گئی۔

''آپ کا چہرہ اور آواز...... آپ کا چہرہ اور آواز اس یقین کی بنیادی وجہ ہے۔'' اس کے اردگرد ایک ہی جملہ گونج رہا تھا۔

''تم کتنی خوش قسمت ہو نشی! تمہیں ایک بار ہی دیکھنے اور سننے کے بعد یہ آفر مل گئی ورنہ لوگ تو تمام عمر ٹی وی سٹیشن کے چکر لگاتے جوتیاں چٹخاتے رہتے ہیں۔''

بہت سی لڑکیوں نے یہ بات سننے پر کہا۔

''ایسا نادر موقع گنوانے کے لیے تو نہیں ملتا نشی!'' اس کی ایک قریبی دوست نے کہا۔

''ہر بات پہ پابندی۔ اونہہ! یہ کیا اندازِ فکر ہے۔'' اس نے گھر آ کر سوچا۔ ''میں ضرور آفر قبول کروں گی آزمانے اور ایسا تجربہ کر لینے میں کیا حرج ہے۔ آخر ہم بھی تو اسی دنیا کی مخلوق ہیں۔ اور پھر ایسا نادر موقع گنوانے کے لیے تو نہیں ملتا۔'' بہت سوچنے کے بعد اس نے فیصلہ کیا۔

پہلے مرحلے میں اس نے اپنا یہ خیال عائشہ اور ماریہ کے سامنے پیش کیا۔

''ہائے...... مگر یہ کیسے ممکن ہے آپا!'' ان دونوں نے چور نظروں سے امی ابو کے کمرے کے دروازے کو دیکھتے ہوئے کہا۔

''کیوں ممکن کیوں نہیں ہے؟'' اس نے چڑ کر کہا۔ ''اور پھر میں تو بھئی ضرور کروں گی۔'' اس کا انداز فیصلہ کن تھا۔

امی ابو کا ردِعمل وہی تھا جس کا اس نے سوچا تھا۔ ''مگر میں کروں گی اور ضرور کروں گی۔'' وہ ہٹ دھرمی پر اُتر آئی۔

''تمہیں کیا ہو گیا ہے نشی! اتنی ضد کس کام کی؟'' زین نے حسبِ معمول نرمی سے کہا۔

''کیوں؟'' وہ تنتنا کر بولی۔ ''کیوں نہ کروں ضد۔ کیا اپنی مرضی سے جینا اور کام کرنا میرا حق نہیں ہے؟ کوئی کیوں میرا حق چھینے، محض اس لیے کہ وہ میرا باپ ہے۔'' اس کے لہجے میں سرکشی تھی۔

''اسی لیے تو انہیں یہ حق ہے کہ وہ تمہیں ہر اس بات سے منع کریں جو ان کے خیال میں تمہارے لیے ٹھیک نہیں ہے۔ اسی لیے کہ وہ تمہارے باپ ہیں۔'' اس نے نرمی سے سمجھایا۔

''مگر میں اس کو حق نہیں مانتی۔'' وہ غصے میں ہمیشہ کی طرح سیڑھیاں پھلانگتی چھت پر چڑھ گئی۔ اور وہ اس کے پیچھے چلا آیا۔

''مگر اپنے لہجے کو گستاخ بننے سے تو روک سکتی ہو نا۔'' اس نے کہا۔

''پتا نہیں۔'' اس نے سر ہلا کر کہا۔ ''پتا نہیں مگر زین میں اس طرح کی زندگی گزارنا نہیں چاہتی میں کچھ کرنا چاہتی ہوں۔ ایسی زندگی جیسی لوگ گزارتے ہیں، ایسے کام جیسے لوگ کرتے ہیں مگر مجھے اتنا ضرور علم ہے کہ اگر مجھے کسی نے ایسا کرنے سے منع کیا تو پھر میرا یا اس کا اپنا کچھ نقصان ضرور ہو گا۔'' اس نے بچپن سے اپنے خوابوں میں بسے گھروں کو بغور دیکھتے ہوئے کہا۔

''ایک بات بتاؤ نشی!'' اس نے کچھ دیر خاموش رہنے اور اس کی بات پر غور کرنے کے بعد کہا۔ ''تم اوپر آتے ہوئے تین تین سیڑھیاں اکٹھے ہی کیوں پھلانگتی جاتی ہو؟'' غالباً وہ بات بدلنا چاہتا تھا۔

''اس لیے کہ اکٹھے سیڑھیاں پھلانگنے میں جو لطف ہے وہ ایک ایک سیڑھی چڑھنے میں کہاں مگر تمہیں کیا پتا۔ تم تو ایک ایک سیڑھی پر یوں قدم جماتے ہو جیسے تمہارے پاؤں تلے سے نکلی جا رہی ہو۔'' وہ کھلکھلا کر بولی۔

''ہاں شاید مجھے نہیں پتا۔ مگر مجھے اتنا ضرور پتا ہے کہ اکٹھے سیڑھیاں پھلانگتے ہوئے کبھی کبھار مس ججمنٹ بھی ہو سکتی ہے اور انسان اچانک گر بھی سکتا ہے۔'' اس کا لہجہ سنجیدہ تھا اور غالباً افسردہ بھی۔

O......❖......O

پھر اسے اچانک ابو سے اجازت مل گئی۔ اس کے نزدیک یہ معجزہ تھا۔ عائشہ نے اسے بتایا کہ زین نے ہی ابو کو منایا تھا۔

''وہ کہہ رہے تھے کہ بات کو طول دینے کا کیا فائدہ۔ ابھی اس کو جانے دیں۔ بہت ممکن ہے کہ وہ سکرین ٹیسٹ میں یا پھر آڈیشن میں پاس نہ ہو۔''

مگر زین کا خیال غلط تھا۔ بابر زمان جو اس کو ٹی وی سٹیشن تک لایا تھا اس کا خیال تھا کہ اس کا چہرہ اور آواز ہیں ہی ایسے کہ وہ آڈیشن اور سکرین ٹیسٹ میں کامیاب ہو سکتی ہے، اس کا خیال صحیح ثابت ہوا۔ اور یوں وہ امی ابو چچی جان اور زین کے نہ چاہنے کے باوجود ایک نئی جگہ اور نئے ماحول سے متعارف ہو گئی۔

اسے یہ کام بہت اچھا لگا تھا۔ نئے لوگ، نئے چہرے اور نئے تجربے۔ وہ زندگی کو یوں ہی گزارنا چاہتی تھی۔ گلیمر، شوخ رنگ، لائم لائٹ، زندگی کا خوبصورت ترین پہلو یہی تو تھا۔ اس نئی دنیا میں کھو کر وہ گھر والوں سے اور بھی دور ہوتی گئی۔ اسے ایک نئے احساسِ برتری نے جکڑ لیا تھا۔ اخباروں اور پبلسٹی میگزینز میں اس کی تصویریں چھپنے لگیں۔ اِکا دُکا انٹرویو آنے لگے۔ وہ باہر نکلتی تو بارہا پہچان لی جاتی۔ اس کا دماغ مزید بگڑ گیا۔ وہ لوگ جو دور ہی سے دیکھے جا سکتے تھے وہ لوگ جو تصوراتی مخلوق معلوم ہوتے تھے، نزدیک آ گئے۔ حقیقی کردار بن گئے ان میں سے بیشتر اس کے حلقۂ احباب میں شامل تھے۔ وہ اپنے تئیں جتنا بھی فخر کرتی کم تھا۔ امی ابو کچھ عرصہ بولنے اور ڈانٹنے کے بعد ہار کر خاموش ہو گئے، چچی جان نے دوبارہ اسے دعائیں دینا اور آیتیں پھونکنا شروع کر دیں۔ وہ ٹھیک سمجھتی تھی آخر یہ لوگ کتنا عرصہ ناراض رہیں گے۔

زین کا رویہ اس سارے عرصے میں ایک بار بھی نہیں بدلا تھا۔ البتہ وہ چپ چپ لگتا تھا لیکن اب بھی وہ اس کا اسی طرح خیال رکھتا۔ فلاں خوشبو، فلاں کتاب، نرگس کے پھول، اور لارڈز کے پان لانا اب بھی اس کا معمول تھا۔ سردیوں کی خنک شام میں اور گرمیوں کی حبس بھری رات میں بھی اکثر جب وہ ٹی وی سٹیشن سے باہر نکلتی تو وہ سامنے منتظر کھڑا ہوتا۔

''تم کیوں آتے ہو، میں وین سے جو آ جاتی ہوں۔'' وہ جھنجھلا کر کہتی۔

''میرا کیا جاتا ہے نشی! بس ایک اطمینان سا رہتا ہے تمہیں خود لینے آنے میں۔'' وہ افسردگی سے کہتا۔

''تم جب اتنی دیر تک باہر رہتی ہو تو خود بخود پریشانی ہونے لگتی ہے اور میں تمہیں لینے یہاں آ جاتا ہوں۔''

''بس تم اتنی زحمت مت کیا کرو۔ تمہیں پتا ہے کہ مجھے کچھ نہیں ہو سکتا۔''

وہ چڑ کر کہتی۔ مگر اس کے ذہن میں کہیں روشنی سی کوندا مارتی۔

''ہاں، یہ شخص ایسا ہے کہ جس کا دل میری مٹھی میں بند ہے۔ میری رضا کے بغیر جو کچھ بھی نہیں کر سکتا۔''

''نہیں نشی! میں تمہیں یوں اکیلے نہیں چھوڑ سکتا۔ تمہیں علم ہے کہ تم میرے لیے کتنی اہم ہو۔ میں تمہاری ہر ضد مان لیتا ہوں، تم میری ایک بات مان جاؤ۔''

وہ بے توجہی سے اس کی بات سنتا اور سنجیدگی سے جواب دیتا۔

○......❖......○

اس کا پہلا بڑا انٹرویو ایک روزنامے میں چھپا تھا۔ سارا دن وہ بار بار پڑھتی اور اپنی آنکھوں پر یقین کرتی رہی۔

''یہ میں ہوں نا!'' اس نے عائشہ سے تیسری بار پوچھتے ہوئے اخبار لہرایا تھا۔

''کیوں یقین نہیں آ رہا۔'' زین نے پاس سے گزرتے ہوئے رک کر پوچھا تھا۔

''نہیں۔'' اس نے سر ہلایا۔

''حیرت ہے۔'' وہ ہنسا۔ ''جب کہ تمہیں اپنے بارے میں بہت سے یقین ہیں، اس حقیقی بات پر یقین نہیں آ رہا۔''

''یقین بس اس تصویر پر نہیں آ رہا۔'' اس نے سنبھل کر کہا۔ ''ورنہ اپنے بارے میں مجھے جو بھی یقین ہے وہ درست بھی ہے اور حقیقت بھی۔''

''مثلاً کیا درست ہے اور حقیقت بھی؟'' اس نے دلچسپی سے پوچھا۔

''یہی کہ میں ساحلوں کی ہوا سی لڑکی سمندروں کے لیے بنی ہوں اور یہ کہ میرے گلاب چہرے پر مسکراہٹ اور چمکتی آنکھوں میں شوخ جذبے سب کے لیے باعثِ توجہ ہیں۔'' اس نے کھنکتے لہجے میں خود آگاہی کا زمانۂ آغاز یاد کرتے ہوئے کہا۔

''یہ تم سے کس نے کہا؟'' زین مسکرا دیا۔

''بس کبھی کہا ہی تھا کسی نے۔ تمہیں یقین نہیں آیا کیا؟''

''یقین آنے یا نہ آنے کی بات نہیں ہے نشی! بات یہ ہے کہ غالباً اس کسی نے تمہیں اس نظم کا دوسرا حصہ نہیں سنایا۔''

''دوسرا حصہ۔ وہ کیا ہے؟'' اس نے ناک سکیڑ کر کہا۔

''وہ ہی تو اصل چیز ہے۔ کہو تو سنا دوں۔ شاید تمہارا بھلا ہو جائے۔''

''ہاں سناؤ'' اس نے دلچسپی سے کہا۔

''دوسرا حصہ ایک دوسرا دور جس میں شاعر اس ساحلوں کی ہوا سی لڑکی۔ جو سمندروں کے لیے بنی تھی۔ کے بارے میں یہ کہتا ہے کہ:

وہ ساحلوں کی ہوا سی لڑکی\
کل ملی تھی، اسی طرح تھی\
گلاب چہرے پہ مسکراہٹ\
چمکتی آنکھوں میں شوخ جذبے\
وہ ہنستی تو ایسے لگتا\
کہ جیسے چاندی پگھل رہی ہو\
مگر جو بولی تو اس کے لہجے میں

وہ تھکن تھی کہ جسے صدیوں سے

دشتِ ظلمت میں جل رہی ہو۔

''سونشی! ساحلوں کی ہواؤں کے ساتھ جو سمندروں کے لیے بنی ہیں......کبھی کبھی ایسا بھی ہو جاتا ہے۔''

''تاریک پہلو، مایوس سوچیں، اُف زین تم اس کے علاوہ بھی کچھ محسوس کر سکتے ہو۔'' اس نے غصے میں آ کر کہا۔ ''مگر تم دیکھ لینا میرے ساتھ ایسا کبھی نہیں ہوگا۔'' وہ اٹھ کر سیڑھیاں پھلانگتی چھت پر چڑھ گئی۔

○......❖......○

کالج کی ہی ایک سٹوڈنٹ صبا احمد ٹی وی پر اس کو دیکھ کر بہت متاثر ہوئی تھی۔ اس نے خود سے اس کی طرف دوستی کا ہاتھ بڑھایا اور پھر اس سے دوستی دن بہ دن مضبوط ہوتی گئی۔ صبا احمد کا تعلق بڑے شہر کے چند اونچے خاندانوں میں سے ایک سے تھا مگر وہ نشاط کی دوستی کو بڑا معتبر خیال کرتی تھی۔

''خدا کی قسم نشاط میں نے تمہارے جیسا حسن پہلے کہیں اور نہیں دیکھا۔ میں تو ٹی وی پر تمہیں دیکھ کر ششدر رہ گئی اور جب معلوم ہوا کہ تم میرے ہی کالج میں پڑھتی ہو تو میری خوشی کی کوئی انتہا ہی نہ رہی۔ ہائے میں کتنی خوش قسمت ہوں کہ تم نے مجھ سے دوستی کر لی۔ ایسا تو کبھی کبھار ہی ہوتا ہے۔''

لاپروا اور سادہ دل انسان کا دماغ بھی ایسی باتیں سن کر گھوم جاتا ہے۔ نشاط تو پھر نشاط تھی۔ صبا کی دوستی کی صورت میں جس قسم کا ماحول دیکھنے کا اسے موقع ملا تھا وہ کہیں اور کیسے مل سکتا تھا۔ اور پھر صبا کے تعریف کرنے کا انداز بھی منفرد تھا۔ اس نے اس کا ہاتھ اس کا سہارا، مضبوطی سے تھام لیا۔ وہ صبا کے گھر کے فنکشنز میں شرکت کرنے لگی۔ ہاں ایسا ہی گھر ایسا ہی ماحول، ایسے ہی لوگ تو شروع سے اس کے ذہن میں بستے تھے۔ ایسی ہی روشنیاں اور رنگ تو وہ چاہتی تھی۔ اس کے چہرے اور آواز نے اسے کہاں سے کہاں پہنچا دیا تھا۔ وہ ٹی وی پر متعارف نہ ہوتی تو یہ سب کچھ کہاں دیکھنے کو ملتا؟ صبا کے اکثر فیملی فرینڈز اس کو ہاتھوں ہاتھ لیتے۔ اٹھ کر اس کی پذیرائی کرتے۔ کون سوچ سکتا تھا کہ ایسا بھی ہو سکتا ہے وہ تفاخر سے سوچتی۔

پھر ایک روز صبا نے اس کا تعارف اپنے بھائی نجیب احمد سے کروایا۔ نجیب احمد ان دنوں امریکہ کے بزنس ٹرپ سے تازہ تازہ لوٹا تھا۔ نشاط نے اس کا تفصیلی جائزہ لیا، اپنی تمام تر سج دھج کے باوجود کافی عمر کا نظر آتا تھا۔ اس کے علاوہ وہ کم رُو بھی تھا۔ اس نے گھبرا کر اپنا دھیان صبا کی باتوں کی طرف کر لیا۔

''اصل میں یہ نجیب بھائی بے چارے بہت پریشان سے رہتے ہیں۔ بہت سال ہوئے انہوں نے اپنی پسند کی ایک لڑکی سے شادی کرنا چاہی تو بات بنی نہیں۔ پھر شادی کی فرصت ہی نہیں ملی۔ اور اب وہ شادی کرنا چاہتے ہیں تو انہیں اپنے معیار کی لڑکی نہیں ملتی۔''

''ایسے حلیے پر بھی معیار کی شرط۔'' اس نے مسکراتے ہوئے سوچا۔

لیکن پھر ایک روز جب صبا نے اس سے کہا کہ اس کے بھائی کو وہ پسند آ گئی ہے اور وہ اس سے شادی کرنا چاہتے ہیں تو وہ سناٹے میں آ گئی۔

''مگر یہ کیسے ممکن ہے؟'' اس کی نظروں کے سامنے نجیب احمد کا سراپا گھوم گیا۔

''وہ کہتے ہیں کہ ایسے ہی چہرے کے تو وہ متلاشی تھے، ایسا ہی رکھ رکھاؤ، ایسی ہی آواز، ایسا ہی رعب داب۔''

صبا کہہ رہی تھی۔ ''اور پھر نشاط ان میں کس چیز کی کمی ہے۔ پڑھے لکھے ہیں عزت ہے، شہرت ہے، پیسہ ہے، سٹیٹس ہے۔ کیا کمی ہے ان میں؟'' وہ اس کو دلائل سے کنوینس کر رہی تھی۔

''مگر یہ کیسے ممکن ہے۔'' اس کا ذہن ایک ہی بات سوچ رہا تھا۔

''دیکھو نشاط! تمہیں تو شہزادیوں کی طرح راج کرنا چاہیے۔ تم اسی کی مستحق ہو، اور پھر شادی تو تمہیں کرنا ہی ہے تمہارے امی ابو تمہارے لیے بہت اچھی جگہ بھی ڈھونڈیں تو زیادہ سے زیادہ وہ کیا ہوگا۔'' وہ کہہ رہی تھی۔

''وہ تو اس کے لیے وہ جگہ ڈھونڈ چکے تھے۔'' اس نے سوچا۔

''جو تمہیں چاہنے والے ہیں جو تمہیں عزت دے کر لے جانا چاہتے ہیں، ان کی محبت اور خلوص پر شک کیوں کرنا چاہتی ہو۔ دیکھو نجیب بھائی تمہیں بہت خوش رکھیں گے۔ اونچی، بہت اونچی جگہ پر تمہیں وہ مقام دیں گے جو تمہیں ملنا چاہیے۔ تمہیں اور کیا چاہیے لیکن جہاں تمہارے امی ابو تمہاری شادی کریں گے وہ زیادہ سے زیادہ تمہیں کیا دے سکے گا ایک چھوٹا سا گھر، تین چار بچے، مہنگائی سے جنگ، نہیں نشاط! نہیں۔ یہ تو تمہارے ساتھ بڑی سخت زیادتی ہوگی۔''

صبا کو بھائی عزیز تھا۔ اس کی خاطر نشاط کو ہر طرح کنوینس کرنا چاہتی تھی۔ اس کے دلائل رفتہ رفتہ اس کے دل پر اثر کرنے لگے۔

○......❖......○

''ہاں، مجھے اور کیا چاہیے۔'' اس نے بہت غور کرنے کے بعد ایک روز سوچا۔ ''عزت، شہرت، سٹیٹس، اونچی جگہ پر وہ مقام جو میرا حق ہے۔ وہ زندگی جو بچپن سے میرا خواب تھی۔ مجھے اور کیا چاہیے۔''

''مگر زین۔'' اس کی سوچ کی ہر تان اسی ایک نام پر آ کر ٹوٹتی تھی۔

''مگر وہ مجھے کیا دے سکتا ہے صبح وہ ایم اے کی کلاسز اٹینڈ کرتا ہے۔ دوپہر کو ایک دوکان پر بیٹھتا ہے اور رات کو ٹیوشنز پڑھانے نکل جاتا ہے۔ وہ زیادہ سے زیادہ مجھے کیا دے سکتا ہے۔ ایک چھوٹا سا گھر، دو چار بچے اور مہنگائی سے جنگ۔ وہ تمام عمر بھی سر توڑ محنت کرتا رہے تو میرے لیے وہ مہیا نہیں کر سکتا جو نجیب ایک دن میں کر سکتا ہے۔''

''مگر وہ رشتہ جو امی ابو نے خوامخواہ باندھ دیا۔'' وہ پریشان ہو جاتی۔

''مگر یہ کیا ضروری ہے کہ محض اس لیے رشتے نبھائے جاؤ کہ انہیں آپ کے بزرگوں نے باندھا تھا۔ کیا ضرورت ہے خوامخواہ اخلاقی سطح پر سر اٹھا کر چلنے کے لیے خود کو برباد کر لو۔''

اس کی فطری ضد اور ہٹ دھرمی اس کے ذہن میں عود کر آئی۔

''مجھے اپنا حق چھیننے کا حق ہے۔ جب میں جانتی ہوں کہ زین مجھے عمر بھر وہ نہیں دے سکتا جو میں چاہتی ہوں۔ تو میں کیوں اس آگ میں کود پڑوں۔'' ہمیشہ کے باغیانہ خیالات اس پر غلبہ پانے لگے۔

○......❖......○

اس کے نت نئے فیصلوں پر ہمیشہ ہی گھر میں جو طوفان بپا ہوتا تھا وہ اس بار بھی بپا ہوا۔ پہلے پہل یہ بات اس

نے صرف امی ابو سے کہی تھی۔

''یہ کبھی نہیں ہوسکتا۔''

ابو نے اس کی بات سکون سے سننے کے بعد فیصلہ کن تحکمانہ لہجے میں یوں کہا جیسے اب اس بات پر مزید کچھ کہنے کی گنجائش باقی نہ رہ گئی ہو۔

''مگر میں ایسا چاہتی ہوں۔'' اس نے ''میں'' پر زور دے کر کہا۔ ''اور آپ نے تو میری کوئی بات کبھی نہیں ٹالی۔''

''یہ کوئی کالج فنکشن میں حصہ لینے کی، کسی دوست کے گھر پارٹی اٹینڈ کرنے کی یا پھر ٹی وی پر اناؤنسمنٹ کرنے کی اجازت والی بات نہیں ہے۔ یہ میرے پہلے سے کیے ہوئے فیصلے کی ضد ہے اور اسی لیے ایسا نہیں ہوسکتا۔ خواہ تم ایسا چاہتی ہو یا کوئی اور۔'' ابو نے سختی سے کہا۔

''مگر یہ میری زندگی کا سب سے اہم فیصلہ ہے۔'' اس نے ذرا ہمت کر کے کہا۔

''وہ بھی تمہاری زندگی کا سب سے اہم فیصلہ تھا جس میں تمہاری رضامندی اور خوشی شامل تھی۔''

''لیکن اب ایسا نہیں ہے۔'' اس نے تقریباً چیخ کر کہا۔

''بس خاموش ہو جاؤ نشی!'' امی درمیان میں آ گئیں۔ ''جو تمہارے ابو نے کہا وہی آخری بات ہے۔ اب مزید بولنے کی ضرورت ہی نہیں ہے اور دیکھو خبردار جو اب تمہارے منہ سے اس سلسلے میں مزید کوئی بات نکلی۔ میں بہت بری طرح پیش آؤں گی۔''

اور یہی سخت لہجہ اس کو بھڑکا گیا۔ ''میں ایسا کروں گی ضرور کروں گی۔'' اس نے باہر آ کر باآواز بلند اور برملا کہنا شروع کر دیا۔

''میں کیوں گھٹ گھٹ کر زندگی گزاروں۔ میں جانور تو نہیں۔''

اس کی بلند آواز عائشہ سے ماریہ اور پھر ان دونوں سے زین تک پہنچ گئی۔

''کیا بات ہے نشی! غصے میں اور اکھڑی اکھڑی سی کیوں نظر آتی ہو؟'' اس نے سہولت سے پوچھا۔

''وجہ تو تمہیں معلوم ہو ہی چکی ہوگی۔'' اس نے لاپروائی سے کہا۔

''ہاں! لیکن میری سمجھ میں نہیں آیا کہ......''

''کیا سمجھ میں نہیں آیا زین؟'' اس نے اس کی بات کاٹی۔ ''تم خود سوچو کہ کون ہے جسے سامنے رکھی نعمتِ غیر مترقبہ نظر آئے اور وہ اسے حاصل نہ کرے۔ کون ہے جو وہ حاصل نہیں کرنا چاہتا جو اسے پسند ہے۔ کون ہے جو خوش رہنے کی بجائے وہاں کا رخ کرے جہاں اسے معلوم ہے کہ مصیبتوں اور پریشانیوں کے سوا کچھ نہیں ملے گا۔''

''ہاں۔'' وہ غور سے سن رہا تھا۔ ''ہاں نشی! ایسا تو کوئی کوئی ہی ہوتا ہے جو ان سب چیزوں سے جانتے بوجھتے منہ موڑ لے۔''

''تو پھر یہ سن لو کہ میں ان کوئی کوئی میں سے نہیں ہوں۔ تم مجھے اچھی طرح جانتے ہو۔''

اس نے سختی سے کہا اور اپنے کمرے میں آ گئی۔

○......❖......○

یہ بحث گھر کے ہر فرد کے درمیان بہت دن تک چلتی رہی اس نے اپنی بات منوانے کی خاطر کھانا پینا کہیں آنا جانا کسی سے بات کرنا تک چھوڑ دیا۔ مگر امی ابو اپنے موقف سے ایک انچ بھی پیچھے ہٹنے کو تیار نہ تھے۔

''نشی پلیز کھانا کھالو۔ خود پر یوں ظلم کرنے سے کیا فائدہ؟'' ایک روز زین خود اس کے کمرے تک چلا گیا۔

''کسی کو اس سے کیا میں کھانا کھاتی ہوں یا نہیں۔'' اس نے تنک کر کہا۔

''ہے کیوں نہیں ہے۔ سب کو ہی اس بات پر پریشانی ہے کہ تم کھانا نہیں کھاتی۔ پتا نہیں ایسا کیوں ہوتا آیا ہے نشی کہ تم اپنی ہر بات منوانے کے لیے ضد کا سہارا پکڑ لیتی ہو۔ آرام سے بیٹھ کر بات کر لینے سے شاید بہتر حل نکل آتا ہے۔''

''دیکھو زین! تم خود سب کچھ سمجھتے ہو جانتے ہو، تمہیں بھی علم ہے کہ تم مجھے وہ زندگی نہیں دے سکتے جو ہمیشہ سے میری تمنا رہی ہے۔ وہ زندگی تو خیر کیا تم مجھے اس کا عشرِ عشیر بھی نہیں دے سکتے۔ پھر میں تمہارے ساتھ کس طرح خوش رہ سکتی ہوں۔ تم ٹھنڈے دل سے سوچو۔ عقلمندی کا تقاضا یہ ہے کہ ہم اپنی اور دوسروں کی زندگیاں جہنم بنانے کے بجائے اپنے لیے خود نئے راستے منتخب کر لیں۔'' اس نے اس کے کہنے کے مطابق آرام سے بات کی۔ وہ خاموشی سے سنتا رہا۔

''میں جانتا ہوں نشی کہ میرے ساتھ شاید نہیں بلکہ یقیناً تم ان خوابوں کے حصول میں ناکام رہو گی جو ہمیشہ سے تمہاری آنکھوں میں بسے ہیں۔ میں بہت محنت کر لوں بہت کوشش کر لوں تو بھی میں تمہیں وہ نہیں دے سکتا جو تم چاہتی ہو، مجھ پر ذمہ داریاں ہیں۔ قرض ہیں جن کو پورا کرنے اور چکانے میں نہ جانے کتنا لمبا عرصہ لگ جائے اور پھر آج کل کے حالات میں جو مجھ جیسے شخص کو بالکل سوٹ نہیں کرتے میرے جیسا انسان ان حالات میں آگے کبھی نہیں جا سکتا۔ پیچھے ہی رہتا ہے کیونکہ میں نہ صرف یہ کہ سہاروں، واسطوں اور سفارشوں کا قائل نہیں بلکہ بدقسمتی کی حد تک خوددار بھی ہوں، اس قسم کی صورتِ حال میں، ناسمجھی کے زمانے میں ایک رشتے پر متفق ہو جانے کی سزا تمہیں کیوں دی جائے۔ واقعی یہ تمہارا حق ہے کہ تم وہ حاصل کرو جو تم چاہتی ہو۔ تم فکر نہیں کرو۔ میں خود تایا جان سے بات کروں گا۔''

اس نے کہا اور اٹھ کر چلا گیا۔

وہ حیران تھی، ہر بار ایسا معجزہ ہو جاتا تھا کہ وہ حیران رہ جاتی تھی۔ ہر بار کی طرح اس دفعہ بھی زین ہی اس کی مدد کو آیا۔ اس نے نہ جانے کس طرح امی ابو کو قائل کر لیا۔

اسی نے نشاط سے کہا کہ صبا سے کہے وہ اپنے والدین کو لے آئے۔ صبا کی امی اور وہ خود آئیں اور خاموشی سے یہ رشتہ طے ہو گیا۔ وہ دل ہی دل میں زین کی ممنون ہو گئی۔ وہ ہر بار اس کی مدد کو یونہی آتا تھا۔ اس نے ہمیشہ ہی اس کی خوشی کا خیال رکھا تھا۔

مگر پھر اس پر اس کی فطری سوچ کا حملہ ہو گیا۔

''وہ جانتا تھا کہ اس کی حیثیت کیا ہے اور کیا ہو گی، اسی لیے خود سے پیچھے ہٹ گیا۔''

ان دنوں وہ ہواؤں میں اڑتی تھی۔ بات بے بات ہنستی تھی۔ خوش اور مطمئن رہتی تھی۔

''مجھے یقین تھا نا کہ آسمان کی بلندیاں اور وسعتیں میری منتظر ہیں اور میرے تصورات بالآخر میری منزل ہیں۔''

وہ سب سے کہتی، سب جانتے تھے وہ درست کہتی ہے اس کو بغیر کسی خاص کوشش کے سب کچھ ملا تھا۔

○......❖......○

نجیب ان دنوں جاپان گیا ہوا تھا اس کی واپسی ہی پر شادی کا پروگرام بنایا جانا تھا۔ زین ابو کے ساتھ مل کر شادی کی تیاریوں میں ہمہ تن مصروف تھا۔ اس کو یوں کھلکھلاتے دیکھ کر وہ بھی مسکرا دیتا۔

''میں نہیں جانتی تھی زین! کہ تم اتنے کھلے دل کے مالک ہو۔ تم نے کتنی سمجھداری سے میری بات سمجھ لی۔ جبکہ میرا خیال تھا کہ تم کچھ اور طرح سوچتے ہو۔ واقعی کچھ لوگوں میں کتنا اسرار ہوتا ہے۔'' ایک روز اس نے کہا۔

''چلو، اب تو تم جان گئیں کہ میں سمجھدار ہوں، مگر یہ ضرور کہوں گا نشی! کہ ہم میں سے کسی میں کوئی اسرار نہیں ہوتا۔ ہر انسان بے حد ایکسپوزڈ ہوتا ہے مسئلہ تو صرف جان لیے جانے کا اور سمجھ لیے جانے کا ہے۔''

''وہ اچھا! وہ تو سناؤ، وہ جو سناتے تھے اوسکو دارا۔''

اس نے اس کی گہری بات سے گھبرا کر کہا۔

''اوسکو دارا۔ وہ چونکا۔'' اچھا! تمہیں پسند تھا۔ تم نے پہلے کبھی نہیں کہا۔''

''چلو اب تو کہہ دیا۔ سنا دو۔''

''کاتب بینم بین کا بتن ایل نہ کاراشر۔''

وہ میرا ہے، میں اس کی ہوں کسی کو کیا۔

وہ سناتے سناتے رُک گیا۔ ''لیکن ہر بات درست تو نہیں ہوتی۔'' اس نے افسردگی سے کہا اور اٹھ کر چلا گیا۔

''کیا اس نے صرف میری خاطر اپنا دل خود ہی توڑ دیا۔'' اس نے گھبرا کر سوچا۔ ''مگر یہ کیسے ممکن ہے۔''

وہ اس سوچ کو وہم قرار دے کر ٹال دینا چاہتی تھی۔ مگر ایک دن اس نے اچانک زین کو عائشہ سے باتیں کرتے سن لیا۔

''آپ بہت عجیب ہیں زین بھائی! ہمیشہ ہی آپی کے لیے اپنی سوچ کی، اپنی پسند کی اور خواہشوں کی قربانی دیتے آئے ہیں۔ یہ کیا بات ہوئی کہ انسان ہر بار ہی قربانی کا بکرا بن جائے۔'' عائشہ اس سے کہہ رہی تھی۔

''آپ ایسا کیوں کرتے ہیں؟ ایسا لگتا ہے کہ خود آپ کو بھی آپی پسند نہیں تھیں۔''

''انسان ہر شخص کے لیے تو اپنے جذبات کی قربانی نہیں دے سکتا عائشہ بی بی۔''

اس نے گویا چونک کر کہا تھا۔

''لیکن بعض رشتے اور انسان ایسے بھی ہوتے ہیں جن کے لیے ایثار کے سوا کچھ بن نہیں پڑتا۔ تمہاری آپی بھی ایسے ہی انسانوں میں سے ایک ہے۔''

مگر زین کے اس کھلے اعتراف نے بجائے اس کو نرم کرنے کے ایک نیا احساسِ تفاخر بخش دیا۔ آپ کی ذات

کسی کے لیے اتنی اہم ہو کہ وہ آپ کی خاطر ہر چیز کی قربانی دے دے۔ اس سے بڑھ کر فخر کرنے کے لیے کون سا احساس چاہیے۔ اسے یقین ہونے لگا کہ وہ ہمیشہ اسی طرح ہی زین کی زندگی میں اہم رہے گی۔

○......❖......○

انہی دنوں ترکی سے چچا محمود کے کسی دوست کا خط آیا۔ انہوں نے زین کو فوراً ہی ترکی چلے آنے کو کہا تھا۔ چچی جان کو محمود چچا کے اس دوست پر بے حد اعتماد تھا۔ انہی کی کوششوں سے زین کا پاسپورٹ ویزا اور ٹکٹ دنوں میں اس تک پہنچ گیا۔

''ہم نے تو بہت چاہا تھا نشاط بی بی! کہ تم کو خود رخصت کرتے مگر اب شاید ایسا ممکن نہ ہو سکے۔''

جانے سے پہلے ایک روز اس نے کہا۔

''تم عین وقت پر دغا کر رہے ہو۔'' اس نے شکوہ کیا۔

''ہاں، اس کا افسوس تو رہے گا، بہر حال تم خوش رہو۔ مطمئن رہو اور کیا چاہیے۔''

''دعا دے رہے ہو۔''

''ہاں، دعا دے رہا ہوں میرے پاس تمہیں دینے کے لیے اور ہے بھی کیا، بجز ان دعاؤں کے۔''

○......❖......○

ترکی سے اس کے خط برابر آتے تھے۔ چچا محمود نے ایک بار اپنے دوست کے ساتھ مل کر جو بزنس شروع کیا تھا۔ زین کو ان کے دوست نے اس میں دوبارہ شامل کرنے کے لیے بلایا تھا۔ اس کے جانے کے ایک ماہ کے بعد نجیب واپس آ گیا۔ اور ان کی شادی کی تاریخ ٹھہر گئی۔ اور ڈیڑھ ماہ کے بعد وہ رخصت ہو گئی۔

اس کی شادی بہت دھوم دھام سے ہوئی تھی۔ اس وقت کی ہائی سوسائٹی کی مقبول ترین شادی۔ مگر امی، ابو افسردہ تھے۔

''تقریباً عمر رسیدہ داماد۔'' امی نے ایک بار گہرا سانس لے کر کہا تھا۔

اس کی شادی پر چچی جان کے بہت عرصہ پہلے کے رُکے آنسو اچانک بہہ نکلے تھے۔ عائشہ، ماریہ اور کامران البتہ اس کی سج دھج اور شان دیکھ کر خوش بھی تھے اور شاید مرعوب بھی۔

○......❖......○

نجیب نے اسلام آباد میں ایک غیر ملکی کمپنی کے ساتھ بزنس نیا نیا شروع کیا تھا۔ اس لیے وہ شادی کے فوراً بعد اسلام آباد آ گئی۔ شروع کے دن خواب آگیں تھے۔ دنیا بھر کی سیر، اعلیٰ سہولیات، بیش قیمت لباس اور زیور، عالی شان گھر، وہ سب جس کی تمنا لیے وہ نا صرف زین کو بلکہ سب گھر والوں کو بھی تقریباً پیچھے چھوڑ آئی تھی۔ مگر اسے اس کی کچھ اتنی پروا نہیں تھی۔ وہ خوبصورت تھی طرحدار تھی۔ پڑھی لکھی مینرڈ لڑکی تھی۔ اس نے بہت جلدی اس ہائی سوسائٹی میں اپنا مقام بنا لیا۔ اور اس وقت وہ اس حلقے کی مقبول ترین خاتون تھی۔

اس عرصے میں بہت کچھ ہو گیا۔ عائشہ کی ماریہ کی شادیاں جو ابو کی محنت اور زین کے بھیجے ڈرافٹس کے باعث اچھے طریقے پر ہو گئیں۔ وہ دونوں اس سے بہت مختلف تھیں۔ انہوں نے نہ کبھی خواب دیکھے تھے نہ تعبیر کے لیے دوڑ

دھوپ کی تھی لہٰذا اپنے ہی جیسے لوگوں میں بیاہی گئیں۔ کامران کو انجینئرنگ کے بعد عمان میں ایک اچھی نوکری کا چانس مل گیا۔ وہ وہاں سیٹل ہو گیا۔ اس کی شادی کے کچھ دن بعد چچی جان کی اچانک وفات، اچانک ہارٹ فیلیر ویسے ہی جیسے چچا محمود کا ہوا تھا، مگر زین اس سارے عرصے میں ایک بار بھی نہیں آسکا تھا۔

چچی جان کی وفات کے بعد امی ابو سے بھی اس کا رابطہ تقریباً منقطع ہو گیا تھا۔ پھر امی ابو بھی کامران کے پاس چلے گئے۔ وہ جن لوگوں کو پیچھے چھوڑ آئی تھی وہ رفتہ رفتہ اس سے خود بخود دور ہو گئے۔

وہ اپنی زندگی میں اتنی مصروف و مشغول تھی کہ اس نے کبھی سوچنے اور یاد کرنے کی زحمت بھی نہیں کی تھی۔ یہ اور بات تھی کہ اس نئی زندگی میں خود کو مکمل طور پر فنا کرنے کے لیے اسے جن نشیب و فراز سے گزرنا پڑا تھا۔ ان سے گزر جانا اس کے بس کا روگ نہ تھا۔ نجیب، اس کی عادات، اس کے کاروبار، اسے بہت کچھ برداشت کرنا اور اپنے مزاج کا حصہ بنانا پڑا تھا۔ مگر اب تک وہ تقریباً بے حس ہو کر اسی زندگی میں رس بس گئی تھی۔ اس نے اس بات کو مقدر سمجھ کر قبول کر لیا تھا کہ وہ سب جو اسے چاہیے تھا اگر اس کی قسمت میں لکھا تھا تو اسے یونہی ملنا تھا۔ اپنوں سے دور جا کر، نجیب سے بیاہ کر کے، خود کو فنا کر کے۔ اس سے آگے اس نے سوچ کے دروازے خود پر بند کر لیے تھے۔ اب وہ اپنی زندگی سے مطمئن اور خوش تھی۔ وہ ان سہولتوں کی عادی ہو چکی تھی جو اس معاشرے کے بہت کم لوگوں کو میسر ہوتی ہیں۔ وہ اپنی مرضی سے سب کام کرنے کی مختار تھی۔ کھڑے کھڑے ہزاروں خرچ کر دیتی۔ مہینے دو مہینے بعد یورپ امریکہ کے چکر لگا آتی۔ گھر کی آرائش کو اپنے بدلتے مزاج کے ساتھ بدل دیتی۔ اسے روکنے والا کون تھا۔

نجیب مکمل طور پر اس کی دسترس میں تھا۔ ان سب نعمتوں کے عوض وہ نہ چاہتے ہوئے بھی اس کی عمر، اس کی شکل و صورت اور عادات کو نظر انداز کر دیتی۔ اسے معلوم تھا کہ وہ سب کچھ جو اسے میسر تھا وہ صرف نجیب کی وجہ سے ہی تھا۔ اس کے بچے بہترین سکولوں میں پڑھتے تھے انہیں دنیا کی ہر آسائش مہیا تھی۔ وہ خود اس کی طرح بچپن ہی سے ہر پسندیدہ چیز کے لیے ترستے نہیں تھے۔ اور اس کے نزدیک یہی اس کی کامیابی تھی۔

ان سب چیزوں نے مل کر اسے اور بھی مغرور اور خود پسند بنا دیا تھا۔ اور اب وہ اپنے آج کو کل کے دیکھے خواب کی تعبیر خیال کر کے اکثر و بیشتر خود کو خوش رکھنے کا سامان مہیا کرتی تھی۔ اور غالباً اسی لیے ان گزرے سالوں میں بہت کم ہی کبھی اسے زین کا خیال آیا تھا اور اب تو وہ اسے تقریباً بھلا چکی تھی جب وہ اچانک بقول خود اس کے ٹپک پڑا تھا۔

○.....❖.....○

اگلی بار وہ سلمان ہاشمی کی برج پارٹی میں ملا۔ کچھ دن پہلے ماضی کو تفصیلاً یاد کر لینے کے بعد اب اسے دیکھنے پر نشاط کو محسوس ہوا کہ زین میں کافی تبدیلیاں آ چکی ہیں۔ پہلے وہ اپنے لباس اور نشست و برخاست میں کافی لاپروا تھا لیکن اب اس کا لباس بھی بہترین تھا اور وہ بے حد مہذب نظر آ رہا تھا۔ پہلے وہ گھر سے باہر نکل کر بے حد کم گو ہو جاتا تھا، لیکن اب اس تقریب میں وہ نہ صرف یہ کہ بہت بول رہا تھا بلکہ کھل کر ہنس بھی رہا تھا۔ وقت کی گردش اور عمر کی زیادتی نے اس پر کوئی خاص اثر نہیں چھوڑا تھا۔ وہ اب بھی تیس سے زیادہ کا نہیں لگتا تھا۔ دور بیٹھے بیٹھے اس نے اس کا بغور معائنہ کیا اور پھر آہستہ قدموں سے چلتی اس کی جانب آ گئی۔

''کیا حال ہے زین۔ اس روز کے بعد مل کر ہی نہیں گئے۔'' اس نے اپنی ازلی خوبصورت مسکراہٹ چہرے پر سجا کر کہا۔

''ہاں نشاط! میں اسی طرف آنے والا تھا جہاں تم بیٹھی تھی۔'' اس نے قریب کھڑے شخص سے معذرت کی اور اس کے قریب آ گیا۔ ''دراصل اس روز کے بعد میں بُری طرح مصروف ہو گیا، اس لیے وقت نہیں نکال سکا۔''

''یہاں کیسے آئے ہو؟ میرا مطلب ہے اس شہر میں۔''

''بس دیکھ لو، تم سے جو ملنا تھا اس لیے۔''

''اچھا جواب ہے، لیکن کبھی چکر لگاؤ نا ہمارے گھر کا بھی، اب یوں ان پارٹیز میں تو اطمینان سے باتیں ہونے سے رہیں۔''

''ہاں ضرور! آج کل میں یہاں اپنے بزنس کے کچھ معاملات سیٹل کرنے میں لگا ہوا ہوں۔ فرصت ملی تو جلد ہی آؤں گا، وہ تمہارے میاں صاحب کہاں ہیں۔ ہز ہائی نس نجیب احمد؟''

اس نے مذاق سے کہا تھا یا طنز اُوہ کچھ سمجھ نہیں سکی۔ ''وہ'' اس نے گردن موڑ کر دیکھا نجیب برج پارٹیز کا رسیا تھا اور اس پارٹی میں خوب مصروف تھا۔

''ہیلو زین!'' مقصود نیازی کی بیٹی نے آ کر اس کا بازو ہلایا۔

''اچھا نشی! میں جلد ملوں گا۔'' مقصود نیازی کی بیٹی کے ساتھ دوسری طرف جاتے ہوئے اس نے ذرا بلند آواز میں کہا۔ اور وہ اسے غور سے دیکھتی رہی۔

''میں اپنے بزنس کے معاملات سیٹل کر رہا ہوں۔ واہ صاحب زمانہ کس قدر بدل گیا ہے۔'' اس نے اس کی بات یاد کرتے ہوئے کہا۔ اور ایک بار بلکہ بہت پہلے وہ اکثر کہا کرتا تھا۔

''میری سمجھ میں نہیں آتا کہ لوگ بزنس کیسے کر لیتے ہیں، دو جمع دو چار جمع چار کتنا مشکل کام ہے یہ، لوگ کتنی آسانی سے سارے اصول، سارے معیار کونے میں لگا کر بس یہی کچھ کرتے رہتے ہیں۔ جبکہ میں خود تو ہزار جنم بھی لے لوں تو ایسا ہرگز نہیں کر سکتا۔''

اور اس کی ایسی ہی باتوں پر تو وہ اس سے بدکی تھی۔ اور اب وہ کیسے سارہ نیازی کے ساتھ کھنچا چلا گیا تھا جبکہ پہلے وہ کہا کرتا تھا۔

''زہر لگتی ہے، مجھے لڑکوں، لڑکیوں کی آپس میں ایسی بے تکلفی۔ ایک دوسرے کے درمیان موجود فطری اور ازلی فرق مٹانے کی خواہش کتنی بودی ہے۔ ہزار کوشش کر لو، میں لڑکا اور تم لڑکی ہی رہو گی۔ دنیا کی کوئی طاقت اس حقیقت کو نہیں جھٹلا سکتی۔ پھر یہ آپس میں ہم جنسوں جیسی بے تکلفی دکھلانے کی کیا ضرورت، کیا فائدہ ہے؟''

اُس کی اس بات پر اس نے اسے دقیانوسی قرار دیا تھا اور اب اسے لڑکیوں کے ایک گروپ کے بیچوں بیچ کھڑے دیکھ کر وہ سر کرسی کی پشت پر ڈال کر مسکرا دی۔ ''دیکھا زین میاں آپ نے، زمانہ کتنا بڑا استاد ہے، آپوں آپ سب کچھ سکھا دیتا ہے۔ اب کہاں گئے اصول اور معیار اور ازلی و فطری فرق کا احساس وغیرہ وغیرہ، آج تم نے وہ سب سیکھ لیا جو میں نے اس زمانے میں جان لیا تھا اور جسے سب میری بغاوت قرار دیتے تھے ٹھیک ہے بھئی۔ وقت

وقت کی بات ہے۔'' وہ اٹھ کر اپنے حلقے میں آ گئی۔

واپسی سے کچھ دیر پہلے وہ اس کے پاس آیا۔ ''تمہارے میاں تو اب تک مصروف ہیں۔'' اس نے ہنس کر کہا۔

''ہاں مگر تم نے سارا وقت ایسی مصروفیت نہیں دکھائی۔'' اس نے مسکرا کر کہا۔

''اس لیے کہ ایسی مصروفیت میرے مزاج کا حصہ نہیں ہے۔ سلمان ہاشمی سے ذرا دوستی بن رہی تھی سو ادھر آ گیا ورنہ یہ مصروفیت میرے لیے کچھ اتنی پسندیدہ نہیں ہے۔''

''ہاں میں بھی حیران تھی کہ......''

''تمہیں ہاں نشی! تمہیں تو حیران ہونا چاہیے تھا۔'' اس نے قہقہہ لگایا۔ ''مگر کیا کریں، جس جگہ قدم رکھ دیں وہاں کے مروج آداب سیکھنا بھی پڑتے ہیں اور ان پر عمل بھی کرنا پڑتا ہے۔''

پھر اس نے گھڑی پر نگاہ دوڑائی۔

''آج تو مجھے ایک اور جگہ بھی جانا ہے اور تم سے کرنے کو بہت سی باتیں بھی ہیں میں جلد تمہارے ہاں کا چکر لگاؤں گا۔ وہیں رہتی ہو نا تم مارگلا زوالے گھر میں۔''

وہ معنی خیز انداز میں مسکرایا اور خدا حافظ کہہ کر چلا گیا۔

○......❖......○

سلمان شیرازی کی پارٹی سے واپسی پر بھی نجیب نے اس کا تذکرہ کیا۔

''وہ نظر تو آیا مگر ملاقات نہ ہو سکی، جلد ہی چلا گیا شاید۔'' نجیب اس میں اتنی دلچسپی بے وجہ نہیں لے رہا تھا اس نے حیرت سے اسے دیکھا۔

''اصل میں اس کے پاس سرمایہ بہت ہے اور ذہانت بھی۔ بے حد بریلینٹ ہے وہ۔ کیا خیال ہے تمہارا؟'' اس نے اس سے پوچھا تھا۔

''پتا نہیں۔'' وہ چونک گئی۔ ''اب کی بات ہے اور میں تو اس سے برسوں بعد ملی ہوں۔'' اس نے سنبھل کر کہا۔

''اسے بلاتے ہیں کسی روز گھر پر۔''

مگر وہ ان کے بلانے سے پہلے خود ہی آ گیا۔ اس روز وہ اتفاق سے گھر ہی پر تھی۔

''تمہارا گھر اندر اور باہر سے دیکھ کر کوئی بھی تمہارے ذوق کی داد دیے بغیر نہیں رہ سکتا۔''

اس نے رسمی علیک سلیک کے فوراً بعد کہا۔

''تمہیں کیسے معلوم کہ یہ میرا ذوق ہے۔'' وہ کھلکھلائی۔

''کیا مجھے معلوم نہیں ہو گا کہ یہ ذوق کس کا ہے، ارے نشی! تمہیں ایسے ہی گھر تو پسند تھے۔''

وہ جھینپ گئی جیسے وہ اس کے بچپنے کی بات یاد دلا کر اسے شرمندہ کرنا چاہتا ہو، مگر پھر فوراً ہی اس نے اپنا رکھ رکھاؤ والا چولا اوڑھا۔

''کہاں رہے اتنا عرصہ؟''

''اسی دنیا میں، اسی زمین پر۔''

''مگر کوئی خیر خیریت، کوئی رابطہ وغیرہ تو نہیں رکھا۔''

''ایں!'' وہ جیسے چونک گیا۔ ''اچھا رکھنا چاہیے تھا رابطہ وغیرہ۔ افوہ! مجھے اس کا خیال ہی نہیں آیا، مگر کس سے رکھتا رابطہ؟'' اس کا لہجہ نشی کو بلا وجہ طنزیہ محسوس ہو رہا تھا۔

''اب ہم اتنے بھی برے نہیں تھے۔ خیر تمہاری مرضی۔'' اس نے ناک سکیڑ کر کہا۔ ''مگر اب تو بتا سکتے ہو نا کہ کہاں رہے ہو؟'' وہ جلد از جلد اس درجہ مالی آسودگی کا پسِ منظر جان لینا چاہتی تھی۔

''ہاں، یہ تو بتانے کی بات ہے۔ رہا تو وہیں تھا ترکی میں، اصل میں بات یوں ہوئی کہ ابو نے اپنے دوست کے ساتھ بزنس شروع کیا۔ جب ان کی ڈیتھ ہوئی تو امی کو کچھ اتنا علم نہیں تھا ان کے بزنس کا نہ ہی ان کے دوست نے ذکر کیا۔ اصل میں اس وقت ان کی نیت بدل گئی تھی، امی تو حواس باختہ ہم دونوں کو لے کر فوراً ادھر بھاگ آئیں۔ پیچھے سے وہ صاحب خود کماتے رہے۔ پھر اچانک انہیں خیال آ گیا۔ نہ جانے کیسے لیکن خیال آ ہی گیا سو انہوں نے مجھے بلا لیا اور پھر میں وہاں ان چکروں میں ایسا پھنسا کہ وہیں کا ہو گیا۔ لیکن جب ذرا یکسوئی ہوئی تو میں نے مختلف وقتوں میں انگلینڈ جا کر بزنس ایڈمنسٹریشن کے مختلف کورسز کیے۔ ڈگریاں لیں اور پھر جب وہاں سے دل گھبرا گیا تو یہاں آ گیا سب کچھ ٹرانسفر کروا لیا۔ پہلے بوریوالہ میں کام شروع کیا پھر واہ پہنچا اور اب یہاں ہوں تمہارے پاس۔''

''بڑی ترقی کی۔'' اس نے ہنس کر کہا۔

''دعا ہے تمہاری۔ اور کیا کہا جائے۔''

''مگر یہ تو تمہارا میدان نہیں تھا۔'' اس نے اسے یاد دلایا۔

''اتفاق ہے اور پھر دنیا میں کیا نہیں ہو سکتا کوئی اپنے دیکھے خوابوں کے حصول کے لیے سرگرداں رہتا ہے اور پھر کبھی کبھار ان کو پا لیتا ہے، کوئی بغیر خواب دیکھے وہی کچھ پا لیتا ہے، یہی تو دنیا ہے۔''

''دنیا صرف پانے کا نام نہیں ہے دنیا میں انسان بہت کچھ کھوتا بھی ہے یہ تم ہی تو کہا کرتے تھے۔'' وہ بھی ہر حال اس کو وہ زمانہ یاد دلانا چاہتی تھی جب وہ بغیر کسی تمنا کے لاپروا زندگی گزارا کرتا تھا۔

''ہاں، بہت کچھ کھویا بھی، اپنوں سے مسلسل دوری، امی کی وفات اور آخری وقت میں ان کے قریب نہ ہونا، ان کے آخری دیدار سے محرومی۔ عائشہ، ماریہ کی شادیوں میں عدم شرکت، کامران کی کامیابیوں کے نظارے سے محرومی اور پھر واپسی پر یہ دیکھنا کہ اس چھوٹے سے گھر کا شیرازہ ہی بکھر گیا۔''

''ہاں!'' نشاط کو یاد آیا۔ قاعدے کے حساب سے اس سے چچی جان کا افسوس کرنا تو اس کا فرض بنتا تھا۔

مگر وہ کیا کہے جواب میں وہ یہ بھی تو کہہ سکتا تھا کہ تم نے وقت پر کیوں مجھ سے افسوس نہیں کیا۔

''تم سناؤ، تم کیسی ہو؟'' کچھ دیر کی خاموشی کے بعد اس نے پوچھا۔

''ویسی ہی جیسی نظر آ رہی ہوں۔''

''نظر تو ویسی ہی آ رہی ہو جیسی پندرہ سال پہلے میں چھوڑ کر گیا تھا۔ اتنی ہی فریش، اتنی ہی ایکٹو اور غالباً اس وقت سے بھی زیادہ حسین۔''

''ہا!'' اس کا دل کھل اٹھا۔ ''یہ حسن جب کسی کو اسیر کر لیتا ہے تو آزاد کب ہونے دیتا ہے۔''

وہ کچھ کہنا چاہتی تھی مگر نجیب کی آمد پر خاموش رہی۔ نجیب زین کے آنے پر کھلا جا رہا تھا۔ اس کی باتیں رسمی گفتگو سے آگے وہی مخصوص تھیں، فار کلوز، گڈ ول، اِن پانڈز لیکوٹیڈ ٹیرز، یہ لفظ سن سن کر اب تک وہ تنگ آ چکی تھی۔ مگر وہ خود کو ایکٹو ثابت کرنے کے لیے ہمیشہ ہی انتہائی مشاقی سے، انہی الفاظ سے بھرپور گفتگو کیا کرتی تھی۔ اپنے سوشل سرکل میں وہ اسی لیے مقبول تھی چائے کے دوران نجیب نے اس موضوع سے ہٹ کر گفتگو شروع کی۔

''تمہیں علم ہے نشی! کہ زین نے ابھی تک شادی نہیں کی۔''

اس نے اسے بتایا۔ وہ یہ بات خود بھی اس سے پوچھنا چاہتی تھی مگر پوچھ نہیں پا رہی تھی۔

''کیا وجہ ہے بھئی، کوئی من پسند نہیں ملا کوئی بے وفا ملا یا کوئی ملا ہی نہیں؟ ہی ہی ہی!'' نجیب نے اپنے مخصوص طریقے پر ہنستے ہوئے کہا۔

''ان میں سے کوئی وجہ بھی نہیں اور شاید تینوں ہی۔'' وہ سنجیدہ ہو گیا۔

''شاید تینوں ہی۔'' اس نے دل میں دہرایا۔ ''کہہ کیوں نہیں دیتے کہ ایک ہی، کوئی ملا اور پھر چھوڑ گیا اسی لیے نہیں کی۔'' اس نے احساسِ تفاخر سے سر اٹھایا۔

''یا پھر شاید ہماری طرح فرصت نہیں ملی ہاہا، ہمیں دیکھو، تمہاری طرح مصروف رہے اس لیے کتنی دیر شادی کا خیال نہیں آیا۔ تمہارے والا ہی پیٹرن تھا ہماری زندگی کا بھی۔'' زین بھی ہنسنے لگا۔

''کون کہتا ہے نجیب کہ وہی پیٹرن ہے زین کی زندگی کا جو تمہارا تھا۔ تم ذرا خود کو آئینے میں دیکھو، تم کبھی بھی اس قابل کہاں تھے کہ تمہیں کوئی چاہتا اور پھر اپنا بنا لیتا۔ اس کے ساتھ بیٹھے تم کتنے مکروہ لگ رہے ہو۔ خود اپنے آپ کو دیکھو تو چلا کر بھاگ جاؤ۔''

ایک زہر خند خیال اس کے ذہن میں آیا اور پھر اس نے اس تکلیف دہ سوچ سے نجات حاصل کرنے کے لیے ان کی باتوں کی طرف دھیان کر لیا۔

''پھر کیا ارادہ ہے اب یہ نیک کام سرانجام کیوں نہیں دے لیتے۔ کہو تو نشی کوشش کرے، اس کے حلقۂ احباب میں ایک سے ایک حسین چہرہ بھرا پڑا ہے۔'' نجیب اس کو مشورہ دے رہا تھا۔

''نشی سے پوچھ لیں۔ وہ یہ کام کر سکتی ہے یا نہیں، ویسے میرا اپنا تو اب ذہن ہی نہیں بنتا۔ اس بات کے لیے۔''

''بنا لو یار! اس زندگی میں بھی بہت مزہ ہے۔ ایک دفعہ یہ تجربہ کر کے دیکھو۔''

''پھنسوانا چاہتے ہیں، چاہے کوئی پھانسنا چاہے یا نہیں۔'' وہ مسکرایا۔

''کیوں نہیں چاہے گا کوئی۔ کیا نہیں ہے تمہارے پاس؟ وہ سب کچھ جو کوئی چاہ سکتا ہے سب ہی تو ہے تمہارے پاس۔'' نجیب ہنستا ہوا اسے اکسا رہا تھا۔

''وہ سب کچھ جو کوئی چاہ سکتا ہے، ہے۔ اسی لیے تو کوئی بھی پھانسنا پسند کرے گا اگر یہ نہ ہوتا تو کوئی قریب بھی نہ پھٹکتا۔'' اس نے نشی کی طرف دیکھ کر کہا۔ وہ گڑبڑا گئی۔

''آپ کیوں پیچھے پڑ گئے جب اس کا دل چاہے گا کر لے گا۔'' اس نے گفتگو کا رخ موڑ دیا۔ اس کے واپس جانے پر وہ اسے باہر تک چھوڑنے آئی۔

''میں بہت خوش ہوں نشی! کہ تمہارے پاس وہ سب ہے جو تم نے چاہا تھا۔'' اس نے کہا۔

''تمہارا کیا خیال ہے، میں یونہی ضد کرنے بیٹھی تھی۔''

''نہیں میں یہ جانتا تھا کہ تم بے مقصد ضد نہیں کرتی۔ ٹی وی سٹیشن سے نجیب احمد کے گھر تک کا سفر تم نے اپنی منزل کے حصول کے لیے ہی کیا تھا اور تمہیں یاد ہوگا کہ میں نے کبھی تمہاری مخالفت نہیں کی تھی۔ اس لیے کہ میں جانتا تھا تم بے مقصد ضد نہیں کرتی۔ مگر کیا تم خوش ہو؟'' وہ چلتے چلتے رک گیا۔

''تمہیں دکھائی نہیں دیتا۔''

''دیتا ہے میں نے بس یونہی پوچھ لیا تھا۔''

''اب کب آؤ گے؟'' اس نے اسے خدا حافظ کہتے ہوئے پوچھا۔

''پتا نہیں، فی الحال تو میں کچھ دن کے لیے لاہور جا رہا ہوں، واپسی پر ہی کبھی ملاقات ہوگی۔''

''لاہور کیوں جا رہے ہو؟ بزنس کے سلسلے میں؟''

''بزنس کے سلسلے میں نہیں، میں اپنا گھر دیکھنے جا رہا ہوں۔ میں اس گھر کے لیے بہت اداس ہوں۔''

''اس گھر کے لیے۔'' وہ حیرت سے اسے دیکھنے لگی۔ ''مگر اب وہاں کیا رکھا ہے؟''

''کیا وہاں کچھ نہیں ہے؟''

''میرا خیال ہے کہ نہیں۔''

''یہی تو بات ہے نشی! تمہیں وہاں کچھ نظر نہیں آتا، اس لیے کہ وہ گھر تمہیں کبھی بھی اپنا نہیں لگتا تھا۔ تم وہاں اجنبیوں کی طرح رہتی تھی۔ اسی لیے تمہیں اس گھر سے، اس کے ماحول سے کچھ بھی اُنس نہیں ہوا، مگر میرے لیے وہاں اب بھی بہت کچھ ہے۔ میں وہ بہت کچھ ہی دیکھنے جا رہا ہوں۔'' وہ اپنی گاڑی میں بیٹھ گیا۔

''تمہارا کوئی طنز، کوئی کاٹ دار لہجہ مجھ پر اثر نہیں کر سکتا زین محمود، کیونکہ میں نے کبھی ایسی باتوں کا نوٹس ہی نہیں لیا۔'' اندر واپس آ کر اس نے سوچا۔

''اور یہ بھی حقیقت ہے کہ اگر میں تم کو روکنا چاہتی تو روک بھی سکتی تھی کیونکہ جب تک میرے سامنے ہوتے ہو میری دسترس میں رہتے ہو۔''

اسے برسوں پہلے کی کہانی اچھی طرح یاد آ چکی تھی۔

○......❖......○

اس روز کلب میں سالانہ ڈنر تھا، اور اسی روز صبح نجیب کے ساتھ اس کی تلخ کلامی ہوئی تھی۔ یہ جھگڑا نیا نہیں تھا۔ شروع ہی سے یہ ہوتا چلا آیا تھا۔ بزنس کے ہر نئے موڑ پر نجیب بھاگا بھاگا پھولے سانس کے ساتھ اس کے پاس آتا۔

''مجھے تمہاری مدد کی ضرورت ہے، تم صدیقی سے کہہ کر یہ کروا لو۔''

''مجھے شیرازی کا نیا بزنس بہت منافع بخش نظر آ رہا ہے، تم اس سے بات کرنا وہ تمہارا بے حد مداح ہے۔''

''نہیں میں ایسا نہیں کر سکتی۔''

وہ احتجاجاً کہتی، مگر ایسا بہت کم ہوتا کہ اسے یہ نہ کرنا پڑتا۔ نجیب اس کا بے دام غلام تھا۔ اسے دنیا کی ہر آسائش مہیا تھی۔ یہ سب یونہی تو نہیں تھا۔ اس سب کی اپنی ایک قیمت تھی۔ جو وہ طرحداری کا لبادہ اوڑھے چہرے پر مسکراہٹ سجائے نجیب کے دوستوں سے خوبصورت باتوں کے دوران مطلب نکال کر چکاتی تھی اور انہی وقتوں میں ایسے ہی لمحوں میں اس کی روح اندر تک زخمی ہو جاتی۔

نجیب اتنا احمق نہیں تھا جتنا بظاہر نظر آتا تھا۔ دنیا کی ہر نعمت اس کے قدموں میں ڈھیر کر کے وہ ان نعمتوں کی قیمت اِن کیش وصول کرنا اچھی طرح جانتا تھا۔ شروع میں اس کے احتجاج اونچی آواز میں گونجتے۔ رفتہ رفتہ اس کی آواز پست ہو گئی۔ اور اب تو یہ ہونے لگا تھا کہ جہاں نجیب کو مشکل پڑتی وہ کیل کانٹے سے لیس اس کی مدد کو آنکلتی اور ہمیشہ کامیاب رہتی۔ اس کے حلقے کے لوگ یونہی تو اس کے حسن اور خوش گفتاری کے مداح نہیں تھے۔ مگر آج ایک عرصہ بعد اس نے احتجاج کیا تھا۔

''تم خود اپنے معاملات کیوں نہیں سنبھالتے۔'' اس نے بیزاری سے کہا۔

''میں خود نہیں سنبھالتا تو کون سنبھالتا ہے؟'' اس نے تِنک کر جواب دیا۔

''تو پھر یہ معاملہ بھی خود سنبھالو، میں کیوں کہوں شیرازی سے کہ اگلی میٹنگ میں کورم پورا کرنے کے لیے ضرور آئے تم کیوں نہیں کہتے اس سے۔''

''میں کیسے کہہ سکتا ہوں؟ یہ تو گھگھیانا ہوا نا، البتہ تم کہو گی تو محسوس نہیں ہوگا اور یاد رکھو کہ کورم پورا نہ ہوا تو ہمارا سراسر نقصان ہے۔''

''لیکن میں نہیں کہہ سکتی۔'' اس نے رکھائی سے کہا۔

''کہنا تو تمہیں پڑے گا۔'' نجیب کے لہجے میں ایسی قطعیت کبھی کبھی ہی آتی تھی، وہ جانتی تھی کہ کہنا تو اسے پڑے گا۔ وہ جو اس کے پاس ہے اس کی کچھ نہ کچھ قیمت تو ادا کرنا ہی پڑتی ہے۔ اور وہ اس کی عادی بھی ہو چکی تھی، لیکن اب درمیان میں زین آ گیا تھا۔

''اگر اس کو یہ پتا چل جائے کہ میں کس طرح بزنس میں نجیب کی معاونت کرتی ہوں تو وہ کیا سوچے گا؟''

اس نے آئینے میں خود کو دیکھتے ہوئے خود سے سوال کیا۔ اس کو اپنا آپ بوسیدہ سا لگنے لگا۔ اس نے خود سے مزید کوئی سوال کیے بغیر موسچرائزر اٹھایا اور چہرے پر پھیلانے لگی۔

○......❖......○

کلب پہنچنے پر اچھی طرح اِدھر اُدھر دیکھ لینے پر اسے اطمینان ہوا زین موجود نہیں تھا۔ نجیب آتے ہی تنبولا میں مشغول ہو گیا۔ وہ آہستہ قدموں سے شیرازی کے پاس گئی جو کونے میں تنہا کھڑا تھا۔ مصنوعی باتوں اور مصنوعی قہقہوں کے دوران اپنا مدعا بیان کرتے ہوئے اچانک اس کو اپنا آپ بہت چھوٹا سا اور عامیانہ سا لگا۔

''بعض اوقات خود کو لمحہ لمحہ قتل کرنے کا ذائقہ زبان پر کیوں محسوس ہونے لگتا ہے؟'' اس نے سوچا۔

''ارے شیرازی صاحب! آپ آ رہے ہیں نا بورڈ آف ڈائریکٹرز کی میٹنگ میں۔''

آئیں گے کیوں نہیں انسان اتنا اہم ہو کہ اس کے بغیر فیصلے نہ دیئے جا سکیں تو پھر ایسی جگہ پر جانا تو پڑتا ہے

نا۔“

اس نے آواز میں کھنکناہٹ پیدا کرتے ہوئے کہا۔

”ارے مسز نجیب! آپ کہیں تو ہم سر کے بل آئیں گے۔“

شیرازی نے لڑکھڑاتی آواز میں کہا اسی لمحہ اس کی نظر اندر آتے زین پر پڑی۔ غیر محسوس طریقے پر اس کا دل وہاں سے بھاگ جانے کو چاہنے لگا۔

”آپ جہاں ہوں وہاں رونق خود بخود سمٹ کر جمع ہو جاتی ہے، ارے مسز نجیب کیا بات ہے آپ کی؟“

شیرازی اس کو زخم زخم کرنے پر تلا ہوا تھا۔ دو چار مزید باتوں میں اپنا مطلب پورا کر کے وہ آہستہ قدموں سے ایک نسبتاً پُرسکون گوشے میں چلی گئی۔ اس کی آنکھوں میں اداسی تھی اور دل پر ایک عجیب سی مایوسی چھا گئی تھی۔

”ایک ہی جست میں زینہ طے کرنے کی خواہش میں انسان کبھی کبھی گر بھی تو پڑتا ہے۔“

اسے اچانک زین کی بات یاد آئی، وہ کسی کو کیوں بتائے کہ وہ بار بار گرتی ہے اور پھر چور نظروں سے اِدھر اُدھر دیکھ کر اسی رفتار سے اوپر چڑھنے لگتی ہے۔

ڈانسنگ فلور پر روشنیاں بجھ چکی تھیں۔ اور قدم ہل رہے تھے فضا میں ایک اداس گت بج رہی تھی۔

میں رقصاں ہوں اور میری آنکھیں اشکوں سے لبریز ہیں۔

زین، نتاشا انصاری کے ساتھ باتیں کر رہا تھا، قہقہے لگا رہا تھا۔

”اور تم یوں سیڑھیاں چڑھتے ہو جیسے ہر سٹیپ پر گر جانے کا خوف ہو۔ اسی لیے قدم جما جما کر مضبوطی سے رکھتے ہو۔“ اسے یاد آیا۔

قدم مضبوطی سے جما جما کر سیڑھیاں چڑھتے چڑھتے وہ کہاں آ پہنچا تھا۔

Meet Mr. Zain Mahmood

(مسٹر زین محمود سے ملیے، نئے بزنس میگنیٹ)

کسی کی آواز اس کے کان میں پڑی، اس نے چونک کر دیکھا سلمیٰ شیرازی اس کے قریب کھڑی تھی۔

Quiet hand some and attractive extra ordinary personality.

Now He is an apeal of every young girls eye loops.

(بہت خوبصورت اور پُرکشش ہے، غیر معمولی شخصیت کا مالک، اب تو وہ نوجوان لڑکی کی آنکھ کا تارا ہے)

”شی شی، نشی وہ تمہارے لیے زیادہ سے زیادہ کیا کر سکتا ہے، وہ تمام عمر محنت کرتا رہے تو تمہارے لیے وہ نہیں کر سکتا جو نجیب ایک دن میں کر سکتا ہے۔“

ایک بار اس نے خود کو سمجھایا تھا۔

”آج کل کے حالات مجھ جیسے انسان کو بالکل سُوٹ نہیں کرتے۔ میرے جیسا انسان ان حالات میں کبھی آگے نہیں جا سکتا۔ پیچھے پیچھے رہتا ہے۔“ زین کہا کرتا تھا۔

”دراصل مجھے ہنگامے کچھ اتنے پسند نہیں ہیں۔“ وہ کسی سے کہہ رہا تھا۔

''ہائے بالکل میری طرح۔'' ناعمہ نیازی نے نثار ہوتے ہوئے کہا۔

''میں نہ صرف یہ کہ سہاروں، واسطوں اور سفارشوں کا قائل نہیں ہوں بلکہ بدقسمتی کی حد تک خوددار بھی ہوں۔''

وہ یہ ہی کہتا تھا۔

''اور ایسے لوگ کیسے کامیاب ہو سکتے ہیں۔'' اس نے سوچا تھا ایسے لوگوں میں سے ایک کامیاب شخص راجا اِندر بنا اس کے سامنے کھڑا تھا۔

''اور میں خود کتنی کامیاب ہوں۔''

''میں رقصاں ہوں اور میری آنکھیں اشکوں سے لبریز ہیں۔''

اس نے آنکھیں بند کر لیں۔

''ارے نشاط...... ادھر آؤ نا وہاں کیوں بیٹھی ہو۔'' کسی نے اسے آواز دی، وہ چونک کر اٹھی اور لوگوں کے ایک دائرے کی طرف چل دی۔

''کمال ہے نشی میں تمہیں تلاش کر رہا تھا تم کہا غائب تھی؟'' زین نے کچھ دیر بعد اس کے قریب آ کر آہستہ سی آواز میں پوچھا۔

''میں یہیں تھی، البتہ تم نظر نہیں آ رہے تھے۔''

''ہاں ہنگامہ بھی تو بہت ہے نا یہاں۔ ایک دوسرے کا سنا اور دیکھا جانا محال ہو جاتا ہے۔''

''تم کب آئے لاہور سے؟''

''کل ہی۔''

''وہ دیکھ آئے گھر۔ ایک بار، ایک نظر!'' اس کے لہجے میں کاٹ تھی۔

''ہاں!'' وہ مسکرایا۔ ''بہت کچھ یاد آ گیا گھر دیکھ کر، ایک زمانے میں کتنا ہنگامہ رہتا تھا وہاں، وقت بھی کیا چیز ہے، کوئی بھی بات کرتے رہو، کوئی بھی کام کرتے ہوئے ہم کم ہی یہ سوچتے ہیں کہ آنے والے وقت کے کسی حصے میں ہم ان گزرے لمحوں کو یاد کر کے ہنسیں گے یا پھر شاید روئیں گے، ماضی کی یادیں کتنی خوشگوار لگتی ہیں، بعض اوقات تو انہیں یاد کر کے دکھ ہونے لگتا ہے، کیونکہ وہ لمحے اور وقت گزر چکا ہوتا ہے۔''

''مگر ماضی میں بلکہ پوری زندگی میں یاد کرنے کو صرف خوشگوار لمحے ہی تو نہیں ہوتے۔'' اس کا لہجہ ویسا ہی کاٹ دار تھا۔

''ہاں! لیکن اگر یاد کرتے وقت چھوٹی چھوٹی مسرتوں اور خوشیوں کو یکجا کر کے یاد کیا جائے تو زندگی میں خوشگواری کا روانی کا اور رونق کا احساس تک رہتا ہے۔''

وہ ابھی تک مسکرا رہا تھا۔

''تم سناؤ! تم کیسی ہو، کچھ فریش نہیں لگ رہی۔''

''ہاں میں کچھ تھکن محسوس کر رہی ہوں، بہت شور ہنگامہ ہوتا ہے نا یہاں۔'' اس نے ذرا سنبھل کر کہا۔

''تمہیں تو یہ شور ہنگامہ خاصا پسند تھا نا۔'' اس نے غور سے اسے دیکھتے ہوئے پوچھا۔

''تھا نہیں، اب بھی پسند ہے، یہ تو آج کچھ تھکن کی وجہ سے۔'' اس نے گردن اٹھا کر کہا۔

''تمہارے میاں تو مصروف ہیں۔ آؤ ان سے بھی ملاقات کر لیتے ہیں۔''

وہ قدم اٹھا تا ہوا بولا۔ نجیب مگن تھا۔ قریب ہی کچھ لوگ زور و شور سے کسی بحث میں مصروف تھے۔

''یہ اسماعیل رضا ہیں۔ ملک کے سپر انٹلیکچو ئلز میں سے ایک، ملے ہو ان سے۔'' اس نے ایک شخص کی طرف اشارہ کرتے ہوئے کہا۔

''نہیں، کیا تم سے علیک سلیک ہے؟''

''ہاں ہمارے اچھے دوستوں میں سے ہیں۔ آؤ تمہیں ملواؤں۔'' اس نے اسماعیل رضا کی طرف دیکھتے ہوئے کہا۔

''چلو تم کہتی ہو تو مل لیتے ہیں۔ ورنہ تم تو جانتی ہو کہ مجھے ان کھدر پوش سپر انٹلیکچو ئلز سے شدید چڑ ہے۔'' اس نے چلتے ہوئے کہا یہ بات وہ پہلے بھی اکثر کہا کرتا تھا۔

''اس لیے کہ تم اپنے کامپلیکس میں مبتلا ہو محض دو جمع دو سیکھ جانا ہی تو کافی نہیں ہوتا اور بھی کچھ چاہیے ہوتا ہے اس کلاس میں موو کرنے کے لیے۔'' اس نے دل میں سوچا۔

''اسماعیل یار! تم نے اپنے تازہ آرٹیکل میں مثالی عورت کی عجیب سی ڈیفینیشن دی ہے، یہ کیا بات ہوئی کہ مثالی عورت کامیاب عورت نہیں ہوتی۔''

کوئی اسماعیل رضا سے پوچھ رہا تھا۔

''کیا یہ حقیقت نہیں ہے۔'' اسماعیل نے عینک ٹھیک کرتے ہوئے کہا۔

''معاشرہ ایک زمانے سے اس کوشش میں مصروف ہے کہ عورت کو کم سے کم فعال، کم سے کم باخبر رکھا جائے، معاشرہ، مرد کا معاشرہ یہ چاہتا ہے کہ گھر کے اندر کی زندگی پُرسکون رہے۔ اس ماحول میں گڑھے اور کھائیاں پیدا نہ ہوں، تا کہ عورت مکمل طور پر گھریلو زندگی میں فنا ہو جائے۔ اور جب اس تپتی آگ میں پک کر عورت باہر نکلتی ہے تو اسے مثالی عورت قرار دیا جاتا ہے۔''

اسماعیل اس نئے زمانے کا دانشور تھا اس کا تعلق اونچے طبقے سے تھا اور اسی لیے اس کے خیالات بھی اونچے تھے۔ نشاط نے دیکھا کہ زین غور سے سن رہا تھا۔

''لیکن کیا کبھی معاشرہ اپنی اس کوشش میں کامیاب ہو سکا۔'' وہ زین کی محویت دیکھ کر لاشعوری طور پر ایک قدم آگے بڑھ کر بولی۔

''اس تپتی آگ میں پک کر تیار ہونے والی مثالی عورت اتنی رونی صورت کیوں ہوتی ہے؟''

''آپ نے بالکل ٹھیک کہا، مسز نجیب!'' اسماعیل مسکرایا۔ ''ایسے میں کیا آپ ایسی غیر متحرک، بے خبر، مثالی عورت بننا چاہیں گی۔''

''ہرگز نہیں۔'' وہ مسکرائی۔ ''رونی صورت مثالی عورت کی ڈیفینیشن ہی غلط ہے ایک ہنستی بستی آسودہ حال خوش باش عورت بھی مثالی عورت کہلا سکتی ہے، گھریلو زندگی میں توازن برقرار رکھنے والی خوش باش عورت زیادہ مثالی ہوتی

ہے وہ عورت جس کو مرد کا معاشرہ مثالی قرار دیتا ہے، جب اپنی زندگی کے اختتام کو پہنچتی ہے تو بالکل تہی دست ہوتی ہے میں تہی دست ہو کر مرنا نہیں چاہتی، میں خوش باش ہوں، متحرک ہوں، باخبر ہوں کہ میری ذات سے کسی کو تکلیف نہیں پہنچتی، میری گھریلو زندگی شاندار ہے، میرا شوہر مجھ سے خوش ہے میرے بچے مطمئن ہیں کیا میں مثالی عورت کہلائے جانے کے قابل نہیں؟ مجھ سے بڑھ کر اس اعزاز کا مستحق اور کون ہوگا؟''

اس نے اپنے بھاری پپوٹے اٹھا کر سب کو ایک خاص ادا سے دیکھا اور یہ ہی تو اس کی خوبی تھی، وہ الفاظ کا جادو جگا کر خود اپنے لیے ہر جگہ گنجائش پیدا کر لینے کی صلاحیت رکھتی تھی۔ کئی لوگ اس کے اردگرد جمع ہو گئے، زین کچھ دیر وہاں کھڑا رہا اور پھر کہیں مصروف ہو گیا۔ کھانے کے بعد وہ نجیب سے ملا۔

''اب میں جا رہا ہوں، پھر ملیں گے۔'' وہ کہہ رہا تھا۔

''ضرور ضرور۔'' نجیب نے جواب دیا۔

''اچھا نشی خدا حافظ! ویسے آج یقین آ گیا تم اپنے زمانے کی زبردست ڈبیٹر تھی۔''

وہ اس کے پاس آیا۔

''کوئی خاص تو نہیں، حقیقتِ حال بیان کی تھی۔ تمہارا کیا خیال ہے؟'' اس نے بے نیازی سے کہا۔

''تم کہتی ہو تو ٹھیک ہی ہوگا۔'' اس نے سر جھکا کر کہا اور باہر نکل گیا۔

''شروع ہی سے تمہارے خیال میں جو میں کہتی تھی ٹھیک ہوتا تھا آج تم اختلاف کیسے کر سکتے ہو۔'' اس نے مسکرا کر سوچا۔

کیسا زندگی بخش دینے والا احساس ہے کہ کوئی آپ کی وجہ سے اب تک تنہا زندگی گزارے جا رہا ہے، آپ کے سوا کوئی دوسرا اسے اس قابل نظر ہی نہیں آیا۔'' واہ! زین محمود! دیکھا تم نے میں نے کیسا پھانسا تھا تمہیں۔''

اس نے بے اختیار قہقہہ لگایا تقریب کے آغاز پر وہ جتنی پژمردہ تھی اب اتنی ہی خوش تھی، نہ چاہتے ہوئے بھی وہ شیرازی کا قصہ بالآخر نپٹا آئی تھی اور آخر میں زین کا جملہ۔

''تم کہتی ہو تو ٹھیک ہی ہوگا۔''

''لاکھ تم راجا اِندر بنے چہچہاتے پھرو، دل تو تمہارا آج بھی میری مٹھی میں ہے۔''

اس نے گلے سے سیاہ موتیوں کی مالا اتارتے ہوئے سوچا۔

''نشی! کیا یہ زین اپنے موٹل کے کچھ شیئرز ہمیں نہیں دے سکتا یا پھر ٹیکسٹائل مل کی نئی برانچ میں ہی سہی۔'' نجیب نے لیٹتے ہوئے کہا۔

''ایک اور بزنس ڈیلنگ۔'' اس نے ایک جھٹکے سے ائیر سٹڈز اتارتے ہوئے سوچا۔

''کیا ضروری ہے؟''

''ہاں! بڑی ترقی کر رہا ہے، یہاں تو تہلکہ مچا دیا ہے اس نے، اب یہیں ہمارے قریب ہی گھر بنوا رہا ہے اپنا اس کا ارادہ یہیں رہنے کا ہے میرے خیال میں یہ اچھا موقع ہے اور پھر تمہارا کزن بھی تو ہے یہ ایک اضافی ایڈوانٹج ہے، فائدہ ہی فائدہ، کیا خیال ہے ہو سکتا ہے؟''

''دیکھیں گے۔'' اس نے شانِ بے اعتنائی سے کہا اور اپنی آنکھوں کو غور سے دیکھا۔

''ہمارے نزدیک ہی گھر، گویا بہت ہی اونچی پروازوں میں ہو، ثابت کیا کرنا چاہتے ہو آخر؟ خیر، یہ تو طے ہے کہ تمہارے کسی بھی نئے بزنس میں ہمارے شیئرز ضرور شامل ہوں گے۔'' اس نے جھک کر برش اٹھاتے ہوئے سوچا،

''کیونکہ میں کہوں اور تم انکار کرو، یہ ہو ہی کیسے سکتا ہے۔''

اسے اچھی طرح یاد تھا وہ زمانہ بھی تھا جب وہ دن کو رات کہتی تو زین بھی رات ہی کہنے پر تیار ہو جاتا۔

''نہیں زین! اپنے دوست کے ہاں نہیں آج ذرا مجھے فلاں جگہ چھوڑ آؤ۔''

وہ کہتی اور وہ دوست کا تصور تک ذہن سے نکال کر اس کے ساتھ چل پڑتا۔

''زین! مجھے باربرا کارٹ لینڈ پڑھنے کا بہت شوق ہے کہیں سے چھپا کر لا دو۔''

وہ نہ چاہتے ہوئے بھی کہیں سے ڈھونڈ کر اس کو کتابیں لا دیتا۔

''سو کر کیا کرو گے، چلو ذرا کہیں سے کولڈ ڈرنک پی آئیں۔'' وہ سخت گرمی میں اسے نیند سے اٹھا دیتی۔ وہ فوراً اٹھ جاتا۔

''آج پلازا میں بڑی اچھی مووی لگی ہے رش تو ہوگا، مگر چلو آج ہی دیکھ آئیں۔''

وہ کہتی اسے مووی دیکھنا قطعی پسند نہیں تھا وہ پھر بھی ساتھ چل پڑتا۔

حتیٰ کہ اس کی انتہائی ذاتی زندگی میں بھی اس کا بڑا دخل تھا۔

''یہ کپڑے نہیں، وہ کپڑے، یہ خوشبو نہیں فلاں لگاؤ۔'' وہ مشورے دیتی وہ وہی کرتا جاتا جو وہ کہتی۔

''حسن میں، خوبصورت الفاظ میں وہ طاقت ہے کہ ایک دنیا آپ کے اشاروں پر چلنے کو تیار ہو جاتی ہے اور تم تو پھر تم ہو جسے شروع ہی سے میرے اشاروں پر چلنے کی عادت ہے۔''

سونے کے لیے لیٹتے ہوئے اس نے سوچا۔

○……❖……○

بہت دنوں کے بعد وہ ایک روز پھر ان سے ملنے آیا۔

''ان کو لاؤنج میں بٹھاؤ، میں آتی ہوں۔'' اس نے اطلاع دینے والے ملازم سے کہا اور مشاقی سے میک اپ کرنے لگی۔

''آج یہ بزنس ڈیلنگ بھی نمٹ ہی جائے۔''

اس نے کانوں میں نیلم پہنتے ہوئے خود سے کہا۔ اسے معلوم تھا کہ وہ اس وقت اپنی خوش لباسی کا شاہکار معلوم ہو رہی تھی، مہارت سے کیا میک اپ اس کو چمکا رہا تھا۔ وہ زین کے لیے فرار کی کوئی گنجائش نہیں چھوڑنا چاہتی تھی۔

''مجھے کچھ دیر ہوگئی تم بور تو نہیں ہوئے۔'' لاؤنج میں آ کر اس نے پوچھا۔

''نہیں! اس کمرے میں تمہارے جمع کیے نوادرات اتنے زیادہ ہیں کہ ایک ایک کو گھنٹوں بغور دیکھا جائے تو ہی ان کی اہمیت سمجھ میں آتی ہے۔'' اس نے سیدھا ہوتے ہوئے جواب دیا۔

''یہ سب میں نے بڑی محنت سے اکٹھے کیے ہیں۔ اور مجھے اپنی جان سے بھی زیادہ عزیز ہیں، تمہیں اچھے

لگے؟'' اس نے گردن تان کر کہا۔

''ہاں، یہ فریسکو تو خاص طور سے قابلِ توجہ ہے۔'' اس نے سامنے کی دیوار کی طرف دیکھا۔ ''کسی نے بہت مہارت سے پینٹ کیا ہے۔ غروب آفتاب کا منظر ہے غالباً۔ یہ کس کا آئیڈیا ہے؟'' اس نے اسے دیکھا۔

''میرے علاوہ اور کس کا ہو سکتا ہے کیا تمہیں پتا نہیں چلا کہ ایسا ذوق کس کا ہو سکتا ہے؟'' اس نے کھنکھناتے لہجے میں کہا۔

''ہاں، مجھے خیال گزرا تھا۔'' اس نے کچھ اٹکتے ہوئے کہا۔ ''مگر اسی بات پر میں کچھ حیران بھی ہو رہا تھا نشی! تم اور غروبِ آفتاب کا منظر، تمہیں غروب سے دلچسپی کب سے ہو گئی؟'' وہ یک دم جیسے گڑبڑا گئی جیسے کسی نے اسے چوری کرتے ہوئے پکڑ لیا ہو۔

''دلچسپی کی نہیں روایت کی بات ہے۔'' پھر جیسے خود کو مضبوط رکھنے کی خاطر اس میں جان سی پڑ گئی۔

''یہ تو ٹرینڈ کی بات ہے اس کمرے کے سامنے کی شیشے کی دیوار سے طلوع کا منظر صاف نظر آتا ہے غروب کا منظر مغربی دیوار پر ہی پینٹ ہونا چاہیے تھا۔ یہ دلچسپی کی نہیں قائدے کی بات ہے زین!'' اس نے بزرگانہ طریقے پر سمجھانے کی کوشش کی۔

''اچھا!'' وہ غور سے سن رہا تھا۔ ''اچھا نشی! تم کہتی ہو تو مانے لیتے ہیں ورنہ میرا آج تک یہی خیال تھا کہ انسان کے ہر رویے اور دلچسپی کے پیچھے اس کی نفسیات بڑے شدومد سے دخیل ہوتی ہے۔''

''سب جذباتی باتیں ہیں، رویے، دلچسپیاں نفسیات، انسان ہر کام وقت کے دھارے پر بہتے بہتے خود بخود کرتا جاتا ہے۔'' وہ استہزائیہ انداز میں ہنسی۔

''وقت کے دھارے کے ساتھ بہنے میں بڑے فائدے ہیں۔ انسان دنیا سے کنسرنڈ رہتا ہے، ورنہ رفتہ رفتہ پسِ منظر میں چلا جاتا ہے لیکن وقت کے دھارے کے ساتھ بہنے کی خوبی بھی کسی کسی میں ہوتی ہے۔ اور تم ایسے ہی خوش قسمتوں میں سے ہو نشی۔''

وہ کافی حد تک سنجیدہ ہو رہا تھا۔

''اچھا چھوڑو۔'' اس نے گھبرا کر کہا۔ ''یہ بتاؤ کہ تم گھر دیکھنے گئے تھے؟ کیا حال ہے اس کا؟ اب جن لوگوں نے خریدا ہے وہ لوگ کیسے ہیں؟'' وہ موضوع بدلنا چاہتی تھی۔

''گھر ویسے کا ویسا ہی ہے۔ میں وہاں گیا تو مجھے یوں لگا جیسے میں وہی فرسٹ سیکنڈ ایئر کا سٹوڈنٹ ہوں، ابھی کہیں سے عائشہ اور ماریہ کے ہنسنے اور کھیلنے کی آوازیں آئیں گی، ابھی کسی کمرے سے کامران اپنا بیٹ اٹھائے بھاگا بھاگا آئے گا، زین بھائی آئیں سینچری بنائیں امی اور بڑی امی نماز کی چوکی سے اٹھیں گی، اور سب کو دعاؤں کو حصار میں دیتی چلی جائیں گی، ابھی بڑے ابو آفس سے واپس آئیں گے ہم سب ان کے اردگرد جمع ہو جائیں گے اور مجھے ایسا بھی محسوس ہوا کہ تم ان سب میں سے کسی کی بات پر ناراض ہو کر دھپا دھپ سیڑھیاں چڑھتے اوپر چلی جاؤ گی اور مجھے تمہارے پیچھے جانا پڑے گا، ایسا بھی لگا جیسے عائشہ اور ماریہ کی لڑائی ختم کرانے کے لیے مجھے ہمیشہ کی طرح اوسکوادارا سنانا پڑے گا، کتنا شدید ہوتا ہے ماضی کا نوسٹلجیا بھی، انسان فرار حاصل کرنا چاہے بھی تو نہیں کر سکتا۔ گھر

والوں کی مہربانی سے میں ایک ایک کمرے میں پھرتا اور گزرے لمحوں کو یاد کرتا پھرا، لیکن جب میں باہر نکلا تو وقت کی سوئی گھوم کر پھر آج کی تاریخ میں واپس آ گئی اور میں پھر وہی آج کا زین محمود بن گیا۔''

''ایک بار میں بھی گئی تھی وہاں، ابو نے کاغذات لانے کو کہا تھا، مجھے تو کچھ محسوس نہیں ہوا وہاں جا کر۔'' اس نے تمسخر اڑاتی آنکھیں اس پر گاڑتے ہوئے کہا۔

''میں نے کہا تھا نشی! کہ تمہاری بات اور ہے تمہیں وہ گھر شروع ہی سے اجنبی لگتا تھا۔ تمہارے لیے وہاں کی یاد خوشگوار کیسے ہو سکتی ہے؟''

''مگر یہ تو کسی میچور انسان کی باتیں لگتی ہیں ماضی کا نوسٹلجیا ایک ایک لمحہ کی یاد'' وہ ناک سکیڑ کر بولی۔

''ہاں تو انکار کس کو ہے، میں اب بھی ان احمقوں میں شمار ہوتا ہوں جنہیں ہر چیز سے زیادہ جذباتیت، خود فریبی اور ماضی کے تصورات سے پیار ہوتا ہے۔'' اس نے سادگی سے اقرار کیا۔

''اونہہ'' اس نے سیدھے ہوتے ہوئے زیرِ لب کہا۔ ''زین! میں نے سنا ہے کہ تم یہاں کوئی موٹل بنانا چاہتے ہو اور کوئی ٹیکسٹائل مل بھی غالباً۔'' وہ اچانک مطلب کی بات پر آ گئی۔

''ارے!'' وہ چونکا۔ ''یہ اچانک ذاتی سی باتوں میں بزنس کہاں سے کود پڑا؟''

''بزنس مین ہو کر پوچھتے ہو بزنس کہاں سے کود پڑا۔'' وہ ہلکا سا مسکرائی۔

یہ زین محمود تھا اس سے بزنس کی کوئی بات کرتے ہوئے اسے مصنوعی باتوں اور مصنوعی قہقہوں کا سہارا لینے کی کیا ضرورت تھی۔

''لیکن مجھے یہاں ایسی بات کی توقع نہیں تھی۔'' وہ ہنسا۔ ''اچھا تو پھر۔ ہاں ارادہ ہے میرا یہ دونوں کام کرنے کا۔''

''کس کے ساتھ مل کر؟ کوئی پرانا شیئر ہولڈر، یا کسی نئے کی تلاش ہے؟''

''تم کیوں پوچھ رہی ہو؟'' اس نے حیرت سے اس کی طرف دیکھا۔

''کیوں کیا میں نہیں پوچھ سکتی؟''

''ہاں، پوچھ سکتی ہو، مگر تمہارے منہ سے یہ باتیں کچھ اجنبی لگ رہی ہیں۔''

''تم نے میری بات کا جواب نہیں دیا۔''

''کچھ پرانے لوگ ہیں، کچھ نئے لوگوں کی تلاش بھی ہے، ایک غیر ملکی کمپنی بھی ہے دیکھو کیا ہوتا ہے۔''

''نئے لوگوں کی تلاش، ہوں۔'' اس نے سوچتے ہوئے کہا۔ ''کن شرائط پر؟ کن بنیادوں پر؟''

''بات کیا ہے نشی؟'' وہ مزید حیران ہو گیا۔

''میرا مطلب تو بڑا واضح ہے اگر ہم انٹرسٹڈ ہوں زین تو؟''

''کیا مطلب، تم انٹرسٹڈ ہو۔'' اس نے سوچتے ہوئے کہا۔ ''اچھا ہاں۔''

پھر وہ جیسے سمجھ گیا۔ ''کیا نجیب کے بزنس میں تمہارے نام بھی کچھ ہے؟'' اس نے غور سے اسے دیکھا۔

''ضروری تو نہیں کہ ایسا ہو، لیکن میں اس کے کام میں مدد تو دے سکتی ہوں۔''

''نجیب کو مجھ سے خود بات کرنا چاہیے تھی۔ یہ بہتر ہوتا۔''

''میرا خیال ہے کہ بہت سے معاملات میں نجیب مجھ پر اعتماد کرتا ہے اور پھر یہ تجویز بھی میری ہے، سو مجھے ہی تم سے بات کرنا چاہیے تھی۔''

''پھر تم کیا چاہتی ہو؟'' اس نے کچھ دیر خاموش رہنے کے بعد پوچھا۔

''یہ کہ کتنے پرسنٹ؟''

''یہ لمبی تفصیل ہے، تم میرے آفس آنا یہ باتیں ایسے گھر میں بیٹھے نہیں ہو سکتیں۔ اتنا تو تم جانتی ہو گی۔'' اس کا لہجہ یکا یک سخت ہو گیا۔

''میں نے پوچھا تھا زین! کہ کیا شرائط ہیں، پرسنٹیج کیا ہے، اور کیا تم ہم پر اعتماد کر سکتے ہو؟'' اس نے اس کی بات اَن سنی کرتے ہوئے کہا۔

''میں نے کہا ہے کہ تم یہ بات میرے آفس میں آ کر۔''

''مجھے بھی تمہارے آفس میں آنا پڑے گا زین؟''

اس نے اپنی غلافی آنکھیں اٹھائیں زین نے کچھ دیر اَنا اور تمکنت سے اٹھے اس سر کو دیکھا، ہلکی روشنی میں نیلے لباس میں ملبوس وہ واقعی ملکاؤں کی طرح پُر وقار لگ رہی تھی۔ اس کے حسن میں ایک عجیب سا اِسرار تھا اور افسردگی تھی۔

''نہیں نشی! میں تمہارے ساتھ تو آنکھیں بند کر کے کسی بھی قسم کی ڈیلنگ کر سکتا ہوں۔'' اس نے سر جھکا کر جیسے فرار کی راہ تلاش کرتے ہوئے کہا۔ ''مگر یہ سب میرے اور نجیب کے درمیان طے ہو گا۔ تم نے مجھ سے کہہ دیا بس یہ ہی کافی ہے۔'' اس نے انا اور تمکنت سے اٹھا سر ایک ادا سے جھٹکا اور مسکرا کر بولی۔

''اور کافی پیو گے زین، تمہیں میرے ہاتھ کی بنی کافی تو ہمیشہ ہی سے پسند ہے نا۔''

○……❖……○

نجیب اس کی اس کامیابی پر ہزار دل سے فدا ہو رہا تھا اس کی قدر و منزلت مزید بڑھ گئی تھی۔ ایسی بیوی ہر ایک کا مقدر نہیں ہوتی۔ جو سراپا حسن اور ذہانت ہو اور جس کے سر پر اچھی قسمت کا سایہ ہو۔ وہ بلاشبہ دنیا ئیں تسخیر کر لینے کے گُر جانتی تھی۔

''اس کو تو میں نے عرصہ پہلے بغیر ہاتھ ہلائے مسخر کر لیا تھا۔ وہ تو جنم جنم سے میرا مفتوحہ علاقہ ہے اور مفتوحہ علاقے ہمیشہ ہی سے ہاں کہنے کے عادی ہوتے ہیں، سر جھکا لینا ان کی سرشت میں خود بخود داخل ہو جاتا ہے۔''

زین کے بنا حیل وحجت کے دستخط کیے کاغذ دیکھتے ہوئے اس نے سوچا تھا۔

''اتنی آسانی سے تم نے خود بھی کبھی کچھ ڈیل نہیں کیا ہو گا۔''

اس نے نجیب کو بارہا جتایا تھا۔ یہ واقعہ علیحدہ تھا کہ وہ زین کی ان کامیابیوں کا سن کر ہی عجیب سی کیفیت میں مبتلا ہو گئی تھی۔

ایک ٹھکرایا ہوا مایوس مستقبل کا حامل شخص جب یوں تونگر اور آسودہ حال ہونے لگے تو ایسا احساس خود بخود پیدا

ہو جاتا ہے۔

''اس نئے معاہدے کے ذریعے میں تمہیں بتاؤں گی، زین! کہ تم کہیں بھی پہنچ جاؤ میرے بغیر تم پھر بھی کچھ نہیں۔''

وہ اس کے سامنے رہ کر اسے ایک مسلسل احساسِ محرومی میں مبتلا رکھنا چاہتی تھی مگر انہی دنوں اس کے پاس امی کا فون آ گیا۔ ابو کی طبیعت کچھ ٹھیک نہیں تھی اور وہ اسے دیکھنا چاہتے تھے وہ دوسرے ہی دن کی فلائٹ سے جانے کو تیار ہوگئی۔

''تم جاؤ نشی! مجھے ان کی خیریت کے بارے میں اطلاع ضرور دینا میں اتنا مصروف نہ ہوتا تو خود جاتا اب بھی جب موقع ملا فوراً ہی آجاؤں گا۔''

زین نے فون پر اس سے کہا تھا۔

○......❖......○

ایک لمبے عرصے کے بعد امی ابو کے پاس رہنے میں اسے بڑا مزہ آ رہا تھا۔ وہ دو ہفتے کے لیے آئی تھی مگر ڈیڑھ ماہ وہیں رہی۔ زین نے کئی بار ابو کو فون کیا۔ ابو اس کی اتنی ترقی پر بے اندازہ خوش تھے امی اس کو غائبانہ دعائیں دے رہی تھیں۔

''تم وہاں پر ہی نشی! کوئی اچھی سی لڑکی دیکھ کر اس کی شادی کروا اور آخر کب تک اکیلا رہے گا۔ عجیب سرپھرا لڑکا ہے، شادی کی بات کرتی ہوں تو ہنس کر ٹال دیتا ہے۔'' امی نے اس سے کئی بار کہا تھا۔

''وہ کہے تو کراؤں نا اس کی شادی، وہ تو کہتا ہے کہ میرا دل ہی نہیں مانتا۔'' اس نے ہنس کر کہا تھا۔ اس ہنسی کے پیچھے فتح مندی کا احساس کارفرما تھا۔

''تم کہو تو شاید مان جائے۔''

''ہاں! میں کہوں تو شاید نہیں یقیناً مان جائے گا۔'' اس نے سوچا۔

○......❖......○

ڈیڑھ ماہ کے بعد واپسی پر اس نے راستے میں ایک نو تعمیر گھر دیکھا۔

''یہ زین صاحب کا گھر ہے جی۔'' اس کے استفسار پر ڈرائیور نے بتایا۔

ڈرائیو وے پر زین کی گاڑی کھڑی دیکھ کر اسے حیرت ہوئی، سٹنگ روم کے قریب سے گزرتے ہوئے اسے زین اندر بیٹھا نظر آیا۔ اس کے ساتھ نجیب نہیں تھا۔ اس نے غور سے دیکھا اندر صبا بیٹھی تھی۔

''یہ کب آئی؟'' اس نے چونک کر سوچا۔

''پندرہ بیس دن ہو گئے جی صبا بی بی کو آئے ہوئے۔'' ملازمہ نے اسے بتایا۔

''کمال ہے مجھے کسی نے بتایا ہی نہیں۔'' اس نے حیران ہو کر سوچا۔

چار سال قبل وہ ایک عدد ناکام شادی کے بعد جو لندن گئی تھی تو واپسی کا نام نہیں لیا۔ وہیں وہ اپنی بوتیک چلاتی تھی۔

''یہ آ کیسے گئی؟'' نہانے اور فریش ہونے کے بعد بال سلجھاتے ہوئے اس نے سوچا اور پھر سٹنگ روم کی طرف آ گئی۔

''تم نے فون ہی کر دیا ہوتا کہ آ گئی ہو۔'' اس نے صبا سے کہا۔

''میں تمہیں سرپرائز دینا چاہتی تھی۔''

''تمہارے آج آنے کے بارے میں علم تھا تایا جان کے بارے میں پوچھتے تمہارے آنے سے پہلے ہی چلا آیا۔'' زین کہہ رہا تھا۔ ''کیسے ہیں اب وہ؟''

''اچھے ہیں اور تمہیں بہت پوچھتے ہیں۔'' اس نے مختصراً کہا۔

''میں جلد ہی جاؤں گا ان شاء اللہ۔''

''زینب اور حسن بھی اگلے ماہ تک آ جائیں گے ان کی چھٹیاں شروع ہونے والی ہیں۔'' صبا اسے بتا رہی تھی۔

''بہت ذہین بچے ہیں، بڑا شاندار ریکارڈ ہے ان کا۔'' اس نے زین کی جانب دیکھتے ہوئے کہا۔

''کیوں نہ ہوں ان کی ماں جیسا ذہین کون ہوگا۔'' زین نے مسکراتے ہوئے کہا تھا۔

نشاط نے لاشعوری طور پر سر جھکا لیا۔

''تمہارے کزن بے حد دلچسپ انسان ہیں نشی! تم نے کبھی ان کا ذکر ہی نہیں کیا تھا۔''

صبا نے کہا۔ وہ محسوس کر رہی تھی کہ صبا اور زین ایک دوسرے سے کافی بے تکلف نظر آ رہے تھے یا شاید نظر آنے کی کوشش کر رہے تھے۔

''تم لوگ غالباً ملتے رہے ہو۔'' اس نے یہ بات بھی لاشعوری طور پر پوچھی تھی۔

''اکثر۔'' صبا نے ہنستے ہوئے کہا۔ ''تقریباً ہر فنکشن پر جو میں نے تمہارے پیچھے یہاں آنے پر اٹینڈ کیا۔ کتنی دلچسپ بات ہے کہ زین علاوہ تمہارے کزن ہونے کے نجیب بھائی کا بزنس پارٹنر بھی ہے۔''

''خیر، اس میں دلچسپی کا تو کوئی عنصر نہیں ایسا تو اکثر ہوتا ہے، دوست، رشتہ دار، بزنس پارٹنر بھی ہو سکتے ہیں۔'' اس نے اپنے بگڑتے مزاج پر بمشکل قابو پاتے ہوئے کہا۔

''نشی کے لیے کسی بھی بات میں دلچسپی کا کوئی عنصر نہیں ہوتا۔'' زین نے آہستہ آواز میں کہا۔ ''اس کے نزدیک یہ قطعی جذباتی سی بات ہے۔''

''ہاں نشی ہر چیز کو اپنے نقطہ نظر سے دیکھنے کی عادی ہے۔'' صبا نے کاٹ دار لہجے میں کہا۔ زین بے اختیار ہنس دیا۔

''ہونا بھی یونہی چاہیے انسان کیوں دوسرے کے دماغ سے سوچے، سوچ خالصتاً اپنی ذاتی ہونی چاہیے۔'' اس نے زہر خند لہجے میں کہا۔ زین کا صبا سے یوں بے تکلف ہونا اسے بے حد کھل رہا تھا۔

''ارے تم تو برا مان گئیں نشی! اچھا چھوڑو صبا! وہ بات کرو، جو نشی کو پسند ہے، نشی غصے میں اجنبی سی لگتی ہے۔''

زین نے اس کو غور سے دیکھتے ہوئے کہا اور صبا نے واقعی گفتگو کا رخ موڑ دیا۔

○……❖……○

ٹیکسٹائل مل کے لیے جگہ، لون، نقشے کا چناؤ ہو چکا تھا اور کام شروع ہونے والا تھا۔ نجیب بڑھتی ہوئی مصروفیت میں بری طرح کھو چکا تھا ہر قسم کی سوشل ایکٹوٹی میں اسے تنہا جانا پڑتا تھا، صبا نے بھی اس سوشل سرکل میں دوبارہ سے قدم جمانا شروع کر دیئے اور سب سے نئی بات یہ تھی کہ ہر جگہ ہر تقریب میں صبا اور زین اکٹھے نظر آتے۔

''بڑا اونچا لمبا ہاتھ مارا ہے صبا نے آگے ترقی ہی ترقی ہے۔'' ایک روز اس نے کسی کو کہتے سنا۔ وہ ایک نئی کشمکش کا شکار ہو گئی۔ زین کو دیکھ کر وہ مسرت کے احساس سے دوچار ہوتی تھی وہ اب تک اس کو دل سے نکال نہیں پایا تھا اب بھی اس کی ہر بات پر سر جھکا کر کہتا تھا۔

''تم کہتی ہو تو ٹھیک ہی ہو گا نشی!''

لیکن اب صبا بیچ میں کیوں آ گئی تھی اسے یہ حق کس نے دیا تھا کہ وہ بغیر اجازت اس کے مفتوحہ علاقے کو ہاتھ لگائے؟ وہ اسی کشمکش میں مبتلا تھی کہ ایک نئی صورتِ حال نے آن گھیرا۔ وہ اس بات کو تقریباً بھول ہی گئی۔

نجیب اپنی بزنس میٹنگ کے بعد کراچی سے لوٹا تھا۔ اس نے پہلی بار اس کے رویے میں ایک تبدیلی دیکھی تھی، وہ بات بے بات اس سے الجھ پڑتا اور بعض دفعہ ایسی توہین آمیز گفتگو کرنے لگتا کہ وہ اس کے الفاظ کا مفہوم سمجھنے کی کوشش کرتی رہ جاتی۔

''اس میں تبدیلی کی کیا وجہ ہے؟'' پہلے پہل بری طرح کھول اٹھنے کے بعد اس نے تحمل سے سوچا۔

''کل میں نے نجیب بھائی کے ساتھ نفیسہ کو دیکھا۔''

اسے صبا نے ایک روز بتایا۔

''یہ نفیسہ وہی ہے جس کے ساتھ ایک بار نجیب بھائی شادی کرنا چاہتے تھے لیکن ممی نے انکار کر دیا تھا۔''

وہ اسے بتا رہی تھی۔ یہ کوئی نئی بات نہیں تھی، مختلف وقتوں میں ایسے کئی نت نئے چہرے نجیب کی زندگی میں آئے اور چلے گئے۔

''کچھ لوگ ایسے بھی ہوتے ہیں جو چہرہ اور عمر نہیں، سٹیٹس دیکھتے ہیں۔'' ایک بار نجیب نے کہا تھا۔

وہ جانتا تھا کہ وہ بھی صرف سٹیٹس دیکھ کر ہی چلی آئی تھی۔ اس لیے اکثر جتانا نہ بھولتا تھا۔ پہلے پہل اس نے نجیب کے ہر نئے افیئر پر چیخنے اور چلانے کا شغل کیا۔ مگر آہستہ آہستہ وہ اس کی عادی ہو گئی تھی۔ شاید اسے یقین ہو چلا تھا کہ نجیب جہاں کہیں اور جس کے ساتھ بھی رہے لوٹ کر بالآخر اس کے پاس آئے گا۔ یہی سوچ کر اس نے اپنے دل کو پتھر کر لیا۔ وہ جانتی تھی کہ کسی بھی قسم کے واویلے کا نتیجہ وہ نہیں نکلے گا جو وہ چاہتی تھی۔ اب نفیسہ کو دیکھ کر بھی اس نے یہی سوچا تھا مگر اس کی خاموشی کے باوجود بات ختم ہونے کی بجائے بڑھتی چلی جا رہی تھی۔

''یہ کہاں سے ٹپک پڑی، یہ تو ناگن ہے ناگن۔'' صبا نے کہا۔ ''میں نے سنا ہے کہ اس کے میاں کی ڈیتھ ہو گئی ہے پچھلے مہینے ہی امریکہ سے واپس آئی ہے۔''

وہ نجیب اور نفیسہ کے بڑھتے ہوئے تعلقات پر ٹھٹک چکی تھی۔ صبا نے اس پر حقیقت کو مزید واضح کیا تھا۔

''مجھے اب کیا کرنا چاہیے؟''

وہ پہلی بار بُری طرح گھبرا گئی۔ وہ سوچ بھی نہیں سکتی تھی کہ اس کے سحر سے کوئی یوں اپنا آپ چھڑا کر کہیں اور

بھی جا سکتا ہے نجیب تو کبھی بھی نہیں، مگر یہ حقیقت تھی نجیب اپنے رویوں کے ہتھیار لیے بُری طرح ہاتھ پاؤں مار رہا تھا۔ اس نے بارہا خود اپنی آنکھوں سے اس کو نفیسہ کے ساتھ گھومتے پھرتے دیکھا۔

"لوگ کیا کہیں گے کیا سمجھیں گے؟"

اسے جگ ہنسائی کا خوف تھا۔ اس کا غرور، تمکنت اور شان و شوکت خاک میں مل سکتا تھا۔ وہ اتنی کمزور پڑ گئی تھی کہ اس سے نجیب جیسا مرد بھی سنبھالا نہیں گیا۔ اس نے اپنا مطالعہ کیا۔ وہ ویسی ہی تھی جیسی اس کی زندگی میں آتے وقت تھی وہی حسن، وہی ذہانت وہی رکھ رکھاؤ وہی ہتھیار۔

"پھر غلط کیا اور کہاں ہوا تھا؟"

اس نے خود سے پوچھا مگر جواب نہیں مل رہا تھا۔

"میں نے سنا ہے کہ نجیب بھائی اس سے شادی کر رہے ہیں عمریں دیکھو اور نخرے دیکھو۔" صبا نے اسے بتایا۔

"یہ کیسے ممکن ہے۔" اس نے چلا کر کہا، اسے یقین نہیں آتا تھا۔ وہ دنیا ئیں مسخر کر لینے کا گُر جانتی تھی اس کے سحر سے کوئی کیسے آزاد ہو سکتا تھا۔ اس سے بڑی شکست کیا ہو سکتی تھی۔

"یہ ہو سکتا ہے نشی! مرد پر یہ وقت کبھی کبھی آ جاتا ہے، لاکھ نجیب بھائی تمہارے گرویدہ ہوں اور تمہارے قصیدے پڑھتے ہوں، وہ بہر حال ان کی پہلی محبت ہے اور اس نے ایک دنیا دیکھی ہے۔" صبا نے سکون سے کہا۔

○......❖......○

اس نے بھی پُرسکون لہجے میں نجیب سے بات کی۔ "تو کیا ہوا! اکثر لوگ دو دو شادیاں کرتے ہیں۔" اس نے اس کو جھٹلائے بغیر کہا۔

"مگر دو دو شادیاں کرنے کی بھی عمر ہوتی ہے۔" اس نے اور بھی ٹھہرے ہوئے لہجے میں کہا۔

"عمر تو میری اس وقت بھی کم نہیں تھی جب تمہارے ساتھ شادی ہوئی تھی۔" اس نے تمسخرانہ لہجے میں جواب دیا۔

"لیکن اس وقت تمہارے پیچھے ایک بیوی اور بچے بھی تو نہیں تھے۔" اس نے سکون سے کہا۔

"لیکن میرے پیچھے ایک عدد عشق تو تھا ہی۔" اس نے ہنس کر کہا۔ "اور پھر دیکھو نشی! فائدہ ہی فائدہ ہے نفیسہ کے خاوند کی زمینیں ہیں یہاں، کاروبار ہے جو سب اس کے نام ہے، فائدہ ہی فائدہ ہے۔"

"تم عشق نبھانے جا رہے ہو یا کاروبار کرنے؟"

"وہ دونوں سمجھ لو، دونوں میں فائدہ ہی فائدہ ہے۔" وہ کمینگی سے ہنسا۔

"لیکن تم فکر نہیں کرو تمہاری پوزیشن میں کوئی فرق نہیں آئے گا، تمہارے ساتھ میں بڑا فائدہ ہے نشی! اور پھر تمہارے جیسی حسین بلا بھلا اور کہاں ہوگی، نفیسہ جذبات میں آ رہی ہے، اسے آنے دو، ہمارا کیا جاتا ہے۔"

وہ خود تو چلا گیا تھا مگر اس کی انا پر اس کے غرور تمکنت پر جو وار کیا گیا تھا۔ وہ اس کی برداشت سے باہر تھا۔ کئی گھنٹے وہ زخمی شیرنی کی طرح سارے گھر میں پھرتی رہی، اس نے جس زندگی کی تمنا کی تھی اسے حاصل کرنے اور وہ زندگی گزارنے کے لیے اس نے نجیب جیسے شخص کو نہ چاہتے ہوئے بھی تمام عمر برداشت کیا تھا، اس کی ناقابلِ

برداشت عادتوں کو، اس کی ناقابلِ برداشت بزنس ڈیلنگز سے کمپرومائز کیا تھا۔ وہ ناکام کہلایا جانا نہیں چاہتی تھی۔ وہ یہ نہیں چاہتی تھی کہ کوئی اس سے یہ کہے کہ وہ آسمان کی بلندیوں کو چھونے نکلی تھی۔ پہلی ہی پرواز میں زمین پر آ رہی، اس نے بڑی جدوجہد کے بعد نجیب کا دل اور دماغ جیتا تھا، وہ خوش تھی کامیاب تھی۔ یونہی تو نہیں تھی اب اتنی ساری قربانیوں کا صلہ وہ اتنی آسانی سے کیسے گنوا سکتی تھی۔

''یا تو میں اسے ختم کر دوں گی یا خود کو ختم کر لوں گی۔'' اس نے شل ہوتے ہوئے ذہن سے فیصلہ کیا۔

○......❖......○

آہستہ آہستہ اس کے انتہائی قریبی لوگوں نے اس سے ہمدردی کا اظہار شروع کر دیا۔

''ایسے تو وہ کبھی بھی نہیں ہونے دے گی۔'' اس کا دل چلانے لگا۔

اس روز وہ گھر ہی پر تھی صبا بھی کہیں نکلنے کے موڈ میں نہیں تھی۔

''آؤ نشی! آج اکٹھے چائے پئیں۔'' اس نے اس کے قریب آ کر کہا۔ اور چائے اس کے کمرے ہی میں منگوالی۔

''اس طرح کمرے میں بیٹھ کر سوگ منانے سے تو کچھ نہیں ہوگا نشی!'' اس نے اسے مخاطب کیا۔

''یوں تو تم لوگوں کی نظروں میں آ جاؤ گی۔ ابھی کل ہی زین پوچھ رہا تھا کہ نشی کو کیا ہو گیا ہے۔ وہ کچھ پریشان لگتی ہے۔ میں نے اس کو ٹال دیا۔'' وہ کہہ رہی تھی۔

''نہیں۔'' وہ چونکی۔ ''زین کو تو ہرگز پتا نہیں چلنا چاہیے۔''

''مگر کبھی تو اسے پتا چل ہی جائے گا اگر تمہارا یہی حال رہا تو کس کو پتا نہیں چلے گا۔ کیا تمہیں میں اگر ایک مشورہ دوں تو مانو گی۔'' اس نے پیالی گھماتے ہوئے کہا۔

''کیا؟'' اس نے سر اٹھایا۔

''نجیب بھائی زوروں پر آئے ہوئے ہیں مرد جب زور پر آ جائے تو اسے روکنے کے لیے لڑائی جھگڑوں سے کچھ نہیں بنتا۔ تم جتنا بھی کوشش کرو گی وہ ہاتھ سے نکلتے جائیں گے، ہر مسئلے کا حل ذہانت سے ہی نہیں نکلتا۔ بعض اوقات جذباتی سہارے لینے پڑتے ہیں۔''

''وہ کیا؟''

''تم نے اتنے سالوں میں مرد کی فطرت کو نہیں سمجھا، یہی تمہارا ڈرا بیک ہے تم یہ تک نہیں جان سکیں کہ نجیب بھائی جتنا بھی ہوشیار نظر آنے کی کوشش کرتے ہیں انہیں بے وقوف بنانا اتنا مشکل نہیں۔ تم اس بات پر یوں تلملا اٹھیں جیسے تمہاری بُری طرح توہین ہوئی ہے اگر ہوئی بھی ہے تو کیا ہوا باہر عزت بچانے کے لیے اندر توہین برداشت کر لینے سے کیا فرق پڑتا ہے۔ تم ذرا ٹھنڈے دل سے سوچو نجیب بھائی اور نفیسہ کو مزا چکھانے کا کوئی طریقہ سوچو تو شاید زیادہ بہتر ہے۔ آندھیاں تو چلتی ہی رہتی ہیں عقل مندی تو یہ ہے کہ ہم دروازے بند کر کے اپنے گھر کو گرد آلود ہونے سے کیسے بچا سکتے ہیں۔''

''میں کیا کروں؟'' صبا سے مشورہ مانگنا اسے کھل رہا تھا، مگر فی الحال اور کوئی چارہ بھی تو نہیں تھا۔

''یہ سوچنا چھوڑو کہ تمہارے پاس نجیب بھائی کے اتنے ویک پوائنٹ ہیں کہ تمہیں چھوڑنے کی صورت میں تم ان کو بدنام کر کے رکھ دو گی۔ تمہیں اس بلیک میلنگ سے کیا حاصل ہو گا؟'' وہ ٹھیک کہہ رہی تھی اس نے یہی کچھ سوچا تھا۔

''نجیب بھائی کو دو چار جملے سنا کر ٹریپ کرو، انہیں یہاں سے کہیں دور لے جاؤ ایسی جگہ جہاں صرف تم ہی تم ہو۔ وہاں ان کو یہ یقین دلاؤ کہ تم نہیں تو کچھ نہیں اور وہ تمہارے بغیر ایک قدم بھی نہیں چل سکتے۔''

''یہ تو انہیں پہلے بھی پتا ہے۔'' اس نے سر اٹھا کر کہا۔

''ہاں لیکن وہ اس حقیقت سے فرار تو چاہتے ہیں وہ یہ ثابت کرنا چاہتے ہیں کہ اب انہیں تمہارے سہارے کی ضرورت نہیں دراصل ان پر اپنا کنٹرول دیکھ کر تم ان کی جانب سے بے فکر ہوئی تھیں اور یہی تمہاری غلطی تھی۔ نجیب بھائی جیسے شخص کو تمام عمر کھونٹے سے باندھے رکھنے کی ضرورت ہوتی ہے۔ ورنہ ان کے بھٹکنے میں سیکنڈ کا وقفہ بھی نہیں لگتا۔''

صبا ان رموز سے کس طرح واقف تھی جو اتنے سالوں میں اس نے نہیں سیکھے تھے وہ حیرت سے اسے دیکھتی رہ گئی۔

''تجربہ نشی، یہ میرا تجرہ ہے، مرد جتنی بے وفا اور نا قابلِ اعتبار شے اور کوئی نہیں۔ تم نفسیات کو جذباتی چیز قرار دیتی ہو مگر تمام عمر فتح یاب رہنے کے لیے عورت کو مرد کی نفسیات کو سمجھنا پڑتا ہے۔'' صبا ہنس رہی تھی۔

''میں اسے کہاں لے جاؤں؟'' اس نے صبا کو گرو مان لیا۔

''یہاں سے بہت دور، زینب اور حسن کی چھٹیاں شروع ہونے والی ہیں، ان کے ساتھ چھٹیاں منانے کہیں چلی جاؤ۔ سوئیزر لینڈ وغیرہ۔ فیملی لائف کا ایک نیا سبق نجیب بھائی کو پڑھاؤ پھر وہ پیچھے دیکھنے کے قابل نہیں رہیں گے تم ایک دفعہ ایسا کر کے تو دیکھو۔''

O......❖......O

اگرچہ اسے یقین نہیں تھا مگر گزرتے وقت نے ثابت کر دیا کہ جو صبا کہتی تھی وہ کس قدر درست تھا۔ نجیب کو چند دن بچوں کے ساتھ کہیں دور گزار لینے کے لیے تیار کرنے میں اسے کتنی دقت کا سامنا کرنا پڑا تھا یہ وہ ہی جانتی تھی۔ وہ تمام حربے استعمال کرنے پڑے تھے جو اس نے تمام عمر نجیب کے لیے استعمال نہیں کیے تھے۔ خوشامدی لہجے، خوشامدی ہنسی جو نجیب کی خاطر ضائع کر دینا بھی وہ اپنی شان کے خلاف سمجھتی تھی۔ اور پھر بچوں کے ساتھ نجیب کے ساتھ دن گزارتے ہوئے وہ بھول گئی تھی کہ وہ نشاط ہے جس کی نگاہیں ہمیشہ آسمان کی طرف دیکھتی تھیں اور جسے زمین پر دیکھنا اچھا نہیں لگتا تھا مگر اسے اپنا گھر بچانا تھا، اپنا وقار، اپنی تمکنت بچانا تھی وہ ہارنا نہیں جانتی تھی۔ جاننا چاہتی بھی نہیں تھی۔ خواہ اس کے لیے اسے کوئی قربانی ہی دینی پڑے اور پھر اس نے دیکھا کہ اس کی ساری قربانیوں کا صلہ اسے رفتہ رفتہ ملنے لگا۔ واپسی پر اسے پتا چلا کہ نفیسہ امریکہ واپس چلی گئی ہے۔ اس نے یہ بھی دیکھا کہ نجیب نفیسہ کے ذکر پر سر جھکا لیتا ہے۔ اس نے یہ بھی محسوس کیا کہ وہ خود دوبارہ اسی تخت پر متمکن ہو گئی ہے جس پر سے اسے اتارے جانے کا منصوبہ بنایا جا چکا تھا۔

○.....❖.....○

''ہاں! سب کچھ ویسا کا ویسا ہی ہو گیا ہے۔'' اس نے ایک روز سوچا۔

''مگر اس کے لیے کہاں کہاں خود کو مجروح کرنا پڑا۔ یہ میں ہی جانتی ہوں، ایک صرف اپنی مرضی کی اپنی خواہش کے مطابق زندگی گزارنے کے لیے انسان خود کو کن مجبوریوں کے حوالے کر دیتا ہے۔''

وہ بلاوجہ شکستہ خاطر ہو رہی تھی۔ مگر اس کے ساتھ ساتھ وہ خوش بھی تھی۔ اس کا سر اور بھی بلند ہو گیا تھا۔ اس نے اپنی ذہانت کے بل بوتے پر ایک اور محاذ فتح کر لیا تھا۔ ''اب کون ہے جو اس کے مقابلے پر آئے گا۔'' وہ احساسِ فتح مندی سے سوچتی۔

''نشی!'' صبا نے اسے آواز دی۔ ''کیا حال ہیں؟'' وہ اس کے قریب آ کر بیٹھ گئی۔

''اچھی ہوں، کہاں سے آ رہی ہو؟'' اس نے مسکرا کر کہا۔ اس لڑکی کے اس پر دو قرضے تھے ایک اس گھر تک لانے کا اور دوسرا اس گھر کو بچانے میں مدد دینے کا اور وہ دل ہی دل میں اس کی مشکور بھی تھی۔

''آج میں زین کے ساتھ سدرہ کی طرف گئی تھی، زین کو اپنے گھر کے لیے کچھ مشورے چاہیے تھے۔ فرنیچر پلان کے لیے، لائٹنگ کے لیے، میٹریلز اور ٹیکسچرز وغیرہ وغیرہ کے لیے...... تمہیں پتا ہے سدرہ انٹیریر ڈیکوریٹر ہے۔ اُف میں تمہیں کیا بتاؤں نشی، زین اپنا گھر کیسا بنا رہا ہے اتنی زبردست چوائس ہے اس شخص کی کہ مجھے تو حیران کر دیا اس نے بس آج اس کے ساتھ گھومتے گھامتے رہے۔''

''زین!'' اسے یاد آیا۔ وہ بھول ہی گئی تھی کہ زین بھی نئے سرے سے اس کی زندگی میں داخل ہوا تھا۔

''تمہارے ساتھ خاصی بے تکلفی ہو گئی ہے اس کی۔'' اس نے اس بے تکلفی کو ایک حقیقت سمجھ کر قبول کرتے ہوئے پوچھا۔

''ہاں نشی!'' صبا نے اس کی طرف دیکھا۔ ''میری سمجھ میں خود نہیں آتا نشی کہ میں اس سے اتنی امپریس کیسے ہو گئی ہوں۔ مگر اس کی شخصیت میں کچھ ہے وہ کھینچتا ہے اپنی طرف جب تمہاری شادی نہیں ہوئی تھی، اس وقت یہ کہاں تھا نشی، تمہارا دھیان اس کی طرف کیوں نہیں گیا؟''

''یہ وہ جگہ تھی صبا جہاں تمہارے بقول میرے ماں باپ میرے لیے ڈھونڈتے یہ جگہ زیادہ سے زیادہ کیا ہو سکتی تھی۔'' اس نے خاموشی سے سوچا۔ ''ایک چھوٹا سا گھر، دو چار بچے اور مہنگائی سے مسلسل جنگ۔''

''یہ خیال ہی نہیں آیا کبھی۔'' اس نے سنجیدگی سے کہا۔

''لیکن نشی! وہ واقعی زبردست شخص ہے۔ ایسی باتیں کرتا ہے کہ انسان مبہوت ہو جاتا ہے نشی آخر اس نے بھی تو کہیں شادی کرنا ہی ہے نا۔'' اس نے اچانک پوچھا۔

''ہاں!'' وہ چونک گئی۔ ''پتا نہیں۔''

''پتا کیوں نہیں، آخر کہیں تو کرنا ہے نا! اکیلے تو نہیں رہنا، نشی ایسا نہیں ہو سکتا کہ تم اس سے بات کرو۔ مجھے علم ہے کہ وہ مجھے پسند کرتا ہے۔''

''پسند۔'' وہ پھر چونکی۔ ''اچھا! پتا نہیں اچھا لیکن میں کیا بات کروں صبا!'' اس کو اس انکشاف کا سامنا کرنے

کے لیے وقت درکار تھا۔

''یقین تو مجھے بھی نہیں، لیکن لگتا ہے جیسے وہ کچھ کہنا چاہتا ہے لیکن کہہ نہیں پاتا۔ بلکہ کوشش ہی نہیں کرتا۔''

''ہاں۔'' اس نے گہرا سانس لیا۔ ''وہ کم گو ہے اور مینرڈ بھی۔''

''مینرڈ۔'' وہ ہنسی۔ ''مگر میں نہیں جانتی کہ اظہارِ محبت کے لیے وہ کون سے مینرز استعمال کرے گا۔''

''اظہارِ محبت!'' اسے بھی ہنسی آ گئی۔ ''اظہارِ محبت تو اس نے مجھ سے کبھی بھی نہیں کیا تھا جبکہ وہ میرے عشق میں بری طرح گرفتار تھا۔ اس وقت تو اظہارِ محبت کے لیے وہ الفاظ نہیں کتاب، خوشبو، نرگس کے پھول اور لارڈ کے پان استعمال کیا کرتا تھا۔ اب وہ کیا استعمال کرے۔ اب تو اس کا طبقہ ہی بدل گیا۔''

''نشی! تم اس سے بات کرو گی نا، تم تو کر سکتی ہو بات؟''

''میں کرلوں بات لیکن نجیب سے پوچھنا بھی تو ضروری ہے۔'' اس نے سہارا پکڑا۔

''نجیب بھائی سے کیا پوچھنا، انہیں تو خود بھی زین پسند ہے، اور پھر اس طرح ان کے کاروباری رشتے اور بھی مضبوط ہو جائیں گے، نشی! تم بات کرو گی نا آخر تم سے بڑھ کر میرا دوست کون ہے۔'' اس نے التجائیہ انداز سے کہا۔

''اتنی تجربہ کار ہو، خود کیوں نہیں کچھ کر لیتی۔''

''نہیں، وہ ذرا مشکل آدمی ہے ذرا مختلف ہے ایسا شخص میں نے کم ہی دیکھا ہے مجھے ایسے شخص کا تجربہ نہیں، تم کرو گی نا بات نشی پلیز۔''

''زین کو بالآخر کہیں تو بیاہ کرنا ہے اور پھر صبا کے تو قرض واجب ہیں مجھ پر، ان کو اسی طرح اتارا جا سکتا ہے۔ اس طرح وہ میری ہی دسترس میں رہے گا۔'' اس نے یک دم فیصلہ کیا۔

''اور پھر میرا خیال ہے کہ وہ تمہیں انکار نہیں کرے گا۔'' صبا نے اسے سوچتے ہوئے دیکھ کر کہا۔

''خیر، انکار تو وہ مجھ سے کبھی کر ہی نہیں سکتا۔ اس سے زیادہ ناممکن بات اور کیا ہو گی۔'' اس نے غرور سے سر اٹھایا۔

○......❖......○

''نشی! زین آیا ہے۔'' کچھ دن بعد صبا نے اسے اطلاع دی۔ وہ خوشی سے چہک رہی تھی۔

''تم تو بچوں کی طرح خوش ہو رہی ہو۔'' اس نے مسکرا کر کہا۔ اور لیونگ روم کی طرف آ گئی۔ وہ تنہا بیٹھا تھا۔

''تم جاؤ، میں بعد میں آؤں گی۔'' صبا نے اسے اندر بھیجا۔

''شکر ہے تمہیں دیکھنا نصیب ہوا۔'' وہ اسے دیکھ کر کھڑا ہو گیا۔ ''ورنہ مجھے ڈر تھا کہ کہیں ناراض تو نہیں ہو گئیں۔''

''بیٹھو، بہت دنوں بعد آئے۔'' اس نے اس کی بات اَن سنی کرتے ہوئے کہا۔ اسی وقت زینب اندر آ گئی۔

''ہیلو'' اس نے زین کو دیکھ کر کہا۔

''یہ زین ہیں زینب، تمہارے انکل۔'' اس نے تعارف کروایا۔

''ہیلو ادھر آؤ بیٹی! ہم تمہارے ماموں ہیں۔'' اس نے زینب کو قریب بلایا۔

''میرے خیال سے سابقہ منگیتر سے ماموں بن جانا کچھ اتنا مشکل بھی نہیں۔''

وہ اسے دیکھ کر مسکرایا اور زینب سے باتیں کرنے لگا۔

نشاط کو یوں محسوس ہوا جیسے اسے دھکا سا دے دیا گیا ہو، نجیب والے واقعے نے اسے کمزور کر دیا تھا۔ اور اب وہ خود کو ایک احساسِ شکستگی سے دوچار محسوس کر رہی تھی۔

''مگر زین کے سامنے نہیں۔'' اس نے سر اٹھا کر سوچا۔

''کیا حال ہے تمہارے بزنس کا اور گھر کا؟'' زینب کے جانے کے بعد اس نے پوچھا۔

''اچھا ہے، ٹھیک جا رہا ہے تمہاری دعا چاہیے۔''

''کتنی عجیب سی بات لگتی ہے تمہیں ایسی زندگی اور ایسے کاروبار کتنے ناپسند تھے۔ اور تم ویسی ہی زندگی گزارنے لگے ہو دو جمع دو، چار جمع چار۔''

اس نے اس کو پست کرنے کے لیے اپنا عمل شروع کیا۔ اس کی توقع کے عین مطابق وہ چونک گیا تھا لیکن پھر سنبھل کر بیٹھ گیا۔

''قسمت کی بات ہے۔'' اس نے اپنے کوٹ کی فال ٹھیک کرتے ہوئے کہا۔ ''میرا تقدیر پر ایمان بڑا پختہ ہے، انسان جو مرضی سوچے، جو مرضی چاہے ہوتا وہی ہے جو اس کے مقدر میں لکھا ہوتا ہے، میں نے خود بھی یہ کبھی نہیں سوچا تھا کہ میں دو جمع دو چار جمع چار کے چکروں میں پڑ جاؤں گا۔ مگر قسمت کے آگے کون بول سکتا ہے۔''

''انسان چاہے تو اپنی قسمت موڑ لیتا ہے۔ کوئی کوئی لوگ ایسے بھی ہوتے ہیں۔'' اس نے اس کی کہی بات یاد دلائی۔

''ہاں!'' وہ پھر چونکا۔ ''مگر ایسے لوگ خال خال ہی ہوتے ہیں اور میں تو ویسے بھی عوام الناس میں سے ہوں۔''

''پھر کیسی لگی یہ زندگی؟ خوش ہو۔'' وہ اس کے چونکنے پر دل ہی دل میں محظوظ ہو رہی تھی۔

''پتا نہیں خوش ہوں یا نہیں۔ پتا نہیں مجھے خوش ہونا چاہیے یا نہیں، میں ابھی فیصلہ نہیں کر پایا۔''

اس نے سر جھکاتے ہوئے کہا۔

''لوگ کہتے ہیں کہ خوشی کا تعلق دل سے ہوتا ہے جبکہ عرصہ ہوا میری اپنے دل سے شناسائی ہی نہیں رہی، میں اس سے پوچھ ہی نہیں سکا کہ بھائی! تم خوش ہو یا نہیں۔''

''تمہارا دل تمہارے پاس ہو تو تم پوچھو نا؟'' اس نے فخر سے سوچا۔

''اور پھر زندگی اتنی برق رفتار ہو گئی ہے کہ دو گھڑیاں فرصت کی ملتی ہی نہیں کہ انسان دل سے کوئی سوال کر سکے۔''

''خوشی کا احساس خود بخود ہو جاتا ہے اس میں سوال جواب کی کیا ضرورت ہے۔'' اس نے لاپروائی کا اظہار کیا۔

''اچھا!'' اس نے یوں کہا جیسے یقین کر لینے میں تامل ہو۔

''تمہیں احساس ہوتا ہے خوشی کا؟'' اس کے لہجے میں عجیب سی بے یقینی تھی۔

''ہاں، آں۔ ایک یہ ہی واحد کیفیت ہے جس کا احساس مجھے جی بھر کر ہوتا ہے۔'' اس نے چہکتی آواز میں جواب دیا۔

''خوب۔ خوب۔'' وہ مسکرایا۔ ''لیکن کتنی عجیب بات ہے نشی کہ مجھے ایسا نہیں لگتا۔''

''کیسا نہیں لگتا؟'' اس نے چونک کر پوچھا۔

''یہی کہ تم خوش ہو، مجھے تمہارے ظاہر پر نہ جانے کیوں یقین نہیں آتا۔''

''مگر کیوں؟'' وہ گڑبڑا گئی۔

''میں نے کہا نا کہ میں نہیں جانتا مگر اتنا ضرور جانتا ہوں کہ میں نے جس روز ایک عرصے کے بعد پہلی بار تمہیں دیکھا اسی روز مجھے یہ احساس ہوا کہ تم جیسی نظر آ رہی ہو یا جیسی نظر آنے کی کوشش کر رہی ہو۔ حقیقت میں ویسی رہی نہیں ہو۔''

''تمہاری غلط فہمی ہے۔'' اس نے ہنس کر بات ٹالنے کی کوشش کی۔

''ہاں شاید۔ یہ میری غلط فہمی ہی ہو، بلکہ خدا کرے کہ یہ میری غلط فہمی ہی ہو۔'' اس نے صبا کو اندر آتے دیکھ کر کہا۔

''کیا حال ہیں زین صاحب؟'' صبا نے رشید سے ٹرالی پکڑتے ہوئے کہا۔

''اچھے حال ہیں، آپ سنائیں۔''

''ایک دم فرسٹ کلاس، گھر کا کیا حال ہے؟ کیسا جا رہا ہے؟''

''جہاں آپ کا تعاون حاصل ہو، وہاں سب کچھ ٹھیک ہی ہونا چاہیے۔'' وہ مسکرایا۔

''باتیں بنانے کا فن خوب آتا ہے آپ کو۔'' صبا نے قہقہہ لگایا۔ ''مگر تمہیں پتا ہے نشی تمہارے کزن کی چوائس بہت مختلف ہے۔ کہتے ہیں کہ دروازے کا ورڈ ہونے چاہئیں۔ بھاری قسم کے صوفے فرنیچر بھی ذرا پرانے سٹائل کا ہو، بھاری قسم کا اور پھر بات بے بات ان کو اپنا پرانا گھر یاد آ جاتا ہے۔ وہاں فرنیچر ایسا تھا، وہاں کراکری ایسی تھی۔ اس کا ڈسٹیمپر اس کلر کا تھا۔ کیا بہت خوبصورت تھا وہ سب؟''

''کیا حماقت ہے؟'' اس نے جزبز ہو کر سوچا۔

''کیا میں نے آپ کو بتایا تھا کہ میں اب بھی ان احمقوں میں شامل ہوں۔ جنہیں ہر چیز سے زیادہ ماضی کے تصورات سے پیار ہوتا ہے۔'' اس نے صبا کی طرف دیکھتے ہوئے کہا۔

''میں جہاں بھی جاؤں جو کچھ بھی کروں جو بھی بن جاؤں میں اپنے اس پس منظر سے جدا نہیں ہو سکتا۔ مجھے اپنے پس منظر سے عشق ہے۔ اور میں اپنے پس منظر سے بے وفائی کا انجام بھی جانتا ہوں۔ انسان نہ خود میں رہتا ہے نہ خود سے جدا ہو سکتا ہے۔''

وہ غور سے نشی کو دیکھ رہا تھا اچانک اسے محسوس ہوا کہ اس نے یہ بات محض اسی کو سنانے کو کہی ہے۔

''میں نے کہا تھا نا نشی! زین بہت مشکل اور ناقابلِ فہم باتیں کرتے ہیں۔'' صبا نے کچھ نہ سمجھتے ہوئے قہقہہ لگایا۔

''خیر اتنی بھی ناقابلِ فہم نہیں کہ آپ جیسی ذہین خاتون بھی نہ سمجھ سکیں۔'' اس نے سگریٹ سلگاتے ہوئے کہا۔

''گھر تو آپ نے بنالیا ہے، اس کو بسائیں گے کب؟'' صبا نے بالواسطہ اپنا مدعا خود ہی بیان کرنے کی کوشش کی۔

''پتا نہیں کیوں، میں جس سے ملتا ہوں وہ یہ ہی پوچھتا ہے۔'' وہ مسکرایا۔

''اور کون پوچھتا ہے؟'' صبا نے نشی کی طرف دیکھا۔

''پچھلے دنوں میں اپنی بہن کے پاس گیا تھا اس نے بھی یہی کہا۔ عائشہ کا خط آیا۔ اس میں بھی یہی لکھا تھا بڑی امی کا فون آئے تو وہ بھی یہ ہی پوچھتی ہیں۔ کب گھر بساؤ گے؟''

''اتنے سارے لوگ غلط کہتے ہیں کیا۔'' اس نے پہلی بار ان کی گفتگو میں حصہ لیا۔

''نہیں، میں نے یہ تو نہیں کہا کہ اتنے سارے لوگ غلط کہتے ہیں اور ان لوگوں نے تو کبھی کوئی غلط مشورہ نہیں دیا۔ میری قسمت کہ میں ان کے دیئے کسی مشورے پر بھی عمل نہ کر سکا۔''

''اُفوہ......'' وہ جھنجھلا گئی وہ اسے کیا جتانا چاہتا تھا۔

''تو اب اس مشورے پر ہی عمل کرلیں۔'' صبا بے چین تھی۔

''دیکھیں...... کیا ہوتا ہے فی الحال تو ذہن نہیں بنتا۔'' اس نے سگریٹ کا کش لیا۔

''کیوں کبھی کیوپڈ نے تیر نہیں پھینکا؟'' صبا شرارت سے مسکرائی۔

''پھینکا تھا بہت عرصہ پہلے ایک بار۔''

''ارے واقعی، پھر کیا ہوا؟'' صبا نے ایک بار پھر نشاط کی طرف دیکھا۔

''پھر وہی قسمت، میری طرف آیا تیر، آئرن ایرو تھا، کیوپڈ صاحب نے بھی مجھے گولڈن ایرو کے قابل نہیں سمجھا۔''

''گیٹ آؤٹ۔'' نشی کا دل چلایا۔

''اور اس کے بعد تو مجھے یہ سب خرافات ہی لگنے لگا۔''

''خرافات نہیں لگتا تو اور کیا ہوتا۔ تم کہیں اور دل لگا بھی کیسے سکتے تھے۔'' اس نے فتح مندی سے سر اٹھایا۔

''ارے یہ تو نیا انکشاف ہے۔'' صبا جو دلچسپی سے سن رہی تھی بولی۔ ''تمہیں علم ہے نشی اس بات کا؟''

''یہ زین کی ذاتی یادیں ہیں۔'' اس نے اپنے حسابوں بدلہ چکانے کی کوشش کی۔ ''اور ویسے بھی ماضی کا حصہ ہیں جسے گزرے ایک لمبا عرصہ ہو گیا اتنی پرانی باتیں کسے معلوم اور کسے یاد رہتی ہیں۔''

''نشی کی اپروچ بے حد پریکٹیکل ہے۔ میں ہمیشہ ہی سے اس کی اس خوبی کا قائل ہوں۔''

کچھ دیر کی خاموشی کے بعد اس نے اُٹھتے ہوئے کہا۔ ''اب چلتا ہوں پھر ملاقات ہوگی۔'' صبا اس کو باہر تک چھوڑنے گئی۔

''تم سمجھتے ہو کہ تم مجھے پریشان کر سکو گے۔'' اس نے اس کے جاتے ہی غصے سے کشن پٹختے ہوئے کہا۔

''ارے زین محمود! تم تو ہزار جنم بھی لے لو تو تمہاری کوئی بات مجھ پر اثر نہیں کر سکے گی۔ مگر تمہیں یہ خیال کیسے آیا کہ تم الفاظ کی تیر اندازی کا کھیل کھیلو گے تو میں پریشان ہو جاؤں گی۔''

وہ طیش میں آ رہی تھی۔ ''تم جو بھی کرلو تمہیں میری ہر بات کا قائل ہونا ہی پڑے گا جیسے ہمیشہ سے تم ہوتے

آئے ہو۔"

"یہ تو بڑی گڑ بڑ ہے نشی! اس کا دل تو پہلے ہی کہیں اور پڑا ہے۔" صبا نے واپس آ کر کہا۔

"تو تمہیں فکر کرنے کی کیا ضرورت ہے، دل و دماغ چھوڑو تمہیں تو بس اس انسان کی ضرورت ہے نا۔ تو وہ تمہیں مل جائے گا۔" اس نے اسے مسکرا کر دلاسہ دیا۔

○......❖......○

اس روز شبیر ملک کی بیٹی کی شادی کے سلسلے میں کلب میں ریسیپشن تھا۔ دو دن پہلے تک وہ یہ ریسیپشن اٹینڈ کرنے کی تیاری میں تھی۔ مگر پھر اچانک نجیب کا نیویارک کا پروگرام بن گیا۔ اس کے چلے جانے کے بعد وہ ایک نئے ڈپریشن میں مبتلا ہوگئی۔ وہ جانتی تھی کہ وہ نفیسہ کے قصے سے ہمیشہ ہمیشہ کے لیے نبٹ چکی ہے مگر پھر نجیب کا تن تنہا اس جگہ جانا جہاں وہ تھی اسے بے اندازہ کھل رہا تھا اس ڈپریشن میں وہ شادی میں بھی نہیں جا سکی۔

صبا کے جانے کے بعد وہ اکیلی اپنے بیڈروم میں لیٹی تھی۔ جب اسے زین کی آمد کی اطلاع دی گئی۔

"یہ بے وقت کیسے آیا اور پھر اسے بھی تو شادی پر جانا تھا۔"

اس نے بیزاری سے سوچا کوئی اور ہوتا تو وہ منع کر دیتی اسے انکار کا کیا جواز تھا اس نے بیزاری سے وارڈ روب میں ہاتھ مارا اور جو ساڑھی ہاتھ میں آئی لپیٹ لی۔ ڈریسنگ ٹیبل کے سامنے بیٹھے چہرے پر مختلف برش چلاتے ہوئے اسے مزید کوفت محسوس ہوئی۔

"چلو...... آج اس سے صبا بی بی کا قصہ بھی ڈسکس کر ہی لیتے ہیں۔"

اچانک اسے خیال آیا بالوں میں جلدی جلدی برش پھیر کر وہ باہر نکل آئی وہ لاؤنج میں بیٹھا تھا۔

"تم کیسے چلے آئے، شادی چھوڑ دی کیا؟" اس کے قریب آ کر اس نے پوچھا۔

"میں وہاں تھا جب صبا نے بتایا کہ تمہاری طبیعت ٹھیک نہیں، پھر میرا دل وہاں ٹھہرنے کو نہیں چاہا۔ اور میں ادھر آ گیا تمہیں دیکھنے۔"

"کوئی اور ہوتا تو میں اسے احمق قرار دیتی اس بات پر۔ مگر یہ تم ہو اور دلچسپ بات یہ ہے کہ میرے لیے ایسا سوچتے ہو۔" اس نے رعونت سے سوچا۔

"کیا ہوا تمہیں؟" اس نے اس کے چہرے کو غور سے دیکھتے ہوئے کہا۔

"کچھ نہیں، بس ایسے ہی طبیعت کچھ سُست سی تھی۔" وہ اپنے اندر کے تاثرات بیڈروم ہی میں چھوڑ آئی تھی۔

"اچھا...... مگر مجھے تو کچھ اور محسوس ہوتا ہے۔" اس نے سر جھکا کر کہا۔

"وہ کیا؟"

"کیا فائدہ بتانے کا کہ مجھے کیا محسوس ہوتا ہے، میں بتاؤں گا تم جھٹلا دو گی پھر میں کب تک یہ کہتا رہوں کہ نشی جو تم کہتی ہو وہی ٹھیک ہے۔"

"تو کیا میں غلط کہتی ہوں۔" اس نے اچانک بے دھیانی میں پوچھ لیا۔

"اب میں کیا کہوں نشی! اس روز بھی تم یہی کہہ رہی تھی کہ مجھے غلط فہمی ہوئی ہے اور میں نے یہ کہا تھا کہ خدا

کرے یہ غلط فہمی ہی ہو مگر نشی! حقیقتوں کو کب تک جھٹلایا جا سکتا ہے۔'' اس کی آواز نیچی تھی۔

''تم کیا سمجھتے ہو کیا حقیقت ہے؟'' اس نے تقریباً غرا کر پوچھا۔

''میں سوچتا تھا کہ تمہیں حقیقت نہ دکھلائی جائے میں نے یہ بھی سوچا کہ تم جس خود فریبی میں مبتلا ہو تمہیں اس خود فریبی میں مبتلا رہنے دیا جائے مگر نشی!''

اس کی آواز بلند ہوئی۔

''اب میں یہ سوچتا ہوں کہ تمہیں اس خود فریبی سے نکل آنا چاہیے، خود فریبیوں میں مبتلا رہ کر زندگی نہیں گزرتی اور پھر اندر ہی اندر حقیقت ہم پر واضح ہو رہی ہوتی ہے اس حقیقت کا سامنا کرنا اور خود فریبی میں مبتلا رہنا بڑے جگرے کا کام ہوتا ہے اور ایسی صورتِ حال سے نبٹنے پر انسان کا یہی حال ہو جاتا ہے جیسا تمہارا ہے۔''

''کیا حال ہے میرا؟'' وہ آؤٹ آف ٹمپر ہونے لگی۔

''پتا ہے کیا نشی!'' اس نے بات اور لہجے پر غور نہ کرتے ہوئے کہا۔ ''پتا ہے میں جب بھی تم سے ملتا ہوں بار ہا تمہارے اس سراپے میں پرانی نشاط کو ڈھونڈنے کی کوشش کرتا ہوں۔ مگر ہر بار اس کوشش میں ناکام ہو جاتا ہوں۔ میں تمہارے چہرے پر وہ گلاب مسکراہٹ ڈھونڈتا ہوں، تمہاری چمکتی آنکھوں میں وہ شوخ جذبے تلاش کرتا ہوں، تمہاری ہنسی میں چاندی کے پگھلنے کی مدھر آواز سننے کی کوشش کرتا ہوں۔ تمہارے لہجے میں وہ تیقن محسوس کرنے کی کوشش کرتا ہوں جس سے یہ محسوس ہوتا تھا کہ دنیا تمہاری ہی نظروں سے دیکھتی ہے۔ مگر نشی میں اپنی ہر کوشش میں ناکام ہو جاتا ہوں، تمہارے چہرے کی گلاب رنگت نہ جانے کہاں گم ہو چکی ہے۔ وہ ایک مصنوعی بے نام مسکراہٹ میں بدل چکی ہے۔ تمہاری آنکھوں کے شوخ جذبے کہیں کھو گئے ہیں اب مجھے وہاں افسردگی، ٹھہراؤ کسی چیز کے کھوئے جانے کا احساس اس کا دُکھ نظر آتا ہے۔ تمہاری ہنسی کھوکھلی محسوس ہوتی ہے۔ تمہارے لہجے میں تیقن تو ہے مگر ایسا جیسے خود کو سہارا دینے کے لیے تم نے بصد کوشش اسے اپنے لہجے میں شامل کیا ہے۔ ایسا کیوں ہوا نشی ایسا کیسے ہوا؟ میں یہ نہیں جانتا اس کے پیچھے کیا داستان ہے میری سمجھ میں نہیں آیا۔ مگر مجھے اتنا ضرور علم ہے کہ وہ ساحلوں کی ہوا سی لڑکی جو سمندروں کے لیے بنی تھی، بہت عرصہ پہلے ختم ہو گئی۔ اور اس کی راکھ سے ایک نئی نشاط نے جنم لیا ہے۔ جو بولتی ہے تو الفاظ دلکش تو ہوتے ہیں مگر اس کا ساتھ نہیں دیتے، ہنستی ہے تو آنکھیں دغا کر جاتی ہیں، مجھے اس نشاط کی موت کا بے حد دکھ ہے نشی بے حد دکھ۔'' اس نے اس کی جانب دیکھا۔

''تمہارا بیان تمہارے اپنے ذہن کی سوچ ہے۔ اور ذہن وہی سوچتا ہے جو انسان اس سے چاہتا ہے۔ غالباً تم یہ ہی چاہتے تھے کہ میں ایسی ہو جاؤں جیسا تم نے ابھی کہا ہے۔ مگر وائے قسمت زین محمود کہ تم بہت بڑی غلط فہمی میں مبتلا ہو، دنیا میرے قدموں میں ہے۔ میرے خواب تعبیر بن چکے ہیں پھر مجھے کس بات کا غم ہے میں تمہاری اطلاع کے لیے عرض کرنا چاہتی ہوں کہ میں بے حد خوش اور بے انتہا مطمئن ہوں۔''

اپنے متعلق زین کے کیے انکشافات کے تھپیڑوں سے نمٹتے ہوئے وہ بے اختیار بولی۔

''اعتراف حقیقت اور اس شخص کے سامنے ہر گز نہیں۔'' اس نے خود کو مخاطب کر کے سوچا۔

''میں نہیں جانتا نشی! کہ تم خوش اور مطمئن ہو یا نہیں مگر اتنا ضرور جانتا ہوں کہ تمہیں ہمیشہ سے لاحاصل تمناؤں

سے عشق رہا ہے۔ اور یہی تمہارا محبوب مشغلہ تھا۔ تمہیں وہ سب ملا یا نہیں مگر آج تم اس لیے مطمئن نظر آنے کی کوشش کرتی ہو۔ جیسے تمہارا کچھ کھویا ہی نہیں حالانکہ نشی، آج بجز اپنی آوازِ شکست کے اور کچھ بھی نہیں آج تمہیں بولتا سن کر مجھ سے زیادہ کون جان سکے گا کہ تمہارے لہجے میں وہ تھکن اتر آئی ہے جیسے تم ایک عرصہ سے دشت ظلمت میں چل رہی ہو۔ اپنے پس منظر سے جدا ہو جانے کی خواہش کرنے اور پھر جدا ہو جانے کا انجام یہی ہوتا ہے نشی! انسان نہ خود میں رہتا ہے اور نہ خود سے جدا ہو سکتا ہے اور یہی تمہارے ساتھ ہوا۔ تم لاکھ انکار کرو مگر اس حقیقت کو کیسے جھٹلا سکتی ہو میرے سامنے تو ہرگز نہیں۔''

وہ فادر کنفیسر بنا اس کے سامنے بیٹھا تھا۔ اور وہ اندر ہی اندر کانپ رہی تھی۔

''میں نے بارہا چاہا کہ میں آگے بڑھ کر تمہیں سہارا دوں۔ تمہارا دلاسا بنوں اس لیے کہ تم آج بھی مجھے اسی طرح عزیز ہو، مگر تم نے مجھے کبھی موقع ہی نہیں دیا۔ تم نے مجھ پر اپنی خوشی اور مضبوطی کا تاثر قائم کر کے یہ بتانے کی ہر بار کوشش کی کہ میں غلط سوچتا ہوں مگر میں غلط نہیں سوچتا نشی۔''

اس نے لائٹر جلاتے ہوئے کہا۔

''اور پھر یہ الزام دیتی ہو کہ میں چاہتا تھا تم ایسی ہو جاؤ۔ خدا کا شکر ہے نشی کہ اس نے ایسا کوئی دن مجھے نہیں دکھایا۔ جب میں ایسا سوچوں، تم پھر بھی کہو گی کہ میں غلط کہتا ہوں۔''

''ہاں...... تم غلط سوچتے ہو۔''

اس نے اپنے لہجے کو اشتعال میں آنے سے روک کر دھیمی آواز میں کہا۔

''اس لیے زین کہ تم اس زندگی میں نئے نئے آئے ہو، اس کے اپنے تقاضے ہیں جو تم نے نہیں سمجھے، یہاں بار ہا انسان کو وہ نظر آنا پڑتا ہے جو وہ نہیں ہوتا۔ خوش ہے تو غمگین نظر آنا پڑتا ہے دکھی ہے تو پھر بھی خوش ہونا پڑتا ہے۔ بولنے کو دل چاہے تو خاموش رہنا پڑتا ہے خاموش رہنے کو دل مچلے تو بولنا پڑتا ہے۔ حالانکہ کون نہیں جانتا کہ مجھ سے زیادہ خوش اور مطمئن اس حلقہ احباب میں کوئی دوسری عورت نہیں۔''

اس نے کمال ضبط سے خود کو قابو میں کیا۔

''تمہارا مسئلہ بڑا مختلف ہے فی الحال تمہاری مصروفیت کاروبار کے سوا اور کچھ نہیں اپنا گھر بناؤ اور بساؤ اور اس میں دل لگاؤ دوسروں کے تجزیے کرنا چھوڑ دو۔''

اس کے لہجے میں تلخی آ گئی۔ وہ کچھ دیر خاموش بیٹھا رہا۔

''اپنا گھر بساؤ۔ تم نے بھی کہہ ہی دیا۔'' اس نے بھی موضوع بدلتے ہوئے کہا۔

''مگر کیسے۔ کس کے ساتھ؟''

''یہ تو تم ہی بتا سکتے ہو کہ کس کے ساتھ؟''

''تمہارا کیا خیال ہے، کس کے ساتھ کرنا چاہیے۔''

اس نے اس کو غور سے دیکھا۔

''میرا کیا خیال ہو سکتا ہے بہت سے لوگ آج کل تمہارے ارد گرد جمع ہیں ان میں سے ہی کسی کا انتخاب کر لو،

جو سب سے زیادہ قریب ہے وہ ہی سہی۔''

''سب سے زیادہ قریب۔'' اس نے سوچتے ہوئے کہا۔

''ایسا تو کوئی بھی نہیں۔''

''کوئی بھی نہیں۔'' وہ چونکی۔

''ہاں بہت قریب تو کوئی نہیں۔ ایک صبا سے ہی کچھ بے تکلفی ہے۔''

''صبا کے ساتھ۔'' اس نے مطمئن ہو کر سر صوفے کی پشت سے ٹکایا۔ ''تو پھر صبا کے ساتھ ہی سہی۔'' اس نے کچھ دیر پہلے اس کی گفتگو کے نتیجے میں اپنے اندر ابلتے ہوئے انتقامی جذبے سے مغلوب ہو کر کہا۔

''صبا کے ساتھ۔'' وہ بری طرح چونک گیا۔ ''یہ تم کہہ رہی ہو نشی۔''

''ہاں یہ میں کہہ رہی ہوں۔'' اس نے اطمینان سے کہا۔ ''ہاں میں کہہ رہی ہوں ہمت ہے انکار کی میرے سامنے۔'' وہ دل میں سوچ رہی تھی۔

''تم کہہ رہی ہو۔'' اس نے دہرایا۔ ''مگر نشی! آئی ایم سوری۔ میں تمہاری یہ بات نہیں مان سکتا۔''

''مگر کیوں؟'' اس نے تحکمانہ لہجے میں دہرایا جیسے اس نے غور سے سنا نہ ہو۔

''ہاں نشی!'' اس نے اس کے لہجے پر غور کرنے کے بعد کہا۔

''مجھے معلوم ہے کہ یہ تم کہہ رہی ہو۔ مگر عجیب سی بات ہے کہ میں مان نہیں سکتا۔ ایک وقت تھا جب تمہاری ہر بات مان لینا میری زندگی کی سب سے بڑی خوشی تھی۔ جب تمہارا کہا میرے لیے حکم کا درجہ رکھتا تھا مگر ایسا لگتا ہے جیسے وقت بدل گیا ہے۔ وہ وقت جب تم خود میری زندگی کی واحد خوشی تھی۔ وہ وقت جب دن رات کی مصروفیت میں فرصت کے لمحات میں، میں اکثر تصور ہی تصور میں وہاں جا پہنچتا جہاں تم جہاں تمہارا دلکش سراپا مجھے گھومتا پھرتا نظر آتا۔ تم نے نشاط میری زندگی میں قدم رکھتے ہی مجھے بوکھلا دیا تھا، مجھے میرے حال اور میرے مستقبل سے بے نیاز کر دیا تھا مگر جوں جوں میں شعور اور آگاہی کی منزل میں قدم رکھتا گیا۔ مجھ پر ایک نئی حقیقت کا ادراک ہوا۔''

اس نے راکھ ایش ٹرے میں جھاڑتے ہوئے اسے دیکھا جو غور سے اسے دیکھ رہی تھی۔

''مجھے معلوم ہونے لگا کہ تم میری رسائی سے اتنی ہی دور ہو جتنی دل سے قریب۔ میرے اور تمہارے درمیان جو رشتہ بزرگوں نے باندھا تھا رفتہ رفتہ تمہیں وبالِ جان لگنے لگا تھا۔ جو خواب تم دیکھتی تھی میں اس کا حصہ کبھی بھی نہیں رہا تھا۔ تم کو جن دنیاؤں کی تلاش تھی میرے قدم وہاں تک نہیں پہنچ پاتے تھے۔ تم بلندیوں کی متلاشی تھی جب کہ میں زمین پر کھڑا ایک عام سا انسان تھا۔ میں جس مقام پر کھڑا تھا۔ تمہارے قدم اس کے متضاد راستے ڈھونڈ رہے تھے اور پھر جب تم ان منزلوں ان بلندیوں اور وسعتوں کی خواہش لیے میری زندگی سے نکلنے کی خواہش کرنے لگی تو میں خود بخود اس پر راضی ہو گیا کیونکہ اس وقت بھی میرے ذہن اور میرے دل کا کنٹرول تمہارے ہاتھ میں تھا۔ حالانکہ اگر میں چاہتا تو اس بات کو انا کا مسئلہ بنا لیتا۔ سب میرا ساتھ دیتے چاہے بعد میں ہماری زندگیاں جہنم بن جاتیں۔ مگر میں نے ایسا نہیں کیا کیونکہ تمہاری خوشی میری خوشی تھی۔''

وہ اٹھ کر سامنے کے فریسکو کے قریب جا کر کھڑا ہو گیا۔ اور غروب آفتاب کے منظر کو غور سے دیکھنے لگا۔

''ان دنوں میں سوچا کرتا تھا کہ کاش تم کو ان بلندیوں سے پیار نہ ہوتا۔ کاش تمہارے قدم گھر سے باہر اور ٹی وی سٹیشن کے اندر نہ جاتے۔ کاش نجیب درمیان میں نہ آتا۔ مگر میری قسمت کہ ہر وہ بات جو کاش نہ ہوتی اپنی جگہ ایک زندہ اور ٹھوس حقیقت تھی۔ میں اعتراف کرتا ہوں۔''

اس نے دیوار پر ہاتھ پھیرتے ہوئے کہا۔

''اور مجھے یہ اعتراف کر لینے میں کوئی عار نہیں کہ اُس وقت میں آرزوؤں اور حسرتوں کے ویرانوں اور مایوسی کے لق ودق صحرا میں حیران پریشان کھڑا رہتا تھا۔ لیکن ایسا کب تک ہو سکتا تھا۔''

وہ اس کی جانب مڑا۔''رفتہ رفتہ میں نے اس حقیقت کو تسلیم کر لیا۔ میں نے مان لیا کہ تم میری زندگی میں آنے کے لیے بنی ہی نہیں تھی۔ یہ انہی دنوں کی بات ہے جب قسمت اور تقدیر پر میرا ایمان پختہ ہوتا چلا گیا۔ یہ ایک حقیقت ہے نشی!''

وہ آہستہ قدموں سے چلتا اس کے قریب آیا۔

''کہ وقت کی گردش ہمیں زندگی کے متعلق بڑے فلسفیانہ اور حقیقت پسندانہ رموز اسرار سے آگاہ کر دیتی ہے۔ مجھ پر بھی رفتہ رفتہ یہ آگاہ ہوا کہ میرے ذہن میں جو تصور بسا ہے وہ تمہارا نہیں تھا۔ میں پچھلے دنوں اس بات پر گھنٹوں ہنستا رہا ہوں۔ میں نے اپنی کم عمری اور حماقت میں دل کہاں گنوا دیا تھا خدا کا شکر ہے کہ میرا دل مجھے واپس مل گیا۔''

''یہ وہ کیا کہہ رہا تھا۔'' اس نے بے یقینی سے اس کو دیکھا۔

''میں خود حیران تھا مگر ایک لمبے عرصے کے بعد جب میں تم سے دوبارہ ملا تو مجھے پتا چلا کہ اب تک میں کتنی بڑی غلط فہمی کا شکار تھا شاید اپنی کم عمری اور ناپختہ سوچ کی وجہ سے یا شاید تمہارے حسن اور ذہانت سے متاثر ہو کر میں نے تمہیں اپنی منزل سمجھ لیا تھا مگر اب آ کر جب میں نے تمہیں دیکھا تو مجھے معلوم ہوا کہ میرے سامنے جو حسین، مگر انا پرست، مغرور اور تنک مزاج نشاط نجیب کھڑی ہے۔ اور جس کو اگر ٹٹول کر دیکھا جائے تو اس کے اندر سے مایوس، شکستہ دل اور منتقم مزاج عورت کے سوا کچھ نہیں ملے گا۔ تو میں نے سوچا کہ یہ تو میرا آئیڈیل ہرگز نہیں تھا۔ یہ نشاط نجیب جو کھلکھلاتی، اٹھلاتی اور مسکراتی نظر آتی ہے جس کے حسن اور ذہانت کے چرچے ہیں۔ جو خوش مزاج اور خوش لباس سمجھی جاتی ہے۔ جو رنگوں اور خوشبوؤں کا مجموعہ ہے جو خود کو مثالی عورت قرار دیتی ہے۔ ہاں نشی! یہ نشاط نجیب میری آئیڈیل ہرگز نہیں تھی۔''

وہ خاموش ہو گیا وہ ابھی تک بے یقینی کی کیفیت میں اسے دیکھ رہی تھی۔

''بکواس مت کرو۔ تم جھوٹ بولتے ہو۔''

اس کا دل کہہ رہا تھا مگر ہونٹ خاموش تھے، زین نے سر اٹھا کر اسے دیکھا، بلیک سلک کی سادہ ساڑھی میں اس کا سراپا ہمیشہ کی طرح پُر وقار اور پُر غرور نظر آ رہا تھا مگر اس کا چہرہ میک اَپ کے باوجود بھی ستا ہوا اور زرد تھا اس کے بھاری پپوٹے اٹھے ہوئے تھے۔ مگر اس کی مخمور آنکھوں میں اداسی، افسردگی اور شکستگی کا تاثر تھا۔ ایسا لگ رہا تھا۔ جیسے وہ شدید اندرونی کشمکش کا شکار تھی۔ اس نے اس کے چہرے کا وقار اور ٹھہراؤ محسوس کیا اور پھر کہنے لگا۔

''یہ بھی حقیقت ہے نشی! کہ تم آج بھی چاہے جانے کے قابل ہو تم آج بھی ویسی ہی ذہین ہو مگر نشی میں یہ نہیں

چاہتا۔ میرے تصور میں کچھ اور تھا، میں کیا کروں نشی! کہ میرے ذہن میں آج بھی اس مثالی عورت کا تصور بسا ہے جو اگرچہ خود کو گھریلو زندگی میں فنا کر ڈالتی ہے مگر پھر بھی سب کچھ اسی کا ہوتا ہے وہ مثالی عورت جو گھر کے لیے، گھر کی آبرو کے لیے، گھر کی پاکیزگی کے لیے اپنے شوہر، اپنے بچوں کے لیے قربانی دینا چاہتی ہو، جس کے پیشِ نظر صرف اور صرف وہ خود ہی نہ ہو، جس کی زندگی کا واحد مقصد صرف اور صرف اپنی ذات کو ہر جگہ صفِ اول میں رکھنا اور ہر جگہ نمایاں نظر آنا نہ ہو، جو خود کو صفِ آخر میں رکھتے ہوئے بھی ہر ایک کو نظر آ جانے کا گرُ جانتی ہو۔ جو غیر متحرک اور لاعلم نہ کہلائی جائے مگر کسی مقصد کے لیے، کسی اونچے آورش کے لیے متحرک ہو۔ وہ جانے جو اسے جاننا چاہیے۔ لغویات اور ضروریات سے جسے کوئی سروکار نہ ہو۔ جو میرے لیے سب کچھ لٹا دینے کا دعویٰ کرے اور پھر مجھے لُوٹ لے۔ اس سے بڑی کامیابی اس کے لیے اور کیا ہوگی؟ تم اسے میری ماضی پرستی کی ایک کڑی کہو گی۔ مگر نشی! میں اتنا قدامت پسند نہیں ہوں، نہ ہی میں ایگواسٹ یا شاؤنسٹ ہوں، مگر پھر بھی میرے ذہن میں ایسی ہی روشن، پاکیزہ متحرک، باعلم مثالی عورت کا تصور بسا ہے۔ جو مثالی انسان ہو جو تربیت کا فن جانتی ہو۔ جس کے پیش نظر ایک بچہ ایک قوم کا تصور ہو۔

ایسی مثالی عورت تہی دست یا رونی صورت نہیں ہوتی نشی، اس سے بڑھ کر آسودہ حال اور خوش قسمت عورت کہاں ہوگی، اس کے چہرے پر اطمینان اور سکون کے احساس کو تم رونی صورت قرار دیتی ہو، اس کے دامن میں سمٹے ہوئے پھول نہیں دیکھتی اور اس کو تہی دست قرار دیتی ہو اور اس کے برعکس۔'' کچھ دیر کے توقف کے بعد وہ پھر بولا۔

''دیکھو زین! تم کیا کہہ رہے ہو میری سمجھ میں نہیں آ رہا۔''

وہ سب کچھ سمجھتے ہوئے بھی بولی۔ وہ اس کو خاموش کرانا چاہتی تھی۔

''ایک منٹ نشی!'' اس نے ہاتھ اُٹھا کر اسے روک دیا۔

''مجھے کہنے دو تمہیں خود ہی میری بات سمجھ آ جائے گی۔ اس کے برعکس عورتوں کی ایک قسم وہ بھی ہے جسے تم مثالی عورت قرار دیتی ہو، جس کی حمایت میں تمہارے وہ کھدر پوش سپر انٹلیکچوئلز دھڑا دھڑ مضمون لکھ رہے ہیں۔ تقریریں کر رہے ہیں۔ ہنستی، مسکراتی خوش پوش آسودہ حال ویمن لبریشن کے نعرے لگاتی عورت، متحرک، باخبر، باعلم، تقریریں کرتی عورت، کیمرے کی کلکس کی زد میں رہنے والی عورت، جو معاشرے کو متوازن بناتی ہے۔ جو گھروں کے نظام کو متوازن رکھنے کا دعوا کرتی ہے۔ جو معاشرے کی دوسری عورتوں کے لیے علامت تصور کی جاتی ہے ذرا غور سے دیکھو، ذرا غور کرو نشی! ان گھروں میں، ان گھروں کے ماحول میں تمہیں کتنے ہی گڑھے، کتنی ہی کھائیاں نظر آئیں گی۔ ان گڑھوں اور کھائیوں سے نبرد آزما ہو کر ہر روز یہاں کی عورت نئے سرے سے کھڑی ہو جاتی ہے۔ خوشی اور مسرت کے احساس اپنے چہرے پر سجاتی ہے۔ اپنی تعریف چاہتی ہے اپنا حکم منوانا چاہتی ہے جیسے تم چاہتی ہو، مگر نشی میرا ایمان ہے کہ یہ ہنستی مسکراتی عورت کہیں بھی مخلص نہیں۔ یہ خوش باش متحرک عورت ضرور ڈنڈی مار جاتی ہے۔ اپنے شوہر سے اپنے بچوں سے خود اپنے آپ سے دھوکا کرتی ہے۔ سب پر اپنے اطمینان اور خوشی کے اظہار کے لیے نت نئے ڈرامے کرتی ہے۔ اس معاشرے اور ماحول میں ایگزسٹ کرنے کے لیے نہایت بھیانک طریقے پر اپنا آپ مارتی ہے اور پھر بھی اسے کچھ وصول نہیں ہو پاتا۔ اس سے بڑھ کر عورت کا المیہ اور کیا ہوگا۔ ڈرامہ باز عورت جسے اُس وقت ہنسنا پڑتا ہے جب اس کا دل نہیں چاہتا۔ خاموش رہنے کو دل چاہے تو بھی بولنا پڑتا ہے۔ دکھی ہونا پڑتا ہے دل نہ

چاہے تب بھی بولنا پڑتا ہے۔

میں اس ماحول میں نووارد ہوں، مجھے قسمت پر بھروسا ہے اور قسمت مجھے یہاں لے آئی ہے مگر ضروری نہیں نشی! کہ میں اس ماحول اور زندگی کے ہر تقاضے کو پورا کرنے کے لیے اپنی شخصیت داؤ پر لگا دوں۔ اپنے آئیڈیلز اور اپنی سوچ کو قربان کر دوں۔ مجھے ان ڈنڈی مار عورتوں سے شدید نفرت ہے نشی۔ اور صبا بھی ایسی ہی ڈنڈی مار عورت ہے۔ حسین، اَنا پرست، مغرور عورت۔ اس زندگی کے تقاضے پورے کرنے کے لیے میں ایسی ڈنڈی مار عورت سے دوستی تو کر سکتا ہوں مگر شادی کے بارے میں میرا اپنا نظریہ اپنا فلسفہ ہے۔''

اس نے پلٹ کر اسے دیکھا وہ ششدر نظروں اور سفید چہرہ لیے سامنے دیکھ رہی تھی۔

''میں نے کہا تھا نشاط! کہ وقت بدل چکا ہے اب وہ وقت ہے جب میں نے تمہیں مکمل طور پر پہچان لیا ہے تم میری کزن ہو اس رشتے سے اب بھی میرے لیے محترم ہو مگر وہ رشتہ، وہ تعلق جس کی وجہ سے میں ہمیشہ تمہارے سامنے بے بس ہو کر سرِ تسلیم خم کرتا رہا۔ وہ تعلق ختم ہو چکا ہے۔ اور یوں بھی اب میں اپنی ذاتی زندگی کے فیصلے خود کرنے کا عادی ہو چکا ہوں۔ اس لیے مجھے افسوس ہے نشی کہ میں تمہاری بات نہیں مان سکتا۔ میں صبا سے شادی نہیں کر سکتا۔''

وہ سامنے کی دیوار پر غروبِ آفتاب کا منظر دیکھ رہی تھی اور حیران تھی کہ اسے غروب کے منظر میں دلچسپی کیسے ہو گئی تھی۔ وہ اس کے قریب کھڑا کہہ رہا تھا۔

''میری باتیں دل شکن سہی مگر نشی! تمہیں حقیقت کی دنیا میں لانے کے لیے مجھے یہ باتیں کرنا پڑیں۔ چاہے جانے کی خواہش غلط نہیں مگر یہ خواہش کہ تمام عمر ہمیں سب لوگ چاہتے رہیں ہماری پرستش کرتے رہیں، ایسی خواہش حماقت کے سوا کچھ نہیں۔ میں جانتا ہوں کہ تم ہار ماننا نہیں جانتیں۔ مگر نشی! میری بات پر غور کرو اور ڈنڈی مار عورتوں کے اس غول سے باہر نکل کر زندگی بسر کرو۔ میں تمہیں کامیابی کی نوید دوں گا۔''

وہ جا رہا تھا۔ وائٹ کشن صوفے پر شان سے متمکن شہزادیوں کا سا غرور لیے وہ پھٹی پھٹی نظروں سے اسے جاتا دیکھ رہی تھی۔ اسے یوں محسوس ہو رہا تھا جیسے اس کے اردگرد آندھیاں سی چل رہی ہوں جیسے ایک ہی جست میں زینہ طے کر لینے کی خواہش میں وہ سر کے بل گر گئی ہو۔ جیسے اس کا خوددار پُرتمکنت بت یکا یک چکنا چور ہو گیا ہو۔

''ڈنڈی مار عورت، ڈنڈی مار۔'' کوئی اسے کہہ رہا تھا۔

''مجھے افسوس ہے نشی! میں تمہاری بات نہیں مان سکتا، وقت بدل گیا ہے۔'' کسی نے کہا تھا۔

''یہ کیسے ممکن ہے کہ میں کہوں اور وہ نہ مانے۔'' اس نے صبا سے کہا تھا۔

''دل و دماغ چھوڑو، تمہیں وہ انسان چاہیے نا، مل جائے گا فکر نہ کرو۔'' اس نے دعویٰ کیا تھا۔

وہ کن محاذوں پر مصروف رہی تھی۔ جو اسے پتا ہی نہیں چلا کہ اس کا مفتوحہ علاقہ کب کا علمِ بغاوت بلند کر کے آزادی حاصل کر چکا ہے، اس کے تمام دعوے، تمام غرور، احساسِ ملکیت اور تمکنت آنِ واحد میں قدموں تلے رُوند کر جا رہا تھا۔ اس کے اردگرد آوازیں بکھری ہوئی تھیں۔

''ان گھروں میں کھائیاں، گڑھے ہیں۔'' کوئی کہہ رہا تھا۔ کیا وہ نہیں جانتی تھی۔

''ایسی عورتیں ڈنڈی مار جاتی ہیں۔'' کیا اسے علم نہیں تھا۔

''دھوکا، مکر، ہر جگہ ہر ایک کے ساتھ مصنوعی ہنسی مصنوعی باتیں۔'' اسے علم تھا۔

''مگر میرے تصور میں کچھ اور تھا تم نہیں۔'' اس نے اسے کیسا دھکا دے کر گرایا تھا۔

''خوش باش عورت مکر کرتی ہے۔'' اس نے یہ بھی کہا تھا۔

''کیا میں خوش نظر نہیں آتی؟'' اس نے سر اٹھا کر خود سے سوال کیا۔

''یہ تو میں نہیں جانتا نشی کہ تم خوش ہو یا نہیں، مگر مجھے اتنا ضرور علم ہے کہ تم کو ہمیشہ سے لا حاصل تمناؤں سے عشق رہا ہے۔ اور یہی تمہارا محبوب مشغلہ تھا۔ اسی لیے تو تم مطمئن نظر آنے کی کوشش کرتی ہو۔ جیسے تمہارا کچھ بھی نہیں کھویا، حالانکہ اب تم بجز اپنی آوازِ شکست کے اور کچھ بھی نہیں۔''

کوئی اس کے کان میں سرگوشی کر رہا تھا۔

''اعترافِ حقیقت اور اس شخص کے سامنے۔'' کچھ دیر پہلے اس نے سوچا تھا۔ ''ہرگز نہیں۔''

''میں جانتا ہوں کہ تم ہار ماننا نہیں جانتی مگر نشی! اب تم ان ڈنڈی مار عورتوں کے غول سے باہر نکل کر زندگی بسر کرو۔'' وہ کہہ رہا تھا۔

''ہاں! زین میں ہار ماننا نہیں جانتی تھی، مجھے لا حاصل تمناؤں سے عشق تھا مجھے چاہے جانے کی خواہش تھی۔ میں تم کو اپنی دسترس میں سمجھتی تھی۔ تم کو اپنا مفتوحہ علاقہ خیال کرتی تھی۔ میں اونچے استھانوں پر رہنا چاہتی تھی۔ میں ہار کر بھی ہار مان لینے کو توہین سمجھتی تھی، مگر اب تم نے میرے پاس کوئی احساس رہنے ہی کب دیا ہے۔ تم نے آن واحد میں مجھے زمین پر لا پٹخا ہے زین جس سے میرا اس کے سوا کبھی کوئی واسطہ نہیں رہا تھا کہ میرے قدم اس پر رہتے تھے۔ باقی تو سب کچھ آسمانوں پر تھا۔ تم نے مجھے آسمانوں سے یوں لا پھینکا کہ اب تو اوپر دیکھنے کی ہمت بھی باقی نہیں رہی۔''

''دنشی! یہاں کیوں بیٹھی ہو؟''

صبا نے پردہ ہٹا کر اندر جھانکا اور پھر کوئی جواب نہ پا کر واپس چلی گئی۔ اس نے ہلتے پردے کو دیکھا اور پھر سامنے کے فریسکو پر نظریں جمالیں۔

غروب کا منظر اس کی نگاہوں کے سامنے تھا۔

''میں ہار ماننا نہیں جانتی تھی لیکن زین! اگر تم کچھ دیر ٹھہر جاتے تو شاید تم بھی یہ نیا منظر دیکھ لیتے۔ یہ میری آنکھ سے جو آنسو نکل کر میری پلکوں پر کھڑے ہیں۔ یہ میری شکست اور اعترافِ شکست ہی کا استعارہ ہیں۔''

○......❖......○

بہاروں کی صبح افشاں میں

''اُف خدا یہاں تو رنگ ونور کا سیلاب آیا ہوا ہے، گویا شادی کی کوئی تقریب ہو۔''

ہال میں داخل ہوتے ہی اسماء روشنیاں اور جھلمل کپڑوں، چمکتے آویزوں کو دیکھ کر تقریباً چلا اٹھی۔

''ایک میں اس سفید یونیفارم میں وہاں بیٹھی کتنی احمق لگوں گی۔''

''خیر احمق تو تم ویسے ہی لگتی ہو۔'' رخشی نے حسبِ معمول اسے جلایا۔

''خدا کے واسطے یہاں نہ لڑنے بیٹھ جانا اور اسماء ڈیئر! اگر تم بھی ایسی ہی مضحکہ خیز صورت اور حلیہ بنا کر نظم پڑھنا چاہتی ہو تو ہمیں معاف کر دو۔ ہم چلتے ہیں۔ اسی کالج کے ہوسٹل سے کسی لڑکی سے اُدھار کپڑے زیور پہن کر سنا لینا نظم۔'' فوزیہ نے ایک ہی سانس میں پوری بات کر دی۔

''نہیں خیر اب ایسی بھی بات کوئی نہیں۔'' اسماء خجل ہو گئی۔ ''میرا مطلب تھا کہ شاید یہ جھلمل سامعین کی بصارت پر سماعت سے زیادہ اثر کرتی ہو۔''

''اب چپ بھی کر جاؤ۔'' حنا اور سعدیہ ایک ساتھ بولیں۔ ''آگے جگہ لینے کی کوشش کرو۔''

اور پھر وہ لوگ جلدی سے دوسری قطار میں جا کر بیٹھ گئیں۔ ''کاش انصار صاحب یہاں بھی آ جائیں جج بن کر۔'' لیلیٰ نے بڑے خشوع وخضوع سے دعا مانگی۔

''تاکہ ان کو ایکس اوسیکٹر دعوت نامہ دے سکیں سالانہ ڈرامہ کا۔''

''لو تمہاری دعا قبول ہوتی نظر آتی ہے وہ انصار علی ہی ہیں ناں۔'' فوزیہ نے آنکھیں سکیڑ کر دیکھتے ہوئے کہا۔

''ہاں وہی ہیں۔'' حنا نے خوشی سے جواب دیا۔

''اب مزہ آئے گا فنکشن کا۔'' اور انصار علی صاحب انہیں دیکھ کر مسکرا دیئے۔

''بھئی، کتنا معاوضہ دیتے ہیں۔ تمہارے کالج والے اس مورل سپورٹ کا تمہیں؟''

وہ پوچھ رہے تھے اور وہ سب ایک دوسرے کی طرف دیکھ کر مسکرا دیں اور یہ واقعہ تھا کہ یہ اس سال انٹر کالجیٹ فنکشنز کے تحت پانچویں کالج کا پانچواں مشاعرہ تھا جو وہ صرف اس بہانے اٹینڈ کرنے آئی تھیں کہ وہ اسماء کی ''مورل سپورٹ'' کے لیے جا رہی ہیں مگر وہاں جا کر وہ غل غپاڑہ مچاتیں کہ سب تنگ ہی آ جاتے اور اب کے بھی یہی ہوا۔ آج تو انہیں اور بھی چیخنے کا موقع ملا۔

''میر مشاعرہ کے طور پر یہ کون سا عجوبہ بٹھایا ہے انہوں نے؟'' اسٹیج پر فوزیہ نے اس کے کان میں سرگوشی کی۔ واقعی وہ کوئی عجوبہ ہی لگتے تھے کیونکہ وہ اتنے بوڑھے تھے کہ کانوں سے انہیں کچھ سنائی نہ دے رہا تھا۔ بار بار لڑکیوں سے شعر دہرواتے، اور تھے بھی کوئی غیر معروف سے شاعر۔

''مجھے تو بیسویں صدی میں ان کا وجود ہی پُراسرار لگ رہا ہے، ایسے لوگ تو اب آثارِ قدیمہ میں بدل گئے ہوں گے۔'' اس نے ان کی طرف دیکھتے ہوئے کہا اور عین اسی وقت اس کے آگے بیٹھے شخص نے پیچھے مڑ کر اسے گھورا، وہ گھبرا سی گئی۔

''اب میں مصرعہ طرح کے ساتھ گرہ لگاتی ہوں۔'' نئی شاعرہ کی آواز ابھری۔

''کس کے لگانا بھئی۔'' وہ سب اکٹھی چلائیں۔ ''اور احتیاط سے لگانا کہیں میر مشاعرہ کو کچھ ہو نہ جائے۔'' اس نے مزید لقمہ دیا۔

اور پھر وہی شعلہ بار آنکھیں اسے گھور رہی تھیں۔

''یہ جو شخص میرے آگے بیٹھا ہے، سو سال پرانا سانپ لگتا ہے۔ اب انسان کے روپ میں آگیا ہے شاید، کیونکہ آنکھیں بالکل نہیں جھپکتا ہے۔''

جیسے ہی اس شخص نے گردن موڑی، اس نے پاس بیٹھی رخشی سے کہا۔

''تو پھر تم اس کو اسنیک چارمر (سپیرا) کہو۔ میں نے سنا ہے کہ سانپ پکڑنے والے سانپ پکڑنے کے لیے ویسی ہی پریکٹس کرتے ہیں آنکھیں نہ جھپکنے والی، ویسے بھی سو سال کے پرانے سانپ کو کیا پڑی کہ آدمی بن کر سیدھا مشاعرے میں چلا آئے۔'' رخشی نے جواب دیا۔

اسماء کی باری آئی تو ان سب نے واہ واہ کر کے ہال سر پر اٹھا لیا اور منتظمین ان کو چپ کرا کرا کے تھک گئے، شاید اسی شور کا نفسیاتی اثر تھا کہ اسماء نے پہلا انعام جیت لیا تھا۔ یہ اس کا اس سال چوتھا پہلا انعام تھا۔ مشاعرے کے بعد چائے پیتے ہوئے میتھس کی لیکچرار جوان کے ساتھ آئی تھیں کو مجبور کر کے انصار علی صاحب کو سالانہ ڈرامے کا دعوت نامہ دلوا ہی دیا۔

''بحیثیت ایک شاعر اور ڈرامہ نگار کے آپ بطورِ نقاد ہمارے پروگرام میں شریک ہوئیے گا۔'' رخشی اپنے زعم میں بڑے بڑے الفاظ بول کر ان کو اپنی طرف سے دعوت دے رہی تھی۔

''ہم نے اس دفعہ ''رومیو اینڈ جولیٹ'' اسٹیج کیا ہے، ہماری اداکاری پر کاسٹیومز اور ہمارے انتظام پر تبصرہ ضرور کیجئے گا۔'' لیلیٰ مزید لقمے دے رہی تھی اور وہ خوش دلی سے مسکراتے ہوئے دعوت نامہ قبول کر رہے تھے۔

''یہ ہمارے ہاسٹل کے سپورٹرز ہیں۔'' ان کی لیکچرار نے کہا جن کا نام انہیں خود بھی معلوم نہیں تھا مگر میتھس میں ہونے کی وجہ سے اسماء ان کو ایکس او سیکٹر کہتی تھی۔

''جی جی۔'' وہ ہنس پڑے۔ ''ایسے سپورٹر اگر مجھے طالب علمی کے زمانہ میں مل جاتے تو میں ہر مشاعرہ جیتا کرتا۔''

اور جب وہ واپس جانے کے لیے باہر آ رہی تھی تو اس نے دیکھا ''اسنیک چارمر'' سفید رنگ کی کرولا میں بیٹھا

تھا، اور جونہی وہ کالج ویگن میں سوار ہوئیں۔ کرولا بھی اسٹارٹ ہوگئی اور پھر پل کی پل میں نظروں سے اوجھل ہوگئی۔

○......❖......○

وہ لوگ بی اے فائنل میں تھیں، ہاسٹل میں رہتی تھیں اور ''چھ درویش'' کے نام سے پہچانی جاتی تھیں۔ فوزیہ کالج کی ڈرامینگ سوسائٹی کی صدر تھی اور اس سال کا ڈرامہ اسے تیار کرنا تھا، وہ سب بھی اس کے ساتھ لگی ہوئی تھیں۔ اسماء کے مشاعرے ختم ہوئے تو ڈرامہ سر پر آن کھڑا ہوا۔ انہوں نے رومیو اینڈ جولیٹ کا انتخاب کیا تھا اور خوب محنت کر رہی تھیں۔ سعدیہ کو رومیو اور حنا کو جولیٹ بنانے کا فیصلہ کیا گیا مگر حنا کسی طرح مان ہی نہیں رہی تھی۔

''پلیز حنا! آخر کیا مصیبت ہے؟'' فوزیہ تنگ آ گئی۔

''دیکھو! پلیز تھوڑے دن رہ گئے ہیں اور مجھے اب تک کوئی ڈھنگ کا بندہ نہیں ملا اور اگر میں نے تمہیں یہ اعزاز دے دیا ہے تو اس میں اتنا اکڑنے کی کیا ضرورت ہے؟''

''نہیں۔ مجھ میں اتنا کانفیڈنس نہیں ہے، مجھ سے نہیں ہوگا۔''

''کوشش تو کرو۔ کیا میری مدد نہیں کرو گی؟'' فوزیہ آخر حنا کو قائل کرنے میں کامیاب ہو ہی گئی۔

اور پھر سب کے ''بک اَپ'' کی وجہ سے وہ ریہرسلز میں غنیمت کرنے لگی۔ پندرہ دن کے قلیل عرصہ میں انہوں نے تیاری کی اور سولہویں دن وہ اپنے شاہکار کو اسٹیج پر لے آئیں۔

انتصار علی صاحب حسبِ وعدہ دوسرے دو نقادوں...... کے ساتھ موجود تھے۔ ان کی دعائیں رنگ لائیں اور ڈرامہ بے حد کامیاب رہا۔ انتصار صاحب بھی تعریف کر رہے تھے۔

''بھئی، وہ جولیٹ کدھر ہے؟ اس نے تو کمال کر دیا۔''

ان سب کے مارے خوشی کے دانت اندر نہیں جا رہے تھے۔ حنا کی توقع کے عین خلاف اس کو ایکٹنگ پر پہلا انعام مل گیا۔ ''یا ہو ہو'' وہ سب نعرے مار رہی تھیں۔ اس کا اپنا دل بھی اس پہلی کامیابی پر مارے خوشی کے کانپ رہا تھا۔ زندگی میں کبھی کسی اور سرگرمی میں حصہ نہیں لیا تھا اور اب پہلی ہی دفعہ کامیاب ہوگئی تھی۔

ڈرامے کے بعد دو دن تھکن اتارنے میں گزرے۔ تیسرے دن ویسے ہی اتوار تھا۔ لیلیٰ، سعدیہ اور رخشی تو لاہور میں مقیم اپنے رشتہ داروں کی طرف چلی گئیں اور وہ بڑی بور ہوتی رہیں۔

''وہ سب مزے دار کھانا کھا رہی ہوں گی۔'' فوزیہ نے بے دلی سے مونگ کی دال کھاتے ہوئے کہا۔

''اور کیا کبھی چاچی مجھے بھی لینے آ جاتے نا۔'' حنا نے بھی چہرہ اداس بنا لیا۔

''افوہ! تم لوگ تو بہت بے وقوف ہو۔'' اسماء تنگ آ گئی۔ ''تین دن سے سن رہی ہوں۔ بور ہو گئے، کھانا اچھا نہیں، یہ...... وہ...... انسان اگر بور ہو رہا ہو تو اسے چاہیے کہ اپنے لیے خود تفریح ڈھونڈے اور نہیں تو یہ میوزک ہی سن لو تم لوگ۔''

وہ پاس پڑے کیسٹ پلیئر کا بٹن دبانے ہی لگی تھی کہ حنا چیخی۔

''خدا کے واسطے بے ہنگم گانے مت لگا دینا جن کا نہ کوئی سر ہوتا ہے نہ پیر۔'' اس کو اسماء کے پاپ سنگرز سے بڑی سخت چڑ تھی۔

''ٹھیک ہے یہ بھی نہیں سننا تو جاؤ جا کر شادمان سے کوک ہی پی آؤ۔ کم از کم ٹھنڈی آہیں بھر بھر کر درجہ حرارت تو کم نہ کرو۔'' اسماء نے ایک اور تجویز پیش کی۔

''گڈ آئیڈیا۔ چلو شادمان چلیں کوک پینے۔'' فوزیہ خوش ہو کر بولی۔ ''مگر تم ہمیں مشورے دے رہی ہو خود نہیں چلنا کیا؟''

''نہیں میرا کل میتھس کا ٹیسٹ ہے اور میں فیل ہو کر ایکس او سیکٹر کی خونخوار نظروں کا سامنا نہیں کرنا چاہتی کم از کم۔'' اسماء نے رسان سے جواب دیا اور پھر وہ دونوں ہی وارڈن سے اجازت لے کر شادمان چل دیں۔

''ایم۔ ایف سے پئیں گے کوک، نہیں کچھ اور۔'' حنا نے چلتے ہوئے کہا۔

''ٹھیک ہے یہ فیصلہ وہاں ہی جا کر کرنا۔'' فوزیہ نے پرس بغل میں دبایا اور چند ہی منٹوں میں وہ لوگ ایم ایف تک پہنچ گئیں۔ دروازہ کھول کر اندر داخل ہوئیں تو باہر کی تیز روشنی کے بعد ایک دم اندھیرا سا لگا۔

''دو لیمونیڈ!'' فوزیہ نے اندر کھڑے لڑکے سے کہا جو بیک وقت ویٹر اور منیجر کا کام کیا کرتا تھا۔

''جی بہتر!'' وہ کاؤنٹر چھوڑ کر ویٹر بن گیا۔ پانچ منٹ بعد ہی لیمونیڈ لے آیا۔

''یہ لیمونیڈ ہے۔'' فوزیہ پہلے گھونٹ کے بعد ہی بولی۔ ''نہ میٹھا نہ نمکین نہ کھٹا اور نہ ہی پھیکا۔ یہ کیا چیز ہے؟ میرا خیال ہے یہ لیموں انہوں نے بطور تصدیق گلاس کے ساتھ لٹکائے ہوئے ہیں کہ یہ واقعی لیمونیڈ ہے اور قیمت دیکھو پانچ روپے فی گلاس۔''

''اس کے تو دو روپے بھی نہیں دینے چاہئیں۔'' حنا بھی جوش میں آ گئی۔

''اس کو کہتے ہیں گناہِ بے لذت۔'' فوزیہ مزید بولی۔

''آپ بے شک اس کا ایک پیسہ بھی نہ دیں۔'' ویٹر کم منیجر گڑگڑایا۔

''کیوں ہم آپ کے رشتہ دار ہیں۔ ہم آپ کو پیسے ضرور دیں گے مگر آئندہ یہاں آنے اور کم از کم لیمونیڈ پینے کی غلطی کبھی نہیں کریں گے۔'' حنا نے دس روپے میز پر رکھتے ہوئے کہا اور اٹھ کھڑی ہوئی اور اچانک اس کی نظر موتیوں کے بنے ہوئے پردے کے پیچھے والی میز پر پڑی۔ دو لڑکے انہیں دیکھ کر مسکرا رہے تھے جبکہ وہ یہ سمجھ کر اس ویٹر کی شامت لا رہی تھیں کہ ان کے علاوہ اور کوئی یہاں موجود نہیں ہے۔ اس کو ایک دم ہی اپنا بولنا برا لگا۔

''چلو فوزیہ! اب نکلیں یہاں سے۔'' اس نے ہلکی سی آواز میں فوزیہ سے کہا۔ باہر نکلتے نکلتے دوبارہ اس کی نظر اُن پر پڑی۔ وہ دونوں ایک دوسرے کے کان میں کچھ سرگوشیاں کر رہے تھے، تب اچانک اسے خیال آیا کہ ان میں سے ایک کو اس نے پہلے بھی کہیں دیکھا ہے مگر کہاں، یاد نہیں آ رہا تھا۔

''کیا بات ہے؟'' فوزیہ نے چلتے چلتے پوچھا۔ ''اب اتنی خاموشی کیوں چھا گئی ہے تم پر؟''

''ہمیں اتنی بری طرح نہیں بولنا چاہیے تھا۔'' وہ حنا آہستگی سے بولی۔

''کیوں؟'' فوزیہ بھڑک اُٹھی۔

''تمہارا کیا خیال ہے، لیمونیڈ کی جگہ اس عجیب و غریب محلول کو پی کر بھی ہم خاموش رہتے۔''

''مگر وہاں صرف ہم ہی نہیں تھے۔'' وہ فوزیہ کی طرف دیکھتے ہوئے بولی۔

''کون تھا وہاں؟ صرف وہ دولڑ کے تھے تو ہمیں ان کی کیا پروا تھی۔ دس روپے ہمارے ضائع جارہے تھے، ان کے نہیں۔'' فوزیہ نے ہاتھ ہلا کر کہا۔

''تمہیں پتا تھا کہ وہ دولڑ کے وہاں موجود ہیں۔ میری تو نظر ہی ان پر بعد میں پڑی ورنہ میں بولتی بھی نہیں۔''

''او، چپ کر کے وہ محلول پی لیتیں۔'' فوزیہ نے اس کی بات کاٹی۔ ''پلیز حنا! تمہارے یہ کوڈ آف کنڈیکٹ (اصول) ہر جگہ نہیں چل سکتے۔ بعض جگہوں پر انسان کو بولنا پڑتا ہے بغیر کسی کا لحاظ کیے۔''

گیٹ سے اندر داخل ہوئیں تو لیلیٰ اور رخشی منتظر ملیں۔ لیلیٰ انہیں دیکھتے ہی چیخ پڑی۔

''کہاں مر گئی تھیں تم لوگ۔ میں کب سے تمہارا انتظار کر رہی ہوں۔ ایک گھنٹہ ہو گیا ہے اور وہ اسماء صاحبہ دروازہ بند کیے بیٹھی ہیں۔ اس کی شکل تو کل ٹیسٹ کے بعد ہی دیکھنے کو ملے گی۔''

''شکر ہے تم لوگ اِدھر ہی ہو، میں یہ سوچ کر ہول رہی تھی کہ تم سب ویک اینڈ پر چلی گئی ہو گی تو میرا کیا بنے گا۔'' رخشی نے کہا وہ باتیں کرتے ہوئے کمرے میں گھس گئیں۔

لیلیٰ اور رخشی ان کو ویک اینڈ کی مصروفیات بتا رہی تھیں مگر اس کا ذہن الجھا ہوا تھا۔ بھلا وہ شخص، وہ ذہن پر زور ڈالتے ہوئے سوچتی رہی اچانک وہ شعلہ بار آنکھیں اس کے ذہن میں چمکیں اور پھر رخشی کی آواز گونجی ''تو پھر تم اس کو اسنیک چارمر کہو۔''

اوہ یہ تو وہی سپیرا تھا، لو بھلا اگر اس نے مجھے پہچان لیا ہوا تو کیا کہتا ہو گا۔ کتنی رووڈ اور اِل مینرڈ ہے۔ اس کے دل پر بوجھ سا پڑ گیا۔ ''ایک تو میری یہ اخلاقیات واقعی یہ سب ہی تنگ ہیں۔ کیا ہوا جو ہم نے وہ سب کہا وہ کیا سوچے گا، سوچتا رہے جو سوچے گا اپنے خیالات کو اس نے خود ہی لتاڑا مگر رات تک اس کا ذہن الجھا ہی رہا۔ رات کے کھانے پر ڈاک تقسیم ہوئی تو اس کو ابا کا خط ملا۔

''کیا لکھا ہے تمہارے ابا نے؟ کیا حال ہے ان کی گایوں کا؟'' رخشی نے اسے خط پڑھتے دیکھ کر کہا۔

''ابا نے ایک اور گائے خرید لی ہے، وہ اگلے ویک اینڈ پر یہیں آئیں گے مجھ سے ملنے کیونکہ نئی گائے کو پاک پتن شریف سلام کرانے لے جانا ہے۔'' اس نے خط بند کرتے ہوئے کہا۔

''کیا، کیا گائے کو سلام کرانے لے جانا ہے، یہ کیا بات ہوئی؟'' رخشی نے چیخ کر پوچھا۔

''ہاں وہ جب بھی کوئی نئی گائے خریدتے ہیں اس کو پاک پتن شریف لے جاتے ہیں سلام کرانے۔ وہ کہتے ہیں اس طرح گائے کو نظر نہیں لگتی اور وہ دودھ بھی چوکھا دیتی ہے۔'' اس نے وضاحت کی۔

''بھئی بڑے نامعقول خیالات ہیں۔'' رخشی نے ناک سکیڑی۔

''کس کے خیالات نامعقول ہیں۔ ہمیشہ سے ایسا ہوتا چلا آرہا ہے کوئی وجہ، تسلی ہوتی ہی ہو گی تو پھر ہی وہ لے جاتے ہوں گے ناں سلام کرانے۔'' وہ برامان کر بولی۔

''بھئی چھوڑو کوئی اور بات کرو۔'' فوزیہ جو بہت دیر سے سن رہی تھی درمیان میں ٹپکی۔ ''ہمیں کیا کرنا ہے بحث کر کے۔'' اور یوں بات ٹل گئی۔

اسے اپنی سہیلیوں کی یہی روشن خیالی کھلتی تھی۔ وہ سیدھی سادی لڑکی ساہیوال سے اٹھ کر لاہور پڑھنے آئی تھی۔

بچپن سے اس نے صرف باپ اور دادی کو دیکھا تھا۔ ماں اس کی پیدائش کے دو گھنٹے بعد ہی چل بسی تھیں۔ اس نے ان کی شکل تک نہ دیکھی تھی۔ اس کی ساری تربیت دادی نے کی تھی اور اسے سختی سے نماز، قرآن کا پابند بنایا۔ اخلاقیات اور شرم وحیا کے ڈھیروں درس دیئے تھے۔ ابا اس کے اتنے پڑھے لکھے نہیں تھے۔ ان کا بہت بڑا باڑہ تھا جہاں وہ گائیں پالتے تھے، اصلی ساہیوال کی گائیں اور آمدنی بھی کھلی تھی۔ وہ خالص دودھ مکھن سے پروان چڑھی تھی جب ہی کافی صحت مند تھی۔ ابا کی اپنی تعلیم واجبی تھی مگر انہیں پڑھانے کا بے حد شوق تھا۔ اچھے سے اچھے سکول میں داخل کرایا اور پھر میٹرک کے بعد لاہور کے اس بڑے کالج میں داخلہ لے کر دیا۔

اس کی ایک سکول ٹیچر کا ذوق بہت اچھا تھا اور ان سے قریبی تعلقات کی وجہ سے اس کا اپنا ذوق بھی اچھا تھا اور اس اچھے ذوق کی وجہ سے رخشی، فوزیہ، اسماء، لیلیٰ اور سعدیہ سے اس کی دوستی ہو گئی تھی۔ ایف۔ اے میں اس نے انگلش لٹریچر سائیکالوجی اور فلاسفی پڑھے اور آہستہ آہستہ اس پر سے ساہیوال کا وہ چولا اتر گیا جس میں وہ بڑی جھینپو اور پردہ دار قسم کی بی بی بنی رہتی تھی۔ مگر وہ اخلاقیات اور حیا جو بی بی جان نے اس کو سکھائی تھی باقی تھی، اور یہیں وہ باقی سب لڑکیوں سے مختلف تھی اور اسی کے زیر اثر وہ ساری رات آج کل سنجیدگی سے پڑھائی میں مصروف سوچتی رہی کہ وہ سپیرا کیا سوچتا ہو گا۔

ان کا فائنل جولائی میں ہونا تھا، اب سارا کورس جھٹ ختم کرایا جا رہا تھا۔ کیونکہ چھٹیوں میں بہت تھوڑے دن باقی تھے۔

''چلو کہیں گھومنے چلیں۔'' سعدیہ ایک روز مسلسل پڑھائی سے تنگ آکر بولی۔ ''میرا تو دل گھبرانے لگا ہے۔'' اور وہ سب تو گویا اشارے کی منتظر تھیں فوراً تیار ہو گئیں۔

''میں نہیں جا سکتی۔ کل سائیکالوجی کا ٹیسٹ ہے اور میں فی الحال فیل نہیں ہونا چاہتی۔'' اس نے معذوری ظاہر کر دی۔

ان کے جانے کے تھوڑی دیر بعد ہی چاچی اس سے ملنے آ گئے۔ اسی لیے ہی میں نہیں گئی شاید۔'' اس نے سوچا۔ چاچی اس کے چاچا تھے، وہ انہیں چاچی کہتی تھی...... وہ لاہور میں کسی دفتر میں ملازم تھے، جب وہ ہاسٹل آئی تھی تو انہوں نے بہت اصرار کیا تھا اسے اپنے ساتھ رکھنے پر مگر اس کا دل نہ مانا۔ ایک تو ان کا گھر کالج سے بہت دور تھا۔ دوسرے اس کو معلوم تھا کہ چچی اس کے رہنے سے خوش نہیں ہوں گی۔ چاچی دل کے بہت اچھے تھے۔ اس کے انکار پر بھی وہ اس سے ناراض نہیں ہوئے بلکہ اکثر اس سے ملنے آتے رہتے تھے۔ چاچی اس سے پڑھائی وغیرہ کے متعلق پوچھتے رہے، وہ اس کے لیے رس ملائی لائے تھے۔ ان کے جانے کے بعد وہ مٹی کا برتن اٹھائے اندر آئی تو وہ لوگ گھوم پھر کر واپس آ چکی تھیں۔

''کتنا پڑھ لیا تم نے؟''

اسماء نے اس کے ہاتھ سے برتن لے لیا۔ ''اوئے رس ملائی۔ بھئی تمہارا ساہیوال ابھی گما نہیں۔''

''یہ چاچی لائے ہیں۔''

''کوئی بھی لایا ہو۔'' فوزیہ نے فوراً ہی پلیٹ میں ڈال کر کھانا شروع کر دیا۔

''بڑی مزیدار ہے، لگتا ہے ساہیوال کی کسی گائے کا دودھ ہے۔'' وہ اب اس مذاق کی عادی ہو چکی تھی۔ ہنس پڑی۔

○......❖......○

''میرے ساتھ ذرا مال چلتی ہو۔'' لیلیٰ نے دروازہ کھول کر اندر جھانکا۔

''کیوں؟'' اس نے نظریں کتاب پر جمائے ہوئے ہی پوچھا۔

''بھئی دیکھوناں۔ موسم اچھا ہو رہا ہے اور پھر آلو میتھی پکا ہے آج، جو کھانے کا قطعی موڈ نہیں۔ وہاں سے برگر کھائیں گے۔'' رُخشی نے وجہ بتائی۔

''اور کون کون جا رہا ہے؟'' اس نے اٹھتے ہوئے پوچھا۔

''کوئی بھی نہیں۔ سب بور ہیں۔ کسی کا موڈ نہیں بن رہا۔ پلیز تم چلو۔ مجھے کچھ کارڈز بھی لینا ہیں فیروز سنز سے۔ اب انکار مت کرنا۔'' رُخشی نے لجاجت سے کہا۔

''چل رہی ہوں بابا! تم وارڈن سے تو پوچھ آؤ۔'' اس نے بالوں میں برش کرتے ہوئے کہا اور جب تک رُخشی واپس آئی۔ وہ بال بنا کر پرس لیے کھڑی تھی۔

''رکشے پر چلے جاتے ہیں، جلدی پہنچ جائیں گے۔ واپس ویگن پر آ جائیں گے۔'' رُخشی نے تجویز پیش کی۔

''ٹھیک ہے۔'' اس نے مختصر جواب دیا۔

رکشے پر وہ سیدھی فیروز سنز پہنچیں۔

''تم کتابیں دیکھو میں کارڈز لے آؤں۔'' رُخشی یہ کہہ کر کارڈز والے کارنر کی طرف چلی گئی اور وہ اردو سیکشن کی طرف مڑ گئی۔ مختلف کتابیں دیکھتے ہوئے اچانک اس کی نظر مستنصر حسین تارڑ کی کتاب پر پڑی۔ کافی عرصہ پہلے ایک رسالے میں اس نے اس کا ایک باب پڑھا تھا اور اس وقت ہی سے یہ خریدنے کا اسے بے حد شوق تھا۔ اب وہ کتابی صورت میں آئی تھی۔ اس نے کتاب اٹھانے کے لیے ہاتھ بڑھایا ہی تھا کہ ایک اور مضبوط ہاتھ وہ کتاب اٹھا لے گیا۔

''یہ، یہ میں خرید رہی تھی۔'' اچانک اس کے منہ سے یہ الفاظ نکلے۔

''مگر یہ میں لے چکا ہوں، میرا مطلب ہے اٹھا چکا ہوں۔'' گمبھیر سی آواز اس کی سماعت سے ٹکرائی اور جونہی اس کی نظر اپنے مخاطب پر پڑی۔ ایک کرنٹ سا اس کے جسم میں دوڑ گیا۔ سپیرا اپنی پُراسرار آنکھوں سمیت اس کے سامنے کھڑا تھا۔ وہ گھبرائی ہوئی رُخشی کی طرف چل دی۔ وہ بل ہاتھ میں پکڑے ادھر ہی آ رہی تھی۔

''کچھ ملا، کوئی نئی چیز آئی؟'' اس نے قریب آ کر پوچھا۔

''ہاں آئی تھی تارڑ کی خانہ بدوش، مگر لی نہیں۔''

''کیوں پیسے نہیں تھے۔ پیسے مجھ سے لے لو۔'' رُخشی نے پرس کھولا۔

''نہیں ایک ہی کاپی تھی۔ میرے لیتے لیتے ہی بک گئی۔'' اس کی آواز میں خفگی آ گئی۔

''کتنا شوق تھا پڑھنے کا اتنی جلدی ختم ہو جاتی ہیں اچھی کتابیں اب نہ جانے کب دوبارہ چھپیں۔ چلو کوشش کر

لیں گے کہیں اور سے مل جائے شاید۔'' رخشی نے تسلی دی۔

بل دے کر وہ باہر نکل آئیں۔ فیروز سنز کے پاس برگر بنانے والے کا ٹھیلہ سا تھا۔

دو برگر لے کر وہ آرٹ سنٹر والے سٹاپ کی طرف چل دیں، رخشی اس سے ذرا آگے تھی کہ اچانک جنیکو سے وہ نکلا اور کتاب اس کے ہاتھ میں تھما دی۔

''لیجئے محترمہ! آپ کا شوق ادھورا نہ رہ جائے۔''

وہ کہے سنے بغیر غڑاپ سے کارپٹ کی دکان میں گھس گیا۔ ایک لمحے کے لیے وہ کتاب ہاتھ میں پکڑے گم صم کھڑی کی کھڑی رہ گئی مگر پھر فوراً ہی اس نے کتاب اپنے ہینڈ بیگ میں ٹھونس لی کیونکہ ٹرانسپرنٹ لفافے میں سے اس کا ٹائٹل صاف نظر آ رہا تھا۔ رخشی تھوڑا دور جا کر مڑی۔

''کیا بات ہے، وہیں کھڑی رہ گئیں۔ جلدی کرو ویگن نہ نکل جائے پھر ملنی مشکل ہو جائے گی۔'' اور وہ گم صم ذہن کے ساتھ تیز تیز چلنے لگی۔ ہاسٹل آ کر بھی وہ پریشان ہی رہی۔ کتنا فضول آدمی تھا اگر پہلے ہی مجھے لے لینے دیتا تو اس کا کیا جاتا۔ فضول بدتمیز اگر مجھے بھری سڑک پر نکو بننے کا خیال نہ ہوتا تو میں دکان تک اس کے ساتھ ہی چلی جاتی اور اس کے منہ پر دے مارتی کتاب۔ وہ دیر تک سوچتی رہی۔ آخر اس نے مجھے سمجھا کیا تھا۔ اب اس کا کیا کروں۔ اس نے کتاب بیگ سے نکالی۔

اگر رخشی نے دیکھ لی تو ضرور پوچھے گی۔ کہاں سے آئی کتاب اس نے اپنے ٹرنک میں کپڑوں کے نیچے چھپا دی۔ ''اس کا اتا پتا معلوم ہوتا تو میں یہ کتاب ضرور اس کے منہ پر جا کے دے مارتی۔'' وہ اسے دل میں کوستی رہی۔

''کیا بات ہے، بڑی اپ سیٹ لگ رہی ہو؟'' دوسرے دن بھی اس کا موڈ ٹھیک نہ ہوا تو اسماء نے اسے غور سے دیکھتے ہوئے پوچھا۔

''اسے ''خانہ بدوش'' کا غم لگ گیا ہے شاید۔'' رخشی نے کرسی پر آگے پیچھے جھولتے ہوئے کہا۔

''مجھے یہ فکر ہے کہ ابا کا کوئی خط کیوں نہیں آیا ابھی تک اور نہ ہی وہ خود آئے ہیں ملنے کے لیے۔''

''کوئی گائے شائے بیمار ہوگئی ہوگی۔''

رخشی نے اسے شرارت سے دیکھتے ہوئے کہا۔

''میں پریشان ہوں اور تمہیں مذاق سوجھا ہوا ہے۔'' اس نے بیزاری سے کہا۔

''دراصل اس کے چچا ڈنگر ڈاکٹر ہیں۔ یہ اس لیے خوش ہو رہی ہے کہ خدانخواستہ کوئی گائے بیمار ہوگئی تو چچا کا کاروبار خوب چمک اٹھے گا۔'' لیلیٰ نے جوابی حملہ کیا۔

''اتھے میرا مگا سی او کون لے گیا۔ پنج روپے دا۔ گھاٹا پے گیا (ادھر میرا مگ تھا کون لے گیا۔ پانچ روپے کا نقصان ہو گیا۔)

فوزیہ گمشدہ چیزوں سے متعلق اپنا مخصوص گانا گاتے ہوئے اندر داخل ہوئی۔

''بھئی میرا مگا کسی نے دیکھا ہے؟'' اس نے اِدھر اُدھر دیکھتے ہوئے کہا۔

''اسے ہم نے نوادرات میں شمار کر لیا ہے اور کل ہی سعدیہ اپنے میوزیم والے چچا کے حوالے کر آئی۔'' اسماء

نے اسے اطلاع دی۔

''دُہائی ہے دُہائی۔ پانچ روپے کا مگ ہائے میرا پیارا مگ۔'' فوزیہ نے شور مچاتے ہوئے کہا۔

''دراصل قصہ یہ ہے کہ صبح رخشندہ بی بی نے ہاتھ دھوئے تو شاید صابن انگلیوں پر لگا رہ گیا۔ بس یہ اسی کی کارستانی ہے کہ 'مگ شریف' پھسلتا ہوا نیچے جا گرا۔'' لیلیٰ نے اسے سچ بات بتائی۔

''تو اب میں کیا کروں، کس میں چائے پیوں۔'' فوزیہ پھر چیخی۔

''جاؤ کونان دی باربرین سے مگ اور لے آؤ'' حنا کا موڈ اب تقریباً ٹھیک ہو چکا تھا اس نے مشورہ دیا۔

''دماغ صحیح ہے تمہارا۔ اس کے تو میں نے پہلے ہی پانچ روپے دینے ہیں، فی الحال اس کا سامنا نہیں کر سکتی۔''

''تو پھر ایسا کرو کہ چائے پینا ہی چھوڑ دو اور تو کچھ ہو نہیں سکتا۔'' اسماء نے گویا قصہ تمام کیا اور فوزیہ ان کو کوستی ہوئی باہر چلی گئی۔

○......❖......○

چھٹیوں میں پانچ دن باقی رہ گئے تھے۔

''کل میں آپ لوگوں کا فائنل ٹیسٹ لوں گی۔'' میڈم نے اعلان کیا۔

''کل نہیں میڈم پلیز، آخری دن۔ آخر تیاری میں کچھ تو دن لگ جاتے ہیں'' وہ سب چیخیں۔ یہ انگلش لٹریچر کی کلاس تھی اور پھر ساری کلاس کے احتجاج پر ان کا ٹیسٹ آخری دن تک ملتوی ہو گیا۔ وہ اور رخشی دونوں انگلش لٹریچر میں تھیں۔ دو دن مسلسل پڑھ پڑھ کر تھک گئیں۔

''میری عزیز بہنو میری اپیل سنو!'' لیلیٰ نے درد بھری آواز میں فریاد کی۔

''دیکھو۔ آج سے دو ہفتے پہلے میں ''پاپ ان'' پر ایک کیسٹ ریکارڈ کرنے دینے کی غلطی کر بیٹھی ہوں، تین دن رہ گئے گھر جانے میں تو پلیز تم میں سے ایک عدد بندہ میرے ساتھ چلو۔ دکھی لیلیٰ کی مدد کرو۔''

''سوری۔ میرے سر میں سخت درد ہے۔'' فوزیہ تو اسی وقت لیٹ گئی۔

''اور میں اور سعدیہ جا رہے ہیں انارکلی۔ فٹ پاتھ سے کتابیں خریدنے۔ تمہیں پہلے کہنا چاہیے تھا'' اسماء نے بھی جواب دے دیا۔

''تم دونوں؟'' اس نے اپنی مظلوم نگاہیں حنا اور رخشی پر مرکوز کیں۔

''نہ بابا نہ۔'' رخشی نے فوراً ہاتھ ہلائے۔ ''مجھے تو معاف کرو۔ اگر میں چلی گئی تو یہ سب یہیں رہ جائیں گی۔'' اس نے کتابوں کی طرف اشارہ کیا۔ ''اور پھر میں یقیناً فیل ہو کر ڈریکولا کے عتاب کا شکار ہو جاؤں گی۔'' اس نے اپنی ٹیچر کا حوالہ دیا۔

''اس کو بے شک لے جاؤ۔ اس نے سب کچھ گھوٹ کر پی لیا ہے دو دن میں۔'' رخشی نے حنا کی طرف دیکھتے ہوئے کہا۔

''مم! میں کیسے جا سکتی ہوں، ابھی میں نے پورا پوپ پڑھنا ہے اور پھر ملٹن کی جان کو رونا ہے۔'' وہ منمنائی۔

''دو دن مزید ہیں ملٹن اور پوپ کے لیے۔ چلو اٹھو میں کوئی بہانا نہیں سنوں گی۔ تف ہے ایسے دوست پر جو

وقت پڑنے پر کام نہ آئے۔‘‘ اس نے اس کا بازو پکڑ کر اٹھاتے ہوئے کہا اور اس کے ہزار منع کرنے کے باوجود اس کا نام بھی کاغذ پر لکھ کر وارڈن سے اجازت لینے چلی گئی، اس نے بے چارگی سے رخشی کی طرف دیکھا۔

’’چلو اب بال بنالو۔ کپڑے تمہارے ٹھیک ہیں۔‘‘ رخشی نے مسکراتے ہوئے کہا اور پھر کتاب پر جھک گئی۔

’’چلو جلدی کرو۔‘‘ لیلیٰ واپس آ کر اپنے بیگ میں پیسے ڈالتے ہوئے بولی۔

’’لو یہ تم ہی رکھ لو۔‘‘ اس نے کچھ پیسے اس کو پکڑاتے ہوئے کہا۔ ’’میرا موڈ ہوا تو کوئی کیسٹ خرید لوں گی کرایہ تمہارے ذمے، اب میں کوئی اپنی مرضی سے تھوڑا جا رہی ہوں تم زبردستی مجھے لے جا رہی ہو۔‘‘ لیلیٰ کو گھورتے ہوئے دیکھ کر وہ وضاحت کرتے ہوئے بولی۔

’’موسم کا حال دیکھا ہے۔‘‘ وہ سیڑھیاں اتر کر نیچے آئیں تو حنا نے کہا۔

’’کیا ہے، ٹھنڈی ہوا چل رہی ہے اور تھوڑے بادل ہیں، چلو رکشا پہ چلے جاتے ہیں۔ جلدی پہنچ جائیں گے۔‘‘ لیلیٰ پر جانے کی دھن سوار تھی۔ باہر نکلتے ہی ان کو رکشا مل گیا۔

’’جلدی کرنا بوندا باندی شروع ہو گئی ہے۔‘‘ اس نے رکشے سے اترتے ہی کہا۔

’’کرایہ تو دے لوں۔‘‘ لیلیٰ نے پیسے رکشا والے کو پکڑاتے ہوئے کہا، وہ پاپ اِن کی طرف چلنے لگی۔

’’جی وہ کیسٹ دی تھی ریکارڈنگ کے لیے۔‘‘ لیلیٰ نے دکان میں کھڑے لڑکے کی طرف رسید بڑھائی۔

’’جی ریکارڈ ہو گئی ہے۔‘‘ اس نے رسید دیکھتے ہوئے کہا اور کیسٹ نکال دی۔

’’تم نے کیا لینا تھا؟‘‘ لیلیٰ نے اسے دیکھتے ہوئے پوچھا۔

’’وہ عابدہ پروین کی غزلوں کا نیا کیسٹ آیا؟‘‘ اس نے لڑکے سے پوچھا۔

’’جی نیا تو نہیں آیا مگر پرانے ہی گانوں کا نیا ایل پی آیا ہے۔‘‘ اس نے ایک کیسٹ اس کی طرف بڑھاتے ہوئے کہا۔

’’غزلیں ہوں فوک سونگز نہ ہوں۔‘‘

’’جی فوک سونگز نہیں ہیں غزلیں ہی ہیں۔‘‘ وہ مسکرایا۔

رنگ باتیں کریں اور باتوں سے خوشبو آئے۔

عابدہ پروین کی خوبصورت آواز گونجی اور پھر جیسے ہی وہ مڑی اسے محسوس ہوا سامنے کھڑا شخص اسے بڑے غور سے دیکھ رہا ہے، اس نے نظریں اٹھا کر دیکھا تو کانوں کی لویں ایک دم سرخ ہو گئیں۔ لیلیٰ کیسٹ پیک کروا کے پیسے دے رہی تھی۔

’’لیلیٰ جلدی کرو ناں۔‘‘ اس نے بے صبری سے کہا۔

’’اچھا بابا صبر کرو۔ چلتے ہیں۔‘‘ لیلیٰ نے بقیہ پیسے پرس میں رکھ کر جونہی دروازہ کھولا ایک قدم پیچھے ہو گئی۔

’’ہائے بارش۔ باہر بہت تیز بارش ہو رہی ہے۔‘‘ لیلیٰ نے آنکھیں پھاڑ کر کہا۔

’’افوہ کیا مصیبت ہے۔ بارش ہو رہی ہے تو کیا باہر نہیں نکلنا۔‘‘ اسے بارش سے زیادہ ’’اسنیک چارمر‘‘ کی وہاں موجودگی کھل رہی تھی۔

''باہر کہاں جائیں؟'' لیلیٰ نے سوالیہ نظروں سے اسے دیکھا، اس نے جواب دینے کے لیے منہ کھولا مگر پھر کوئی جواب دیئے بغیر دروازہ کھول کر باہر آ گئی۔

''کوئی رکشا لے لیتے ہیں۔'' اس نے باہر نکلتے ہی کہا۔

''ضرور ملے گا رکشا اتنی بارش میں۔'' لیلیٰ بڑبڑا رہی تھی۔

''تو پھر کس نے کہا تھا آؤ ایسے موسم میں۔''

اسے لیلیٰ کے بڑبڑانے پر غصہ آ گیا۔ کتنی دیر کھڑا رہنے کے باوجود بھی کوئی رکشا ادھر نہ آیا اور ویگن سٹینڈ کی طرف جاتے ہوئے بری طرح بھیگ جانا یقینی تھا۔

''خواتین! کیا میں آپ کی کوئی مدد کر سکتا ہوں؟'' وہ مونچھوں تلے مسکراہٹ دباتا ہوا پوچھ رہا تھا۔

''جی ہاں، اگر آپ فٹافٹ ایک رکشا کی باڈی کھڑی کر کے اس میں ایک ڈرائیور بٹھا دیں تو ہم ممنون ہوں گے۔'' لیلیٰ بھی بکواس کرنے سے باز نہ آئی۔

''جی اتنا لمبا پروسس تو فی الحال میرے بس میں نہیں لیکن اگر آپ چاہیں تو میں اپنی گاڑی میں آپ کو آپ کی منزل تک پہنچا سکتا ہوں۔'' اس کا لہجہ بے حد مہذب تھا۔

''جی نہیں۔ ابھی کوئی رکشا مل جائے گا۔ تو ہم خود ہی چلے جائیں گے۔'' اب کے اس نے جواب دیا۔

''خدا نے فرشتہ بھیجا ہے ہماری مدد کے لیے۔ دیکھ رہی ہو ساری مارکیٹ میں سوائے اکا دکا لوگوں کے دکاندار ہی نظر آ رہے ہیں اور اوپر سے یہ بارش۔ خوامخواہ انکار مت کرو۔'' لیلیٰ نے اس کو ٹہوکا دے کر کہا۔

''دماغ صحیح ہے تمہارا۔ خوامخواہ سکینڈل بنوانے کا ارادہ ہے؟'' اس کے لہجے میں غصہ تھا۔

''اور جو دس بجے تک ہاسٹل نہ پہنچیں تو اس وقت جو سکینڈل بنے گا وہ۔'' لیلیٰ کی آواز قدرے اونچی ہو گئی۔ ''نا بابا میں تو بیٹھ رہی ہوں، اچھا خاصا شریف آدمی لگ رہا ہے۔''

''دیکھیں جناب آپ ہمیں شادمان تک پہنچا دیں۔'' لیلیٰ نے اس کی طرف دیکھتے ہوئے کہا جو ذرا دور ہٹ کر ایک ستون کے ساتھ لگا کھڑا بظاہر اِدھر اُدھر دیکھ رہا تھا۔

''جی ضرور تشریف لائیے۔'' وہ کرولا کا پچھلا دروازہ کھولتے ہوئے بولا اور لیلیٰ حسبِ معمول بغیر سوچے سمجھے بیٹھ گئی۔

''آ جاؤ تم بھی کیا سوچ رہی ہو؟'' لیلیٰ نے اسے بھی بلایا۔ وہ ہچکچا رہی تھی مگر تیز بارش کی بوچھاڑ نے اسے بیٹھنے پر مجبور کر دیا۔

''جی تو شادمان میں کہاں ہے آپ کا گھر؟'' وہ گاڑی سٹارٹ کرتے ہوئے بولا۔

''شادمان کی جیل۔ میرا مطلب ہاسٹل جیل ہی ہوتا ہے ناں۔'' لیلیٰ کالج کا بتاتے ہوئے بولی تو وہ زور سے ہنس دیا۔

''وہ دیکھو، نیشنل ہارس اینڈ کیٹل شو کا اشتہار۔ تمہارے ابا تو ضرور آئیں گے ناں۔'' لیلیٰ نے ایک کھمبے کی طرف اشارہ کرتے ہوئے کہا، اس نے کوئی جواب نہ دیا۔

''کیا ان کے ابا آرگنائزرز میں سے ہیں؟'' وہ پوچھ رہا تھا۔

''جی نہیں۔ وہ اپنی بہترین گائے لے کر آئیں گے۔ ان کا یہ بڑا باڑہ ہے ساہیوال میں۔ ایک سے ایک اعلیٰ نسل کی گائے ہے ان کے پاس۔ پچھلے سال بھی ان کو بہترین گائے پر انعام ملا تھا۔ کیا اب کے وہ گائے آئے گی جو پاک پتن شریف گئی تھی سلام کرنے۔'' لیلیٰ نے اس کی طرف دیکھتے ہوئے پوچھا۔ اس نے جواب میں اس کو صرف غصہ سے گھورنے پر اکتفا کیا۔

''اُف گھورو تو مت۔'' لیلیٰ نے سہم کر آہستہ سے کہا۔

''اللہ میاں کی گائے پالی ہے کبھی آپ کے ابا نے؟'' وہ موڑ کاٹتے ہوئے پوچھ رہا تھا۔ لیلیٰ کھلکھلا کر ہنس دی اس کا طیش سے برا حال تھا۔

''آپ کی چوائس بہت اچھی ہے۔'' اس کی طرف سے جواب نہ پا کر وہ دوبارہ لیلیٰ سے مخاطب ہوا۔ ''آپ کی ریکارڈ کرائی ہوئی کیسٹ میں نے بھی دیکھی تھی۔ بہت اچھے گانے تھے اس میں۔ خاص طور سے وہ گانا کیا تھا کہ ڈونٹ لیٹ می بی مس انڈرسٹینڈ۔''

''جی شکریہ!'' لیلیٰ خوش ہو کر بولی۔

''جی بس۔ یہ ہی ذرا آگے پچھلا گیٹ۔'' وہ اس کو راستہ بتاتے ہوئے بولی گاڑی ایک دھچکے سے رک گئی۔

''بہت بہت شکریہ جناب۔ ہم آپ کے ہمیشہ ممنون رہیں گے۔'' لیلیٰ نے گاڑی سے اتر کر رسمی اخلاق جھاڑا اور اس کے پیچھے چل دی جو بغیر کچھ کہے تیزی سے ہاسٹل کی طرف جا رہی تھی۔

''اخلاقیات کا تو تمہیں بڑا خیال رہتا ہے پھر آج کیا ہوا؟'' وہ تقریباً بھاگ رہی تھی کہ لیلیٰ نے کہا، وہ کوئی جواب دیئے بغیر ہاسٹل میں داخل ہو گئی۔''

''شکر ہے کہ تم لوگ آ گئیں۔ ہم بس پریشان ہونے ہی لگے تھے۔'' فوزیہ ان کو دیکھ کر بولی۔

''شکر ہی کرو کہ پہنچ گئے، کیسے پہنچے یہ ہمارا ہی دل جانتا ہے۔'' لیلیٰ مسکرا کر بولی۔ وہ آنکھ کے اشارے سے حنا کا غصہ دکھا رہی تھی۔

''آپ کے ابا نے اللہ میاں کی گائے پالی ہے کبھی؟'' لیلیٰ نے کپڑے نکالنے کے لیے الماری کا پٹ کھولتے ہوئے پوچھا۔ اس کی شکل کچھ ایسی مضحکہ خیز ہو گئی تھی کہ خفگی کے باوجود حنا کو ہنسی آ گئی اور لیلیٰ تفصیل سے سب کو پوری بات بتانے لگی۔ تھوڑی ہی دیر میں سب کے قہقہے کمرے میں گونجنے لگے۔

○......❖......○

بقیہ دو دن بے حد مصروف گزرے۔ ٹیسٹ دے کر ان لوگوں نے ساری پیکنگ کی اور تیسرے دن وہ لوگ ہاسٹل چھوڑ گئیں۔ اس کو لینے کے لیے ابا آئے تھے۔ گھر پہنچ کر اس نے سکھ کا سانس لیا۔ وہ بہت دنوں کے بعد ساہیوال آئی تھی۔ سب لوگ اس سے بے حد محبت جتا رہے تھے۔ بی بی جان کو اس کی صحت کمزور لگ رہی تھی۔ وہ دودھ اور مکھن لا لا کر دے رہی تھیں۔ کام کرنے والیاں بی بی کے لیے کچھ لے کر آتیں کبھی کچھ اور وہ تھی کہ سر تا پا پڑھائی میں غرق، کبھی کبھار کسی کا خط آ جاتا تو یوں لگتا جیسے کوئی خوشگوار جھونکا ہو۔ تین ماہ اتنی سرعت سے گزرے کہ پتا

ہی نہ چلا اور امتحان کی تاریخ آ گئی۔

وہ واپس جانے کے لیے تیاری کر رہی تھی، کہ ٹرنک میں سامان رکھتے ہوئے کئی پرانے کپڑوں کے نیچے پڑی ''خانہ بدوش'' اس کے ہاتھ میں آ گئی اور اس کے ساتھ ہی دو شعلہ بار آنکھیں اس کے سامنے کوندسی مار گئیں۔ پچھلے تین ماہ اس قدر مصروف گزرے تھے کہ اس کو بھول کر بھی اس ''اسنیک چارمر'' کا خیال نہ آیا تھا۔ ''اتنی دفعہ ملا میں اس کو اس کتاب کے لیے پیسے ہی دے دیتی۔'' اس نے سوچا مگر پھر اسے اپنے ہی خیال پر ہنسی آ گئی۔ کتاب اس نے دوبارہ دیکھی تک نہ تھی۔

جب تک اس کی قیمت نہ چکا لوں یا واپس نہ کر دوں۔ مجھے چین نہیں آئے گا اس نے سوچا اور کتاب دوبارہ ٹرنک میں رکھ دی۔ ابا جی اس کو چھوڑنے جا رہے تھے۔ بی بی جان اس پر کچھ پڑھ پڑھ کر پھونک رہی تھیں۔

''سورہ یاسین پڑھ کر امتحان دینے جانا، برکت ہوتی ہے۔'' وہ نصیحت کر رہی تھیں۔ وہ ہاسٹل پہنچی تو وہ سب ہی پہلے سے موجود تھیں۔ وہ امتحان جو ان کو پہاڑ لگتے تھے جب شروع ہوئے تو پتا بھی نہ چلا، ایک کے بعد ایک تیزی سے گزرتے گئے۔

''کل تو میں خدا کا شکر ادا کروں گی اور میری توبہ جو کبھی آگے پڑھنے کا نام بھی لوں۔'' آخری پیپر سے ایک دن پہلے فوزیہ نے کہا۔

''دعا کرو کہ ایم اے کے ایڈمیشن سے پہلے ہی اللہ کوئی اور سبیل نکالے۔'' لیلیٰ نے کہا تو سعدیہ نے صدقِ دل سے آمین کہا۔

اور پھر آخری پیپر کے بعد وہ لوگ ہلکی پھلکی ہو گئیں۔

''شکر ہے خدا کا۔ مصیبت سے جان چھوٹی۔ میں تو اب ان کتابوں کو کبھی ہاتھ نہ لگاؤں۔'' رخشی نے کتاب پٹختے ہوئے کہا۔

''میں تو ان کو اردو بازار میں فٹ پاتھ والوں کے ہاں بیچ جاتی اگر مجھے سبکی کا خدشہ نہ ہوتا۔'' فوزیہ نے ہنستے ہوئے کہا۔

''آج تو کہیں باہر چلیں۔ کل تو ہم لوگوں نے چلے جانا ہے، جانے پھر کب ملیں۔'' اسماء نے افسردہ شکل بناتے ہوئے کہا۔

''الفلاح پر بڑی اچھی انگلش مووی لگی ہے۔ دیکھنے چلیں۔'' لیلیٰ نے تجویز پیش کی۔

''منظور!'' سب نے ہی ہاتھ ہلائے اور وہ سب جلدی جلدی تیار ہونے لگیں۔

''افوہ ایسا لگتا ہے گویا سارا شہر ٹوٹا پڑا ہو اس فلم پر۔'' الفلاح میں ہجوم کو دیکھ کر سعدیہ نے کہا۔

''آپ کی اطلاع کے لیے عرض ہے جناب کہ یہ دوسرا دن ہے فلم کا۔'' حنا نے جواب دیا۔

''چلو تم گھسو دھان پان سی ہو ابھی آؤ گی ٹکٹ لے کر۔'' فوزیہ نے اسے آگے کیا اور پیسے اس کے ہاتھ میں پکڑا دیئے۔ اس نے بھی لیڈیز کاؤنٹر کے اندر ہاتھ گھساتے ہوئے شور مچایا۔

''چھ گیلری۔'' مگر وہاں اس شور میں کون سنتا تھا۔ پیچھے سے آتے ایک ریلے نے اسے آگے دھکیل دیا اور اب

وہ بری طرح پس رہی تھی اس کے ساتھ ہی اسے محسوس ہوا کہ پیسے اب اس کے ہاتھ میں نہیں رہے۔ اس نے بمشکل کھینچ کر ہاتھ نکالا تو وہ واقعی خالی تھا۔ وہ سخت مایوسی اور بیچارگی کی حالت میں لوگوں کو ہٹاتی باہر نکل رہی تھی کہ اچانک ٹکٹ اور ڈیڑھ روپیہ اس کے سامنے آ گئے۔

''یہ لیجئے محترمہ! ٹکٹ اور بقیہ پیسے اور آئندہ خیال رکھیے گا چوتھے شو میں اکیلے کبھی نہ آیئے گا۔'' وہ ٹکٹ اور پیسے اس کے ہاتھ میں تھما کر کہتا ہوا غائب ہو گیا اور وہ حیران سی ٹکٹ لے کر لوگوں کے رش میں سے باہر نکل آئی۔

''واہ بڑا معرکہ مارا۔'' اسے ٹکٹ سمیت آتے دیکھ کر سعدیہ نے خوشی سے نعرہ مارا۔

''کتنی عجیب بات ہے کہ تین ماہ کے بعد میں پہلی دفعہ لاہور میں باہر نکلی ہوں اور یہ پھر آ ٹکرایا یہ کیسا اتفاق ہے اور نصیحت کیسے کر رہا تھا خضر راہ کہیں کا۔''

وہ فلم دیکھتے ہوئے سوچ رہی تھی۔ فلم ختم ہونے کے بعد باہر نکل کر بھی وہ غیر شعوری طور پر اسے دیکھتی رہی مگر وہ نظر نہ آیا۔

دوسرے دن سب لوگ جانے کو تیار تھے۔ ہوسٹل کی باقی لڑکیوں سے مل کر جب وہ آپس میں ملیں تو سب کی آنکھوں میں آنسو تھے۔ چار سال کا ساتھ چھوٹ رہا تھا۔

بہت سے وعدے وعید کر کے وہ سب رخصت ہو گئیں۔

○......❖......○

گھر آ کر اس کو احساس ہوا کہ دوستی کتنی قیمتی چیز ہے اور کسی ذہنی ہم آہنگی والے ساتھی کی سنگت کتنی نعمت ہے۔ یہاں وہ سارا دن بور ہوتی۔ کبھی بی بی جان سے تھوڑی سی باتیں کر لیں۔ کبھی کوئی کام کر لیا۔ کتابیں پڑھتی رہتی۔ شام کو ابا آتے تو ان کی باتوں کے وہ مختصر جواب دیتی۔ وہ اکثر اپنی کسی نہ کسی گائے کا ہی ذکر کرتے۔ ان کی قسمیں ان کی خوراک اور وہ کچھ سنتی، کچھ ان سنی کر دیتی یا پھر ان پانچوں کے آئے ہوئے خطوں کا جواب دیتی رہتی۔ آہستہ آہستہ وہ اس روٹین کی عادی ہوتی گئی۔ مگر پھر ایسا واقعہ پیش آیا جس نے اس کو ہلا کر رکھ دیا وہ بات جو نہ سان میں تھی نہ گمان میں۔

ابا صبح اچھے بھلے اٹھ کر باڑے گئے اور دوپہر کو لوگ انہیں لے کر آئے۔ وہیں ان کو ہارٹ اٹیک ہوا اور قبل اس کے کہ ان کو کوئی طبی امداد پہنچائی جاتی وہ سب کچھ چھوڑ کر چل دیئے۔ اس کی بری حالت تھی، خالی ذہن اور خالی آنکھوں کے ساتھ وہ آنے جانے والوں کو دیکھتی رہتی۔ ایک ہی ماموں تھے جو لندن میں رہتے تھے ان کو اطلاع دی گئی تو ان کا تعزیت نامہ مع چند پونڈز کے جلد ہی آ گیا۔ سب کام چاچا جی نپٹا رہے تھے۔ بی بی جان کو اس عمر میں یہ سانحہ دیکھنا پڑا تھا۔ ان کا بھی برا حال تھا گھر کے اندر سب آنے جانے والوں کو بھگتانے کا کام چاچی جی کر رہی تھیں۔ اس کو کچھ معلوم نہیں کب ابا کا سوئم ہوا اور کب آئے ہوئے لوگ چلے گئے۔ جب اس کو ہوش آیا تو اسے لگا جیسے وقت کی گردش رک گئی ہو۔ اسے تعزیت کے لیے آنے والوں کے الفاظ زہر سے بھی برے لگتے۔

ایک شام چاچا جی اس کے پاس آ کر بیٹھے۔ ''بیٹا میں تم سے بہت کچھ کہنا چاہتا تھا مگر تمہارے دکھ اور اپنی پریشانی کی وجہ سے نہ کہہ سکا مگر اب میری چھٹی ختم ہونے والی ہے، اب تم سے کچھ باتیں کرنا ناگزیر ہے۔ بھائی صاحب کی

وفات کے بعد سے جو باتیں اب تک مجھے معلوم ہوئی ہیں وہ کچھ اتنی اچھی نہیں ہیں۔ محمد خان جو باڑے کا انتظام کرتا ہے اس نے بتایا کہ بھائی صاحب کو پچھلے سال گائیں خریدنے اور فروخت کرنے میں کافی نقصان ہوا۔ انہوں نے اپنے دوستوں سے اور بینک سے قرضہ بھی لے رکھا ہے۔ بینک والے قرضے پر سود بھی بڑھ رہا ہے جو اتنا ہے کہ باڑے میں موجود ساری گائیں بک بھی جائیں تو شاید پورا نہ ہو۔ بھائی صاحب نے تو شاید قرضہ اس آس میں لیا ہو کہ اچھے دن آنے پر لوٹا دیں گے مگر قسمت اور زندگی نے ان کا ساتھ نہ دیا۔'' چاچی آنسو خشک کرنے لگے۔

''بیٹا! میرا خیال ہے کہ یہ قرضہ اتارنے کے لیے سب کچھ بیچنا ہی پڑے گا۔ کامی اور رکھوالوں کے پیسے بھی دینے ہوں گے۔ اس لیے میرا اور تمہاری چاچی کا خیال ہے کہ یہ سب بیچ کر تم اور بی بی بھی ہمارے ساتھ لاہور چلو۔ کیا خیال ہے تمہارا؟'' چاچی پوچھ رہے تھے۔

سائیں سائیں اس کا دماغ شور مچا رہا تھا۔ ابا کے جانے کے بعد میں بالکل تہی دست ہوگئی۔ کیا قسمت یوں بھی منہ موڑ لیتی ہے۔ وہ خالی نظروں سے سامنے دیکھتی رہی۔

''اس سے کیا پوچھتے ہو، جب اس کے سوا کوئی چارہ ہی نہیں تو اور کیا کرنا ہے۔'' بی بی جان کہہ رہی تھیں۔

''کرنا تو کچھ ایسا ہی پڑے گا مگر بٹیا سے پوچھنا بھی تو ضروری تھا۔'' چاچی نے سر پر ہاتھ پھیرتے ہوئے کہا۔

''بولو حنا! کچھ تو بتاؤ۔ تمہارا کیا خیال ہے؟'' چاچی نے اس کی پشت پر ہاتھ پھیرتے ہوئے کہا۔

''ہوں!'' وہ چونک گئی۔ ''میرا تو دماغ کام نہیں کر رہا چاچی اور آپ کو یہ کام جلد نبٹانے ہیں تو پھر جو آپ بہتر سمجھتے ہیں کریں۔'' وہ بمشکل یہ ہی کہہ سکی۔

پھر اس کو پتا نہیں چلا کہ کب ابا کا عمر بھر کا سرمایہ ساری گائیں بکیں۔ کیسے قرضے ادا ہوئے اور کب مکان کرائے پر چڑھا جب اس نے چاچی کو اپنی چیزیں سمیٹتے دیکھا تو اس کا دل تڑپ گیا اب اسے یہ گھر بھی چھوڑنا پڑے گا مگر اب وہ کچھ کہنے کی پوزیشن میں نہیں تھی اور پھر تیسرے دن ہی وہ بی بی جان سمیت اپنا پیارا شہر چھوڑ کر چاچی کے ساتھ روانہ ہوگئی۔ لاہور پہنچ کر اسے پہلا خیال یہ آیا کہ اب وہ قلاش ہو چکی ہے اور چاچی خود بھی کوئی اتنے خوشحال نہیں ہیں۔ ساری عمر ابا نے چاچی کے حالات کو مدِنظر رکھتے ہوئے بی بی جان کا بوجھ کبھی ان پر پڑنے نہ دیا اور اپنے پاس رکھا اب اسے ابا کے بعد بی بی جان اپنی ذمہ داری لگ رہی تھیں۔

''چاچی! میں کوئی نوکری ڈھونڈ لوں؟'' ایک شام اس نے چاچی سے پوچھا۔

''کیوں بیٹا! کیا کوئی مسئلہ ہے خرچ کا؟''

''نہیں چاچی! اب حالات ایسے ہیں کہ مجھے کچھ کرنا ہی پڑے گا۔'' اس نے لمبا سانس لے کر کہا۔

''مگر بیٹا! تم مجھ پر بوجھ نہیں ہو، مکان کا معقول کرایہ ہر مہینے آجایا کرے گا۔'' چاچی کچھ پریشان ہو رہے تھے۔

''آج کل مکان کے کرایوں سے کیا بنتا ہے اور پھر اب تو ساری لڑکیاں نوکری کرتی ہیں، اس میں برائی کیا ہے۔'' چاچی نے کہا۔

''نہیں چاچی جی! میں کوشش کروں گی کہ مجھے جلد ہی کوئی نوکری مل جائے۔''

کہنے کو تو اس نے کہہ دیا تھا مگر جب نوکری تلاش کرنے چلی تو اسے پتا چلا کہ یہ کوئی آسان کام نہیں ہے۔ اخبار میں سے اشتہار دیکھ کر وہ درخواست بھیجتی۔ اول تو کوئی کا جواب ہی نہ ملتا اور جو ملتا وہ اس قابل نہ ہوتی کہ جاتی۔ ہزار بارہ سو کی نوکری وہ خود بھی کرنا نہیں چاہتی تھی۔ ویسے بھی اچھی نوکری کے لیے کم از کم گریجویٹ ہونا ضروری تھا۔ کمپیوٹر کی شرط علیحدہ ہوتی اور اس کا تو ابھی رزلٹ نکلنے میں بھی مہینے باقی تھے۔ پھر اس نے خود باہر نکلنے کا ارادہ کیا۔ کئی جگہ جا کر پوچھا مگر ہر جگہ مایوسی۔ اسے یوں لگتا چل چل کر اس کے پاؤں میں چھالے سے پڑ گئے ہوں اور اوپر سے گرمی کا موسم۔

○......❖......○

اُس روز بھی وہ اخبار کے دفتر میں خواتین کے صفحے کے لیے انچارج کا انٹرویو دینے آئی تھی۔ تعلیم کے معیار پر وہ یہاں بھی پوری نہیں اترتی تھی مگر آزمانے میں کیا حرج ہے کے تحت وہ آ گئی۔ جیسے ہی اس کا نمبر آیا وہ اندر داخل ہوئی اس کی نظر وہاں پر بیٹھے انتصار علی صاحب پر پڑی وہ ایک طرف بیٹھے اخبار پڑھ رہے تھے۔

''تشریف رکھیے۔'' انٹرویو لینے والے شخص نے اس سے کہا اور پھر اس سے سوال پوچھنے لگا۔ تعلیم کے اوپر آ کر بات ختم ہوگئی۔

''اپنے رزلٹ آنے کا انتظار کریں پھر آئیں ہوسکتا ہے کوئی جگہ نکل آئے۔'' وہی گھسا پٹا جواب اور جب وہ اُٹھ کر جانے لگی تو انتصار صاحب بولے۔

''بھئی میں کافی دیر سے تمہیں دیکھ رہا ہوں مگر یاد نہیں آ رہا کہ میں نے پہلے تمہیں کب اور کہاں دیکھا ہے؟''

''جی سر! وہ انٹر کالجیٹ مشاعرے وہ غل غپاڑہ گروپ۔ وہ سالانہ ڈرامہ رومیو اینڈ جولیٹ اور اس میں میں جولیٹ۔'' اس نے انہیں یاد دلایا۔

''ہاں...... ہاں خوب یاد دلایا'' وہ عینک درست کرتے ہوئے بولے۔ ''تو اب تم یہاں انٹرویو دینے آئی ہو۔''

''جی مگر جواب مل گیا۔'' وہ مایوسی سے بولی۔

''کیوں مجیب صاحب ان کے لیے کوئی گنجائش؟'' انہوں نے انٹرویو لینے والے صاحب سے پوچھا۔

''جی نہیں سر! ہم خاتون کو بتا چکے ہیں۔ تو پھر۔'' وہ اس کی طرف مڑے۔ ''واقعی انتظار کرو ناں رزلٹ آنے تک۔''

''جی نہیں سر! مجھے ابھی جاب تلاش کرنی ہے۔ میرے حالات......'' وہ چپ ہوگئی۔

''کیوں کیا ہوا حالات کو؟'' ان کے پوچھنے پر اس نے سب کچھ بتا دیا۔

''ٹی وی میں کام کرلوگی؟'' ساری بات سننے کے بعد وہ بولے۔

''جی سر! وہ ٹی وی میں۔'' وہ گڑبڑا گئی۔

''ہاں...... جہاں تک مجھے یاد پڑتا ہے تم نے اپنے سالانہ ڈرامے میں زبردست پرفارمنس دی تھی۔'' وہ یاد کرتے ہوئے بولے۔ ''میں آج کل ایک نیا ڈرامہ لکھ رہا ہوں اگر تم اسکرین ٹیسٹ وغیرہ کلیئر کرلو تو تم کو بطور نیا چہرہ

متعارف کروایا جاسکتا ہے۔ کیوں کیا خیال ہے؟'' انہوں نے اس کی طرف دیکھتے ہوئے پوچھا۔

''جی!'' وہ اس انوکھی پیشکش پر حیران رہ گئی تھی۔ مگر پچھلے کئی دنوں کی خواری نے اس کو شدت پسند بنا دیا تھا۔

''ٹھیک ہے سر!'' بے ساختہ اس کے منہ سے نکلا۔

''ویری گڈ!'' وہ خوش ہوتے ہوئے بولے۔ ''تو یہ میرا کارڈ ہے۔ کل پہنچ جانا، میں خود تم کو لے جاؤں گا۔'' وہ کارڈ لے کر کمرے سے نکل آئی۔

''جب کام ہی کرنا ہے تو اس میں کیا حرج ہے۔ ویسے بھی ٹی وی کوئی بُرا میڈیا نہیں ہے۔ بڑے اچھے گھروں کی لڑکیاں وہاں جاتی ہیں۔'' اخبار کے دفتر کی سیڑھیاں اُترتے ہوئے اس نے سوچا۔ گھر پہنچ کر اس نے کسی کو نہیں بتایا بلکہ اپنے ذہن کو تیار کرتی رہی۔ ساری رات بھی اس کو ڈھنگ سے نیند نہ آئی۔

دوسرے روز دس بجے وہ انتصار صاحب کے بتائے ہوئے پتے پر پہنچ گئی۔ وہ اسی کا انتظار کر رہے تھے۔ گیارہ بجے وہ ٹی وی اسٹیشن پہنچ گئے۔ اندر داخل ہوتے ہی اسے خیال آیا، ہم لوگ پتا نہیں کیا کیا سوچا کرتے تھے کہ ٹی وی اسٹیشن اندر سے کیسا ہوگا۔ وہ کوریڈور میں سے گزرتے ہوئے سوچتی رہی۔ ایک کمرے کے سامنے جا کر انتصار صاحب رُک گئے اور پھر دروازہ کھول کر اسے پیچھے آنے کا اشارہ کرتے ہوئے اندر چلے گئے۔

''السلام علیکم فاروقی صاحب!'' انہوں نے سامنے کرسی پر بیٹھے ایک شخص سے ہاتھ ملایا۔

''آخاہ انتصار صاحب!'' وہ شخص بھی چہکا۔ ''کیا حال ہیں ڈرامہ لکھ لیا یا نہیں؟''

''نہیں صاحب! ڈرامہ کل پہنچے گا۔'' انتصار صاحب بولے۔

''ارے جلدی کیجیے انتصار صاحب! کب ڈرامہ آئے گا کب اسکرپٹ بٹیں گے اور ریہرسل کب شروع ہو گی؟'' وہ شخص ہاتھ ہلا کر بولا۔

''آج تو میں ایک ضروری کام سے آیا ہوں...... یہ دیکھیں حنا بی بی ہیں، بھئی میں نے تو ایک ڈرامے میں ان کی پرفارمنس دیکھی اور قائل ہوگیا۔ آپ بھی آزما لیجیے نیا چہرہ متعارف کروایئے جناب نیا چہرہ۔'' انتصار صاحب ہنستے ہوئے کہہ رہے تھے۔

''جی کال پڑا ہوا ہے نئے چہروں کا مگر کیا آپ کو یقین ہے کہ یہ بی بی کر لیں گی۔'' وہ اسے غور سے دیکھتے ہوئے بولا۔

''جی مجھے تو یقین ہے، آپ ابھی اطمینان کر لیں۔'' انتصار صاحب نے کہا۔

پونے بارہ بجے اس کا اسکرین ٹیسٹ ہوا اور دو بجے تک وہ وہیں بیٹھی رہی پھر اس سے کچھ ڈائیلاگ بلوائے گئے۔ اسے یاد آیا کہ کئی ڈائیلاگ وہ لوگ ٹی وی آرٹسٹوں کی نقل اُتارتے ہوئے ان سے بہتر بول جاتی تھیں۔ اسی طرح اس نے یہاں بھی کیا اور پھر پندرہ منٹ کے بعد انتصار صاحب نے اسے بتایا کہ فاروقی صاحب کو اس کی ادائیگی اور چہرہ پسند آگیا اور وہ اگلے مہینے ان کے لکھے ہوئے طویل دورانیہ کے کھیل میں کام کر سکے گی۔ اس کے دل کو کچھ ہونے لگا، پتا نہیں میں اتنا لمبا کام کر بھی سکوں یا نہیں۔ پھر اس نے خود کو ڈانٹا۔ ''اب خیال آرہا ہے۔ یہ تو پہلے سوچنے کی بات تھی۔'' انتصار صاحب نے اسے گھر اُتارا تو چار بج چکے تھے۔

''سارادن خوار ہوتی رہتی ہو، کوئی کام بھی بنایانہیں۔'' بی بی جان ڈیوڑھی میں ہی موجود تھیں۔

''بن ہی گیابی بی جان!'' وہ ان کے پاس ہی بیٹھ گئی۔

''کہاں ملا کام؟'' چاچی نے پاس آکر پوچھا۔''

''ٹی وی پر۔'' اس نے آہستہ سے کہا مگر بی بی جان نے سن لیا۔

''اے کیساٹی وی، دماغ صحیح ہے تیرالڑکی۔لواور سنوٹی وی پر کام ملا ہے؟'' وہ چیخنے لگیں۔

''سن تولیں بی بی! کیا کام ملا ہے؟'' چاچی نے انہیں خاموش کرایا۔

''ایک ڈرامے میں کام کرنے کے سلیکٹ کیا گیا ہے مجھے۔''اس نے ساری تفصیل ایک ہی جملے میں بتادی۔

''تُو ڈرامے میں کام کرے گی۔اے سنتے ہو محمد حسن۔'' انہوں نے اندر بیٹھے چاچی کو آواز دی۔''اے اب احمد حسن کی لڑکی ڈراموں میں آئے گی۔ باپ کے مرنے کے بعد نام روشن کرے گی اس کا۔سارا ساہیوال دیکھے گا۔''

انہیں ساہیوال والوں کی فکر پڑ گئی۔

''کیا کرے گا ساہیوال دیکھ کر۔'' وہ چڑ گئی۔''ان سے تو اتنا نہ ہوا کہ ابا کے مرنے کے بعد کچھ خیال کر لیتے ہمارا، کیا تھا جو وہ صبر کرتے قرضے کے سلسلے میں۔ ہمدردی کے دو بول تک تو کہے نہ گئے ان سے۔'' وہ اونچی آواز میں بول رہی تھی۔''ذرا باہر نکل کر دیکھیں بی بی جان! آپ کو پتا چلے کہ کیسے کیسے اعلیٰ خاندان کی لڑکیاں میری طرح مجبور ہوکر نوکری کی تلاش میں ماری ماری پھرتی ہیں۔آپ دیکھیں تو آپ کو پتا چلے۔ ہر طرف سے مایوس ہوکر ہی میں نے یہ کام قبول کیا ہے ویسے بھی اس میں کوئی بُرائی نہیں۔'' وہ بول رہی تھی اور بی بی جان اپنی ساری تربیت اکارت جاتی ہوئی دیکھ رہی تھیں۔

چاچی باہر نکل آئے۔''آپ کو بھی پتا ہے چاچی کہ نوکری ملنا کتنا مشکل ہے اور پھر میں نے تو ابھی گریجویشن بھی نہیں کیا پھر مجھے کہاں ملتی نوکری؟''

اس کی آنکھوں میں آنسو آگئے۔

''ٹھیک ہے بیٹی! مگر یہ ٹی وی پر کام کرنا کچھ عجیب سانہیں لگتا۔''

''نہیں ہمارے ساتھ کئی لڑکیاں اسی زمانے میں ٹی وی پر کام کرتی تھیں جب ہم پڑھا کرتے تھے۔''اس نے ایک دولڑکیوں کو کئی لڑکیاں بنادیا۔''اور میں دیکھ کرآئی ہوں، وہاں کا ماحول صاف ستھرا ہے۔'' وہ تیقن سے بولی۔

''بیٹا جب تم نے فیصلہ کر ہی لیا ہے تو کچھ سوچا سمجھا ہی ہوگا۔'' چاچی کے لہجے میں تذبذب تھا۔ بی بی جان ابھی تک بڑبڑا رہی تھیں۔ وہ اُٹھ کر اندر چلی آئی۔

○......❖......○

ایک ہفتہ بعد ہی اس کو ہمسائے کے بچے نے آکر بتایا کہ اس کا فون آیا ہے، وہ اس کے ساتھ چل دی۔ انتصار صاحب کا فون تھا۔

''بھئی تم آجاؤ۔ سکرپٹ منظور ہوگیا ہے۔'' وہ سلام کے بعد ہی بولے۔

''جی سر! میں کیا اکیلی ہی ٹی وی اسٹیشن چلی جاؤں۔''

''نہیں تم یہیں آ جاؤ میرے پاس، اکٹھے چلیں گے۔''

اور پھر وہ ان کے دیئے ہوئے وقت پر پہنچ گئی۔ ''ٹی وی آرٹسٹ کو وقت کی پابندی کرنا لازم ہوتا ہے۔'' انصار صاحب اسٹیرنگ گھماتے ہوئے اسے بتا رہے تھے۔ ''کانفیڈنس ہونا بھی ضروری ہے۔ قطعی گھبرانا نہیں، اب کامیاب ہو گئیں تو ہمیشہ کامیاب رہو گی۔''

وہ ٹی وی اسٹیشن پہنچ گئے تھے۔ انصار صاحب کی رہنمائی میں وہ فاروقی صاحب کے کمرے میں پہنچی۔ وہاں آج کافی سارے لوگ تھے۔ کئی ایسے چہرے جو اب تک اس نے صرف سکرین پر دیکھے تھے۔ ایک عجیب سی ایکسائٹ منٹ محسوس ہونے لگی۔

''لو بھئی عباس! یہ ہے ہماری نئی ہیروئن۔'' فاروقی صاحب نے اسے دیکھ کر اپنے قریب کھڑے ایک شخص سے کہا۔

''اوہ یہ عباس احمد، ملک کے نامور ٹی وی اور اسٹیج آرٹسٹ میں اس کے ساتھ کام کروں گی۔'' اس کو یقین نہیں آ رہا تھا۔

''ہیلو!'' وہ اس سے مخاطب تھا۔

''ہم سب آپ سے تعاون کریں گے۔ اب آپ خود کو یہاں کا حصہ ہی سمجھیں۔'' وہ مسکراتا ہوا کتنا دلکش لگ رہا تھا۔

''یہ یاد کر لیں۔'' فاروقی صاحب کا اسسٹنٹ اس کو کچھ کاغذ دیتے ہوئے کہہ رہا تھا۔ یہ اس کے ڈائیلاگ تھے اور پھر اصل کام شروع ہوا، دن مصروف ہو گئے۔ کیمرے کے سامنے جا کر پہلے تو وہ کچھ کنفیوز ہوئی مگر پھر سب کے حوصلہ دلانے پر اس نے اپنے پہ کچھ قابو پا لیا۔ ریہرسل کے بعد ریکارڈنگ شروع ہوئی اور سب نے ہی اس کے کام کی تعریف کی۔ ہفتوں کی محنت کے بعد ریکارڈنگ مکمل ہوئی اور مہینے کی آخری جمعرات کو ڈرامہ پیش کیا گیا۔

''خدایا! اب کے کامیاب کر دینا، اب نہ ہوئی تو پھر کبھی نہ ہوئی۔'' وہ دعا مانگ رہی تھی وہ چاچی، چاچا جی اور بی بی جان کے ساتھ بیٹھی ڈرامہ دیکھ رہی تھی۔ ''کاش چاچی کا ٹی وی بلیک اینڈ وائٹ نہ ہوتا، اسے کچھ اتنا مزہ نہیں آ رہا تھا۔

''واہ بھئی کام تو تم نے خوب کیا۔'' چاچی نے ڈرامے کے بعد اس سے کہا۔

''خاک خوب کام کیا۔ نام ڈبو دیا۔ کیسے مزے سے اس لڑکے کے ساتھ سڑکوں پر پھر رہی تھی۔'' بی بی جان کو پھر غصہ آنے لگا۔

''چھوڑیں بی بی! یہ سب کچھ کوئی اصلی تھوڑا ہی ہوتا ہے۔'' چاچی نے ان کا ہاتھ دباتے ہوئے کہا۔

''پیسے کتنے مل جاتے ہیں بیٹا؟'' اس کی آنکھوں کے سامنے وہ چند سو روپے گھوم گئے۔

''کافی ہوتے ہیں۔'' وہ مختصر سا جواب دے کر اُٹھ آئی اور پھر واقعی سب لوگوں نے اسے پسند کیا۔ ٹی وی پر نیا چہرہ آنے پر اطمینان کا اظہار کیا۔ پریس والوں نے بھی اس کا کام پسند کیا۔ اس کو ڈرامے ملنے لگے۔ تین منٹ کے

اور پورے گھنٹے کے ڈرامے۔ اس نے اور بھی کئی لوگوں کے ساتھ کام لیا مگر جو پیئر عباس کے ساتھ بنا، وہ کسی اور۔ کے ساتھ نہ بن سکا۔

''مس حنا! آپ سے ایک بات کہوں؟'' وہ ڈرامہ پروڈیوسر نذیر احمد کے کمرے میں بیٹھی ڈائیلاگ یاد کر رہی تھی کہ اچانک عباس اندر آ گیا۔

''جی فرمایئے۔'' وہ اس کی طرف دیکھتے ہوئے بولی۔

''دیکھیں میں نے بہت سے لوگوں کے ساتھ کام کیا ہے مگر جو بات آپ میں نظر آئی، وہ کسی اور میں نہیں۔ میں نے دن میں بھی آپ کے خواب دیکھنے شروع کر دیئے ہیں۔'' وہ سامنے بیٹھا کہہ رہا تھا۔

''آپ کسی ڈرامے کے ڈائیلاگ تو نہیں سنا رہے۔'' وہ تمسخر سے بولی۔

''نہیں...... '' وہ مسکرایا۔ ''میں سو فیصدی سچ بول رہا ہوں۔ یہ میرے دل کی آواز ہے، کیا آپ اپنے دل میں میرے لیے کچھ محسوس نہیں کرتیں۔'' وہ اتنے دلکش انداز میں بات کر رہا تھا کہ اس کا دل چاہا، وہ بولتا ہی رہے۔

''بتائیں۔ کیا میں آپ کو اچھا نہیں لگتا اور اب تو لوگوں کو ہمارا پیئر اتنا پسند آ گیا ہے۔'' جواب میں وہ ہولے سے ہنس دی۔

''تھینک یو!'' وہ دلکشی سے مسکرا دیا۔

''مگر میں نے تو کچھ نہیں کہا پھر شکریہ کس بات کا؟'' وہ اُٹھتے ہوئے بولی۔

''آپ نے کہا نہیں اور میں نے سن بھی لیا۔'' وہ ہنس پڑا۔ اس کے چہرے پر بھی ہلکی مسکراہٹ آ گئی اور جونہی وہ باہر آئی۔ ٹھٹک کر رہ گئی۔ سامنے سے وہ آ رہا تھا بالکل وہی۔ اتنے دنوں بعد اس نے اسے دیکھا تھا مگر اس کی شکل نہیں بھولی تھی۔

''فیضان صاحب!'' عباس نے اسے دیکھ کر ہاتھ ہلایا۔ ''کیا حال ہیں جناب کے؟''

''ٹھیک ہوں، آپ سنائیں کیسے ہیں؟'' وہ اس کی طرف حیرت سے دیکھ رہا تھا مگر مخاطب عباس سے تھا۔

''جی بالکل ٹھیک...... اب اجازت دیجیے، ہمیں جلدی ہے ورنہ بابر صاحب جلال میں آ جائیں گے۔'' وہ دوبارہ اس سے ہاتھ ملاتا ہوا آگے چلا تو وہ بھی اس کے پیچھے چل دی۔ اسنیک چارمر کی آنکھوں میں وہی پرانی چمک تھی۔

''یہ کون تھا؟'' اس نے عباس کے قریب بیٹھتے ہوئے پوچھا۔

''کون یہ فیضان؟ یہ بڑا پہنچا ہوا آدمی ہے جناب! نیشنل کالج آف آرٹس سے ڈیزائننگ میں گریجویشن کر رہا ہے، الحمرا میں اکثر ملتا رہتا ہے، اس لیے جان پہچان ہو گئی۔ یہ سیٹ ڈیزائنر متین احمد کا دوست ہے۔''

''اسے اس سارے عرصے میں پہلی دفعہ اس کا نام معلوم ہوا اور یہ پتا چلا کہ وہ کیا کرتا ہے۔ وہ کچھ سوچتے ہوئے آگے بڑھ گئی۔

○......❖......○

اس دن وہ آرٹ اینڈ اسٹائل پر کپڑے دیکھ رہی تھی کہ اچانک ایک ہاتھ اس کے کندھے پر پڑا۔ اس نے مڑ کر دیکھا۔ ''لیلیٰ!'' اس کی چیخ نکل گئی۔

''شکر ہے پہچان لیا ورنہ میرا خیال تھا شہرت کی پٹی آنکھوں میں بندھ گئی ہے تو کیا معلوم پہچانو بھی کہ نہ۔''

اور اسے شرمندگی سی ہونے لگی۔ ابا کے انتقال سے لے کر اب تک اس نے کسی کو بھی یاد تک نہ کیا تھا۔

''میں تو تم پر انا للہ پڑھ چکی تھی مگر تمہارے ٹی وی پر آنے نے تمہارے ہونے کا ثبوت دیا۔ آخر کیا افتاد پڑ گئی تھی تم پر۔ اتنے خط لکھے مگر ایک کا بھی جواب نہ ملا۔'' اور پھر اس نے اسے ساری تفصیل سنائی۔

''تو تم ابا کے انتقال کی خبر ہمیں نہیں دے سکتی تھیں۔'' لیلیٰ خفگی سے بولی۔

''سچ جانو، ابا کے انتقال کے بعد سے کچھ ایسا چکر پاؤں میں پڑا کہ کچھ ہوش ہی نہیں آیا۔ تم سناؤ لگتا ہے تمہاری شادی ہوگئی۔'' اس نے لیلیٰ کی کلائیوں میں پڑی سونے کی چوڑیاں دیکھتے ہوئے کہا۔

''ہاں!'' لیلیٰ مسکرادی۔ ''میں یہاں ہی ہوتی ہوں اب اور مزید یہ کہ فوزیہ، اسماء اور سعدیہ بھی رخصت ہوئیں رخشی کا بھی اگلے دو تین ماہ تک یہی ارادہ ہے۔'' اس نے اطلاعات دیں۔

''اور مجھے کسی نے بتایا تک نہیں۔'' وہ ناراضی سے بولی۔

''جناب! سب نے تم کو ساہیوال کارڈ بھیجے مگر تمہارا کوئی اتا پتا ہی نہیں ملتا تھا۔ ہمیں کیا پتا تھا کہ تم ساہیوال سے ٹی وی اسٹیشن تک کا سفر طے کر رہی ہو۔'' لیلیٰ ہنس دی۔

''اب یہیں کھڑے کھڑے باتیں کیے جائیں گے، آؤ میرے ساتھ چلو میرے گھر۔''

''ابھی مجھے ٹی وی اسٹیشن جانا ہے پھر کبھی سہی۔'' اس نے اس کا ہاتھ دباتے ہوئے کہا۔ ''لاؤ اپنا ایڈریس مجھے دے دو میں کسی وقت ضرور آؤں گی۔''

''ماڈل ٹاؤن ایچ بلاک۔'' لیلیٰ نے نمبر بتاتے ہوئے کہا اور پھر ہاتھ ہلاتے ہوئے چلی گئی اور اس کی آنکھوں میں نہ جانے کیوں نمی سی آ گئی۔ ''کسی پرانے دوست کا ملنا واقعی مسیحا اور خضر سے ملاقات سے بہتر ہے۔'' اس نے سوچا۔

''آج رات کا کھانا کہیں باہر نہ کھائیں......'' عباس نے کہا تو وہ سوچ میں پڑ گئی۔

''آج رات......مگر میں چاچی کو بتا کر نہیں آئی ویسے بھی رات کو کہیں جانا مجھے اچھا نہیں لگتا۔'' اس نے جواب دیا۔

''رات کو شوٹنگز کے متعلق کیا خیال ہے، اس وقت چاچی کا ڈر نہیں ہوتا۔''

''نہیں......اس وقت میں ان کو بتا کر آتی ہوں کہ میں رات دیر سے آؤں گی بلکہ آؤں گی ہی نہیں اس لیے کہ اس کے بعد میں نیلوفر کے گھر چلی جاتی ہوں اس کے ساتھ۔'' اس نے میک اَپ ویمن کا ذکر کیا۔

''تو پھر تم اپنے چاچی کو فون کر دو مگر میرے ساتھ چلو ضرور۔ آج بڑا موڈ ہو رہا ہے تمہارے ساتھ ڈنر لینے کا۔'' اس نے کچھ اس طرح سے کہا کہ وہ انکار نہ کر سکی اور چاچی کو فون کر دیا۔

انٹرنیشنل ہوٹل کے ہال میں داخل ہوتے ہی اس کی نظر سامنے بیٹھے اسنیک چارمر پر پڑی۔ ''تو آج پھر ٹکراؤ

ہو گیا۔'' اس نے دل میں سوچا۔ ''شکر ہے کہ عباس میرے ساتھ ہے وہ لاپروائی سے بیٹھا سیون اَپ پی رہا تھا۔ وہ ایک کونے کی میز پر بیٹھ گئے، عباس اُٹھ گیا۔ تو وہ تیزی سے اُٹھ کر ادھر ہی آ گیا۔

''کچھ لوگوں کے چہرے بھی پیاز کے پرتوں کی طرح خول کے اندر چھپے ہوتے ہیں۔ پتا ہی نہیں چلتا کہ اصل چہرہ کہاں ہے؟'' میز پر جھکتے ہوئے اس نے سرگوشی سی کی وہ ایک دم پیچھے ہٹ گئی۔

''میرے ساتھ مارکیٹ سے ہاسٹل جاتے تک تو آپ کو اسکینڈل بن جانے کا ڈر تھا۔ اب جو یہ اسکینڈل لوگوں کی زبان پر اور اخباروں میں چھپے گا، اس کے متعلق کیا خیال ہے؟ میرا مشورہ ہے آنکھیں اور ذہن کھلی رکھ کر چلیے۔''

وہ اسے جواب دینے کا موقع دیئے بغیر ہی تیزی سے واپس مڑ گیا۔ جب عباس واپس آیا تو اس کے چہرے پر پسینے کے قطرے تھے۔

''کیا ہوا؟ ٹھیک تو ہو؟'' عباس نے پوچھا۔

''ہاں......ٹھیک ہوں۔'' وہ نارمل ہوتے ہوئے بولی۔

''کیا خیال ہے۔ میرے ساتھ اسٹیج پر کام کرو گی۔'' وہ سلاد کھاتے ہوئے پوچھ رہا تھا۔ ''میرے چچا ڈائریکٹ کر رہے ہیں ایک پلے۔''

''نہیں......اسٹیج پر میں کام نہیں کر سکتی۔ میں تو اتنے سارے لوگوں کو دیکھ کر بیہوش ہو جاؤں گی۔'' اس نے صاف انکار کیا۔

''مرضی ہے مگر کیا میری بات بھی نہیں مانو گی؟'' وہ جھک کر پوچھ رہا تھا۔

''نہیں مجھ سے ہو گا ہی نہیں تو مانوں گی کیا۔'' اس نے چور نظروں سے ''اسنیک چارمر'' کی میز کی طرف دیکھتے ہوئے کہا، وہ وہاں نہیں تھا اس نے اطمینان کا سانس لیا۔

''اچھا دیکھنے تو آؤ گی ناں ڈرامہ؟''

''ہاں دیکھوں گی ضرور۔''

O......❖......O

''حنا بی بی! آپ نے مجھے اتنا متاثر کیا ہے اتنا کہ کوئی حد نہیں۔ قسم اللہ پاک کی دل چاہتا ہے سارا وقت بس آپ ہی آپ نگاہوں کے سامنے ہوں۔'' یہ فاروقی صاحب تھے جنہیں ٹی وی والے مست قلندر کہتے تھے۔

''جی سر! آپ کیا کہہ رہے ہیں؟'' وہ ان کا لہجہ دیکھ کر حیران رہ گئی۔

''جی میرا دل خوش کر دیں۔ ہر ڈرامے میں آپ ہوں گی، کمپیئرنگ بھی کروائیں گے آپ سے، ہی ہی ہی۔'' مست قلندر اپنی مستی پر آ گئے تھے۔'' آپ کو پتا ہے کہ میں جلد ہی جنرل منیجر بن جاؤں گا۔'' وہ اس کا ہاتھ پکڑتے ہوئے بولے۔ ''آئی لوّ یو حنا بی آئی لوّ یو۔''

اس نے بمشکل اپنا ہاتھ چھڑا کر وہی ہاتھ ان کے منہ پر دے مارا اور تیزی سے کمرے سے باہر نکل آئی۔ غم و غصے سے اس کا جسم کانپ رہا تھا۔

''اُف یہ میرے باپ کی عمر کا آدمی، کمینہ اُلو کا پٹھا اسے شرم نہ آئی، کمبخت اس نے مجھے اتنا کمزور کیسے سمجھ لیا، جیسے خوشامد ہی کرنے لگ جاؤں گی اس کی۔ وہ کتنی دیر تک نارمل نہ ہوسکی اور شام تک پڑی رہی۔ شام کو اُٹھی تو اسے یاد آیا کہ آج عباس کا ڈرامہ تھا۔ وہ سب کچھ بھول بھال کر جلدی جلدی تیار ہوئی اور بھاگم بھاگ اوپن ایئر میں پہنچی ڈرامہ شروع ہو چکا تھا، پاس دکھانے پر اسے جگہ مل گئی۔ اُف یہ ڈرامہ تھا کہ لچر بازی کا تماشہ، وہ ڈرامہ دیکھتے ہوئے سوچ رہی تھی شکر ہے میں نے اس میں کام کرنے کی ہامی نہیں بھری۔ گھٹیا ڈائیلاگ فضول باتیں، لوگ سیٹیاں بجا رہے تھے۔ تالیاں بجا رہے تھے ہپ ہپ ہرے اور اس کا دماغ سن ہو گیا۔ کیا آرٹ کے نام پر یہ بازاری باتیں کی جاتی ہیں! وہ ڈرامہ ادھورا چھوڑ کر اُٹھ آئی۔ ایک ہی دن میں دو ٹھوکروں نے اس کو پریشان کر دیا تھا۔ ''آخر عباس نے ایسے ڈرامے میں کام کیوں کیا؟'' وہ یہی سوچتی رہی۔

''تم نے پورا ڈرامہ کیوں نہیں دیکھا؟'' عباس دوسرے دن اس سے ملنے آ گیا۔

''میری طبیعت خراب ہو رہی تھی اور وہ ڈرامہ بھی اس قابل نہیں تھا کہ دیکھا جاتا۔'' اس نے صاف گوئی سے کہا۔ ''تمہیں شاید پتا نہیں تھا کہ وہ سب فضول ڈائیلاگ بھی اس میں شامل ہیں۔''

''پتا کیوں نہیں تھا، پتا تھا۔'' عباس بڑے سکون سے کہہ رہا تھا۔

''پھر بھی تم نے اس میں کام کیا، مگر کیوں؟'' وہ حیرت سے پوچھ رہی تھی۔

''اس لیے کہ اسٹیج پر پیسہ ملتا ہے اور پبلک کی یہی ڈیمانڈ ہوتی ہے حنا بیگم!'' اس نے معلومات بہم پہنچائیں۔

''مگر پیسے کے پیچھے اتنا بھی کیا پاگل ہونا۔'' وہ کچھ بجھ سی گئی تھی۔

''ٹی وی اسٹیشن چلنا ہے؟ فاروقی صاحب نیا ڈرامہ پروڈیوس کر رہے ہیں۔''

''نہیں...... میں اب فاروقی کے ڈرامے میں کام نہیں کروں گی۔'' اس نے غصے سے کہا۔

''مگر کیوں؟'' وہ حیران تھا۔ اس نے اسے ساری تفصیل سنا دی۔

''پھر تم نے کیا کہا؟''

''میں نے...... میں نے اس کے منہ پر تھپڑ مار دیا۔'' وہ نفرت سے بولی۔

''تم نے تھپڑ مار دیا فاروقی صاحب کو۔ کیوں اپنی روزی پر لات مار رہی ہو۔ اوہ مائی گاڈ! تمہیں معلوم ہے وہ موجودہ جی ایم کے بعد سب سے پاورفل شخصیت ہیں اور جلد ہی وہ خود جی ایم بن جائیں گے۔ اُف حنا! تم اتنی بیوقوف ہو۔'' وہ کچھ پریشان تھا۔ ''میں چلتا ہوں، کل ملیں گے۔'' وہ یونہی اُلجھا اُلجھا سا اُٹھ کر چل دیا اور وہ حیرت سے اسے جاتا دیکھتی رہی۔

پھر کئی دن وہ ٹی وی اسٹیشن نہیں گئی۔ گھر ہی میں بیٹھی رہی۔ فاروقی والے واقعہ کے بعد اس میں اتنی ہمت نہیں تھی کہ جائے مگر اس دن اسے یاد آیا کہ اسے بابر صاحب نے اپنے تیس منٹ کے مزاحیہ پلے کے لیے ڈیٹ دی ہوئی تھی، وہ تیار ہو کر چلی گئی۔ بابر صاحب کے کمرے کی طرف جاتے ہوئے اسے عباس مل گیا۔

''اتنے دن کہاں رہے؟ پوچھا تک نہیں۔'' اس کی آواز میں ہلکا سا شکوہ تھا۔

''وہ میں ڈرامے میں۔ مصروف تھا۔'' وہ اس کے ساتھ بابر صاحب کے کمرے میں داخل ہوتے ہوئے بولا۔

''اور ویسے بھی میں کچھ پریشان تھا۔ یہاں آ کر مجھے معلوم ہوا، تمہارا اور فاروقی صاحب والا قصہ یہاں ہر طرف پھیل گیا ہے۔ کیا عجب کہ کل کو پریس میں آ جائے۔ صحافی ہر وقت یہاں جاسوسوں کی طرح پھرتے رہتے ہیں آخر کیا تک تھی انہیں تھپڑ مارنے کی۔ یہاں کا ہر بندہ ان کی ہر طرح کی بات برداشت کر لیتا ہے پھر تم میں کیا لال جڑے ہیں۔''

''مگر عباس! اپنی انا، اپنی خودداری، عزتِ نفس بھی تو کوئی چیز ہوتی ہے۔'' وہ حیرت سے اس کی طرف دیکھتے ہوئے بولی۔

''اونہہ عزتِ نفس! یہ تم جیسی مڈل کلاس لڑکیوں کے مسئلے ہوتے ہیں۔ ٹی وی جیسے میڈیا میں آ کر یہ سب چیزیں باہر رہ جاتی ہیں۔ مگر تم تو بہت بیوقوف ہو، کسی اور کو دیکھا ہے یہ کچھ کرتے ہوئے، کہیں میں بھی تمہارے ساتھ فاروقی صاحب کے عتاب کا نشانہ نہ بن جاؤں۔ خوامخواہ۔'' وہ سر ہلاتے ہوئے بولا۔ وہ کچھ کہنے ہی لگی تھی کہ بابر صاحب اپنے پانچ ساتھیوں سمیت اندر آ گئے۔

''اچھا تو مس حنا اور عباس! آپ لوگ آ گئے۔'' وہ سگریٹ کا دھواں چھوڑتے ہوئے بولے۔ ''بھئی اب تئیس مارچ کے پروگرام تیار کرنے ہیں۔ ڈرامہ تو بیچ میں ہی رہ گیا۔''

''اچھا سر! پھر میں چلتا ہوں۔'' عباس اس کی طرف دیکھے بغیر باہر نکل گیا۔

''حنا جی! آپ پنجابی پلے میں کام کر لیں۔ پنجابی تو آتی ہو گی آپ کو۔'' بابر صاحب اس سے مخاطب ہوئے۔

''جی سر!'' وہ آہستہ سے بولی۔ ''انسان ہر طرح کے ماحول میں ایڈجسٹ کر ہی لیتا ہے اپنے آپ کو۔''

بابر صاحب سگریٹ پر سگریٹ پی رہے تھے۔ ''یہ دیکھیں، یہ کنول کا پھول۔'' انہوں نے اپنی میز پر پڑے پھول کی طرف اشارہ کیا۔ ''کہتے ہیں کیچڑ میں ہی کھلتا ہے مگر ہم یہاں لائے تو یہاں ایڈجسٹ ہو گیا۔'' اسے ان کی باتیں بے تکی سی لگیں۔ بابر صاحب کے ساتھی ایک ایک کر کے اُٹھ کر باہر چلے گئے۔

''ہاں تو حنا جی!'' وہ دھواں اُڑاتے ہوئے بولے۔

''عباس آپ کے بغیر ہی چلا گیا۔ یہ سب فراڈ ہیں۔ فاروقی، عباس سب ایک نمبر کمینے ہیں۔ آپ کو کتنا دُکھی کر دیا انہوں نے، ارے ہمارے جیسے کھرے لوگوں کو آزمایا ہوتا اب بھی آزمائیں۔ مل کر ہم ایڈورٹائزنگ ایجنسی کھولیں گے۔ آپ ماڈلنگ کر لیجیے گا۔'' ان کا سگریٹ دھوئیں کے چھلے بنا رہا تھا۔

''وہاں بھی ایڈجسٹ کر لیں گی آپ۔ آخر یہ کنول کا پھول بھی تو۔''

''جی!'' اس نے غصے سے کانپتی آواز میں کہا۔ ''یہ کیچڑ میں ہی کھلتا ہے پھر یہاں کیوں ایڈجسٹ نہ کرتا۔ یہاں بھی تو ہر طرف کیچڑ ہی ہے۔'' اس کا بس نہیں چل رہا تھا کہ پیپر ویٹ اُٹھا کر ان کے سر پر دے مارے، وہ کھٹاک سے دروازہ بند کر کے باہر نکل آئی۔ اس کا ذہن ماؤف تھا۔ اسے پتا نہیں چلا...... کب وہ گھر پہنچی ایسا لگتا تھا بڑی دور سے پیدل چلی آ رہی ہو۔

پھر جو وہ بستر پر پڑی تو کتنے دن نہ اُٹھ سکی۔ بی بی جان سارا دن ہولتی رہتیں۔ ''اے سایہ ہو گیا ہے اسی لیے کہتی تھی نحس جگہوں پر نہ جا۔'' پندرہ دن تک بستر پر پڑے رہنے کے بعد وہ بے حد کمزور ہو گئی تھی۔

''تمہارا فون آیا ہے ساتھ والوں کے گھر!'' چاچی نے آکر کہا تو وہ بمشکل اُٹھ کر گئی، لیلیٰ کا فون تھا۔

''کتنے دن تمہارا انتظار کرتی رہی مگر تم نہ آئیں۔کل شام کو میری شادی کی سالگرہ ہے۔ضرور آنا، اب کوئی بہانہ نہ کرنا۔''

اس کے بے حد اصرار پر اس نے ہامی بھرلی، کئی دن بعد اس نے آئینہ دیکھا، آئینے میں اس کو اپنا چہرہ دھلے لٹھے کی مانند لگا۔سیدھی سی چٹیا کر کے اس نے پرس پکڑا۔

''چاچی جی! میں جارہی ہوں لیلیٰ کے لیے کوئی تحفہ لینے۔'' وہ چاچی کو بتا کر باہر آگئی۔رکشے پر بیٹھ کر وہ سیدھی مال پہنچی اور پھر ریگل کریم بخش پر اُتر کر اس نے پیسے دیئے۔اندر جانے ہی والی تھی کہ اسے عباس نظر آیا، ایک اور نئی اُبھرتی ہوئی اداکارہ کے ساتھ۔وہ ایک گاڑی کی اوٹ میں ہوگئی۔وہ دونوں پاس سے گزرے۔

''میں نے بہت سے لوگوں کے ساتھ کام کیا ہے شہلا! مگر تم جیسا کوئی نہیں ملا۔'' عباس کہہ رہا تھا، وہی الفاظ، وہی شخص، مگر مخاطب کوئی اور۔اس کو لگا جیسے ٹانگیں اس کا ساتھ چھوڑ رہی ہوں۔وہ دونوں دور چلے گئے تھے۔

''دیکھ لیا یا کچھ اور دیکھنے کی خواہش ہے؟'' اس کے قریب سے آواز اُبھری۔وہ اسی گاڑی کا دروازہ کھول رہا تھا۔جس کی اوٹ میں وہ کھڑی تھی۔''آیئے تشریف لایئے میں اتنے اعتماد کے قابل تو ہوں کہ آپ میرے ساتھ گھر تک جاسکیں۔'' وہ بغیر کچھ کہے فرنٹ سیٹ پر بیٹھ گئی۔''میں نے کہا تھا ناں کہ پیاز کے پرتوں کی طرح کچھ لوگوں کے بھی کئی خول ہوتے ہیں مگر مجھے پتا تھا کہ تم نہیں مانو گی۔''

وہ ایک دم آپ سے تم پر اُتر آیا۔''پھر میں نے سوچا کہ تم خود آزما لو تا کہ خام نہ رہو۔عباس کو میں ذاتی طور پر جانتا ہوں۔مجھے معلوم ہے کہ وہ سخت مادیت پسند شخص ہے۔اس نے جب اپنا اور تمہارا پیئر کامیاب جاتے دیکھا تو تم سے دوستی کرلی۔وہ اپنے چچا کی بنائی ہوئی فلم میں اپنے ساتھ تمہیں لینا چاہتا تھا مگر اس وقت جب تم پوری طرح اس کے قابو میں آجاؤ مگر تمہیں ہتھے سے اُکھڑتے دیکھتے ہی اس نے اپنا راستہ بدل لیا اور پھر وہ فاروقی، وہ بابر، سب ایک جیسے ہیں۔اوپر سے کچھ اور اندر سے کچھ اور......'' اس کو سب کچھ معلوم تھا۔

''یہ لائم لائٹ یہ گلیمر تم جیسے لوگوں کے لیے نہیں ہوتا۔یہ ان لوگوں کے لیے ہوتا ہے جو اپنی وضع داری کا لبادہ باہر ہی اُتار آتے ہیں۔یہ سب تم کو اپنی کامیابی کے لیے استعمال کرنا چاہتے تھے۔'' اس کا دل دھڑکنا بھول گیا۔''اور میں......'' وہ موڑ کاٹتے ہوئے بولا۔

''میں اتنا بیوقوف بنا کہ تمہیں دیکھتے ہی تمہارے سحر میں گرفتار ہوگیا۔یاد ہے دو سال قبل میر مشاعرہ پر فقرے بازی جس پر مجھے غصہ آگیا تھا۔'' اسے وہ خوبصورت دن یاد آگئے۔

''مگر کیوں آیا تھا غصہ؟'' وہ آہستگی سے بولی۔''وہ آپ کے چچا تھے کیا؟''

''چچا نہیں دادا تھے۔''

''اوہ......'' اسے سخت شرمندگی ہوئی، کتنا مذاق اُڑایا تھا ان کا۔

''مگر میں ان کا ممنون ہوں۔'' اس نے سیلوس کے سامنے گاڑی کھڑی کرتے ہوئے کہا۔

''ایک کپ چائے پینا پسند کرو گی؟'' وہ خاموشی سے اُتر آئی۔

''میں ان کا ممنون اس لیے ہوں کہ وہ مجھے زبردستی مشاعرے میں لے گئے اور وہاں میں نے تمہیں پا لیا۔ تمہیں دیکھتے ہی مجھے محسوس ہوا کہ تم واقعی اس قابل ہو کہ تمہیں زندگی کا ساتھی بنایا جا سکتا ہے مگر پھر میں اپنی ہی سوچ پر ہنس دیا، بھلا کوئی تک تھی نہ تمہارا نام معلوم نہ پتا، دوبارہ تم کو فیروز سنز پر دیکھا۔ اتفاق سے میں بھی وہی کتاب خریدنے لگا تھا جو تمہیں پسند آ گئی۔ محض تم سے بات کرنے کے لیے میں نے بحث شروع کر دی اور تم بغیر زیادہ بولے ہٹ گئیں۔ پھر تمہارے اشتیاق کا سن کر تمہیں وہ کتاب دے دی۔ پڑھی تھی تم نے؟'' اس نے جھک کر پوچھا۔

''نہیں...... میں نے عہد کیا تھا کہ جب تک اس کے پیسے نہیں دے لوں گی پڑھوں گی نہیں۔''

''واہ بھئی بڑا اٹل ارادہ تھا، پھر کئی دن تم نظر نہ آئیں۔ میں تقریباً مایوس ہو چکا تھا کہ قدرت نے مجھے پھر تم سے ٹکرا دیا۔ میں اس دن اتفاق سے اپنے دوست کی دکان پر موجود تھا۔ تم نے کیسٹ لی تو مجھے تمہارے ذوق کا اندازہ ہوا اور پھر کیسا اتفاق تھا کہ میں تمہیں چھوڑنے تمہارے کالج تک گیا۔ میں اس دن بے حد خوش تھا۔ تمہیں سنانے کو میں نے تمہاری دوست کی چوائس کی تعریف کی۔ کیا تھا بھلا ڈونٹ لیٹ می بی مس انڈرسٹینڈ۔ وہیں مجھے پتا چلا کہ تم ساہیوال کی رہنے والی ہو، پھر تم ایسی غائب ہوئیں جیسے تھیں ہی نہیں۔ میں تین ماہ تک انہی سڑکوں پر پھرتا رہا شاید کہیں تم نظر آؤ مگر تم کہیں نہیں تھیں۔ اپنے جنون پر مجھے خود ہی ہنسی آتی نہ کوئی تین ماہ کے بعد میرا انتظار رنگ لایا اور تم الفلاح میں چھ گیلری کا شور مچاتی نظر آئیں۔ میری اس وقت کی نصیحت یاد ہے؟''

''یاد ہے۔'' اس کو ہنسی آ گئی۔

''دوبارہ تو کبھی چوتھے شو میں اکیلی نہیں گئیں؟ پھر تم دوبارہ غائب ہو گئیں۔'' وہ چائے کا سپ لیتے ہوئے بولا۔ ''میں نے سوچا کہ شاید تم یونہی کبھی پھر نظر آ جاؤ مگر نہیں صاحب! تم نے میرے جنون کو مزید ہوا دے دی اور میں ساہیوال کا کونا کونا چھان آیا۔ گائیوں کے باڑے تک دیکھ ڈالے۔ پاکپتن شریف بھی گیا کہ کہیں تم نظر آ جاؤ کسی گائے کو سلام کراتی ہوئی مگر مایوسی ہوئی۔ میں نے سوچا کہ اب تو اگر تمہارے لیے عزت بیگ کی طرح تمہارے ابا کی گائیں بھی سنبھالنی پڑیں تو کوئی مضائقہ نہیں مگر اس کا موقع ہی نہیں آیا اور تم اچانک چھم سے ٹی وی اسکرین پر نمودار ہوئیں۔ پتا چلا کہ تم کو انصار صاحب لائے ہیں ٹی وی پر۔ مجھے ان پر سخت غصہ آیا۔ یہ میڈیا تم جیسے لوگوں کے لیے واقعی نہیں تھا۔ پھر میں نے ہر جگہ تمہارا پیچھا کیا۔ جہاں تم جاتی رہیں۔ میں غیر محسوس طریقے سے تمہارے پیچھے رہا۔ مجھے ہر حال میں تمہیں ان مادیت پسند لوگوں سے بچانا تھا پھر اس پر روز ہلٹن میں، میں نے تم سے جو کہا مگر تم معصوم تھیں نہ سمجھ سکیں کہ یہاں تو مکر و فریب کے جال ہر طرف پھیلے ہوئے ہیں۔ تم جیسے معصوم تو بڑے آرام سے ان میں پھنس جاتے ہیں مگر قسمت نے تمہارا ساتھ دیا اور تم جلد ہی نکل آئیں۔ اس سے پہلے کہ یہ جال تنگ ہوتا، آخر تمہیں یہاں تک آنے کی سوجھی کیا؟'' وہ ایک لمبے سانس کے بعد بولا۔

''ابا کی موت نے مجھے یہاں آنے پر مجبور کر دیا۔ کہیں اور راستہ جو نہیں ملتا تھا؟''

''اور وہ گائیں کیا ہوئیں؟''

''بک گئیں۔'' وہ آہستگی سے بولی۔

''شکر ہے ابا کی پالی اللہ میاں کی گائے تو محفوظ رہی۔'' وہ سیدھا ہوتا ہوا بولا۔ ''یہ اور بات ہے کہ پچھلے دو سال سے مجھے اس کی حفاظت کرنا پڑ رہی ہے۔'' وہ مسکرا دیا۔

''چلیں اب!'' وہ اُٹھ کھڑا ہوا۔ وہ بھی اُٹھ کر اس کے ساتھ کھڑی ہوگئی۔

''کل میرے ابا محمد حسن صاحب کے پاس ان کی بھتیجی کو اپنے بیٹے کے لیے مانگنے آئیں گے۔ کیا جواب دیں گے وہ؟'' وہ سیڑھیاں اُترتے ہوئے پوچھ رہا تھا۔ تو اسے چاچی کے نام کا بھی پتا تھا، واقعی یہ کوئی پہنچا ہوا آدمی ہے۔

''یہ دیکھو یہ نرگس کے پھول یہ میرے انتظار کے گواہ ہیں۔ واقعی جذبہ صادق ہو تو بندہ منزل تک ضرور پہنچتا ہے۔'' اس نے ریگل سے خریدے ہوئے پھول دکھا کر کہا اور گاڑی سٹارٹ کر دی۔

''اس دن کے بعد سے بلاناغہ عابدہ پروین کی یہ غزل سن رہا ہوں وہ کیسٹ جس میں ساری غزلیں تھیں وہ تو نہیں ہے مگر خاص غزل ضرور ہے۔'' وہ کیسٹ پلیئر میں کیسٹ لگاتا ہوا بولا۔

رنگ باتیں کریں باتوں سے خوشبو آئے
درد پھولوں کی طرح مہکے اگر تُو آئے

عابدہ پروین کی آواز ابھری اور اس کو واقعی لگا کہ اس سے ملنے کے بعد اس کے زخم پھولوں کی طرح مہک اٹھے ہیں جیسے وہ تپتی دھوپ سے ٹھنڈی چھاؤں میں آگئی ہو، اس نے اس کی طرف دیکھا۔

''اسنیک چارمر۔'' وہ کہہ کر زور سے ہنس دی۔

''ہاں تم مجھے اسنیک چارمر کہتی رہی ہو۔ مجھے یہ بھی پتا ہے مگر سانپ پکڑنے کا تو مجھے کوئی تجربہ نہیں البتہ حنا چارمر میں ضرور ہوں۔''

وہ بھی زور سے ہنس دیا۔

○......ختم شد......○